Mélanie Wodicka

Bayou

Pamela Jekel

Bayou

Roman

Traduit de l'américain
par Pierre GRAMMONT

FRANCE LOISIRS
123, boulevard de Grenelle, Paris

Édition du Club France Loisirs, Paris,
avec l'autorisation des Presses de la Renaissance

Titre original : *Bayou,* publié par Zebra Books, New York.

© 1991, Pamela Jekel, Inc.
© 1992, Presses de la Renaissance pour la traduction française

ISBN 2-7242-7157-2

AVERTISSEMENT

Bayou est un terme d'origine indienne qui désigne les innombrables cours d'eau qui constituent le delta du Mississippi : ce sont des rivières secondaires du fleuve, mais également des méandres abandonnés au cours des changements géologiques, ou des étangs d'eau stagnante qui fusionnent avec le marécage. Par extension, le bayou est aussi la zone qui englobe chacune de ces rivières, et parfois, d'une manière générale, le paysage de l'ensemble de la région du Delta.

Les mots en italique sont ceux qui, dans le texte original, étaient déjà en français — langue couramment parlée, encore de nos jours, par les Cajuns en Louisiane.

Pour ma mère,
Delorse Patricia Jekel,
Qui préférait chanter plutôt que bêcher,
Danser plutôt que rêver,
Et s'envoler plutôt que prendre racine.

Et qui, à son aînée d'âge tendre,
Un jour déclara :
« Allons à la bibliothèque...
Je n'ai pas envie de faire la cuisine. »

Préface

C'est au bord des rivières du monde que s'inscrit l'histoire des civilisations. Le Mississippi, appelé le *Meche Sebe* par les premiers Indiens, a toujours été un aimant et un miroir pour l'homme depuis qu'il a posé le pied dans ce pays. Drainant la moitié d'un continent, trente et un États et une bonne partie du Canada, les eaux de ce fleuve constituent le quatrième bassin hydrographique du monde. Mais la légende du Mississippi vient moins de sa taille que de son impact sur l'esprit américain... Cette rivière coule dans notre musique et notre folklore, chante dans les images de nos peintres et de nos poètes, et attire depuis quatre siècles tous ceux qui préfèrent se laisser vivre.

Une grande partie de ces eaux et beaucoup de ces nomades se retrouvent finalement au fin fond de la région deltaïque de la Louisiane. Surnommé la mangeoire aux oiseaux, l'estuaire du fleuve constitue l'écosystème marécageux le plus grand et le plus fertile du territoire. Plus vastes encore que la vaste région d'Okefenokee, les deux cent mille hectares de marais en font le principal pays de bayous du continent, et probablement le prochain grand enjeu de la bataille pour la préservation de la nature.

Cet immense estuaire est un mariage tumultueux entre la mer et la rivière, appartenant aux deux et fourmillant de vie. Le mélange des deux eaux offre des habitats dont la richesse et la diversité sont inégalables. Plus de quatre cents espèces d'oiseaux s'y réfugient, la pêche dans les eaux de Louisiane est plus fructueuse que nulle part ailleurs aux États-Unis, excepté en Alaska, et les bayous servent de nursery à la vie maritime de tout le Golfe.

Mais les changements y sont aussi inévitables et implacables que le temps ou le cours de l'eau... Durant les cinq mille dernières années, le Mississippi n'a cessé de forcer son destin géologique ; à travers

9

les âges il a choisi une trajectoire vers la mer, puis une autre, puis encore une autre. Chaque changement a d'abord causé de nombreux dégâts puis, avec le temps, a créé un nouveau delta fertile... Tous ces deltas constituent ensemble le pays de la Louisiane.

De la même manière, l'histoire a choisi un groupe d'occupants, puis un autre, puis encore un autre, pour son acheminement vers le futur. Sous une dizaine de drapeaux différents et par un riche mélange d'Allemands et d'Irlandais, d'Espagnols et de Français, de Cajuns et de Créoles, d'Africains et d'Antillais, de Nordistes et de Sudistes, la Louisiane a bâti son destin. Que ce soit celle des planteurs ou des pirates, des aristocrates ou des esclaves, chaque culture a dominé pendant une brève période de pouvoir... pour mieux sombrer ensuite sous le flot et l'écume des nouveaux arrivants.

Dans un sens, cette grande région de vase stagnante est le plus méridional de tous nos paysages. Car là-bas, dans le Sud profond, peut-être plus que nulle part ailleurs, notre passé est resté à son état le plus primitif et le moins homogène.

Le cœur du delta se montre d'un calme trompeur, comme un Eden où le temps s'est arrêté... il y flotte une brise légère et tiède à travers les arbres immenses et la mousse ondoyante, les courants y sont doux, presque tout ce qui bouge le fait avec lenteur, et rien ne semble devoir se passer... jusqu'à ce que quelque chose se passe. En fait, jusqu'à ce que le vent se lève et que ce pays de lenteur devienne un lieu de violent bouleversement. Ici dans le bayou, où les hommes ont souvent le cœur gros et parlent à cœur ouvert, on peut encore entendre palpiter l'Amérique d'une diversité aussi riche que les vastes dédales des bayous, son âme du Sud.

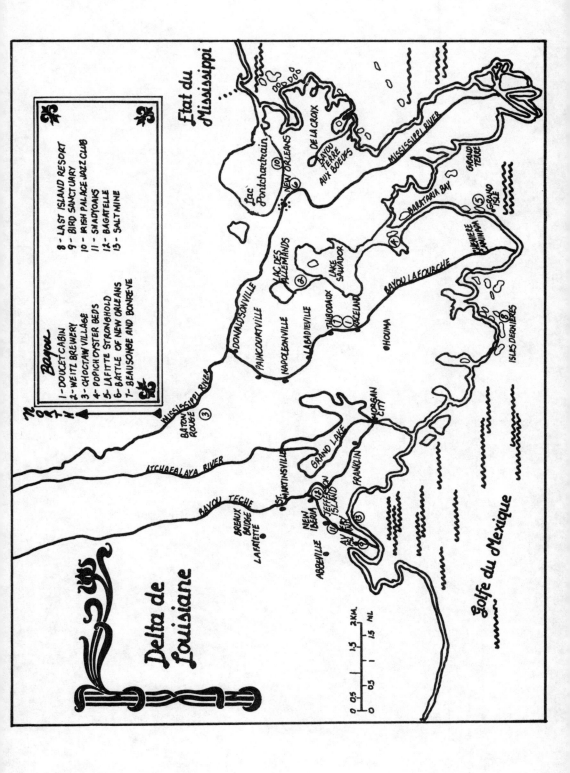

Première Partie

1786-1815

Ils approchaient la région où règne l'été perpétuel,
Où, à travers la côte Dorée et les bosquets d'orangers et de citronniers,
Le fleuve étale ses majestueux méandres en direction de l'est.
Eux aussi s'éloignaient de leur piste et, s'enfonçant dans le Bayou de
[Plaquemine,
Ils finirent par se perdre dans un dédale d'eaux lentes et tortueuses,
Qui s'étendaient dans tous les sens comme un filet d'acier.
Au-dessus de leurs têtes, les branches géantes des ténébreux cyprès
Formaient une voûte obscure, et des lambeaux de mousse
Ondulaient comme autrefois les bannières sur les murs des cathédrales.
Il planait un silence de mort, que seuls brisaient les hérons,
Partant au soleil couchant se réfugier au pied des cèdres,
Ainsi que le hibou, qui saluait la lune de son rire démoniaque.

Henry Wadsworth LONGFELLOW, *Evangeline.*

Au commencement...

Le Mississippi est l'une des plus vieilles rivières du continent nord-américain, mais en l'espace d'un million d'années, son lit s'est déplacé avec la succession des périodes glaciaires. On ne connaît pas l'âge exact du « Père des Eaux », mais il y a environ trois millénaires, lorsque le niveau de la mer s'est stabilisé à sa hauteur actuelle, les affluents du bayou étaient déjà vieux de trois mille ans et apportaient de la terre dans la mer depuis des éternités.

L'homme se dirigea vers le fleuve dès qu'il sut se tenir debout. Les premières tribus indiennes avaient déjà une activité de pêche florissante lorsque l'explorateur espagnol Hernando De Soto découvrit le fleuve en 1542. Et leur culture commençait à s'éteindre au moment où La Salle, le colonisateur français, revendiqua pour le compte du roi Louis XIV, en 1682, tout le territoire qui entourait l'embouchure; il le baptisa la Louisiane, en dépit de tous les précédents noms et revendications... Les premiers colons français devaient ainsi laisser sur les pays des bayous une empreinte culturelle qui s'est perpétuée jusqu'à nos jours.

C'est pourquoi une saga du delta profond se doit de commencer par les réfugiés français. En exil au Canada français, ils furent expulsés de leurs fermes de la Nouvelle-Écosse par les Anglais en pleine crise de paranoïa tyrannique. Les familles furent divisées, les enfants retirés à leurs parents, et des petits groupes de ces misérables Acadiens furent chassés de leurs foyers, lors de ce « Grand Dérangement » de 1755, avant d'être dispersés dans le Massachusetts, en Géorgie, en Virginie, dans l'État de New York, dans le Maryland et aux Antilles. Dans certaines colonies ils furent littéralement rejetés, dans d'autres on les soumit aux travaux forcés dans des fermes yankees. Quelques-uns réussirent finalement à atteindre la Louisiane, où les colons français les accueillirent comme des compatriotes et leur donnèrent des terres le long des bayous.

15

Partis d'une région de plaine, de ciel gris ardoise et des froids hivers de l'Atlantique, ils avaient atterri dans le cœur du Delta. Là il y avait des saules pleureurs, des plantations de coton ombragées, les branches pendantes des chênes verts et des quantités de vigne sauvage. Parmi les yuccas dentelés et les palmiers broussailles se cachaient des mocassins d'eau de deux mètres de long et des alligators plus larges que du bétail. Cette végétation sauvage dégageait au crépuscule des nuages d'insectes, et les grenouilles géantes se mêlaient aux cris inquiétants des vautours et au sinistre ululement des hiboux qui rompaient le calme étrange du marais... Les enfants des premiers réfugiés restaient marqués par les souvenirs de leurs parents, et leur style de vie fut modifié à tout jamais, comme les enfants de la Dépression presque deux siècles plus tard. Trente ans après l'arrivée des premiers Acadiens, des retardataires continuaient d'affluer dans la colonie. Certains en arrivant apprenaient que leur famille avait disparu depuis longtemps, d'autres se jetaient avec gratitude dans les bras de parents qui avaient réussi à survivre, dans ce pays si différent de ce qu'ils avaient connu.

Ils l'appelèrent « la prairie tremblante », et entreprirent d'en faire leur pays.

Oliva s'agenouilla sur la tombe et se mit à arracher les herbes raidies par le froid, avec une moue d'indignation. Dans ce pays de végétation exubérante, il n'y avait pas une seule époque de l'année où les mauvaises herbes n'arrivaient pas à pousser... Même maintenant, dans le froid du mois de janvier, la tombe de sa mère avait besoin d'être entretenue.

Elle s'assit sur ses talons nus, et scruta le ciel en espérant apercevoir une percée dans les nuages. Au-dessus, dans la grisaille humide, une buse des marais tournoyait lentement, les ailes tendues, en attente. Mauvais signe, pensa-t-elle. Elle devrait être avec sa famille, posée sur la haute cime d'un vieux cyprès, à lisser ses plumes en cherchant du regard quelque petit cadavre, en bas sur le sol... Mais cette chasse incessante signifiait que la pluie allait probablement tomber sans s'arrêter pendant encore au moins deux jours.

Même les oiseaux étaient silencieux. Papa disait toujours : « Observe bien les oiseaux. Ce sont eux qui disent le mieux ce que le Bon Dieu nous apportera avec le vent. Alors prends bien le temps d'écouter ce qu'ils disent, hein ? »

Elle se releva, essuya ses mains sur une touffe de fougères et rentra ses cheveux sous son *garde-soleil*. Ce chapeau était une des dernières choses qu'elle tenait encore de sa mère, et elle le portait toujours lorsqu'elle allait sur sa tombe, qu'il fasse beau ou qu'il pleuve. Elle fit un signe de croix, murmura un rapide *Notre Père*, un *Je vous salue Marie*, avant de quitter l'île des morts pour une nouvelle semaine. Elle venait comme ça tous les dimanches depuis presque un an... Le chagrin commençait à s'atténuer, mais le vide demeurait.

Oliva s'embarqua sur la petite pirogue, en la stabilisant à l'aide d'une perche plantée au fond de l'eau. De l'autre côté du bayou, la cheminée fumait ; papa et Valsin étaient donc rentrés tôt, ce qui voulait dire que les pièges avaient fourni de quoi remplir les assiettes... Jusque tard le soir ils allaient dépouiller le gibier au coin du feu, et elle devrait attendre plusieurs heures avant de pouvoir se laisser aller à sa tristesse ; d'ici là l'émotion se serait sans doute atténuée, et probablement ne se laisserait-elle aller à rien du tout. Mais pendant un bref instant ce silence était déjà un réconfort.

Elle restait immobile, dirigeant juste le bateau le long d'une étendue d'eau sombre. Au-dessus d'elle les chênes verts et les peupliers formaient une voûte qui gouttait lentement sur elle. L'air était si dense qu'elle pouvait sentir la goutte de pluie tomber avant qu'elle ne la touche. Elle entendait le silence du marécage.

Car pendant l'hiver il ne dormait pas : il ne faisait que somnoler... et tel un corps assoupi, le bayou respirait tout autour d'elle. Il parlait en silence, comme le soupir bas d'un brouillard qui tombe, l'étouffement des brumes, ou le murmure d'une eau profonde et invisible qui coule sous la terre épaisse. Parfois elle se retournait au son de l'envol brusque et sourd d'une paire d'ailes mouillées, cachées par les arbres. Puis, d'un autre côté, le floc de l'eau de pluie qu'une feuille venait de lâcher, fatiguée de garder ce fardeau.

Elle savait que les créatures du marécage, on pouvait plutôt les sentir que les voir... L'œil devait être rapide pour saisir les signaux. Une ondulation verte... un serpent glissait à travers une nappe de lentilles d'eau, dans les bas-fonds près de la berge. Un morceau d'écorce sombre... la tête d'un alligator immergé, ne laissant dépasser de l'eau qu'un œil qui cligne lentement, avant de s'éloigner sans un bruit. Le lynx et l'ours, qui peuvent disparaître dans l'ombre sans faire bouger une branche de fougère... Voilà à quoi ressemblait le bayou en hiver : solitaire, fantomatique, aux aguets.

Un bruissement la fit soudain se retourner en direction de la forêt ; puis elle sourit en se rappelant une des seules exceptions à la solitude du marais en cette saison. Un daim à queue blanche apparut dans la clairière, les pointes de ses bois toutes brillantes de pluie.

C'était presque la fin du rut... celui-ci avait dû être malchanceux pour être impétueux et téméraire comme ça, pensa-t-elle, et elle tourna la tête très lentement sans bouger le corps.

On était dans les quelques mois d'hiver où les daims chassaient sans vergogne à travers les bois, parfois à plusieurs après une même

17

biche. Quand des rivaux se rencontraient ils luttaient férocement, tentant de s'éventrer et grognant furieusement, piétinant puis se ruant l'un sur l'autre au milieu des palmiers nains. Parfois les daims se coinçaient les cornes et alors ils mouraient de faim, si un alligator ou un fusil ne les débusquait pas auparavant... Lorsqu'ils trouvaient une biche ils ne restaient avec elle que quelques jours, avant de reprendre leur chasse effrénée, d'en trouver une nouvelle et de combattre pour elle. Durant cette brève période, les daims étaient les seuls à troubler le calme environnant. Celui-ci avait l'air épuisé par sa longue campagne...

Il marchait d'arbre en arbre. Avec sa fourrure d'hiver grise — son *bleu*, disaient les chasseurs — il était presque invisible au milieu des mousses cendrées suspendues aux arbres... Tout à coup il se raidit, la tête en avant, et la regarda fixement.

Ne frappe jamais un daim sur la tête avec une chaise, chère... entendait-elle son père lui dire ; et d'ailleurs celui-ci avait des ramures, bien que petites. Mais elle ouvrit grand les yeux lorsque le daim s'avança plus près dans la clairière pour la voir.

Sa patte était saisie dans un piège. Il avait été pris assez haut, et maintenant elle voyait qu'il n'avait pas les yeux normalement timides du daim à queue blanche, ni même le regard défiant des daims en rut en cette saison. Celui-ci avait les yeux pleins de tourment. Elle dirigea lentement la main vers son mousquet, pensant qu'alors l'animal s'enfuirait...

Mais au lieu de s'enfuir le daim s'approcha encore un peu plus d'elle, la regardant toujours droit dans les yeux.

Elle n'hésita pas ; d'un geste souple elle épaula son fusil, visa, et attendit... le daim restait immobile, impassible. Immédiatement elle pensa à sa mère, qui en quinze ans passés dans le marais n'avait jamais abattu de gibier : c'était l'affaire des hommes... Mais sa mère était morte.

Elle tira. La forte détonation du mousquet brisa le silence du marécage, et au loin elle entendit les cris d'alarme des hérons qui s'envolaient. Elle cala sa pirogue dans la boue et alla voir le daim. Ses yeux étaient encore ouverts mais libérés de tout tourment : ils étaient déjà ternis, opaques, sans regard. Elle s'agenouilla à son côté.

Le piège avait pris l'animal entre le sabot et le genou, et le frottement avait laissé sur la chair d'innombrables blessures et cicatrices, jusqu'à ce que finalement la jambe ressemble plus à un vieux morceau d'écorce qu'à de la chair poilue. Ses sabots étaient bien plus épais que ceux des daims à queue blanche de la plaine, car comme tous les animaux du marais, il avait besoin d'un support plus solide pour ce sol spongieux... Le piège était tout usé d'avoir été traîné des kilomètres dans l'herbe ; il avait la brillance et la finesse de l'argent, comme un pendentif ciselé sur le corsage d'une femme.

Aucune biche ne voudrait de toi, se dit Oliva, avec cette horrible ferraille accrochée comme un harnais. D'une main ferme et forte elle ouvrit le piège et le retira. Mais peut-être que Valsin pourra faire quelque chose de très beau avec ta pauvre dépouille, non ? Avec sa perche elle dégagea le bateau de la boue et entama la traversée, pour annoncer à son père et à son frère qu'il y avait de la venaison toute fraîche à aller chercher.

Ce soir-là elle s'affaira devant le fourneau pour faire frire les *grillards* comme son père les aimait, avec beaucoup de poivre et de graisse de porc. A côté frémissait une marmite de crabes, assaisonnés comme sa mère lui avait montré, avec des baies, du thym, des oignons et des petits piments rouges. Simon Doucet affûtait sur la pierre à aiguiser son couteau de dépeçage. Valsin plumait un canard ; il était assis devant le feu, ses larges cuisses écartées, et tenait la volaille entre ses genoux, arrachant doucement des pincées de duvet.

« Tu crois qu'Il va nous envoyer la pluie pour la chasse de demain, papa ? » demanda le frère à son père, tout en adressant un large sourire à Oliva.

Simon faisait tout avec une certaine solennité : Oliva avait du mal à se représenter son père en jeune homme comme Valsin. Même quand il était encore dans les jupons de grand-mère, à coup sûr il fronçait déjà les sourcils avec autant de sérieux ! Et lorsqu'il plaisantait avec les hommes pendant un combat de coqs, il restait toujours de la dignité dans sa manière de parler. Pour l'heure, il réfléchissait à la question de son seul fils comme s'il y avait cent réponses différentes.

« Possible, dit-il, possible qu'Il nous donne de la pluie. »

Avec une moue taquine Oliva posa le plat de foie de gibier grillé devant ses deux hommes. « Peut-être que je devrais venir avec vous alors. Pour être sûre que le garde-manger se remplisse ! » Comme à son habitude, elle parlait à son père à moitié en français et à moitié en anglais ; lui, comme d'habitude, faisait semblant de ne comprendre que le français...

« Un daim, et la voilà chasseur ! dit Valsin en s'approchant du plat. Elle devrait peut-être apporter son mousquet au prochain *fais-do-do*... avec un peu de chance elle trouvera plus d'un daim en rut, cet hiver, hein ? »

Oliva posa les mains sur ses hanches et d'un coup de tête rejeta son épaisse chevelure noire derrière ses épaules. « C'est ça, et quand j'aurai besoin d'un conseil pour l'accouplement, mon frère, je saurai où m'adresser. »

« Oliva ! se renfrogna son père, assez ! » Puis il se radoucit. « Essayons d'avoir un peu la paix, ce soir, non ? » D'un geste il montra la pile de rats musqués qu'il fallait encore dépouiller : « ... qu'ils ne se racornissent pas avant qu'on ait le temps de leur faire la peau !

— Sa langue ferait sécher les peaux les plus épaisses, taquina Valsin en prenant de faux airs de désespoir, une grande gueule pareille, jamais personne ne nous en débarrassera ! »

Oliva esquissa un geste rapide pour gifler son frère, mais elle s'arrêta en entendant frapper à la porte de la maison. Elle interrogea son père des yeux : qui cela pouvait-il bien être ?... Mais elle se dépêcha de regagner le fourneau, tournant son dos au visiteur comme il se devait. Simon fit signe à Valsin d'aller ouvrir le verrou. Une voix familière se faisait maintenant entendre, et elle comprit pourquoi les chiens n'avaient pas aboyé.

Le père LeBlanc, curé du bayou, pencha sa tête dans l'entrebâillement de la porte. « Ah, Dieu merci, vous êtes tous là. Un pauvre homme aurait-il droit à une tasse de café en cette nuit infernale ? »

Simon avança une chaise près du feu tandis que Valsin prenait le ciré trempé du prêtre. Oliva rajouta du café dans l'eau chaude et lui sortit un quart.

« Où voulez-vous qu'on soit ? demanda Valsin en se rasseyant.

— Par les temps qui courent vous auriez aussi bien pu être au coin du feu chez les Guidry, d'après ce qu'on me dit. Ou est-ce que vous préférez toujours celui des Hébert ? »

Oliva sourit et se détourna. Tout le monde savait dans la paroisse que Valsin n'arrivait pas à se décider entre Marie Guidry et Caroline Hébert. A la messe, les deux pères impatients commençaient à regarder son frère d'un mauvais œil, et les deux filles s'entendaient un peu trop bien pour qu'on puisse les croire sincères.

« Bénissez-moi, mon père, répondit Valsin, et bénissez aussi ma future fiancée... Quelle qu'elle soit... », ajouta-t-il en anglais.

Oliva passa devant lui et leur servit à chacun une tasse de café, faisant un timide signe de tête au curé. Elle ne l'avait pas revu ici depuis l'enterrement de sa mère, et sa soutane noire la rendait à nouveau toute craintive...

« Est-ce que vous êtes sorti dans la nuit et la pluie pour venir me parler de mon foutu mariage ? » demanda Valsin.

Simon reposa sa tasse et s'enfonça dans son fauteuil. Oliva avait le pressentiment que son père savait que le curé viendrait, et pour quelle raison.

« En fait, commença doucement le père LeBlanc, ce n'est pas ton mariage qui me préoccupe ce soir, mon fils. » En souriant il releva les yeux vers Oliva ; Simon et Valsin suivirent son regard. « Paul Bellard est de nouveau venu me voir, pour me demander de te transmettre sa demande en mariage. »

Oliva croisa les bras. « Elle a déjà été transmise », dit-elle.

Le curé haussa les épaules. « Ça, je le sais... comme tout le monde dans la paroisse. Mais il espérait que tu changerais d'avis, ma fille, et que tu finirais par l'accepter. »

Elle fronça les sourcils et détourna la tête.

« C'est un bon garçon, non ? » Le prêtre se tourna vers Simon avec un geste de supplication. « Il a une solide maison et dix hectares de terre. Et puis de bonnes réserves, des cochons bien gras, un splendide étalon, deux poulinières...

— Il est vieux, dit Oliva calmement, presque trente ans, il paraît. »

Elle sentait l'atmosphère tendue dans la pièce, et devinait que ce serait son père qui finirait par calmer les esprits...

« Pas si vieux que ça, dit enfin son père. Pas plus vieux pour un homme que tu ne l'es pour une femme. »

Même si elle l'avait senti venir, cela ne manqua pas de la blesser... Elle avait dix-sept ans, cela faisait déjà deux ans qu'elle aurait dû se marier ; à son âge la plupart des femmes avaient deux enfants. Si sa mère n'était pas morte elle aurait peut-être déjà déposé les bans... Mais maintenant son père avait besoin d'elle, pensa Oliva en faisant une moue obstinée, et Paul Bellard avait des yeux ridés, quel que soit son âge... « C'est un paysan, dit-elle, avec un mépris cassant dans la voix.

— Et alors, qu'est-ce que tu veux, un marchand raffiné ? ricana son frère. Un pêcheur, peut-être ? Ou un prince ? » Il cherchait des yeux l'approbation de son père. « Si elle refuse un paysan, elle refusera neuf hommes sur dix dans le village, et elle pourra passer sa vie entière dans le bayou. C'est ce que tu lui souhaites ? Une vie comme celle qu'a eue notre mère ? »

Oliva fit saillir sa mâchoire comme une lame. « Sacré Nom ! Et alors, ça serait plus mal ?

— Non, pas si tu veux être enterrée comme elle à trente-cinq ans... Trop éloignée des conforts les plus rudimentaires, même d'un docteur, pour que l'humidité du marais s'infiltre mieux jusque dans ses os... Pas si elle veut, ajouta-t-il solennellement à Simon, être une vieille femme dès son premier accouchement. »

Oliva répliqua sèchement. « Une vieille femme ! Toi qui es plus vieux que moi, tu ferais mieux de t'occuper de ta propre vie, frérot, et me laisser m'occuper de la mienne.

— C'est justement ce que je fais, moi, répondit Valsin. Je publie les bans samedi prochain. Je vais épouser Marie Guidry... »

Oliva sourit et radoucit son visage. « C'est vrai ? Ah, Valsin, quelle bonne nouvelle ! C'est une fille très bien... un bon choix.

— Ça c'est une bonne nouvelle ! s'exclama le père LeBlanc. Allez-vous habiter au village ?

— C'est ce que veut son père. Nous aurons la parcelle voisine, trois hectares sur le bayou, et je pêcherai la crevette avec son frère. » D'un geste, il montra la pile de peaux qui attendaient sur le plancher. « Sauf pendant la saison, où je reviendrai ici chasser avec le vieux. » Il se pencha et donna une tape dans le dos de son père. « Je n'abandonnerais pas tous les rats du monde pour la main d'une femme !

— C'est bien. Une femme convenable, un bon choix. L'année prochaine, tu m'entends, je baptiserai ton premier fils ! Dieu sait qu'il faut faire des changements pour pouvoir grandir. C'est pourquoi, dit le prêtre en se retournant à nouveau vers elle, tu dois également faire un choix, Oliva. Tu ne peux pas rester ici dans le bayou, toute seule avec ton père, ce n'est pas une vie pour une jeune femme...

— Et qui s'occupera de lui si je ne le fais pas ? »

Simon prit la parole. « Peut-être bien que je publierai les bans moi aussi. »

En entendant cela, le frère et la sœur étonnés se retournèrent vers leur père, qui haussa les épaules. « Possible... Peut-être au printemps. »

Valsin sourit. « La veuve Broussard ? »

Simon laissa échapper un léger sourire. « Possible. »

Valsin éclata de rire et frappa sur la table, faisant vibrer les tasses de café. « Eh ben voilà, mon vieux, le feu n'est pas éteint tant qu'il n'est pas ensablé, hein ? Elle veut bien de toi ? »

Tandis que les hommes continuaient à discuter de la veuve et de ses biens, Oliva se détourna tristement de la table. Cela ne faisait pas un an que sa mère était enterrée et voilà que son père parlait déjà d'une nouvelle femme. Tout allait changer... Papa quitterait la petite maison en bois, Valsin aurait une nouvelle famille au village, et elle resterait là, toute seule, comme une grue, les pieds pris dans la boue et incapable de marcher vers les beaux jours...

Le curé s'apprêtait à partir, adressant ses félicitations à la ronde. Au moment où sa main atteignit la porte, il se retourna vers elle : « Dois-je dire à Bellard que tu le recevras, ma fille ? »

Elle resta le dos tourné à la porte. « Non, mon père », dit-elle calmement.

Simon commença : « Nous allons y réfléchir, peut-être en reparler, hein ? Dans quelques jours... »

Elle se retourna. « Vous pouvez dire à M. Bellard que j'assisterai probablement au *fais-do-do* chez les LeBleu. Je lui réserverai une valse. »

Le père LeBlanc fit un signe d'acquiescement, avec un petit sourire en coin qu'elle jugea fort inconvenant de la part d'un saint homme. « Amen, chère. Dès la première fois que tu es venue à la messe, je savais que tu avais du caractère... »

Oliva se rappela rapidement la vieille nonne qui l'avait éduquée, son visage pâle et ridé, blotti dans la coiffe blanche plissée, et ses fines lèvres sèches qui avaient l'air de partager le destin du Christ. Ses mains aussi, sèches et exsangues... Sur un ton très virulent, qui semblait s'adresser exclusivement à Oliva, elle avait dit : « Et alors un soldat costaud et sans cœur se détacha de la foule, portant une longue lance qui aurait pu transpercer un sanglier. Il leva les yeux vers le Bon Dieu du Ciel, tout meurtri et déchiré par les clous, et il plaça sa lance sur le côté de Notre Seigneur. Puis il retira son bras, et avec tout le poids de son épaule il s'appuya dessus, jusqu'à ce que la lance passe à travers les côtes de Jésus et s'enfonce au plus profond de la chair sacrée... »

Oliva avait frémi, les yeux affolés et révoltés par l'horreur. Plus tard, lorsque le père LeBlanc l'avait interrogée, elle avait refusé d'avouer qu'elle haïssait le soldat du Calvaire.

« Pense aux cadeaux que nous fait le Bon Dieu, était en train de dire le père LeBlanc, et ce qu'Il souhaite pour ses enfants. »

Après le départ du curé, la colère d'Oliva ne fit qu'augmenter, lorsqu'elle s'imagina d'abord son frère partir de la maison, puis son père se présenter à l'église au côté de la veuve Broussard, toute boulotte et rougeaude. Lorsqu'elle revoyait comment était sa mère dans ses derniers instants, elle se souvenait surtout de ses bras terriblement maigres, aux muscles durcis par toute une vie de labeur, des cheveux gris et clairsemés sur son crâne anguleux, et des yeux fiévreux de douleur à cause de cette maladie qui la rongeait de l'intérieur.

Elle se renfrogna. Il y avait pourtant des femmes qui portaient de jolies chaussures, élevaient une trentaine de poules pondeuses et réussissaient à remplir leur bas de laine ! Oliva releva un de ses pieds nus et examina son talon pour voir s'il n'y avait pas de trace jaune, comme elle le faisait tous les soirs depuis quelle avait dix ans... Toujours pas de jaune. Les talons jaunes étaient le signe qu'on resterait célibataire ; tante Thérèse lui racontait souvent, pleine de mélancolie, la première fois qu'elle avait aperçu cette fatale nuance jaune sur ses talons à l'âge de dix-sept ans... Maintenant elle avait trente ans et bien sûr plus aucun espoir, puisqu'aucun homme dans le bayou ne voulait d'une femme aussi vieille. A moins d'être veuve et de posséder quinze hectares de terre le long de la rivière... Oliva referma d'un coup sec le couvercle du fourneau et arracha son tablier.

Valsin l'embrassa distraitement sur la joue, absorbé qu'il était dans ses nouveaux projets. Son père la regarda balancer son tablier à son crochet... « De toute ma vie, je n'aurai jamais qu'une seule femme, Oliva. Peu importe combien de veuves j'épouse. » Il lui toucha doucement le coude. « Mais ce n'est pas bon que deux vieux restent chacun tout seul de leur côté alors qu'ils peuvent prendre soin l'un de l'autre, non ?

— Je peux prendre soin de toi, papa, dit-elle, la voix soudain voilée par le chagrin.

— Tu veux vraiment prendre soin de moi ? Tu veux me faire plaisir ? »

Elle acquiesça.

« Alors épouse Bellard. Fais-moi un beau petit-fils qui ira poser les pièges quand les genoux de ton père souffriront de l'humidité et de l'hiver... Fonde un bon foyer, où je puisse venir quand la veuve deviendra grincheuse. »

Elle roula des yeux.

Il haussa les épaules. « Encore plus grincheuse, alors. » Il serra gentiment son coude. « C'est ça qui me rendra heureux, chère. Garde-moi une place pour m'asseoir au soleil. Ça sera le noyau de ma vie... le reste ne sera que l'écorce. »

Oliva resta éveillée pendant plusieurs heures, bien après le moment où les ronflements de Valsin s'étaient installés dans leur rythme nocturne. D'habitude les bruits de son père et de son frère

23

résonnaient dans toute la maison et protégeaient son cœur du froid...
Mais cette nuit-là, elle ne put s'empêcher de penser aux pièges, à
l'eau glacée, aux danses qui tourbillonnaient dans tous les coins et
à Paul Bellard, le meilleur cultivateur d'indigo du village de
Lafourche.

Elle récita son rosaire en pensant à Bellard. Elle entendit le tonnerre au loin sur la rivière ; un bruit qui, de son lit, lui semblait doux
et amical... Cela faisait comme quelque chose de très rembourré,
des balles de coton qui tombaient. Ou comme l'effondrement d'un
mur épais au loin. Lorsque ses doigts arrivèrent à la croix, elle rassembla tous les grains dans le creux de sa main et sourit secrètement dans le noir. Elle ferma les yeux et s'imagina qu'elle était jolie.

Oliva avait souvent entendu son père dire qu'un homme qui vit
à Lafourche vit entouré d'amis. Le bayou, dont les rubans partaient
du Mississippi et s'enchevêtraient entre des petits villages, des
paroisses, des hameaux minuscules, les cabanes des marais et les
pirogues de pêche, le bayou était la source de vie des gens, quel que
soit leur métier. Souvent on ne pouvait pas bien distinguer où commençait et où finissait Lafourche, à cause de ces eaux qui se croisaient dans tous les sens. C'était la même chose pour les habitants
du bayou...

Dans le bayou, disait Simon, quand on est l'ami de quelqu'un, on
est aussi l'ami de toute sa famille, du bébé au grand-père en passant par le cousin germain. Un parent n'est pas seulement un membre de la famille : il en est le sang et risquera ce sang contre les
étrangers. Si Jules a fait un affront à un proche d'Alcée, alors c'est
à Alcée qu'il aura affaire. Alcée a perdu son argent ? Alors son ami
sera triste pour lui et partagera avec lui tout ce qu'il a.

Et les enfants ? On disait que n'importe où dans le bayou, si on
lançait un bâton on était sûr de toucher un enfant... Probablement
même un cousin ! Oliva connaissait quatre familles différentes qui
avaient chacune plus d'une douzaine d'enfants, ayant pris à cœur
le conseil du Bon Dieu de se « multiplier ». Tout le monde savait que
Dieu était bienveillant envers les grandes familles, et qu'un homme
et sa femme avec seulement un ou deux enfants, comme dans sa
famille à elle... ah, comme c'était triste.

La pensée d'avoir des enfants faisait à la fois envie et peur à Oliva.

« Mais maman n'a jamais été en très bonne santé, lui répétait
souvent Valsin. Tu es plus résistante, toi. Il faudra que ton mari cons-
truise plein de lits, hein ? Lui, ne le rejette jamais ! »

Maman n'a jamais rejeté papa, s'étonna Oliva. Elle n'arrivait même pas à se rappeler une seule fois où le mot *non* ! soit sorti de la bouche de sa mère. Elle restait près du fourneau tous les jours de l'année, aidait à apprêter les peaux, rentrait du bois pour le feu, s'occupait des poulets, tissait, cousait, pêchait dans sa pirogue, récoltait les petits légumes selon la saison, et enfin elle gardait sa famille au chaud, au sec et bien nourrie. Elle essuyait la buée qui coulait sur les murs en bois de la maison, écrasait les fourmis, les lézards et les araignées qui arrivaient toujours à se faufiler dans la moindre petite niche, et tuait à la hache les serpents qui rôdaient près de la porte d'entrée. Quand elle n'avait pas de savon, elle utilisait la boue du bayou. Elle allait cueillir des mûres et des figues, rinçait les bateaux, réparait les filets et nettoyait les pièges... Elle leur confectionnait une vie dans les marais et ne se plaignait jamais.

Mais, c'est vrai, c'était déjà une vieille femme au moment où elle mourut. En fouillant dans tous ses souvenirs, Oliva n'arrivait pas à se rappeler avoir vu une seule fois sa mère danser la valse avec son père au bal, ni même chanter en cuisinant. Et pourtant, pourtant... son rire lui parvenait si clairement à l'esprit, aussi familier que le cri des oies dans le poulailler...

A la réflexion, peu de femmes en fait dansaient encore après leur mariage, car peu de maris trouvaient cela convenable. Devait-on abandonner les plaisirs en se mariant ? C'était un bien piètre avantage, rester plantée comme un cyprès à chaque *fais-do-do*...

Les trois derniers *fais-do-do* avaient eu lieu dans l'écurie de LeBleu, car son terrain s'élevait bien au-dessus du niveau de l'eau, et les chevaux piétinaient moins dans la boue lorsqu'on les attachait. Tout les samedis, des familles acadiennes qui venaient des coins les plus reculés du bayou arrivaient en pirogue ou en carriole et retrouvaient leurs voisins, là où il y avait une salle assez grande pour les contenir tous.

Les familles qui possédaient le plus de terres le long de la rivière venaient généralement en calèche, ces chariots en bois dont les sièges en cuir brut pouvaient se relever et se rabaisser, afin que les jupes des filles ne traînent pas dans la boue. Dans les poches de ces jupes, elles avaient toutes une bourse pleine de monnaie, pour miser au vingt-et-un...

On couchait les bébés dans une pièce isolée, où une vieille femme les gardait en murmurant « *fais dodo mes enfants* ». C'est de là que le bal hebdomadaire tirait son nom, et le *fais-do-do* était devenu le lieu où grandissaient les amours entre mariés ou futurs mariés, sous l'œil vigilant des aînés qui préservaient les vieilles manières.

Tandis que Valsin faisait avancer la pirogue avec sa pagaie, remontant la rivière vers chez LeBleu, Oliva se redressa un peu sur son siège. Elle se plaisait à croire que, de la rive, on pouvait reconnaître la fille de Simon Doucet grâce à sa silhouette, même si l'on n'avait pas reconnu le bateau.

Sa robe lui allait comme un gant, son dos était bien droit et sa nuque fière. S'ils regardaient bien, ils pourraient même apercevoir un ruban noué à son cou, et un autre assorti autour de sa taille. Le ferme maintien de son *garde-soleil* lui donnait un air digne, contrairement aux capelines avachies qui pendent pitoyablement sur les têtes des vieilles femmes.

Ils devaient se dire : « Celle-là, elle n'en fera qu'à sa guise, hein ? Elle fera toujours souffler le vent dans sa direction... Elle ne suivra que son plaisir et sera sa propre bonne étoile ! »

Oliva passa une main sur ses escarpins tout propres pour en essuyer la rosée, et enfouit l'autre main dans le pli de sa jupe, pour qu'elle ne soit pas mouchetée de boue tel un œuf de pintade. Elle cala solidement à ses pieds la grande terrine de gombo* aux crevettes.

Son père attira son attention et fit un signe de tête en direction de la terrine : « Beaucoup de piment, 'tite ? »

Elle releva la tête. « Toujours pareil, papa. Comme tu l'aimes. »

Il leva les yeux vers le ciel comme pour observer les nuages. « Il paraît que m'sieur Bellard aime le gombo avec beaucoup de piment, lui. »

Elle leva également les yeux au ciel, comme si les nuages avaient un soudain pouvoir de fascination...

« Il ferait peut-être mieux de manger celui d'Adèle Naquin, alors, elle met tellement de piment qu'elle pourrait tuer une mule ! » Elle baissa la tête et fit un léger sourire. « En tout cas c'est ce qu'on m'a dit, à moi. »

Valsin rigola à l'avant du bateau. « Ce soir tu ferais mieux d'être gentille avec ce vieillard, chère, il faudra peut-être que tu danses la dernière valse avec lui ! »

Simon Doucet répliqua doucement : « Possible que cette danse soit déjà réservée...

— Plus que possible, papa. Certain comme deux et deux font quatre », répondit-elle. D'une main elle releva les bords de son chapeau pour qu'on voie son visage, puis lissa le ruban autour de son cou.

Valsin engagea la pirogue au milieu de celles qui étaient déjà amarrées et les fit se tamponner... il y en avait déjà plus d'une trentaine alignées devant la grande maison de LeBleu. Neuf carrioles étaient déjà attachées, d'autres arrivaient encore sur la levée. Les attroupements et les salutations des arrivants devant la porte résonnaient jusque sur l'eau ; en les entendant la jeune fille leva la tête et fit un large sourire.

J'ai peut-être dix-sept ans, pensa-t-elle calmement, et je suis peut-être la fille d'un trappeur, mais je suis digne de n'importe quel homme de Lafourche. Et même mieux que la plupart...

---

* Spécialité du Sud des États-Unis : potage à base de gombo (également appelé « okra »), légume tropical introduit en Amérique par les Noirs (*NdT*).

La maison de LeBleu était très vaste, une des plus grandes du bayou, avec sur l'avant une grande salle conçue spécialement pour les fêtes. Un couple de fiancés qui ne faisaient pas partie des amis de LeBleu devait se contenter d'un bal de noce bien misérable, car il y avait peu de maisons le long de la rivière qui puissent accueillir autant d'invités et faire danser autant de monde à la fois.

Comme chaque fois qu'elle passait la grande porte de chez LeBleu et se dirigeait vers le fond de la salle où s'étendait la longue table pleine de nourriture, elle fut impressionnée par le nombre d'arbres qu'il avait sans doute fallu abattre pour construire cet endroit... et par la vitesse à laquelle le vaste plancher se recouvrait de tant de chaussures.

Leur petite maison sur le marais ne lui paraissait jamais si vide et si chétive que lorsqu'elle allait à Lafourche. Ses murs en planches de cyprès étaient maintenus par un enduit de boue, les trois pièces n'avaient chacune qu'une seule fenêtre, et la pièce principale était toujours envahie par les peaux qui pendaient du plafond, à tel point qu'elle devait presque se courber lorsqu'elle se tenait devant le fourneau. A la belle saison, elle pouvait utiliser le four construit en boue séchée à l'extérieur, mais en ce moment, avec les pluies, elle devait se débrouiller avec son petit poêle noir récalcitrant et ses fers couverts de suie... Mais au moins, quand elle avait fini, elle pouvait aller s'asseoir sous le grand porche face au bayou, et savourer la douce brise.

La cuisine de LeBleu était trois fois plus grande que la sienne, mais les femmes devaient quand même finir quelques préparatifs à l'extérieur... elles restaient donc là à jacasser comme des merles moqueurs. Les Alidore ont eu trois bébés d'un seul coup... Oui oui, vraiment ! Qui aurait cru que ce petit gringalet d'Alidore avait encore de quoi faire, hein ? Il paraît que les Espagnols se battent avec les Anglais... Mon Dieu, assez de la guerre... Enfin, j'espère qu'ils les tueront jusqu'au dernier... C'est vrai qu'un des garçons Babin a tiré sur son frère dans les marécages en croyant que c'était un cerf ? Les bavardages s'intensifiaient en même temps que les odeurs de bonne cuisine, attirant les enfants qui sautillaient tout autour, chipaient un petit morceau çà et là et tiraient sur les jupes de leurs mères.

De l'autre côté de la levée, les hommes se racontaient les nouvelles, rapprochant leurs visages avec sérieux, parfois interrompus par un rire bruyant ou une tape dans un dos. Seuls les jeunes faisaient attention les uns aux autres, allongés en petits groupes aux abords de la maison.

La maison de LeBleu ressemblait plutôt à une grange, en vérité. Mais avec l'épais plancher en cyprès, les bancs en bois qui faisaient le tour de la salle, la pièce avec les lits pour les bébés d'un côté, les deux autres pièces où les hommes jouaient aux cartes et où les femmes misaient leur argent de poche au vingt-et-un, l'endroit était parfait pour les *fais-do-do* ou les noces, et se remplissait tous les samedis soir de printemps.

Elle tourna au coin de la maison et tomba sur l'habituel groupe de spectateurs, surtout des hommes et des garçons, absorbés par le combat de serpents. A la saison sèche c'étaient les courses de chevaux qui attiraient les foules, mais en cette époque humide et boueuse, les combats de coqs ou de serpents étaient chose courante.

Une grande caisse à tissus était posée au milieu de la cour. A l'intérieur, un serpent royal et un mocassin. Elle sentait la forte odeur du crotale, et s'arrêta pour jeter un coup d'œil par-dessus les épaules.

On aurait dit qu'ils ne voudraient jamais se battre... Ils étaient tous les deux sagement lovés, la tête reposée sur le corps comme dans un sommeil serein. Les hommes et les garçons regardaient en silence, en faisant attention à ne pas bouger brusquement et à ne pas cogner la caisse. Ils ne lançaient leurs paris qu'une fois à l'écart, comme si les serpents entendaient les sommes annoncées.

Les reptiles ne bougeaient pas, enroulés comme des ferronneries fraîchement peintes. Oliva se sentait apaisée par la chaleur que dégageaient les fourneaux derrière elle, par l'odeur curieuse, presque médicinale, du mocassin, et par l'effet d'hypnose à force de fixer des yeux cette caisse immobile.

Un groupe de filles passa derrière elle en gloussant ; elles soulevèrent leurs élégants chapeaux et, dans l'hilarité commune, mirent la main devant la bouche. Elle se retourna pour faire un signe à une ou deux d'entre elles, et lorsque son regard revint se poser sur la caisse, elle cligna les yeux.

Seuls les yeux des serpents semblaient en vie, mais ils avaient maintenant quelque chose de différent... D'un seul coup toutes les têtes des spectateurs se rapprochèrent : un des serpents bougeait. Le mocassin avait relevé sa queue d'à peine un centimètre. Court, épais et noir avec une tête en forme de spatule, le serpent semblait savoir qu'il pouvait tuer d'une seule morsure...

Lorsque le crotale avait remué sa queue d'un coup sec, le serpent royal avait légèrement bougé la tête ; le crotale avait alors lui aussi relevé la tête, et il semblait en fait que les serpents se voyaient alors pour la première fois. Le serpent royal était une élégante corde brillante, noir et or ; il faisait apparaître et disparaître sa fine langue presque rêveusement. L'odeur du crotale se fit plus forte. Comme d'un commun accord, les deux serpents baissèrent alors à nouveau la tête et se fixèrent, impassibles.

Oliva s'écarta de la caisse en entendant son nom : une fille l'appelait et lui faisait de grands gestes pour qu'elle vienne l'aider à porter un plat de saucisses à l'intérieur. Mais au moment où elle bougea, elle entendit venant de la caisse un son qui ressemblait à un soupir très bref. Elle se rapprocha, et vit que le serpent royal tenait le crotale... ou l'inverse. Ça s'était passé si vite qu'elle n'arrivait pas à les discerner. Les deux reptiles formaient une masse indistincte de muscles contorsionnés, noir, noir et or... Émile Benoît exécutait une sorte de danse sauvage derrière elle, criant au serpent royal d'achever le crotale.

Le serpent royal, qui tenait la tête du mocassin entre les mâchoires, augmentait maintenant son étreinte avec précaution, en s'enroulant autour du corps de son adversaire. On entendit un craquement sourd, comme une brindille qui se brise sous un pas... Le crotale donna plusieurs grands coups de queue, puis mourut, la bouche béante et d'un blanc éclatant. Les hommes se mirent à rire ou à jurer, selon leur chance, et Oliva fit demi-tour pour aller aider à porter les saucisses, après avoir ramassé sa propre terrine posée à ses pieds.

Elle casa son pot de gombo au milieu des plats de poissons frits, de fricassée de poulet, de saucisses et de riz; ces odeurs riches et grasses lui creusèrent soudain l'estomac. Mais c'était le bout de la table qui attirait surtout son attention.

Là s'alignaient une bonne dizaine de gâteaux, des pâtisseries blanches et jaunes aux épices, couvertes de pommes, de cannelle, de cerises confites et de crème. Le sucre était une chose que Simon avait tendance à oublier lorsqu'il allait faire les courses au village; il y en avait généralement juste assez pour sucrer le café noir que Valsin et lui buvaient matin, midi et soir...

Un des gâteaux était légèrement de travers sur son assiette, comme s'il avait été posé en vitesse. Une simple poussée du bout du doigt suffirait à le recentrer, ça n'enlèverait qu'un peu de glaçage...

Oliva retira brusquement sa main lorsque Marie Guidry quitta une troupe de bavardes et fondit sur elle. « Oliva, cria-t-elle en la serrant dans ses bras et en l'embrassant sur les deux joues. Je suis si heureuse que tu sois là ! Et tu es tout à fait charmante avec ce ruban rouge... as-tu fait ton gombo ? Papa dit que ce soir il ne mangera que celui-là ! »

Les bras de Marie l'entouraient, son visage était tout sourire mais ses yeux ne se détachaient pas de la porte grande ouverte... Oliva sourit, prit ses mains dans les siennes, et lui chuchota : « Il est dehors avec les hommes, chère, mais il sera là à temps pour la première valse ! »

Marie rougit et se serra contre elle. « Ah, tu es bien trop sage pour une fille si jeune, 'tite cousine. »

Oliva lui chuchota à l'oreille : « Bientôt tu m'appelleras petite sœur, non ? »

Marie recula, écarquillant des yeux pleins d'espoir. « C'est vrai ? »

Oliva posa un doigt sur ses lèvres et fit pivoter la jeune fille, en direction de la porte par laquelle Valsin était en train d'entrer. Elle la poussa doucement vers lui en ajoutant : « Moi je ne voudrais jamais de lui; mais toi tu pourras peut-être en tirer quelque chose, de cette vieille peau ! »

Le visage de Marie s'illumina lorsqu'elle vit Valsin venir vers elle; Oliva voyait qu'il devait faire un effort surhumain pour garder ses mains le long du corps et avoir un visage neutre. Tous les deux se dirigèrent docilement vers le tonneau de punch, sans se rendre compte qu'une vingtaine de paires d'yeux les suivaient et qu'une vingtaine de bouches esquissaient un sourire entendu.

Oliva sentit son cœur exploser de bonheur en voyant la joie qui éclairait le visage de son frère, et la raideur formelle de ses épaules lorsqu'il se pencha et frôla presque le bras nu de Marie. Jamais elle n'avait ressenti d'excitation aussi enivrante, ce vif désir qu'elle avait deviné chez Marie au moment où Valsin avait passé la porte...

Je ressentirai ça aussi, se jura Oliva, ne serait-ce qu'une seule fois ! Ensuite je cueillerai le coton d'un paysan, je ferai cuire du gombo de paysan et je porterai des bébés de paysan jusqu'à épuisement. Mais pas avant, par la Sainte Vierge, pas avant d'avoir ressenti ce que Marie ressent maintenant...

Les musiciens prirent place sur l'estrade, trois d'entre eux avec leur violon, et un quatrième qu'Oliva ne connaissait pas. Les violonistes habituels lui étaient familiers : Herman Bourque jouait chez LeBleu tous les samedis soir, et avec sa forte voix il guidait les deux violons *secondaires* et menait les rythmes de la danse.

Mais le nouveau tenait un instrument qu'Oliva n'avait jamais vu. Il y avait souvent des inconnus à chaque *fais-do-do*, car la nouvelle d'une fête se propageait rapidement dans le bayou ; et puis il y avait assez de place chez LeBleu et les étrangers étaient toujours les bienvenus, tant qu'ils ne faisaient pas d'histoires. Mais *les autres* se joignaient rarement aux musiciens... et en tout cas elle n'avait encore jamais vu cette boîte si bizarre à côté des violons...

« Qui c'est, celui-là ? » demanda-t-elle à Adèle Naquin qui installait son pot sur la table, un chaudron énorme qu'elle avait du mal à soulever.

Elle regarda rapidement par-dessus son épaule et essuya sa lèvre supérieure où la sueur obscurcissait un fin duvet. « Ah, c'est l'Allemand de Vacherie, il est en visite chez le Vieux Bourque, il paraît. »

Pauvre Adèle, j'espère qu'elle a fait un miracle avec son pot de gombo, pensa Oliva, elle est plus jeune que moi et elle a déjà l'air aussi fatigué qu'une mère de quinze enfants. « As-tu fait ton délicieux gombo, chère ? demanda-t-elle poliment.

— Et comment ! Avec assez de piment pour faire friser une moustache noire ! » répondit Adèle avec un grand sourire et les yeux malicieux. Paul Bellard avait une moustache noire...

Le temps qu'Oliva reprenne ses esprits, les musiciens avaient entamé la première chanson et les danseurs envahissaient le plancher sous ses yeux. Il y avait justement les filles du Vieux Baptiste, très jolies toutes les six, tourbillonnant déjà avec des partenaires qu'elles avaient choisi en vitesse en entendant les premières notes.

Comme la plupart des jeunes filles, elles avaient les mains et les bras nus, et Oliva sourit toute seule en se rappelant tout ce qu'elles devaient faire pour rester si mignonnes...

Les filles du Vieux Baptiste étaient brunes, minces et pétulantes. Malheureusement elles étaient toutes en âge de sarcler le coton... et c'est ce qui comptait le plus aux yeux du Vieux Baptiste, puisque ses garçons étaient trop jeunes pour travailler aux champs. Au printemps les filles coupaient donc le coton du lever au coucher du soleil, avec juste quelques heures de repos au moment le plus chaud de la journée. Et chaque fois qu'Oliva allait à Lafourche, elle voyait les filles tout au long des rangées, en train de sarcler le coton de Baptiste. Mais le samedi soir, elles s'épanouissaient devant la porte de leur maison comme des fleurs de myrte... Elles prenaient effectivement bien soin de porter des manches longues et des gants lorsqu'elles travaillaient dans les champs, puisque toutes les jeunes filles dansaient les bras et les mains découverts. Mais comme à la fête on portait des souliers et des bas, cela ne faisait rien d'aller aux champs pieds nus...

Car une jeune femme ne pouvait surtout pas se risquer à avoir une peau de crocodile ; alors elles accrochaient à leurs *garde-soleil* des rideaux qui leur protégeaient les épaules, et des cartons de protection tout raides qui dépassaient de chaque côté et leur faisaient des œillères. Si bien que si un étranger s'approchait, elles ne pouvaient pas le voir s'il n'était pas juste devant elles... Mais quel changement le samedi soir ! La dentelle à leur cou était si fine et si jolie, et leurs jupes si virevoltantes ! Leurs pieds tannés et abîmés des jours de la semaine étaient peut-être serrés dans les escarpins, mais cela ne se voyait jamais lorsqu'elles dansaient. Oliva se doutait d'ailleurs qu'elles étaient plus d'une à enlever leurs chaussures et leurs bas sitôt après avoir quitté la salle à la fin du bal, pour savourer la boue fraîche de la levée.

Et puis le lundi matin elles retournaient au champ de coton, et reprenaient leur camouflage. Elle était bien contente que la pagaie qui servait à manœuvrer la pirogue ne lui fasse pas de ces grosses mains calleuses...

Le violoniste était en train de chanter le second couplet d'une chanson douce et triste, celle que les danseurs préféraient :

> *J'ai passé devant ta porte*
> *J'ai crié Bye-Bye la belle*
> *Y a personne qu'a répondu*
> *Aïe aïe aïe mon cœur m'fait mal !*

A sa grande surprise, l'Allemand s'avança sur le devant de l'estrade avec sa drôle de boîte, et il en sortit un son si étrange et inconnu que la vieille chanson s'en trouva définitivement transformée... Certains danseurs s'immobilisèrent, étonnés et enchantés ; les autres tourbillonnèrent de plus belle, poussés par cette nouvelle musique qui pleurait comme un bébé, gémissait comme une grenouille et criait de joie comme un faucon qui vient d'attraper un lièvre.

A ce moment-là Paul Bellard se posta devant elle et s'inclina sèchement. « Allons danser », dit-il en prenant sa main avant même qu'elle la lui tende.

Il l'entraîna adroitement dans le courant des danseurs en la tenant par la taille, avec une démarche légèrement balancée. Pendant tout un refrain Oliva laissa ses pieds suivre le tempo et sautiller tout seuls sur le plancher, sans se soucier une seconde de savoir avec qui elle était, et pourquoi.

Mais Paul Bellard commença alors à parler : elle sentit brusquement son cœur abandonner le tourbillon des danseurs et ses pieds s'alourdir dans ses chaussures... « Ce printemps je vais planter un hectare de maïs en plus, moi, dit-il fièrement en la regardant. Et un hectare de coton, aussi. Et je me suis acheté une bonne vache laitière. »

Oliva sourit d'un air vague, tendant l'oreille pour percevoir la musique de cette boîte bizarre.

« Elle est rudement bonne.

— De quoi ? » Oliva faillit trébucher, elle avait soudain perdu le rythme des pas de Bellard.

L'homme rougit un peu. « C'est une bonne laitière... »

Ils étaient désormais tout près de l'estrade et l'Allemand souriait à la jeune fille, tapant du pied pour accompagner le son merveilleux qu'il faisait. « De quel instrument joue donc cet étranger ? demanda-t-elle à Bellard.

— C'est de l'accordéon, dit-il, ça vient du Bayou des Allemands. Moi j'en avais déjà vu un, l'année dernière à Baton Rouge. Ça te plaît ?

— C'est une vraie merveille, dit-elle d'un air songeur, je n'avais jamais entendu de musique pareille... »

Les musiciens arrivaient à la fin de la chanson, et les danseurs reprenaient en chœur :

> *Moi j'ai cogné à la porte,*
> *Quand y z'ont rouvert la porte,*
> *Moi j'ai vu plein de chandelles*
> *Tout le tour de son cercueil.*

Oliva chantait en même temps que l'accordéon, les yeux à demi fermés de joie, savourant la suave mélancolie de la chanson.

Puis les danseurs s'arrêtèrent en même temps que la musique, et les couples se séparèrent, les hommes d'un côté et les femmes de l'autre, comme le voulait la coutume. Seuls les femmes mariées et les plus vieux restaient assis sur les bancs; les jeunes femmes et les hommes se tenaient debout, attendant que la musique les renvoie sur la piste. Certains hommes mariés attendaient également, au moins autant que ceux qui jouaient aux cartes dans la salle du fond... Il était en effet permis à un homme marié de danser avec une jeune fille, tant que ça ne se produisait pas trop souvent, mais jamais une femme ne pouvait danser une fois qu'elle était mariée. Aucun mari n'aurait toléré une chose pareille.

Oliva prit une louche de punch et en but par petites gorgées, tout en observant Bellard de côté. Il était apparemment apprécié par les autres, car quand il s'approchait du coin des hommes, ils lui parlaient et lui prenaient le bras en riant. Peut-être riaient-ils parce qu'il avait dansé avec elle...

Elle était curieuse de savoir si, avec Marie Guidry, Valsin parlait de ses rats musqués, de ses pièges, et combien il espérait en avoir au printemps prochain... Elle tendit la louche à la fille qui attendait derrière elle, et passa la main sur ses rubans rouges. Eh bien, elle lui avait promis, et il l'avait eue, sa valse... Le père LeBlanc n'avait qu'à danser la prochaine avec lui, puisqu'il le trouvait si parfait ! Des paysans ! Ne pensaient-ils donc à rien d'autre qu'à leurs vaches et à leur récolte ?

Les violons se réveillèrent dans une envolée soudaine, et juste au moment où Oliva apercevait son père conduire la veuve Broussard sur la piste, elle sentit une main toucher la peau de son coude. Elle se retourna et vit l'Allemand juste à côté d'elle.

« Voulez-vous danser ? » demanda-t-il, avec un accent presque aussi étrange que sa boîte à musique.

Elle hésita, chercha du regard son père ou son frère. L'un tenait l'assiette de Marie, et la regardait picorer son riz comme si chaque grain avait été une fleur... l'autre dansait une farandole avec la veuve, le visage rouge de plaisir et de fierté.

Elle posa une main sur son bras et leva vers lui des yeux pleins de curiosité. « Connaissez-vous l'*Avance* ? » C'était une danse à cinq temps que l'on ne dansait que dans la région, et elle était sûre qu'il n'en reconnaîtrait même pas la musique. Peut-être avait-il quitté les musiciens à cause de ça...

« *Mais oui*, dit-il avec un large sourire qui la laissa bouche bée. Vous voulez me tester, hein ? »

Il lui avait parlé en français ! Pas très bien, avec un accent comme si quelque chose lui tordait la langue, mais tout de même, il en savait assez pour s'exprimer...

Elle se rendit compte rapidement qu'il en savait également assez pour mener la danse durant le premier temps de l'*Avance*. Ils évoluaient dans ce quadrille aux figures compliquées, suivant les autres couples qui s'élançaient en avant et en arrière, jusqu'au second temps, le *Petit Salut*. « Puis-je me permettre de vous demander votre nom ? »

Elle agrippa le bras de son cavalier un peu plus fort, car il la faisait tourner avec rapidité et précision, et elle avait peur de trébucher. Elle sentit des regards posés sur eux deux, et elle aperçut, le temps d'une virevolte, Valsin et Marie qui fixaient l'Allemand... « Doucet, m'sieur », répondit-elle.

Il ne regardait pas les danseurs mais n'avait d'yeux que pour elle. Lorsqu'elle vit avec quelle insistance il la dévisageait, elle détourna son regard et aperçut son père qui lui aussi les regardait, tout en tendant une tasse à la veuve dont le visage rondelet était à la fois pétillant et incrédule.

Son cœur battait la chamade, à cause du quadrille mais aussi de tous ces regards... Cependant elle releva fièrement le menton et rendit son regard à l'Allemand. « Et vous, m'sieur ?

— Je m'appelle Joseph. Joseph Weiss. Je viens du Bayou des Allemands, vous connaissez ? Je suis venu pour jouer *die Ziehharmonika*... enfin, l'accordéon, comme vous dites. Vous l'avez entendu ? »

L'homme avait les cheveux roux les plus clairs qu'elle ait jamais vus. A côté des Acadiens qui l'entouraient, il avait l'air d'un rayon de soleil avec ses cheveux de feu et sa peau blanche. Sûrement pas un paysan, ses mains n'étaient pas rugueuses et calleuses comme celles de Bellard, et pas un trappeur non plus, n'ayant pas une seule cicatrice sur les doigts. Pourtant il était forcément habitué au travail, d'après ses bras et ses épaules... « J'ai entendu, lui dit-elle en souriant, et j'ai cru que c'étaient des anges qui pleuraient. »

Lentement il fit un grand sourire, si chaleureux qu'il sembla parcourir son visage d'une oreille à l'autre. « Des anges qui pleurent... murmura-t-il.

— Moi, ça m'a donné envie de valser toute seule ! »

Il la faisait alors tourbillonner pour le troisième temps, le *Grand Salut*. La musique allait de plus en plus vite, et les couples étaient répartis en deux lignes qui se faisaient face, nez à nez. Oliva devait se faufiler de part et d'autre, effleurant de la main les mains de vingt autres filles, et se laissant attraper les bras nus par vingt autres garçons. Mais ses yeux ne quittaient pas l'Allemand, et elle sentait son regard posé sur elle-même lorsqu'elle lui tournait le dos. Lorsqu'il récupéra sa cavalière en l'étreignant fermement, elle lui demanda : « Et qu'est-ce que vous faites à part faire de la musique avec les anges, m'sieur ?

— Je fais de la bière, mam'zelle Doucet. La meilleure de toute la Louisiane. »

Elle éclata de rire.

« Qu'est-ce que ça a de drôle ? » demanda-t-il en anglais.

Elle hocha la tête, continuant à rire. « Papa fait du whisky, lui, répondit-elle dans la même langue. Valsin le trouve tellement mauvais qu'il doit se pincer le nez pour le boire ! »

L'Allemand se mit à rire avec elle, en la serrant plus fort, tandis que la musique entamait le quatrième temps du quadrille, les *Visites*. « A dire vrai je fais la seule et unique bière de toute la Louisiane, vous savez ? Alors si elle n'est pas très bonne, c'est pas grave !... Valsin, c'est le type qui a l'air en colère, là-bas, à côté de la jolie fille ? »

Tout en tournoyant elle leva les yeux par-dessus l'épaule de l'homme, se pinçant la bouche pour ne pas avoir l'air trop heureuse. « Oui, c'est mon frère. Mais pourquoi est-ce qu'il serait en colère ? Il a son amoureuse...

— Et vous ? demanda son partenaire, rapidement et sur un ton soudain plus intime. Avec vos yeux de loutre, noirs et chauds comme du café... Est-ce que vous avez votre amoureux aussi ? »

Elle demeura bouche bée pour la seconde fois. Ces Allemands ne manquaient vraiment pas d'audace ! Et un inconnu, en plus ! Son éducation lui disait de rejeter la tête en arrière et de refuser de répondre à une question si scandaleuse, peut-être même de le planter les bras ballants au milieu de la piste et de s'en aller... Mais au lieu de cela quelque chose la fit parler. « Non, m'sieur, dit-elle en se réfugiant dans sa langue maternelle, j'ai rien... » Et ce même quelque chose lui fit ajouter : « Aucun qui me plaise assez... »

Le dernier temps de la danse touchait à sa fin, la *Grande Chaîne*, pendant lequel tous les couples devaient tourner autour de la piste en position croisée, chaque homme tenant sa partenaire à la fois par le poignet et par la taille.

« Avant j'habitais plus au nord, reprit-il, au-dessus de Natchez. Vous connaissez ? Ah c'est vraiment différent, là-haut... Ici l'air est bien plus frais. Et plus doux.

— Doux ? » Elle adorait le bayou, mais ne l'avait jamais trouvé si doux que ça. Peut-être au printemps, en fin de compte...

« Oui, là-bas l'air a une odeur piquante. A cause des sapins, je suppose, ça sent la térébenthine. Alors que tous vos arbres ont la sève douce : le cyprès, l'oranger... c'est pas pareil. Même votre eau est différente, non ?

— Comment ça, différente ?

— Nos rivières à nous ne sont pas assez profondes pour laisser passer les bateaux. Il y a plein de rochers de toutes les couleurs...

— Quelles couleurs ?

— Verts, gris et noirs. Et rouges quelquefois. Comme vos lèvres. » Cette phrase fit frémir tout son corps...

« Il faut que je retourner jouer, dit-il, mais j'espère que vous me garderez une autre valse, hein ? » Avec un mouvement élégant il la fit tournoyer sous son bras dans un sens puis dans l'autre. « La dernière, peut-être ? »

A ce moment-là Paul Bellard sortit de la pièce du fond, s'appuya contre un banc et la regarda passer. Elle n'arrivait pas à déchiffrer son visage... A l'idée de danser la dernière valse avec lui, ce qui signifierait aux yeux de tous qu'elle acceptait sa demande en mariage, elle sentit ses pieds se glacer d'effroi... L'Allemand l'enveloppa dans ses bras, comme pour la coller contre son cœur, et lorsqu'elle releva la tête, elle vit scintiller dans ses yeux une petite étincelle, un désir ardent qui lui remua l'estomac. « Possible », répondit-elle doucement.

La musique s'arrêta, les applaudissements crépitèrent et les danseurs se hâtèrent vers les bols de punch. Joseph Weiss lui fit une profonde révérence, un salut digne et gracieux. « Tout est possible, mam'zelle. Il vous suffit de le vouloir. »

Un peu hébétée, Oliva se précipita vers le bol de punch, se réfugiant dans un groupe de filles hilares et se plaquant contre le mur où personne ne pouvait la voir. Ses mains tremblaient lorsqu'elle les passa dans ses cheveux et qu'elle resserra ses rubans. Puis elle jeta un coup d'œil au-delà des épaules d'Adèle, et vit que Valsin continuait à la fixer et Bellard à l'observer... seul papa regardait la veuve et lui parlait à voix basse. Elle rougit et se retourna vers le mur.

Sainte Marie, n'avait-elle donc pas le droit de danser avec un homme de son choix ? Etait-elle déjà promise sans même avoir donné son accord ? Sa volonté ne comptait-elle pour rien ?... « Il vous suffit de le vouloir », avait-il dit. Et pour le vouloir, elle le voulait, pardieu !

Elle se plaça devant le groupe de filles, prit une assiette et se servit une part d'un des gâteaux les plus crémeux. Oliva observait son père et son frère, s'attendant à tout moment à ce qu'ils traversent la salle pour venir la voir... mais la musique reprit, la piste de danse se remplit à nouveau et aucun des deux n'approcha.

Elle mangea son gâteau à toute vitesse, sans même en savourer le goût. Lorsqu'elle reposa son assiette un partenaire se présenta, puis un suivant, et encore un autre... Elle dansa toute la soirée, comme jamais elle n'avait dansé auparavant. Bellard ne la demanda pas une seule fois, il resta assis calmement dans un coin à la regarder.

Et chaque fois qu'elle passait en tournoyant devant l'estrade des musiciens, au moins une centaine de fois dans la soirée, Joseph Weiss lui adressait un grand sourire comme pour applaudir son audace.

Finalement le violoniste pointa son archet en l'air et cria : « La dernière valse ! » et une fois de plus la piste fut envahie par des couples qui, plus que jamais, se regardaient droit dans les yeux avec passion. Valsin y allait à grands pas avec Marie à son bras, et juste derrière lui la tête rousse d'un Allemand se frayait un chemin dans la cohue...

Il tendit son bras à Oliva. « Voulez-vous ? » demanda-t-il, en cherchant à croiser son regard.

Elle ne voulut pas se fier à sa propre voix ; elle sourit, prit son bras et le précéda vers la piste. Après avoir vu défiler tant d'épaules et de paires de pieds dans la soirée, ceux-ci lui semblaient familiers et rassurants... Mais ce n'est pas vrai, réfléchit-elle après coup. En fait, c'est lui le plus étrange de tous : *les autres*, comme on les appelle... Ni des nôtres, ni comme nous, ni pour nous...

Mais il la prenait si bien dans ses bras !

« J'aimerais vous raccompagner chez vous, mam'zelle Doucet, dit-il, réveillant soudain son attention.

— Ce n'est pas possible, murmura-t-elle.

— Pourquoi donc ?

— Parce que c'est en famille que je rentre à la maison, moi. C'est comme ça que ça se passe ici.

— Bon, dit-il avec un sourire qui lui fit plisser le coin des yeux, je ramènerai aussi maman à la maison ! »

Oliva regarda tout autour d'elle et vit Valsin danser à côté, les yeux fixés sur Marie. Simon entraînait la veuve sur la piste, dans le coin des musiciens. Quelque chose qu'elle avait dit le faisait rire à gorge déployée, la tête en arrière de plaisir. « Maman est morte, dit-elle doucement. Il y a presque un an. »

Joseph la serra un peu plus près de lui, tendrement. « C'est vraiment triste, dit-il, presque trop triste à supporter tout seul...

— Je ne suis pas toute seule. » Elle recula légèrement.

« Moi si. Mes parents ont disparu aussi. Peu de temps après notre débarquement. *Die Grippe, ja ?* Vous appelez ça l'*influenza*, je crois. Alors je sais à quel point c'est triste... » Il la serra un peu plus près à nouveau. « Bon, dit-il avec une soudaine fermeté, je raccompagnerai aussi papa à la maison. Nous allons aller tous les trois chez Doucet... Acceptez. »

Elle réfléchit rapidement, tandis que la chanson se terminait... Oui, Valsin pourrait raccompagner Marie avec la pirogue, ça ne devrait pas poser de problème, et l'Allemand pourrait nous ramener à la maison, papa et moi. Si je le veux, alors c'est possible... Il la fit tourner une dernière fois, l'enveloppant de nouveau dans ses bras et contre son cœur. Il était d'une tendresse presque féminine. Oliva avait l'habitude des hommes et de leurs manières, mais jusqu'alors ils avaient toujours été sportifs et joueurs, sans jamais offrir une douceur si sereine. « Vous pouvez demander à papa », dit-elle en essayant de garder la voix calme. La nuit était froide et belle, la maison aurait sans doute fière allure sous le clair de lune.

Le violoniste prit son pistolet et tira au plafond. « Le bal est fini ! » cria-t-il. C'était la traditionnelle clôture du *fais-do-do*, après quoi la foule ne pouvait plus réclamer une dernière danse.

Elle se dépêcha d'aller prendre son châle et son chapeau au crochet, apercevant, à travers la troupe des filles, Joseph qui attendait près de la porte. Elle fit un rapide détour pour reprendre son pot de gombo — vide, Dieu merci ! — et le temps d'aller le rejoindre, Valsin et Simon arrivèrent en un clin d'œil.

Avant même qu'elle puisse parler, Joseph tendit la main à son père et déclara : « M'sieur Doucet, ce fut pour moi un grand privilège de danser ce soir avec votre charmante fille ! Je m'appelle Joseph Weiss, je suis en visite chez un de vos amis, m'sieur Bourque. » Il ajouta à la française, d'une manière très formelle : « C'est lui qui m'a invité à venir et à contribuer à votre plaisir avec ma modeste musique. J'espère que je n'ai pas choqué vos oreilles avec cette bizarrerie ! »

Valsin s'était renfrogné, mais Simon serra courtoisement la main de l'homme avec un petit sourire. « Votre musique était aussi charmante que ma fille, m'sieur. »

Joseph sourit et tendit la main à Valsin en disant : « Je vous souhaite beaucoup de bonheur avec votre mademoiselle, m'sieur, c'est certainement la seconde femme la plus ravissante de tout le bayou ! »

Valsin lui serra la main, apaisant sa mauvaise humeur. « Ah, c'est vous qui logez chez le Vieux Bourque ? »

Alors, au grand étonnement d'Oliva, Simon dit d'une voix douce : « Maintenant que tu as fait la connaissance de ce gentleman, mon fils, je suppose que tu désires raccompagner mam'zelle Guidry ? Nous t'attendrons... »

A ces mots Joseph prit la parole. « Monsieur, je serais extrêmement honoré si vous me permettiez de vous escorter chez vous en toute sécurité, vous et mam'zelle Doucet. De cette manière m'sieur Doucet pourra lui aussi rendre à sa dame les mêmes honneurs... »

Oliva avait remarqué que quelques invités sur le départ s'attardaient un moment à la porte, juste pour entendre la réponse de son père, et elle retint son souffle... Valsin s'éloigna un peu confus pour aller rejoindre Marie, non sans leur jeter un dernier regard, tandis que le groupe commençait à quitter la salle.

Le Vieux Bourque donna soudain une grande tape dans le dos de son père, s'écriant jovialement : « Je me porte garant pour lui, ami, il est aussi doué pour brasser la bière que pour jouer de la musique ! Accueille cet étranger de bon cœur, Doucet, ça t'évitera de ramer jusqu'à chez toi ! »

Ils se dirigèrent alors vers la berge, tandis que les gens se dispersaient avec de joyeux cris d'adieu et des promesses de se retrouver à la messe le lendemain. L'air de la nuit était particulièrement cinglant après la chaleur de la piste de danse. Le Vieux Bourque marchait tout près de Simon en lui parlant dans le creux de l'oreille, pendant qu'Oliva faisait semblant d'être occupée à s'envelopper correctement dans son châle et à rajuster son chapeau.

Finalement son père décida gentiment : « Bon, eh bien, je pense que nous pouvons y aller, non ? » Il se tourna vers Joseph, qui se résigna à quitter Oliva des yeux. « Où est votre bateau ? »

L'Allemand devint alors tout pâle... Même au clair de lune, elle vit la déception recouvrir son visage. « J'ai cette carriole, monsieur », dit-il en se ressaisissant, et il fit un geste en direction d'un beau cheval avec son attelage attachés sur le quai.

« Une carriole ? dit Simon doucement. Bon... peut-être une autre fois, m'sieur. Car nous, là où nous habitons, aucune carriole ne peut y aller... Valsin ! cria-t-il. Viens, il faut partir ! » Simon prit Oliva par la main et l'aida à s'installer sur son siège, avec sa terrine vide à ses pieds. Mais leurs yeux ne se croisèrent pas une seule fois.

Valsin quitta Marie, jeta un regard méprisant à l'Allemand et prit place dans la pirogue. Le Vieux Bourque rigola en voyant la frustration sur le visage de Joseph. « Une carriole ? Elle ne t'a pas dit que tu devais d'abord apprendre à marcher sur l'eau ? »

Tandis que Valsin poussait la pirogue pour l'amener dans le courant, Joseph s'avança au bord de la rive et appela : « A demain ! Vous irez bien à la chapelle dimanche, hein ? »

Oliva le fixa, ne laissant voir que ses yeux par-dessus les plis de son châle. Sainte Marie, c'était sûr, ça ne marcherait jamais... Ils étaient bien trop différents pour être un jour ensemble, pour pouvoir mener une vie sur une base commune. Une carriole ! Elle hocha la tête puis regarda devant elle, comme si même ses yeux étaient nécessaires pour que la pirogue puisse trouver le chemin de la maison dans l'obscurité.

Valsin faisait avancer le bateau en silence, tandis que le tumulte de la fête s'éteignait derrière eux. Au bout d'un moment il se décida à parler. « Tu devrais oublier cet Allemand, chère. Il n'est pas des nôtres. Il vient d'un monde que tu ne pourrais sûrement jamais aimer.

— Et comment peux-tu savoir ce que j'aimerais ou pas ? répliqua-t-elle d'un ton glacial.

— Je sais que tu n'aimerais pas son papa allemand.

— Il n'en a pas, dit-elle fermement. Il n'a personne. Et parmi ce qui ne me plairait pas, une chose est sûre. Je n'aimerais pas du tout dormir dans le lit de m'sieur Bellard pour le restant de mes jours !

— Alors prends-en un autre ! cria Valsin en faisant frémir le silence du marais, mais prends quelqu'un comme toi ! Reste parmi les tiens !

— Tais-toi !

— Oliva, coupa son père, ne dis pas à ton frère de se taire. Ça ne se fait pas.

— Papa, pourquoi devrais-je écouter cet écureuil bavard m'expliquer comment choisir un arbre ? » Elle rabattit son chapeau tout autour de son visage pour qu'on ne voie plus rien. « Je ne vais pas tarder à me marier avec le premier venu rien que pour ne plus l'entendre

— Très bien ! lui cria Valsin, tu n'as qu'à publier les bans demain ! »

Simon leva une main en poussant un profond soupir. « Du calme, mes enfants. Valsin, attention à cette souche, là, tu passes trop près... » Il tira tout doucement un coin de son châle pour pouvoir voir le visage de sa fille. « Tu ne pourrais pas être heureuse avec Bellard, alors ? »

Oliva sentit soudain ses yeux se remplir de larmes, et elle s'en affola. C'était surtout sa voix pleine de tendresse qui la déconcertait... Il paraissait vieux et fatigué, et en même temps plein d'espoir... Mais alors elle le revit en train de rire avec la veuve. Moi aussi, j'ai droit au bonheur, se murmura-t-elle. Elle le regarda à son tour, les yeux clairs et secs. « Non, je ne peux pas. Il n'y en a aucun ici qui soit fait pour moi, papa, je le sais. Alors si je ne peux pas épouser l'Allemand, je n'épouserai personne. Je le jure... »

Le visage de Valsin s'assombrit brusquement et se détourna d'eux. « Quoi ? cria-t-il, faisant retentir sa voix au-dessus de l'eau, ce fils de pute t'a demandée en mariage ? Sans en parler à papa ? C'est toi qui as décidé ça sans rien dire ? Bon Dieu de Jésus !

— Il ne m'a encore rien demandé, dit-elle calmement. Mais j'espère qu'il le fera. J'apprécie beaucoup la veuve et mam'zelle Guidry mais je n'ai pas envie de passer ma vie avec elles ! »

39

Valsin resta sidéré par l'éventualité d'une telle perspective, et ne put que bafouiller : « Papa ! Tu ne vas quand même pas la laisser...

— Taisez-vous tous les deux, imposa Simon. Je vais réfléchir à tout ça et je vous dirai ce que j'aurai décidé. »

Dans le silence, Oliva se jura que, quoi que tu en penses, papa, et toi aussi, Valsin, je n'épouserai jamais quelqu'un juste pour vous faire plaisir, sûrement pas, même si maman elle-même vient me dire qu'il le faut. Oh, maman ! appela-t-elle soudain en son for intérieur, aide-moi ! Interviens auprès de la Sainte Vierge, et prie pour moi pour que demain, à la messe, je trouve autre chose que la paix de mon âme !

La petite chapelle au bord du bayou était le plus vieux bâtiment de Lafourche ; les premiers Acadiens qui étaient arrivés dans la région avaient dormi à l'intérieur, pendant qu'ils construisaient leurs maisons tout autour.

Un proverbe populaire disait : « Construis une église et le village se construira », et c'est ce qui s'était passé. Sur des kilomètres à la ronde, tout le monde était de la même religion, sans même pouvoir en concevoir une autre.

La messe catholique française avait lieu tous les dimanches en fin d'après-midi, et alors toutes les maisons se vidaient. Pour les quelques-uns qui étaient trop malades pour se déplacer, il y avait dans chaque maison une *boîte* personnelle ou un petit reliquaire avec les saints patrons, pour les prières au pied du lit du matin et du soir.

Au moment de l'enterrement de sa femme, Simon Doucet, sans dire un mot, avait décroché le grand crucifix qui était au-dessus de son lit, mais les deux petits étaient toujours là, de même que les quatre images pieuses et les bougies contre les murs.

Ce dimanche-là, tandis qu'Oliva montait avec son père les marches de l'église, elle tenta de repérer une carriole bien particulière, mais celle-ci n'était pas attachée sous les arbres avec les autres. Elle avait l'impression d'être l'objet de bien plus de regards que le dimanche précédent, et confuse, elle baissa la tête. Valsin se précipita au-devant d'eux pour aller parler au père LeBlanc, et elle se demanda s'il mentionnerait son nom et la conversation de la veille...

Son frère n'avait pratiquement pas dit un mot ce matin-là, il avait même détourné le visage lorsqu'elle lui avait apporté sa tasse de café.

Elle avait failli lui toucher les doigts, mais n'avait pas pu... Il lui revint à l'esprit qu'elle utilisait ses doigts pour se remémorer ses péchés lorsqu'elle se confessait, chaque doigt représentant un crime odieux. Elle se sentait rabaissée. Mais elle n'avait aucune faute sur la conscience.

C'est souvent ainsi que ça se passait dans le confessionnal :

« Je suis coupable de m'être mise en colère contre mon père, disait-elle au prêtre.

— Honore ton père et ta mère.

— J'ai convoité le chapeau d'une fille.

— Quoi d'autre ?

— J'ai eu de mauvaises pensées. A l'église.

— Quoi ?

— Un homme...

— Ah... Péché véniel. » Le père LeBlanc se passait la langue sur les lèvres. « Sacrilège, également. Je le prendrai comme venant de ton âme. Mais il faut prendre garde aux mains des hommes. Quand allez-vous donc apprendre ça, vous autres les filles ? Haïssez-le... le péché, pas l'homme. Préserve la sainteté de ton corps, cette merveilleuse demeure dans laquelle Dieu t'a donné d'habiter. Tu devrais déjà être mariée, Oliva, voilà la vérité, et tu le sais. » Il se mouchait vaillamment, la sermonnait encore un petit moment sur la responsabilité liée à son sexe, puis lui imposait une pénitence de dix *Ave Maria*.

Oliva s'était mise à genoux, son rosaire dans les mains, et priait pour avoir de la sagesse et de la force. Pas de doute, Joseph Weiss avait dû changer d'avis quant à ses avances de la veille, peut-être le Vieux Bourque lui en avait-il raconté assez pour qu'il se décourage... Peut-être était-il même déjà de retour parmi les siens, et s'il avait une seule pensée pour elle, ce ne serait qu'une vive déception...

Persévère ! Persévère ! lui répétait souvent sa mère, et elle y croyait. Maintenant elle avait fait un serment qui la condamnerait sans doute à finir sa vie avec la veuve ou avec son frère, têtue comme une mule et sans aucun espoir de rédemption !

Mon Père, pardonnez-moi car j'ai péché, priait-elle en silence et avec ferveur, j'ai péché contre mon père, contre mon frère, contre ma famille. J'ai souhaité que l'impossible se produise, et par ce vœu j'ai même probablement péché contre Vous.

Elle compta rapidement tous ses partenaires de danse sur les grains de son rosaire, en se représentant le visage de chacun. Elle ne pouvait pas épouser Claude, ni Étienne, ni Ovide... Et elle ne voulait épouser ni Jean, ni Arsène, ni Marcel... Il n'y avait pas un seul homme qu'elle désirât, et d'ailleurs peu voudraient sans doute bien d'elle. Paul Bellard était assis à sa place habituelle au troisième rang, à côté de sa vieille mère. Il avait jeté un coup d'œil à Oliva lorsqu'elle était entrée, l'avait saluée de la tête d'un air grave, puis s'était retourné. Elle sentait à nouveau que ses yeux étaient posés sur elle, mais elle gardait le visage baissé.

C'était tout de même incroyable ! Il n'y avait qu'un homme qui pouvait la tenir comme ça, un seul qui pouvait allumer une flamme en elle, en réponse à celle qu'elle avait cru voir dans ses yeux, et c'était justement l'homme qu'elle ne pouvait pas avoir !

Lorsque cette interminable messe s'acheva enfin, Oliva avait l'impression d'avoir ramé de Lafourche jusqu'à la mer ; ses bras lui faisaient mal d'avoir soutenu tout son corps. Elle descendit les marches de l'église en compagnie de son père, hochant la tête à ceux qui la saluaient mais en osant à peine regarder de chaque côté.

Elle ne le vit donc pas, jusqu'au moment où il lui toucha l'épaule...

« Ce soir j'ai un bateau, dit-il en montrant d'un geste les pirogues amarrées sur la rivière. Je pourrais peut-être faire une nouvelle tentative ? »

Ses joues devinrent aussi brûlantes que si une centaine de soleils les chauffaient ; elle sentit soudain la pliure de ses genoux transpirer malgré la fraîcheur de l'air. Elle fit un sourire bien trop éclatant, elle en était consciente, mais personne ne dirait rien. « Il faut que vous demandiez à papa », dit-elle avec un léger tremblement dans la voix.

Simon Doucet attendait en haut des marches et les regardait. Il ne disait rien et ne tendit pas la main.

« M'sieur Doucet, commença Joseph, aujourd'hui j'ai un bateau convenable. M'sieur Bourque a eu la gentillesse de...

— Vous êtes catholique ? »

Joseph Weiss s'inclina respectueusement devant son père. « Comme l'étaient mes parents et mes grands-parents...

— Bon, venez, lui dit Simon sèchement. Nous parlerons religion pendant que vous pagaierez. » Il prit sa fille par le bras, l'accompagna à la rive et attendit que Joseph manœuvre la pirogue avant d'embarquer. Et lorsque Valsin quitta précipitamment Marie Guidry pour venir les voir, Simon se contenta de lui dire : « On te verra au dîner ? »

Son frère hocha la tête un peu confus, sans quitter du regard le rouquin qui se tenait en équilibre dans la pirogue.

Lorsque Simon aida Oliva à monter, il lui murmura : « Tu ne diras pas un mot, chère. C'est possible ?

— C'est possible, papa », répondit-elle docilement.

Les deux hommes s'installèrent à la proue, et son père observa attentivement Joseph diriger la barque dans le courant. Le vieil homme fit un signe de la main à ceux qui les regardaient depuis la berge, un salut tellement solennel qu'on aurait dit son adieu définitif à la vie.

Marie agita la main et cria un « Bonne chance ! » chaleureux, et Oliva se promit qu'elle aimerait toujours cette femme, que Valsin l'aime ou pas...

La lune se levait derrière les buissons de tupelo*, énorme et rouge

---

* Arbre ou arbuste à feuilles caduques et à fleurs minuscules, qui pousse sur des sols humides ou des eaux stagnantes, en Amérique du Nord et en Asie (NdT).

comme un fer incandescent. Les canards nocturnes nageaient juste devant, dans le léger murmure de leurs ailes.

Tandis que le bateau de Joseph s'éloignait de la rive, Paul Bellard aidait sa mère à descendre les marches de la chapelle. Il s'immobilisa et fixa Oliva, sans chercher à cacher sa déception. Ovide Bernance lui lança une phrase rapide sur un ton de plaisanterie, mais Bellard ne lui rendit pas son sourire. Il tourna le dos au bateau, comme s'il avait définitivement fermé une porte...

Oliva vit que son père avait aussi aperçu Bellard, et elle resserra son châle en baissant les yeux. Le temps d'un éclair, elle eut envie de crier à l'Allemand de ramener le bateau à la rive, de la faire redescendre et de la laisser tranquille : car Bellard reviendrait sûrement vers elle les yeux remplis de passion, si elle le désirait... mais elle ne fit que regarder son père en silence, en espérant qu'il parle.

Le bayou était plongé dans l'obscurité, surplombé par les franges encore plus sombres des arbres, avec pour seule lumière la lampe à pétrole suspendue à l'arrière du bateau. Oliva était assise près du seau à feu. Elle écarta la toile humide et attisa les braises ; puis elle y plongea une torche en bois et l'accrocha à la poupe. La lueur rougeâtre de la lune apparaissait furtivement à travers les nuages qui filaient, et les grognements lointains d'un alligator lui donnaient l'impression qu'ils étaient en train de s'enfoncer dans un endroit où la prudence s'imposait.

Après un long moment de silence, un silence si total qu'Oliva entendait son propre corps respirer, Simon dit enfin : « Votre famille vient du Bayou des Allemands, alors ? »

Joseph faisait avancer la pirogue le long de la rive, évitant soigneusement les souches et les branches qui pendaient au-dessus de l'eau. « Oui, m'sieur, répondit-il en français, nous avons des terres là-bas, mon frère et moi. Maintenant que mon père n'est plus là, nous nous partageons le travail : lui vend la bière et moi je m'occupe du brassage.

— Et vous habitez ensemble ?

— Non, il vit de son côté avec sa femme et ses enfants, moi j'habite dans la vieille maison en attendant de pouvoir m'en construire une. Nous avons l'intention de transformer la vieille maison pour agrandir la brasserie... Nous faisons une excellente bière à base de riz, la meilleure sur cette rivière : nous faisons venir le houblon et l'orge d'Allemagne, et nous vendons toute notre production. J'espère que bientôt, dit-il, d'un ton qui laissait penser qu'il s'adressait uniquement à elle, j'aurai une femme pour m'aider...

— Attention à l'écueil, là devant, dit Simon calmement, en faisant comme s'il n'avait pas entendu sa dernière phrase. Où avez-vous appris à conduire un bateau ?

— Là où j'ai appris le français, dit Joseph en s'adressant à Simon. Les Acadiens du Bayou des Allemands font partie de mes amis, m'sieur, et il y a là-bas autant de familles qu'ici pour préserver les vieilles coutumes.

— Vraiment ?

— Vous ne le saviez pas ? Et il paraît qu'il va encore en arriver, de Géorgie et de Virginie. »

Oliva ne savait pas où se trouvaient cette Géorgie et cette Virginie, mais elle remarquait avec joie que Joseph arrivait à manier la pirogue de telle sorte que l'arrière s'écarte en douceur de la mousse des arbres, et qu'ainsi son châle ne soit pas mouillé par la rosée... Son père posait maintenant de plus en plus de questions, à propos de la brasserie et de la difficulté de vendre la bière à La Nouvelle-Orléans, mais Oliva faisait surtout attention au ton et au timbre de cette voix étrangère.

Était-ce une voix qu'elle pourrait écouter jusqu'à la fin de sa vie ? Parlait-il à papa sur un pied d'égalité ou est-ce qu'il cédait à ses questions, le flattait et frétillait à ses pieds comme un petit chien ? Elle observait sa silhouette manier l'aviron, ses yeux scrutant le bayou tandis qu'il répondait, mais elle ramena soudain toute son attention à ce que Joseph disait : « Oui, j'ai déjà été fiancé une fois, à une jeune femme qui a finalement choisi quelqu'un d'autre.

— Vous aviez déposé les bans ? » La voix de Simon avait un ton vivement désapprobateur.

« Oui.

— Et malgré ça elle n'a pas voulu se marier ? Pourquoi donc ? »

Joseph se retourna, lança à Oliva un sourire qui brilla dans l'obscurité, et répondit d'un ton neutre : « Je suppose qu'après tout elle ne voulait pas de moi, m'sieur. »

Simon grommela d'indignation. « Ici on ne fait pas ce genre de plaisanterie, hein ? Ici on décide ces choses-là une fois pour toutes.

— Je suis ravi de l'entendre, répondit Joseph avec sincérité. Puisque c'est ici que je suis, non ? »

Il en avait donc eu une autre ! Il n'apporterait pas la même pureté à sa manière d'aimer, ni même dans son lit, pas comme celle que Bellard aurait pu avoir... Bellard qui n'avait probablement jamais embrassé avant, sinon la joue flétrie de sa mère. Mais elle sentait cependant un courant intense filer entre elle et lui, même si elle était assise loin derrière et entièrement cachée par son père.

Finalement la discussion s'acheva et la pirogue arriva doucement dans les eaux calmes devant la maison. Tout en aidant sa fille à descendre, Simon s'adressa à l'étranger : « Nous vous remercions pour votre courtoisie, m'sieur. » Et maintenant, attention ! pensa-t-elle très vite, les prochains mots de Simon seront le début ou la fin de tout...

« Désirez-vous entrer prendre du café ? La nuit est froide, et une bonne tasse vous donnera des forces pour le chemin du retour. » Simon avait fait cette proposition aussi naturellement que si le père LeBlanc avait été dans le bateau, à la place de ce Joseph-aux-cheveux-flamboyants...

« Du café, oui, je veux bien », dit-il.

Sans qu'Oliva fasse rien pour cela et sans même qu'elle s'en rende compte, ses mains dénouèrent son châle, allumèrent le feu dans le poêle, sortirent les tasses et mirent de l'eau à bouillir. On ne lui proposa pas de s'asseoir et elle ne le demanda pas. Pendant que les hommes parlaient de tout et de rien, elle aurait pu se joindre à eux, mais elle ne fit que rester dans ses pensées... Elle se demandait par quel miracle elle pouvait se tenir là, aussi calme et tranquille, tout en imaginant cet homme poser ses mains sur ses joues brûlantes, coller sa bouche à la sienne, emboîter ses pas dans les siens, ajuster sa vie sur terre avec la sienne, jusqu'au dernier jour, si la chance lui souriait... et alors ils périraient tous les deux ensemble, frappés par la foudre ou écrasés sous un éboulement, comme il arrive que des vieilles personnes meurent en même temps...

Mais lui, pensait-il seulement à ce genre de choses ? Et si c'était le cas, pourquoi donc gardait-il les yeux aussi fermement rivés sur Simon Doucet ?

Lorsque les tasses furent finalement vides, son père lui dit : « Va donc t'assurer que le réservoir de sa lampe est plein, et montre-lui le chemin. » Il se leva, serra la main de l'étranger et leur indiqua la porte.

La lumière qui venait du poêle, derrière eux, rendait le bayou encore plus sombre alentour. Oliva se pencha, prit un bidon sur le quai, remplit la lampe et la lui tendit pour qu'il l'accroche sur son bateau. Sans la toucher il se mit à lui parler en anglais. « On n'est pas de la même souche, tous les deux, ça personne ne pourrait le nier... Autrefois je croyais vouloir une femme qui tournerait toutes les têtes avec ses grands airs. Une femme habituée à la dentelle et aux oreillers de soie, qui puisse faire la différence entre un diamant taillé en étoile et un pendentif en verre... quelqu'un qui puisse m'élever. Mais une telle personne n'aurait jamais voulu de moi... Et maintenant que je t'ai vue, Oliva Doucet, je ne voudrais plus d'elle non plus... »

Oliva ressentit une bouffée de colère et d'orgueil. Mais son sang palpitait en elle, ce sang solitaire qui la poussait à aller vers lui, qui l'aiguillonnait. « Pourquoi moi je voudrais de toi, si elle, elle te refuse ?

— Parce que tu veux vivre avec moi. »

Elle se détourna et commença à s'éloigner, mais il la prit par les épaules et la tourna à nouveau vers lui. « Mais par-dessus tout, parce que moi je veux vivre avec toi... Tu verras, même le prêtre acceptera qu'on soit ensemble. Même Dieu voudra qu'on soit ensemble.

— Je ne pense pas que Dieu s'intéresse à mon choix...

— Il s'intéresse au mien, il me l'a dit..., sourit-il. Épouse-moi...

— Peut-être. Si tu arrêtes de te moquer de Dieu.

— Dis-lui d'arrêter de se moquer de moi, alors ! Épouse-moi.

— Peut-être. Si tu restes à l'écart de ces autres femmes qui peuvent distinguer le diamant du verre...

— Tu n'auras qu'à en parler avec elles ! dit-il.

— Quel prétentieux ! » Mais elle sourit. « Pourquoi donc devrais-je t'épouser ?

— Parce que je te désire comme jamais je ne l'ai fait pour une autre femme. Je veux que tu sois mon épouse et que tu m'aides à construire une vie.

— Et où veux-tu la construire ?

— Pas ici, chère, nous n'avons pas notre place ici.

— Mais je ne connais personne là-bas...

— Tu me connaîtras. Et il y a tellement de nouveaux qui s'installent que tu ne tarderas pas à t'y intégrer. Ce n'est pas si différent, après tout.

— Et puis je ne sais rien... rien de ce que tu sais.

— Je ne sais pas grand-chose de ce que tu sais. Qu'est-ce que tu sais faire au juste ? »

Elle leva sur lui des yeux où se lisait toute son exaltation. « Je sais découper un cerf et rôtir le cuissot avec du vinaigre doux et de la dentaria... Je sais couper et coudre une botte de cuir pour une pointure précise... Je sais comment préparer les racines de ménisperme contre les insomnies. » Elle s'arrêta brusquement et devint toute rouge lorsqu'elle réalisa qu'il ne l'avait encore jamais embrassée... « Je sais tenir un enfant dans mes bras, lui donner la fessée si c'est nécessaire, le laver, lui donner un nom et le rendre fier de ce nom. Je sais comment faire pour qu'il reste sage à l'église et pour qu'il devienne un homme... » Elle respira à fond avant de conclure, en se demandant au fond d'elle-même d'où avaient pu venir ces paroles et cette assurance... « Et pendant ce temps-là je sais satisfaire son père. » Il lui prit les joues dans ses deux mains et baissa sa bouche vers la sienne, tandis qu'elle se soulevait vers lui. Ce fut un long baiser, simple et chaleureux, qui la fit frissonner des pieds à la tête... Et lorsqu'ils s'écartèrent l'un de l'autre, elle se sentit vaciller et dut appuyer sa main sur la poitrine de l'homme pour garder l'équilibre. « Il faut que tu demandes à mon père », dit-elle d'une voix profonde et grave.

Sans une hésitation il se dirigea à grands pas vers la maison et entra. Elle restait là, toute droite, tremblante, et ses oreilles vrombissantes ne percevaient même plus les bruits nocturnes du marécage. En un instant il était de retour près d'elle, il la tenait dans ses bras, son corps serré de haut en bas contre le sien... « Nous publions les bans la semaine prochaine, murmura-t-il dans sa chevelure. A la prochaine lune, tu seras ma femme. »

46

Il y avait deux phrases de son mari qu'elle se rappelait le plus. La première disait : « Même Dieu voudra qu'on soit ensemble. » Sur le ferry qui l'emmenait à La Nouvelle-Orléans, elle l'avait tournée et retournée dans sa tête comme du marbre poli, essayant de retrouver la sérénité que lui procuraient d'habitude ces paroles. La seconde était : « Il te suffit de le vouloir. » Même à leur noce elle se l'était répétée sans cesse. Maintenant qu'ils traversaient le fleuve, elle se souvenait de ce que son mari avait dit ce soir-là, mais elle découvrait en même temps que ses désirs et la réalité seraient peut-être les rives opposées d'un large fleuve de boue...

Leur mariage n'avait pas été le plus somptueux que Lafourche ait connu, mais c'était certainement un des plus joyeux, car tous ceux qui étaient là savaient que c'était toute une famille qui se mariait. Simon avait fait part de ses intentions à la veuve, et Valsin avait déjà déposé les bans avec Marie. Alors pourquoi pas un triple mariage en l'honneur de ce courageux vieil homme ? Pourquoi ne pas danser trois fois plus, manger trois fois plus et être trois fois plus heureux ?

Et les gâteaux ! Oliva n'oublierait jamais les gâteaux, si énormes et si nombreux, qu'on avait apportés chez LeBleu et disposés sur la longue table. Elle-même en avait fait six, et Marie, pour ne pas être en reste, en avait fait six autres. Elles avaient dû tremper des chiffons dans du pétrole et les envelopper autour des pieds de la table, pour éloigner les fourmis, et toutes les femmes du village avaient apporté quelque chose de spécial, un plat ou un dessert délicieux pour participer à la fête.

Le frère de Joseph, Adolph, était venu avec deux immenses tonneaux de leur meilleure bière, la liqueur d'oranger avait coulé à flots toute la nuit, et la musique et les pas de danse avaient fait trembler les murs de chez LeBleu jusqu'au point du jour. Beaucoup quittèrent la noce pour aller chez la veuve et faire un charivari au père Simon et à sa vieille fiancée, qui avaient fait un mariage discret la semaine précédente. Ils restèrent pendant des heures sous les fenêtres de la veuve à crier, jouer de la musique et chanter. Le couple se décida enfin à sortir, Simon faisant semblant d'être fâché et sa femme rondelette marchant à son bras, et ils leur servirent à boire, le pot-de-vin traditionnel pour qu'ils les laissent en paix.

Lorsqu'on raconta à Oliva le charivari de son père, elle l'imagina soudain comme dans un songe, debout devant la porte de leur maison, maman souriant à côté de lui. Puis la vision disparut d'un seul coup. Et de toute façon elle avait tant de choses à penser qu'elle voulait se débarrasser de toute cette tristesse. C'était peut-être vrai, ce que les vieux disaient. Que l'amour s'en tient au présent, car à personne lendemain n'est promis...

Il y avait plus d'une centaine de bateaux et de carrioles attachés aux alentours de l'église, lorsqu'Oliva et Marie avaient descendu les marches dans leurs robes blanches identiques, les bras chargés de fleurs en papier orange, rouges et vertes, et suivies par toute une troupe de petites filles en habits chamarrés. Les filles Baptiste agitaient des rubans jaunes pour leur porter chance, et tout le monde était allé embrasser le vieux Simon, qui se tenait devant la porte avec la veuve à son bras.

Mais le moment dont Oliva se souviendrait toute sa vie, elle se le promettait, le souvenir qui lui réchauffait le plus le cœur, c'était lorsqu'elle avait levé les yeux pour voir Joseph devant l'autel, dans son costume noir tout raide, si étranger... seul son visage lui était un peu plus familier. Et pourtant elle l'aimait déjà tellement...

Dans la semaine qui suivit le mariage, elle avait découvert des dizaines de différences qui les séparaient. Il était catholique-allemand, et même les chansons qu'ils chantaient à la messe n'étaient pas les mêmes. Il aimait le café, bien sûr, mais il n'en buvait que le matin et le soir, et la première fois qu'elle lui en avait servi un bien fort, il s'était mis à tousser et à se moquer de ce liquide noir, que son frère à elle buvait alors qu'il n'était pas plus haut que le fourneau. Il ne savait pas que ça portait malheur de tuer une araignée, de cuire du pain un jour de pluie, ou d'ouvrir un parapluie dans la maison. Il ne savait pas non plus que ça portait bonheur de cracher sur l'hameçon avant de le lancer dans l'eau, ou d'entendre un criquet chanter près de la maison. Il voulait dormir la fenêtre ouverte, et elle était atterrée qu'il ne sache pas à quel point cela pouvait être dangereux... Si les microbes et la pestilence de la nuit n'atteignaient pas son corps, alors à coup sûr c'était son âme qui serait gravement menacée par le loup-garou des bayous.

Je dois tellement en apprendre à cet homme, pensa Oliva.

Mais alors elle souriait intérieurement : il m'en apprend tellement lui aussi...

Le ferry poursuivait la traversée du fleuve, marron et épais dans le soleil de l'hiver. Oliva n'avait jamais vu le Mississippi auparavant, cette mer immense qui semblait si calme, mais qui devenait rapide et traître lorsqu'on y naviguait. Les rives formaient des petites collines, et Oliva s'émerveillait de la différence entre cette rivière et le bayou. Ce fleuve est si puissant, lui avait expliqué Joseph, et il transporte tellement de boue qu'il construit ses propres rives au lieu de les creuser, comme le fait le bayou. Comme un serpent qui ondule lentement, il laisse des crêtes dans les terres, déposant toujours plus qu'il n'emporte.

Après s'être occupé des bagages, Joseph vint la rejoindre.

« Regarde là », il pointa un doigt en direction de l'eau, où la bouche aspirante d'un tourbillon se mouvait à la surface comme un être vivant. « Ça doit être très profond, non ? » Chaque fois qu'il voulait être seul avec elle et qu'il y avait du monde, il lui parlait français. Il appelait ça leur langage d'amour secret, et il la faisait éclater de rire quand il s'embrouillait avec les mots.

Elle n'arrivait pas à faire sortir un seul mot allemand de sa bou-

48

che, semblait-il, même avec la meilleure volonté du monde. Quelle langue discordante ! Il fallait se racler la gorge, se gargariser et éclabousser l'interlocuteur de postillons à chaque phrase. Elle se demandait si les femmes allemandes étaient aussi laides que leur langue, puisqu'elles devaient se tordre la bouche pour produire un son aussi rugueux.

« Tant de changements en si peu de temps, soupira-t-elle, en s'appuyant contre lui à la balustrade.

— C'est comme ça que ça se passera toujours pour nous, *liebchen*.

— Tu crois ? Pourquoi donc ?

— Parce que nous n'avons pas peur de prendre des risques. De perdre les vieilles habitudes. Et puis... — et là il prit le pouce d'Oliva et en caressa doucement la corne... — d'affronter main dans la main ce qui nous attend au tournant. Nous aurons un but... Car un homme doit en avoir un, et sa femme doit l'aider. Le bayou est un pays de fainéants, à mon avis. Les hommes semblent même trop fatigués pour marcher, si on les observe bien. Dieu leur a donné la région la plus riche qui soit au monde, et eux ils attendent en plus qu'Il laboure. Tu es une des seules qui aies... une certaine rigueur. La plupart des gens y sont aussi paresseux que les eaux du marécage. »

Elle fronça les sourcils, s'apprêtant à protester...

« Mais toi tu étais une jolie fleur des marais, tout épanouie au milieu de ces misérables... Regarde, voilà notre voiture pour La Nouvelle-Orléans ! »

Sur l'étroite jetée qui menait au quai attendaient plusieurs carrioles, et tandis que les passagers descendaient du ferry, les chauffeurs sautaient à terre pour crier leurs tarifs et leurs destinations, trimbaler des bagages et sélectionner plus ou moins dans la foule ceux qui monteraient ou pas. Oliva s'agrippa au bras de Joseph et se rendit soudain compte à quel point il était grand, se sentant soulagée de pouvoir le repérer au-dessus des têtes dans la foule.

« Tu vas faire un voyage de noces ! lui avait joyeusement crié Marie en la serrant dans ses bras, quelle chance tu as ! »

En fait peu de jeunes mariés avaient jamais quitté le village, ne serait-ce que pour une seule nuit, car il fallait rentrer les récoltes, poser les pièges et réparer les filets, mariage ou pas. En plus, gaspiller de l'argent pour de telles sottises aurait fait les gens se regarder de travers, ça aurait fait des jaloux, sans aucun doute.

Mais ceci n'était pas un voyage de noces, loin de là ; Oliva en était désormais certaine. Joseph lui avait annoncé qu'ils devaient s'arrêter à La Nouvelle-Orléans avant de rejoindre le Bayou des Allemands, afin d'organiser l'expédition de tonneaux et de barriques, voir quelqu'un qu'on nomme un courtier au sujet de la nouvelle bière, et d'autres détails qu'elle ne se rappelait plus. Là ils vivraient dans une petite maison qu'ils loueraient pour la saison, tout en haut de la rue.

Soudain, tandis que la carriole se rapprochait rapidement de cet entassement de maisons qu'était la ville, Oliva se mit à regretter vivement de ne pas être assise sous le porche de sa petite maison en bois, pour que la brise du bayou, de ses doigts familiers, lui soulève les cheveux du visage...

La Nouvelle-Orléans, ils l'appelaient, une ville pleine de grandes demeures et de richesses, et qui, située entre l'étang et le fleuve, aimantait les rêves de tous les gens du delta. Mais ce qui impressionnait Oliva par-dessus tout, c'étaient ce dédale fourmillant des rues, ces grandes maisons toutes droites peintes de couleurs vives... et ces femmes ! Même pour aller au marché elles s'habillaient de capes de velours, d'étoffes damassées et de rubans de toutes les couleurs.

« Il y en a tellement qui sont belles, murmura-t-elle à Joseph quand leur carriole arrivait sur le port, avec une peau si blanche !

— C'est de la poudre, pour la plupart, lui dit son mari sèchement. Elles se déguisent et se peinturlurent... ces gros points noirs que certaines ont sur le visage, tu vois ? Ce sont des mouches. Peintes pour attirer l'œil. »

Certaines maisons étaient construites en briques, du rez-de-chaussée au premier étage. Le second étage était souvent en bois, et entièrement entouré d'un balcon pour faire circuler l'air.

« Qu'est-ce qu'il y a, là, sur les toits ?

— De la "boue-de-Nouvelle-Orléans", ils appellent ça, dit Joseph avec un sourire amusé. Un mélange d'argile, de chaux, de goudron et de coquilles d'huîtres. C'est solide comme du roc et ça ne laisse pas passer une goutte, comme ils disent. » Mais il fit une moue lorsque la carriole traversa une mare de boue dans de grandes éclaboussures. « Ils devraient en mettre aussi dans les rues, non ? »

Les rues, qui suivaient la courbe de la rivière, étaient étroites et tortueuses. Les caniveaux étaient obstrués par la vidange, des ordures, de l'eau de pluie stagnante et du crottin de cheval. La puanteur lui arriva jusqu'aux narines lorsqu'ils durent s'écarter du milieu de la voie.

Un homme noir passait à pied, portant une élégante veste jaune et un grand chapeau. Il était suivi de deux nègres qui portaient ses bagages. Oliva fit pivoter sa tête pour le fixer avec étonnement.

« Les *gens libres de couleur*, on les appelle, dit Joseph calmement. Il y en a beaucoup ici. Certains ont même leurs propres esclaves.

— Ce n'est pas interdit ?

— Pas grand-chose n'est interdit... », dit-il en haussant les épaules.

Ils traversèrent une place publique noire et grouillante de monde. Le long des grilles en fer étaient installées les échoppes de marchands d'oranges, de bananes, de sorbets et de *bière douce*, une boisson au gingembre. Des femmes noires balançaient des corbeilles sur leur tête, en criant pour proposer leur marchandise... *Estomac mulâtre*, le gâteau au gingembre que faisait la mère d'Oliva autrefois... Le long du fleuve, les étalages d'huîtres attiraient une foule d'hommes élégants avec leurs dames, qui attendaient qu'on leur ouvre des huîtres pour les manger directement dans la coquille.

Les docks s'étendaient sur plusieurs pâtés de maisons, et il s'y empilait les balles et les barriques de plus d'une vingtaine de navires aux immenses mâts qui étaient à l'ancre. Des petits bateaux, quand même trois fois plus grands que leur pirogue, naviguaient autour des navires et les retenaient avec des cordes comme s'ils allaient s'échapper dans le courant...

Des hommes se tenaient en petits groupes à débattre du prix des marchandises, tandis que d'autres hissaient des balles, chargeaient les chalands, ou s'allongeaient simplement dans les rouleaux de cordes pour prendre le soleil. Sur un des quais s'entassaient des produits agricoles : des figues, des pastèques, des noix pécan, des potirons et d'autres fruits et légumes étranges qu'Oliva n'avait jamais vus.

Le flot des gens de la ville se hâtait comme le bayou en crue, et il défilait là tout ce qui pouvait exister sur terre. Des nonnes en habit gris, les mains cachées au fond de leur robe, des femmes de mœurs et d'allure légères, des dames riches et élégantes avec leur nègre pour porter les paquets, des gentlemen qui plastronnaient dans leur longue redingote et leur haut-de-forme, et des marins, pantalons bouffants et pieds nus, qui se bousculaient sur ces étroits bancs en bois, juchés au-dessus de la boue et que Joseph appelait leurs passerelles. Oliva entendait un pot-pourri de langues : la plupart des gens distingués parlaient français ou anglais, les marins parlaient surtout espagnol, lui avait dit Joseph, et les nègres, elle ne comprenait pratiquement pas.

Puis la carriole s'éloigna des docks et descendit une rue tranquille où s'alignaient de grandes maisons face à la rivière. Un chariot arriva en sens inverse, un colporteur avec sa pile bringuebalante de melons tout verts aux rainures sinueuses. Sur le siège à côté de lui, Oliva en aperçut un qui était coupé en deux pour montrer leur couleur. « Pastèque, ma bonne dame ! beugla-t-il vers elle ainsi qu'en direction des maisons dont les volets étaient tous fermés, bien rouge jusqu'à l'écorce, venez les acheter, mesdames, des pastèques toutes fraîches !

— D'où tient-il ses fruits en cette saison ? demanda-t-elle rapidement à Joseph avant de se retourner pour les observer.

— Des bateaux qui arrivent de Cuba, expliqua-t-il patiemment. Ici, à la ville, on peut trouver n'importe quoi, n'importe quand. Si on a l'argent. »

Elle s'émerveilla de tout ça, ainsi que des maisons devant lesquelles ils passaient. Le cheval s'était d'ailleurs mis à marcher d'un pas noble, comme s'il savait que le respect s'imposait.

« Qui habite ici ? » demanda-t-elle calmement.

Joseph hocha la tête. « Nous sommes dans le quartier créole. Trop riche, vraiment. Ils se croient sortis de la cuisse de Jupiter, et ne louent jamais aux étrangers. »

Elle médita en silence. Les Créoles pensaient être un bout de la cuisse de Jupiter, comme il disait, une ambition plutôt bizarre...

51

Néanmoins tous les portails des maisons étaient fermés, et les jardins étaient invisibles de la rue. Ils lui donnaient l'impression d'être elle-même invisible. Elle tortilla les orteils dans ses souliers de voyage trop rigides, espérant en être bientôt libérée.

Ils s'engageaient désormais dans des petites rues, bien moins larges et droites. Ils s'arrêtèrent enfin devant une petite maison blanche qui n'avait qu'une seule porte. Joseph l'aida à descendre, et tandis qu'il prenait les bagages, elle remarqua l'étroite parcelle de jardin qui bordait un côté de la maison. On ne pourrait pas y faire pousser grand-chose, se dit-elle, avec si peu d'espace... Il y avait encore moins de boue dans cette cour que sous la galerie de sa maison, non ? Et puis ces maisons si proches les unes des autres, serrées comme une rangée de dents...

A la nuit tombée ils étaient installés dans la petite maison, leurs habits étaient rangés dans des petits placards, et une chandelle brûlait sur la table à côté du lit. Elle essayait de choisir parmi les habits de Joseph lesquels resteraient dans la malle, car il en avait plus qu'elle et la place manquait pour les ranger. Pendant ce temps il travaillait à ses papiers, assis à la petite table qui branlait chaque fois qu'il appuyait ses coudes dessus.

Elle se tourna vers lui et lui dit : « Ces Créoles... ceux qui se croient si importants aux yeux de Dieu, est-ce qu'il leur arrive d'épouser quelqu'un qui n'est pas des leurs ? » Elle lui parlait en anglais, ce qui d'une certaine manière paraissait plus convenable en ce lieu.

« Jamais, dit-il tandis qu'il faisait gratter sa plume sur son livre de comptes. S'ils le faisaient, ça ne pourrait pas marcher longtemps, de toute façon.

— Pourquoi ça ? »

Il releva les yeux vers elle. Déjà, elle avait appris que son mari prenait parfois cette expression, fronçant ses sourcils roux et fixant un point dans le vague, et que dans ces moments-là il valait mieux qu'elle se taise. Mais elle ne s'y résignait apparemment jamais. En fait, lorsqu'il rejoignait les sourcils de cette manière, elle ne pouvait s'empêcher de parler encore plus.

« Pourquoi ça ne pourrait pas marcher ? » demanda-t-elle à nouveau, à genoux, enfonçant ses mains parmi les piles d'habits dans la malle pour les empêcher de remuer.

« Je connais bien ces gens, moi, répondit-il en français, et on s'entend bien en affaires. Mais ils n'accepteraient jamais un étranger parmi eux. Pas pour longtemps en tout cas. Ils ne toléreraient jamais une chose pareille. Et c'est aussi bien, d'ailleurs, puisqu'ils sont si différents.

— Ils parlent français ?

— Un français à eux. Tu pourrais à peine les comprendre, chère ; et ils n'essaieraient pas de te comprendre non plus. Suppose que tu rencontres un gentilhomme créole, et qu'il t'emmène chez lui pour te présenter à *maman*. Elle ne permettrait jamais une telle alliance, avec des gens du commun... Deux personnes si différentes ne pourraient jamais bien se connaître.

— Comme nous nous connaissons ?

— Oui, mon amour. Comme je te connais. »

Elle sentait qu'il devenait impatient, désireux de retourner à ses papiers, mais elle insista. « Mais s'ils s'aiment ?

— Quelle enfant tu fais ! lui sourit-il gentiment.

— Tu n'es pas beaucoup plus vieux, répliqua-t-elle. Ne joue pas au patriarche.

— Je ne suis pas vieux, mais à vingt-cinq ans, j'en sais plus que toi sur ces choses, 'tite chou. Comment deux personnes peuvent-elles s'aimer si elles sont différentes, hein ? Tôt ou tard ces différences resurgissent.

— Différents..., dit-elle en baissant la tête et en remuant à nouveau les mains... pas semblables comme nous deux.

— Oui, différents, dit-il plus sèchement.

— Alors tu ne m'aurais pas épousée si j'étais créole ?

— Pour l'amour de Dieu, Oliva, qu'est-ce que ça veut dire ?

— C'est ce que tu as dit, non ?

— Non. C'est ridicule. Je ne t'aurais même pas connue si tu étais créole. Je connais des Acadiens, je connais leurs différences, mais des Créoles... Nous ne nous serions jamais rencontrés, tous les deux.

— Suppose que si. Suppose qu'on se soit rencontrés, moi étant une fille créole, pas une Acadienne.

— Mais tu ne serais pas toi !

— Suppose que si... Suppose que je suis une fille créole, on se rencontre, on s'aime. Est-ce que tu m'épouses ? »

Il baissa les yeux, et elle se rendit compte à quel point il était en colère.

Elle se releva et alla vers lui, caressa son front et ses cheveux brillants. « Alors ? Tu m'épouses ?

— Je réfléchis.

— Ne réfléchis pas, Joseph. Oui ou non, c'est simple.

— C'est loin d'être simple.

— Oui ou non ?

— Sainte Marie ! Oliva, tu vas me rendre fou ! Bon, puisque tu insistes... C'est non.

— Ah, dit-elle, sur un ton grave et étrangement satisfait. C'est non, alors... »

Elle quitta la pièce d'un air indifférent, le dos droit et le menton haut. Il retourna à ses papiers avec la même indifférence. Mais elle savait qu'elle l'avait blessé...

Elle sortit sur la petite galerie qui contournait l'arrière de la maison, et elle regarda le ciel. La nuit était claire, les étoiles nombreuses. Elle se demandait si au même instant Valsin et Marie étaient aussi dehors, en train de regarder la nuit. Elle entendit quelque part un chien hurler à la mort, mais ce bruit faisait partie de cette nuit et de cet endroit, autant que grenouilles et criquets dans le bayou...

C'était donc quelque chose à retenir à propos du mariage, elle en était convaincue. On doit d'une certaine manière rester à l'écart. On devait toujours garder un bout de son cœur pour soi, sinon l'amour devenait huileux et ennuyeux comme un cochon qu'on gave.

Il vint à côté d'elle et passa un bras autour de ses épaules.

« Pardonne-moi, *liebchen*, je tâcherai de me rattraper.

— Comment ? » demanda-t-elle.

Il la serra plus près de lui et murmura dans ses cheveux. « Je t'épouserai. »

Elle s'écarta légèrement. « Ah, on verra bien... Va te coucher, je te rejoins dans un instant. »

Il partit. Elle attendit un moment, puis rentra à nouveau dans la maison, se déshabilla dans le noir et alla devant la porte de leur petite chambre, sa peau nue picotée par l'air frais de la nuit.

« Éteins la chandelle, dit-elle tout doucement.

— Quoi ?

— Éteins-la. »

Il se pencha sur la chandelle et souffla. La chambre se trouva soudain totalement plongée dans l'obscurité.

« Oliva ? » appela-t-il à voix basse.

Elle ne répondit pas.

Il s'assit dans le lit, mais elle savait qu'il ne pouvait pas la voir... Son cœur battait aussi fort que lorsqu'ils avaient passé leur première nuit ensemble, lorsqu'elle s'était réveillée en pleine nuit dans le bayou, en se demandant quelle créature avait bien pu faire ce bruit si près de son lit, et attendant de l'entendre à nouveau... sans un bruit elle traversa la chambre et alla vers lui. Un étranger...

En 1788 La Nouvelle-Orléans était la plaque tournante d'un vaste réseau de navigation, une capitale de commerce rutilante, et le bourbier de tous les vices d'Europe et d'Amérique réunis.

Le Mississippi, qui ne déterminait pas seulement la destinée de sa patrie, mais aussi celle de plusieurs pays voisins, était le Nil de l'Amérique du Nord. Le fleuve drainait des hommes et des femmes qui venaient du monde entier pour essayer de glaner quelque chose de ses profondeurs boueuses. Oliva avait d'ailleurs vite compris que les « glanages » de Joseph dureraient bien plus longtemps que les quelques mois initialement prévus... Avant même qu'elle s'en rende compte, cela faisait déjà presque deux ans qu'elle avait quitté le Bayou Lafourche.

Les premiers jours de printemps n'en étaient pas moins merveilleux... Le coton prospérait, les péniches naviguaient en permanence, et c'étaient les richesses d'une douzaine d'États qui convergeaient ainsi à La Nouvelle-Orléans. C'était à la fois un port fluvial gigantesque, un port maritime, un des endroits du monde où le commerce était le moins taxé, et un tremplin pour des hordes d'aventuriers.

Ceux qui ne l'aimaient pas l'appelaient la ville ensorcelée, la catin. Les autres l'appelaient le Paris du Nouveau Monde. Pour Oliva la ville était une *lady* un peu américaine, un peu espagnole et surtout très française. A la fois grande dame et gamine, La Nouvelle-Orléans aimait le rire et la parade, mais on y appréciait par-dessus tout les plaisirs libertins... Joseph aimait à dire que dans toute l'Amérique le travail faisait parfois place au plaisir, mais que dans la Queen City, comme le nouvel arrivage de Yankees l'avait appelée, c'était le plaisir qui de temps en temps faisait place aux affaires !

En un rien de temps Oliva avait appris à se repérer dans les alentours du *Vieux Carré*, elle explorait des rues qui sinuaient en même temps que la rivière, et des ruelles où un étranger pouvait se perdre pendant des heures, et où les habitants du quartier découvraient souvent des raccourcis qu'ils ne soupçonnaient même pas. Et toujours, près d'elle, de l'eau : le lac, le fleuve, le canal...

Oliva et Joseph avaient prévu de ne rester qu'un mois environ à la ville, puis de partir pour le Bayou des Allemands. Mais Joseph avait reçu des nouvelles de son frère Adolph, disant que tout allait bien à la brasserie, et qu'en fin de compte, il serait plus profitable pour leur affaire qu'il reste à La Nouvelle-Orléans au lieu de revenir chez eux. La Nouvelle-Orléans était après tout le pivot de toutes les affaires que les frères Weiss — et la plupart des marchands — avaient à traiter durant la saison, et ses bourses de marchandises contrôlaient tout ce qui passait sur le fleuve.

Son père, son frère et sa maison lui manquaient. Mais chaque fois qu'elle se plaignait, il lui demandait de patienter encore quelques mois, et ensuite ils iraient passer des vacances à Lafourche.

Oliva regardait donc le printemps s'installer sur La Nouvelle-Orléans, et elle finit par connaître si bien les marchés et les passerelles de la ville qu'elle pouvait en surmonter les excentricités, parler son anglais et même comprendre son français abominable. Mais aussi bien qu'elle puisse se débrouiller, elle ne pouvait s'empêcher, au milieu du vacarme et du remue-ménage des docks, des rues et des avenues, d'écouter le silence paisible du bayou...

Durant les longues soirées tièdes où Joseph était occupé sur les docks, elle s'asseyait sur la galerie et écoutait les bruits de la ville, pensant avec nostalgie au chant des oiseaux, au bourdonnement des insectes, au soupir du vent sur l'eau.

Et il fallait du temps pour s'habituer à ces nouvelles eaux, trouvait-elle. Celle du Mississippi, que l'on puisait dans de grandes cuves en pierre et que des colporteurs vendaient dans les rues, il lui aurait été au premier abord impossible de la boire... Dans un verre de cette eau apparaissait, en quelques instants, une couche de sédiments qui en remplissait presque un tiers. Les habitants de la ville croyaient cependant que l'eau du fleuve avait des pouvoirs guérisseurs absolument miraculeux. Lorsque parfois Joseph invitait un acheteur à dîner à la maison, l'homme se refusait à prendre son repas avec autre chose qu'un grand verre d'eau du Mississippi.

« Mais voyons, ça va vous purifier, lui avaient prétendu plus d'un, et si vous avez des maux d'estomac, une fièvre ou des palpitations, quatre ou cinq verres d'eau de la rivière vous débarrassent de tout ça en un rien de temps. L'eau la plus saine que j'aie jamais bue ! »

Joseph commençait à envisager sérieusement de construire une nouvelle brasserie sur la rive ouest, pour profiter de cette croyance que cette eau pouvait guérir de tous les maux, dépurer le sang, et d'une manière générale, maintenir en bonne santé physique et morale...

Mais lorsqu'il parlait de ce projet, même avec ménagement, Oliva lui rappelait que le bayou offrait la même eau avec beaucoup moins de boue.

Ce qu'Oliva préférait dans la ville, c'était leur petite maison blanche, même si elle était presque collée toit contre toit à deux autres maisons identiques. Elle était plus profonde que large, et une galerie l'entourait sur l'arrière et les côtés avec de très jolies ferronneries et une balustrade à hauteur de la taille. Le toit qui descendait très bas surplombait les fenêtres et leurs volets à lattes, et les murs *briquettes-entre-poteaux* protégeaient de l'éclat aveuglant du soleil printanier. Une petite cour arrière abritait un bananier, dont les feuilles enroulées enveloppaient des fruits pas encore mûrs, verts et bulbeux.

Lorsqu'on entrait dans la maison et qu'on refermait la porte derrière soi, on traversait un couloir dallé, sombre et frais. La maison et la cour n'étaient pas un endroit agencé de façon nette et soignée : comme le reste de la ville, leur beauté venait plutôt de leur côté accueillant et improvisé... Juste à côté de la maison, un magnolia faisait un cercle d'ombre et tapissait le sol de fleurs blanches et parfumées. Oliva s'asseyait parfois sur le banc qui se trouvait devant la maison, et écoutait les ménagères s'appeler d'un bout à l'autre de la rue, dans leur patois confus de français chantant. Il régnait dans la rue un arôme âcre, nuit et jour, celui du café qui s'écoule goutte à goutte dans un pot, et celui du gombo épicé.

Mais de toutes les différences qui séparaient La Nouvelle-Orléans et Lafourche, celle qui la préoccupait le plus, c'était la manière dont les hommes se sentaient plus ou moins supérieurs à la parole et aux lois du Bon Dieu. Les femmes ? Oh, elles étaient à l'abri de tout ça... Maman et les jeunes filles, si elles venaient d'une bonne famille, étaient confinées dans un strict isolement, et lorsqu'elles sortaient de la maison, elles étaient escortées et bien gardées. Mais les hommes, dans leurs cafés, leurs saloons, leurs maisons de jeu et d'autres lieux qu'Oliva ne pouvait qu'imaginer, ils étaient libres de faire tout ce qu'ils voulaient.

Et d'après ce qu'elle pouvait en juger, il était difficile de prendre les gentlemen de La Nouvelle-Orléans pour des moines...

Les femmes créoles étaient belles et élégantes, elles s'habillaient à la mode et se drapaient la tête de dentelle et de plumes... Mais est-ce que leurs hommes savaient apprécier leur beauté ? Ils préféraient apparemment leurs tables de jeu et leur *tafia*, ce rhum très fort à base de sucre de canne. Et ce qu'ils semblaient priser par-dessus tout, c'était les bals privés où ils pouvaient rencontrer des quarteronnes et des octavonnes, ces femmes exotiques avec un quart ou un huitième de sang africain ou haïtien, qui leur donnait des lèvres d'une rondeur sensuelle et des pommettes saillantes au charme un peu étranger...

Il y avait une gaieté frénétique dans leur joie de vivre, même le dimanche. Après la messe commençait pour eux une nouvelle journée de plaisirs. Toutes les boutiques étaient ouvertes, les gens affluaient au théâtre et dans les bals, et ils dansaient toute la nuit. Le dimanche soir, des femmes élégantes marchaient pieds nus dans les rues boueuses pour aller au bal, la robe retroussée jusqu'aux genoux et retenue par des épingles, faisant porter leurs chaussures par un esclave qui suivait à une distance respectable.

Alors que ces tentations ne l'auraient pas tourmentée en d'autres circonstances, Oliva commençait désormais à se faire du souci. Car à la venue du printemps, elle s'était rendu compte qu'un enfant fleurissait en elle... Ce sentiment lui causa un mélange obsédant de joie et de vive inquiétude. Un bébé allait enfin arriver, fruit de leur amour, quelque chose qu'elle avait surveillé, attendu, dans la crainte que ça ne vienne jamais. Maintenant qu'elle en était certaine, elle ne pouvait plus rester tranquille et attendre que le temps passe dans ce lieu étranger. Son désir de rentrer chez elle et d'être avec des gens qu'elle connaissait augmentait de jour en jour.

Mais un soir, c'est La Nouvelle-Orléans qui prit la décision pour elle.

Ce soir-là, il faisait une chaleur humide bien qu'on ne fût qu'en mars... Oliva avait pris sa tasse de café et était allée s'asseoir sur la galerie de devant, pour sentir la brise qui remontait du fleuve. Tout en se balançant sur son fauteuil, elle fredonnait au bébé qu'elle portait une petite berceuse en français, une vieille chanson que sa mère lui chantait : « *Fais dormi, ma p'tite Minette, jusqu'à c'que t'aies quinze ans, quand les quinze ans s'ront écoulés, ma Minette se mariera.* »

On entendait cependant un bourdonnement confus qui provenait du bas de la rue. Il semblait se rapprocher, mais Oliva n'arrivait pas à distinguer ce que c'était ; le bruit augmentait et diminuait par vagues. Elle se leva, posa sa tasse et se força à regarder en direction du soleil couchant pour voir ce qui causait une telle clameur.

Une faible lueur apparaissait au-dessus de la rangée de pacaniers, derrière les maisons ; c'était d'autant plus intrigant que cela s'intensifiait pendant qu'elle regardait... Le ciel s'assombrissait très vite maintenant, mais restait rose vers les docks. Elle regarda à droite et à gauche, mais il n'y avait personne d'autre dehors ou sur les galeries... Lorsqu'elle regarda à nouveau, le ciel avait pris une couleur rouge terne. Tout à coup, une flamme gigantesque s'élança dans l'obscurité et Oliva sentit en même temps son cœur vaciller...

Les docks brûlaient ! Sous ses yeux les flammes s'élevèrent de plus en plus haut et s'étendirent rapidement en une large bande rouge. Le bruit était désormais beaucoup plus fort, elle entendait le grondement des chariots et des sabots de cheval. D'autres femmes sortaient sur leurs galeries, fixaient le ciel puis rentraient précipitamment.

Joseph !... Il était aux bourses de marchandises, là-bas sur les docks ! Tout un pâté de maisons devait déjà brûler, et la brise chaude lui apportait l'odeur de la fumée... Elle rentra dans la maison en trombe, courut dans leur chambre et se pencha à la fenêtre pour avoir une meilleure vue : le ciel était maintenant d'un orange hideux, et d'énormes tourbillons de fumée noire s'élevaient avec la vitesse fuyante des nuages d'orage. L'odeur de fumée s'intensifiait et s'imprégnait même dans ses cheveux... Elle porta instinctivement ses mains à son ventre et les croisa solidement comme pour en protéger l'enfant. Réfléchis ! Réfléchis ! se disait-elle fiévreusement, il va sans doute bientôt arriver, qu'est-ce qu'on doit prendre, qu'est-ce que je dois faire ? Elle se rua vers les placards, sortit leurs habits et les jeta sur le lit. Puis elle tira de toutes ses forces la lourde malle jusqu'au milieu de la chambre, l'ouvrit brutalement et commença à y entasser les papiers de son mari... Soudain une violente explosion la projeta sur le lit et la fit hurler, les mains collées aux oreilles.

Était-ce la guerre ? La fin du monde ? Maintenant des explosions éclataient tant et plus, et elle réalisa que des barils de pétrole, de liqueur et de toutes sortes de combustibles dangereux devaient être en train de sauter sur les docks... Et des maisons, aussi !... Elle apercevait par la fenêtre des carrioles dévaler la rue, des femmes appeler leurs maris, des hommes crier des instructions... et Sainte Marie, où était donc Joseph ! Que devait-elle faire ? La maison, et même la terre tremblaient à chaque détonation.

Elle courut dans le couloir, chancelant d'un côté à l'autre et se tenant le ventre, et se précipita dans la cuisine. De la vaisselle, ils auraient besoin de vaisselle, et puis de linge, de verres, de chaussures ! Elle fila dans la chambre, balança dans la malle des chaussures à grosses boucles, puis retourna dans la cuisine à toute vitesse pour finir de sortir assiettes et casseroles des placards. Une explosion fracassante se fit à nouveau entendre, elle lâcha une assiette de porcelaine qui se brisa en mille morceaux. Elle s'agrippa alors au rebord du placard et les secousses de profonds sanglots commencèrent à s'emparer d'elle... Mais elle se cria tout fort : « Arrête ! Tu n'es pas encore en train de brûler ! » puis pressa très fort ses mains l'une contre l'autre jusqu'à ce qu'elles lui fassent mal ; enfin elle les secoua vigoureusement, et continua à déballer les assiettes de porcelaine...

Elle entendit le bruit d'une carriole qui s'approchait, elle lâcha une nouvelle assiette et vola à la porte ; Joseph sauta à terre et jeta les rênes du cheval autour du poteau.

« Ah !... Dieu merci ! Dieu merci ! s'écria-t-elle en se jetant dans ses bras. Que se passe-t-il ? Est-ce que ça se rapproche ?

— Oui, trop pour qu'on puisse rester, dit-il en la serrant très fort contre lui, il faut partir tout de suite. Le feu a déjà gagné cinq pâtés de maisons des docks jusqu'à ici, et... »

Une explosion assourdissante les fit tressauter l'un contre l'autre, et sous leurs yeux, une maison du bout de la rue prit feu d'un seul coup.

Elle hurla de terreur, portant ses mains devant la bouche. Les chevaux et les carrioles détalaient dans la rue, un véritable flot d'hommes et de femmes, certains à pied, passait devant eux en poussant des grands cris.

« Arrête ! dit-il en la secouant par les épaules. Il faut que tu m'aides maintenant ! »

Elle étouffa son cri en mordant son poing et hocha énergiquement la tête. La chaleur devenait insoutenable et la fumée était si épaisse qu'on y voyait à peine ; le cheval commença à hennir et à tirer violemment sur ses rênes...

« As-tu fait les malles ? » Il la prit par le bras et la traîna vers la maison, en lui détournant la tête de l'holocauste.

« Oui, oui, deux ou trois choses, mais je ne savais pas quoi...

— Bon, de toute façon on n'a pas le choix. Je te laisse cinq minutes... compte tout haut, Oliva, compte avec tes pas... pas plus de cinq minutes... il faut que je tienne le cheval sinon il va s'emballer. Jette tout ce qui te semble utile dans les malles, le reste est perdu... Allez, va ! » et il la poussa dans la maison, d'une voix dure et sèche.

Elle comptait tout fort, sa voix était si étrange dans la maison... les murs semblaient maintenant s'enfler sous la chaleur. Elle courait d'une pièce à l'autre, attrapant ici une lampe, là une nappe en dentelle, un vase en porcelaine, et fourrait tout ça dans la malle. C'était une petite carriole, pas beaucoup de place en plus des deux personnes... et où l'avait-il trouvée ? Pas le temps, pas le temps... elle poussait un cri chaque fois que ses pas ralentissaient ou partaient dans la mauvaise direction, elle avait l'impression d'être un rat dans un labyrinthe, sa propre petite maison était soudain immense et étrangère... Une autre explosion ! Et si proche cette fois ! Il faisait plus clair qu'en plein jour, les pièces rougeoyaient d'une lumière sanglante et crue, comme si les murs s'étaient consumés au moment où elle les effleurait. Deux cents... deux cent cinquante...

« Maintenant ! entendit-elle Joseph appeler. Viens tout de suite ! »

Elle sortit en trombe, enroulant un châle autour de ses épaules, les bras et les jambes trempés de sueur.

« Tiens-le ! » cria-t-il en lui jetant les rênes. Elle rassembla ses forces et tira d'un coup sec sur le cheval, qui agitait la tête et trépignait de panique.

« Il y a aussi une malle dans la cuisine ! » Mais il se mit à jurer et s'écria : « Pas de place ! » Un nouveau grondement de tonnerre, le craquement sourd du bois qui s'écroule, et tout près cette fois-ci, une maison s'enflamma. Elle hurla, et dut retenir le cheval qui la souleva presque du sol, balançant sa tête et se cabrant.

Joseph arriva aussitôt après et jeta la malle dans la carriole, aussi facilement qu'un bout de bois... Il prit les rênes d'une main et tenta de rassurer le cheval tout en parlant à Oliva. « Grimpe, Oliva, dépêche-toi ! Je ne peux pas t'aider et le tenir en même temps. » Elle mit un pied sur la carriole, mais le cheval fit une ruade et elle retomba en heurtant violemment son genou et ses côtes contre la voiture. Elle n'y prit pas garde, sauta à nouveau et attrapa une rêne une fois assise sur le siège. Joseph monta en un clin d'œil, s'assit à côté d'elle et fit faire demi-tour au cheval pour quitter la maison. Ils s'éloignèrent et le cheval était toujours aussi difficile à maîtriser : à peine cinquante mètres plus bas, deux maisons avaient déjà fenêtres et toits embrasés.

Le ciel, le monde entier étaient un enfer de flammes, de bruit et d'explosions tonitruantes, même le sol tremblait sous les roues de leur carriole. Des torrents d'étincelles jaillissaient dans le ciel avant de retomber sur eux en une paresseuse pluie couleur de sang ; des nuages de fumée noire bouillonnaient, transpercés par d'immenses flammes rouges.

Ils traversèrent la place à toute allure, faisant de brusques écarts pour éviter les carrioles qui roulaient dans toutes les directions. La cathédrale Saint-Louis était tout illuminée de flammes aveuglantes, monstrueuses, élançant ses flèches au milieu des tourbillons de fumée. L'espace d'un instant, Oliva pensa que c'était à ça que ressemblait l'enfer, les vitraux gothiques de la cathédrale devenant les yeux féroces d'un gigantesque démon qui se dressait... Mais ils tournèrent en cahotant au bout de la rue, et découvrirent le Cabildo* menacé par les flammes et la route coupée.

Joseph jura, força le cheval à faire demi-tour et contourna la place, passant le long de foules paniquées et de chariots qui se tamponnaient. On entendit un écroulement fracassant de bois, puis un cri

---

* Bâtiment de style colonial qui jouxte la cathédrale Saint-Louis, sur la place Jefferson à La Nouvelle-Orléans, qui a abrité successivement les gouvernements espagnol, français puis américain (NdT).

strident, tandis qu'un groupe de pompiers volontaires fonçait dans leur direction en tirant une petite pompe sur une charrette. Des gens couraient en portant des seaux d'eau qui débordaient... La fumée lui brûlait les narines, ses joues dégoulinaient de sueur. « Vite ! Vite ! » cria-t-elle, mais elle savait qu'il ne l'entendait pas...

Ils réussirent à dépasser plusieurs pâtés de maisons et ne s'arrêtèrent qu'une fois qu'ils furent loin des flammes. Mais ils entendaient encore le grondement du brasier s'élever au-dessus des arbres et des bâtiments... La rue était plus éblouissante qu'un soleil de midi, et tout autour d'eux flottaient en se tordant des ombres effrayantes. Elle se tourna vers Joseph et vit que son visage était blême, ses cheveux roux ruisselaient et lui tombaient sur le front.

Lorsqu'elle se retourna pour caler la malle, une vive douleur la transperça et un gémissement lui déforma la bouche en une grimace atroce. Il étendit son bras pour la maintenir, sans lâcher du regard le cheval et la route. Elle pressa les mains sur son ventre, les yeux écarquillés. Une autre douleur, encore plus vive. Puis une troisième, moins forte, mais profonde et insidieuse... « Sacré Nom ! » dit-elle dans un souffle, puis elle se mit à sangloter.

« Rien à craindre maintenant, lui cria Joseph, tout va bien. » Il se démenait toujours pour contrôler l'impétueux animal et n'avait pas vu son visage.

« Non ! hoqueta-t-elle, et elle s'écroula sur lui.

— Mon Dieu, Oliva ! » cria-t-il en la voyant. Il poussa le cheval vers le bord de la route. Le feu gagnait du terrain et se rapprochait... Il était encore imprudent de s'arrêter, mais il stoppa tout de même la carriole, au milieu des épaisses volutes de fumée. D'une main il retenait l'animal et de l'autre il tira Oliva à lui. « Oliva ! Que se passe-t-il ? C'est le bébé ? »

Pour toute réponse elle ne put qu'émettre un cri, se tordre encore plus et se tenir le ventre de douleur. Et aussi sûrement qu'elle ne reverrait jamais sa petite maison, elle savait qu'elle était en train de se vider, elle sentait la vie s'enfuir de son ventre, et il n'y avait rien qu'elle pût attraper ou saisir pour la retenir...

En cherchant bien dans ses souvenirs, Oliva pouvait encore ressentir intensément la douleur... Elle prit la casserole de farine de maïs, alla dans l'enclos du poulailler et appela sa poule préférée, une leghorn. Lorsqu'Anise s'approcha en courant, les vingt autres poules, qui étaient en train de picorer dans l'herbe au bord du bayou, levèrent la tête, poussèrent des gloussements d'alarme et vinrent elles aussi se bousculer dans ses jambes.

D'une voix profonde elle appelait ses favorites, leur faisait des petits gloussements, et repoussait de son pied nu celles qui étaient trop agressives avec les autres, tout en soutenant le bas de son dos avec une main. Cela devenait de plus en plus dur de rester longtemps debout, maintenant que son ventre grossissait jusqu'à en cacher ses orteils, mais au moins la peur de perdre aussi cet enfant s'était finalement estompée.

Elle supposait que c'était la peur qui lui avait fait perdre le premier. La peur, le choc des flammes, les cahots du cheval, cette agitation dans tous les sens pour faire les bagages au milieu du danger... et tout ce qui lui en restait, c'était un tas de poutres carbonisées, une seule malle, et un ventre vide.

Plus aucune peur désormais... Rien ici ne pourrait à nouveau saisir son cœur d'une telle panique. Elle se redressa avec difficulté, et jeta un œil au toit pointu de la petite maison, qui venait juste d'être construite au milieu des arbres. Il faudrait que Joseph descende bientôt son métier à tisser du grenier... c'était le dernier mois où elle pouvait encore se risquer à monter les escaliers.

C'était une vraie maison du bayou, bien robuste, qu'avaient construite son père, Valsin et Joseph, et quelques autres qui tenaient l'échelle et coupaient les cyprès. Le toit fortement pentu était recouvert d'épais bardeaux pour arrêter la pluie, les murs étaient solides et droits, les fissures entre les planches étaient bien bouchées avec de la mousse et de l'argile, et la cheminée en boue leur tenait chaud pendant les mois les plus froids. Pour le *bousillage*, plus d'une douzaine de familles étaient venues pour les aider à enduire les murs de boue. Oliva avait deux chambres à coucher, une salle de séjour, une cuisine à l'arrière, et même une garçonnière pour plein d'enfants, à côté du grenier. Une bonne maison, une maison qui pourrait les garder ensemble, priait-elle...

Elle était lasse de cette longue attente pour que son ventre enfin se vide... Pendant un moment, au début, elle s'était mise à l'écart de tous ceux qui pouvaient la toucher, solitaire, rêveuse, bercée par la magie du fil des jours et ne sentant rien d'autre que cette présence palpitante en elle. Puis l'enfant s'était mis à donner des coups, des coups désagréables qui ébranlaient ses entrailles comme un grand cœur étranger qui palpitait. Elle posait alors délicatement sa main sur l'endroit précis et souriait en son for intérieur, remplie de cet obscur et puissant secret.

Maintenant qu'elle était énorme, lourde et lente, elle ne se déplaçait que d'une manière tendrement mesurée. Elle avait des habitudes presque animales. Tandis qu'elle sombrait chaque soir dans le plus total épuisement, elle étendait avec délices ses jambes un peu forcies, elle se tournait et se retournait, se vautrant littéralement dans les draps frais. Elle buvait l'eau de la citerne à grandes gorgées ; et puis le goût des oranges mûres ou des petits légumes aigres-doux avait pour elle une force toute nouvelle, et sa bouche se remplissait de salive dès que de la nourriture touchait ses lèvres. La vie avait pris une certaine plénitude, qui rendait tout le reste secondaire, gênant... Elle sentait en elle un flot régulier, un peu comme le bayou.

Joseph était tantôt tendre et doux envers elle et son ventre, tantôt exaspéré par la distance qui les séparait. Récemment il avait même arrêté de la caresser pendant la nuit.

« Je ne veux pas te faire mal, murmurait-il.

— Tu ne me fais pas mal...

— J'ai l'impression qu'il n'y a plus de place pour moi...

— Il y a toujours de la place pour toi.

— J'ai l'impression que non... »

Elle prit sa main et la plaça sur le sommet de son ventre. Vu des oreillers où reposaient leurs deux têtes, son estomac ressemblait à une de ces collines de coquillages que font les Indiens... blanc et haut, presque sacré par son éloignement. Il retira sa main. Puis il entama le refrain qu'il lui répétait depuis des mois.

« Quand l'enfant sera né, nous retournerons à La Nouvelle-Orléans Je ne peux pas rester ici, je n'ai rien à y faire... »

Oliva ne disait rien. Elle ne l'entendait déjà presque plus, absorbée qu'elle était par les mouvements de son ventre. Elle avait l'impression de contenir un village entier, elle était parfois certaine qu'elle entendait leurs voix, qu'elle sentait le piétinement sourd de leurs pas. Elle n'avait plus besoin de lui, et cette pensée lui causa un effroi soudain.

Mais elle comprenait également ce qu'il ressentait... elle aussi désirait que son corps retrouve son état normal. Plus que quelques semaines, avait dit la sage-femme... Quand elle lançait du maïs aux poules, des retardataires venaient se précipiter dans le troupeau : une pintade bien grasse suivie de six poussins couverts de duvet noir. Celle-ci est née une semaine après que le toit a été achevé, se rappelait-elle, maintenant elle a déjà sa propre famille...

Tout va si vite, s'étonna Oliva. En un clin d'œil le Bon Dieu peut changer le cours de la vie comme une pousse de chèvrefeuille. Cinq heures avaient suffi pour réduire La Nouvelle-Orléans en cendres. Le désastre le pire que la ville ait connu en presque cent ans... des tas de foyers détruits, plus de huit cents bâtiments dont Saint-Louis, le Cabildo et le presbytère... et la plupart des entrepôts sur les docks, avec tout ce qu'ils contenaient, ce qui avait ruiné les deux tiers des marchands de la ville... et tout ça en l'espace de cinq heures torrides. Tout ce qu'ils avaient dans la petite maison avait bien sûr disparu. Lorsqu'elle était sortie de chez les religieuses, qui lui conseillaient de se reposer et de rester tranquille pour empêcher que les saignements ne recommencent, Joseph l'avait ramenée à l'endroit où ils avaient vécu leurs deux premières années de mariage.

L'air sombre, elle fouillait dans les débris de bois noircis avec un bout de la balustrade en fer forgé. Elle trouva quatre boucles de métal et un poêlon en acier... Le reste avait été emporté, soit par les flammes, soit par les maraudeurs.

« Je veux rentrer à la maison, dit-elle tout à coup, détournant son visage de celui de son mari.

— Nous rentrerons, dit-il gentiment. Nous prendrons le ferry dès que tu en auras de nouveau la force.

— J'en ai déjà la force.

— Bon, alors je m'occuperai de la traversée demain. Les affaires dans cette ville vont être réduites à néant pendant au moins six mois... On se reportera sur nos marchés de Natchez, je suppose que Baton Rouge suffira pour nos prochaines expéditions. J'en discuterai avec Adolph et nous déciderons quoi faire...

— Non. Je veux rentrer à la maison.

— Tu veux dire retourner à Lafourche ? Mais on n'a rien à y faire, chère. Un nouveau foyer t'attend... très bientôt en tout cas. Dès que je pourrai aller voir un architecte...

— Joseph, moi je m'en vais. Si tu m'aimes, viens avec moi. »

Il la prit dans ses bras et embrassa ses cheveux. « Bien sûr que je t'aime. Tu es juste un peu bouleversée en ce moment, mais tu verras, tu te sentiras mieux dès qu'on aura traversé le fleuve... Je n'ai rien à faire à Lafourche, chère. Tu le sais. » Il la repoussa légèrement et, plein de gaieté, l'embrassa au bout du nez. « Comment veux-tu que je t'entretienne dans le luxe si je ne fais pas marcher les affaires, hein ? Nous avons de la chance, Adolph et moi... Les gens boivent de la bière, même en plein milieu d'une catastrophe. Notre entrepôt à Des Allemands est rempli, on peut les envoyer par bateau de Baton Rouge, et je reviendrai ici dans six mois, lorsqu'ils se remettront en activité...

— Je ne reviendrai jamais ici, murmura-t-elle. Je le jure.

— Sois raisonnable, mon lapin, dit-il d'un ton ferme. Qu'est-ce que je pourrais bien faire à Lafourche ?

— Tu pourrais y cultiver du riz, aussi bien qu'à Des Allemands. » Son visage s'illuminait en même temps qu'elle commençait à entrevoir des possibilités concrètes... La bière des Weiss reposait sur le riz qu'ils faisaient pousser à Des Allemands, lui répétait Joseph. Ils prenaient le riz broyé, celui que la minoterie ne pouvait pas vendre, et en faisaient de la bière, une bière légère et douce qui contenait de l'orge et du houblon importés d'Allemagne. Le secret de leur réussite résidait dans la petite quantité de sucre qu'ils ajoutaient au mélange... Ça, et le fait qu'ils étaient les seuls à proposer de la bière sur tout le territoire.

« Joseph, papa te donnerait le terrain, je t'assure ! Les terres de la veuve sont les siennes, non ? Tu pourrais cultiver le riz toi-même, et laisser Adolph faire marcher la brasserie, pour une fois. Dis à Adolph de revenir à La Nouvelle-Orléans !

— Faire pousser du riz ? Tu voudrais que je sois un paysan, c'est ça ?

— Tu as toujours dit que si tu pouvais avoir plus de riz, tu remplirais plus d'entrepôt. Et tu pourrais monter une sucrerie ! Garde la moitié des cannes à sucre que tu presses, et tu n'auras plus besoin d'acheter quoi que ce soit aux paysans à Des Allemands ! Guidry va planter des cannes l'année prochaine, d'après mon père, et Benoît en a déjà quinze hectares, ils ont besoin d'un moulin...

— Mais nous avons prévu de construire une nouvelle brasserie ici, chère ! A cause de l'eau, non ?

— Pour l'instant tu ne peux pas la construire, coupa-t-elle.

— Non, bien sûr que non, mais la ville va vite se remettre... et pendant ce temps-là, ma place est avec mon frère. »

Elle s'écarta de lui et s'appuya sur la balustrade en fer. « Ma place est auprès des miens. Je ne peux pas élever un enfant vigoureux parmi des étrangers.

— Ne sois pas ridicule, Oliva, dit-il calmement. Tu ne seras pas parmi des étrangers, tu seras avec ton mari. Là où tu dois être... » Et il ajouta plus fermement : « Là où tu as fait vœu de rester toute ta vie. »

Elle lâcha la balustrade et courut à lui, serrant les bras autour de sa taille, le visage enfoui contre sa poitrine. « Je t'en supplie, Joseph, ramène-moi à la maison... Même si on n'y reste pas toujours, au moins pour un moment. Je ne pourrai pas commencer un autre bébé autre part. Je ne veux pas ! commença-t-elle à pleurer. Je ne veux pas ! »

Il la soutenait dans ses bras. « Ne t'énerve pas, chère, ne t'énerve pas. Rappelle-toi ce que les bonnes sœurs ont dit. Je t'en prie, arrête... » Il la berçait doucement. « D'accord, d'accord... Pour l'instant on va à Lafourche. Jusqu'à ce que tu aies repris des forces. De là-bas je pourrai aller à Baton Rouge, je pense. Je pourrai te laisser en sûreté avec ton frère pendant quelques jours, hein ? Et tu nous trouveras une jolie petite maison pour mettre en route le nouveau bébé, d'accord ? Et ensuite on ira à Des Allemands.

— Oh oui, sanglota-t-elle, ramène-moi à la maison...

— Mais seulement pour quelques mois, d'accord ? Promis ? »

Elle hocha la tête sans rien dire, la gorge serrée de tristesse, décidée à ne pas penser au-delà de ces quelques mois pour l'instant. Elle ne voyait pas, au-dessus de sa tête, la bouche de Joseph grimaçant de déception.

Naturellement elle ne pouvait pas savoir, alors, que ces quelques mois deviendraient en fait plusieurs années. Mais elle l'avait espéré... Et comme auparavant, ce qu'elle avait désiré, elle l'avait obtenu.

Cela faisait déjà plus d'un an qu'ils étaient à Lafourche. Il avait fallu trois saisons pour acheter des terres à la veuve et à papa, construire la petite maison, planter dix hectares de riz, et réprimer sa peur constante que d'un moment à l'autre il apparaisse à la porte et lui dise : « Oliva, j'en ai assez ! On part demain ! » Encore d'autres saisons pour planter cette nouvelle graine à l'intérieur de son ventre, la faire grandir suffisamment longtemps pour savoir qu'elle vivrait, et pour s'enraciner à nouveau dans la vase épaisse du bayou...

Maintenant elle savait que s'il venait lui dire « Des Allemands » une fois de plus, elle refuserait. Et il ne pouvait pas les abandonner, elle et son enfant à lui... Elle savait au moins ça de Joseph Weiss.

Mais il lui en restait encore tellement à apprendre... elle secoua la tête, muette d'irritation. Elle leva les yeux et aperçut Deborah, une femme peau-rouge de la tribu des Choctaws que Joseph avait engagée, qui descendait les marches de la petite maison avec une cuvette d'eau de vaisselle.

Un compromis de plus... les compromis du mariage ne s'arrêtaient-ils donc jamais ? Elle avait pu faire venir Joseph à Lafourche, mais en aucun cas elle ne pourrait faire entrer Lafourche dans son cœur d'Allemand. Avait-on l'habitude de loger ensemble les chèvres et les moutons à Des Allemands ? Soit, les chèvres des Weiss dormiraient avec les moutons des Weiss, même si aucune autre famille acadienne n'agissait de la sorte... Était-ce une coutume allemande que de faire de la Naissance du Christ une fête bruyante et pleine de cadeaux, plutôt qu'une sainte prière ? Soit, Joseph réveillait donc Oliva le jour de Noël avec des paquets aux couleurs gaies et en jouant de l'accordéon, tandis que tous les voisins, venant de tous les horizons, se rassemblaient dans un silence solennel et respectueux pour la Sainte Messe... Puis au Jour de l'An, le *Bonhomme Janvier*, alors que les enfants ne pensaient qu'aux cadeaux, aux fruits et aux feux d'artifice, lui voulait seulement danser avec elle et chanter des chansons sentimentales... Avait-on coutume, à Des Allemands, d'engager une servante pour aider la *Frau* au ménage et à la cuisine, lorsqu'on pouvait s'offrir ce privilège ? Alors une femme Choctaw, nommée Deborah, allait lui empoisonner la vie et la suivre à la trace, même si toutes les femmes acadiennes devaient chuchoter dans son dos...

Waouh ! Personne ne l'avait prévenue que le mariage était un territoire si peu connu ! Elle en parlait parfois avec Valsin, souvent avec Marie, mais tous les deux étaient plus que satisfaits de leur sort. Aucun des deux n'avait jamais l'impression de vivre avec un étranger... Elle baissa les yeux. Son ventre gonflé lui rappelait avec force un terrain d'entente où toutes différences cessaient : ces nuits où Joseph se tournait vers elle, nu et fier dans sa virilité, elle sentait les voisins, Lafourche, et même le bayou sombrer dans l'oubli. Plus rien d'autre n'existait que ce corps contre le sien... Elle fit tourner distraitement l'anneau d'or tout simple autour de son doigt. Mais il bougeait à peine, tant ses doigts étaient devenus potelés.

Elle regarda le buisson de myrte sauvage. Au-dessus d'elle pendait une grande toile d'araignée, recouverte de petites gouttelettes de brume. Une splendide araignée, très fine, se tenait au centre, avec son minuscule compagnon du moment à côté d'elle. Quelle chance elle a, se dit Oliva. Elle possède son monde en toute sécurité, elle

66

commande et utilise son mari, puis elle le mange dès qu'il a disséminé son utilité sur ses œufs... Si son monde est ruiné, elle le reconstruit simplement selon sa propre conception. Si jolie... Si forte... Et lorsque sa nouvelle toile est achevée, elle planifie sa prochaine série d'époux comme une fête mobile.

Elle marcha jusqu'au bord de la rivière et s'enduisit les mains de vase. Là, les cyprès immenses et arc-boutés se drapaient de longues tentures de mousse grise; l'eau brune était mouchetée de petites taches vert clair qui flottaient avec une imperceptible lenteur, et se combinaient en motifs bizarres et changeants. Cela apaisait son esprit, comme toujours... La boue du bayou était comme une crème onctueuse sur ses doigts; elle était d'une couleur ocre, luisante, avec un léger reflet fauve. Lorsqu'on la frottait sur sa main elle était douce comme du baume, plus efficace que n'importe quel savon raffiné de La Nouvelle-Orléans, et laissait sur la peau un peu de son éclat rosé...

Deux semaines, peut-être moins, c'était ce qu'avait dit Mme Lascaux, la sage-femme... Un grand garçon, plus grand que Simon, et même plus grand que Valsin... Alors prépare-toi, chère, et frotte-toi le ventre avec cette graisse de cochon tous les soirs et tous les matins, assouplis-moi cette peau pour sa venue, hein ?

Et une fois qu'il serait là ? Est-ce qu'elle arriverait à garder son papa ici pour qu'il l'élève ?

« Frau ! »

Oliva soupira et tourna le dos au bayou. La squaw venait encore de prononcer ce mot ridicule, celui qu'on lui avait appris à dire à Des Allemands lorsqu'elle avait une question.

« Frau ! Venir ! »

Oliva se demanda pourquoi diable, au bout de dix mois, les appels de la squaw ressemblaient toujours plus à des ordres qu'à des demandes ! Elle se dirigea vers la maison. « Je suis là », cria-t-elle avec lassitude, répondant à l'Indienne comme toujours en anglais. Cette langue, Deborah la comprenait assez peu, mais tout de même plus que ce qu'Oliva avait réussi à apprendre en allemand...

La squaw avait les deux mains en l'air; dans l'une il y avait une carcasse d'écureuil, dans l'autre un poisson-chat déjà vidé. Elle s'était sûrement arrangée pour les frotter tous les deux sur sa jupe crasseuse... « Vous vouloir lequel ? » criait-elle, en tapant de temps à autre l'écureuil contre sa poitrine.

« Je n'en veux aucun des deux s'ils traînent dans la poussière ! répliqua Oliva brusquement. Tu ne peux pas attendre que je revienne dans la maison pour me demander ça, non ? »

Lorsqu'elle arriva près de la squaw, elle lui prit l'écureuil des mains. « Je vais le cuire moi-même, Deborah.

— Je le nettoyer... »

Oliva roula les yeux sans rien dire. Peut-être que quand le bébé serait là, les deux mains de Deborah seraient une aide bienvenue, mais pour l'instant elles ne faisaient que mettre la petite maison en pagaille. Et dire que l'Indienne allait dormir avec son bébé, dans la petite pièce arrière qui servirait de nursery ! Mais la mettre à la porte, Joseph ne voulait pas en entendre parler...

« Tu n'as qu'à lui faire faire les corvées que tu ne veux pas faire, chère. Tu veux cuisiner ? Très bien ! Personne ne t'en empêche... Dans ce cas elle peut faire la lessive. Elle peut aller chercher l'eau, entretenir les réserves, bêcher le jardin... Tu peux sûrement en trouver assez pour l'occuper. »

Comme si son ventre s'était concerté avec la sage-femme, Oliva commença le travail un soir, exactement deux semaines plus tard... Tandis que son heure approchait elle était tranquille et résignée ; elle se sentait comme une masse de chair chaude et enflée, inerte, incapable de rire, de douleur ou de colère. Qu'est-ce que ça pouvait faire ? Qu'est-ce que tout ça pouvait bien faire ?... Elle passa ses doigts de plomb dans ses cheveux, puis les retira, mornes et humides, mais elle n'en avait rien à faire... Sa jambe, qui reposait sur le bord d'une chaise dans une position disgracieuse, glissa et tomba pesamment sur le sol, comme du bois, mais elle n'en avait rien à faire... Tout ce qu'elle voulait, c'était qu'on la laisse toute seule, qu'on ne lui parle pas, qu'on ne la regarde pas ; elle trouvait incongru que Joseph la force à le regarder et à lui parler. A un moment elle eut envie de lui demander qu'il lui creuse une tanière au bord de la rivière, pour qu'elle s'y blottisse, à l'abri des gens et des choses. Même le visage de son mari lui semblait éloigné, vide de sens, irréel...

Mais en l'espace de quelques heures, les premières douleurs changèrent sa torpeur en une vigilance aiguë. Lorsque les contractions commencèrent, comme des fils très fins tirant des petits coups secs à l'intérieur de son ventre, elle se rassit sur son lit, et se mit à faire des grimaces et à plaisanter avec Joseph, insistant pour qu'il ne la laisse pas toute seule.

Il prit son accordéon et chanta :

> *Si je meurs, je veux qu' l'on m'enterre*
> *Dans la cave, où y a du bon vin*
> *Les deux pieds contre la muraille*
> *Et la tête sous le robinet.*

Elle reprit le refrain avec lui :

> *Et la tête, oui, oui, oui!*
> *Et la tête, non, non, non!*
> *Et la tête sous le robinet.*

Puis ils rirent jusqu'à ce qu'elle halète pour reprendre son souffle.

Sa lourdeur d'esprit avait complètement disparu, elle se sentait parée pour une bataille ; Deborah mettait des figues en bocaux, et l'odeur des clous de girofle rendait l'air vif... La sage-femme arriva et presque aussitôt après, les douleurs lui firent cesser de plaisanter et commencer à gémir. Bientôt elle poussa des hurlements de douleur, sachant qu'on devait les entendre dans le bayou à des kilomètres à la ronde...

Elle disparut pendant un moment, quelque part où les souffrances ne pouvaient plus l'atteindre... et lorsqu'elle revint à elle, elle entendit la sage-femme crier à propos de jumeaux. Deux visages identiques, costauds et braillards, reposaient sur le drap taché de sang et la regardaient d'un air interrogateur... Joseph sortit sur la galerie avec son pistolet : selon la tradition, c'était un coup de feu pour une fille, deux pour un garçon. Oliva était encore allongée, et avec ce qui lui restait de force elle compta quatre coups... La sage-femme disait qu'elle n'avait jamais vu une telle perfection chez des garçons.

« D'habitude, soupira-t-elle, c'est les filles qui vous brisent le cœur, non ? Mais ces deux-là ! Ils ameuteront des bancs de poissons avant même d'avoir mis un appât à leur hameçon ! Tu ne fais pas des bébés facilement, chère, mais ceux que tu fais sont très beaux ! »

Oliva s'endormit alors profondément, après s'être rappelé ce qu'elle se disait autrefois, qu'elle pourrait faire souffler le vent dans sa direction... Qu'elle serait sa propre bonne étoile... Et c'était vrai. Deux garçons... Et ils apprendraient eux aussi à être leur propre chance...

Une fois les jumeaux arrivés, Oliva fut plus que contente d'avoir l'aide des deux mains maladroites de Deborah. Petit à petit, elle laissa en toute confiance Deborah en tenir un tandis qu'elle allaitait l'autre, en baigner un pendant qu'elle faisait faire pipi à l'autre, ou même les emmener tous les deux dans le jardin pour qu'elle ait un petit moment de tranquillité.

A cette époque-là, son père venait presque tous les après-midi, pour tenir les garçons et les regarder sur leur couverture, installés sur la galerie. En se balançant sur son fauteuil, au fil des heures, il racontait le bon vieux temps et les anciennes coutumes à Simon, ainsi baptisé en son honneur, et à Samuel, ainsi baptisé en l'honneur du père de Joseph.

Lorsque Simon et Samuel atteignirent l'âge de quatre ans, Oliva se débarrassa définitivement de cette peur qu'un jour leur père annonce leur départ de Lafourche... Il avait l'air de s'être habitué à la culture du riz, avec ses voyages réguliers à La Nouvelle-Orléans et à Baton Rouge pour vendre, acheter, et se changer les idées. Adolph dirigeait la brasserie avec beaucoup de savoir-faire, et le nouveau contremaître qu'ils venaient d'engager faisait une des meilleures bières que les frères Weiss aient jamais conservées dans leurs cuves.

L'année s'accordait désormais aux saisons, et la famille s'accordait au rythme que leurs voisins suivaient depuis des générations. Les mois d'hiver, novembre, décembre et janvier, étaient consacrés à la chasse au piège, et les galeries du village étaient jonchées de mâchoires rouillées, de ressorts cassés, de chaînes et de cuvettes. On voyait partout des rats musqués dans diverses postures de mort, empilés sur des bancs, dans des pirogues ou le long des berges. Des carcasses évidées s'entassaient dans toutes les cours, et autant de peaux pendaient à des étendoirs, leur pelage reluisant au soleil. Joseph fut bientôt capable de dépouiller deux rats à la minute, presque aussi vite que Valsin.

En février commençait la saison des huîtres : pendant deux mois on les draguait dans la rivière, puis on les ouvrait, on les salait et on les saumurait. En mars, on plantait le riz, car le printemps était précoce dans le bayou... En quelques semaines le marais se couvrait de vert, les oiseaux commençaient à faire leurs nids, les alligators rôdaient dans les eaux, et les levées s'asséchaient. La vie allait alors beaucoup plus vite, car l'on devait surveiller et irriguer le riz, labourer les champs de cannes à sucre, réparer les filets et les pirogues. Les écrevisses abondaient, les canards et les oies foisonnaient sur les rivières. En mai commençait la pêche aux crevettes, et juin et juillet ne laissaient pas un instant de répit, car chaque jour apportait de nouvelles tâches. En août, les toits devaient être consolidés en prévision des orages, et il fallait se préparer aux récoltes, sécher les légumes, faire des conserves de fruits. En septembre il y avait la moisson, qui s'étalait parfois jusqu'en octobre, puis l'année recommençait...

Le bayou était inépuisable... Un cou de poulet attaché à une ficelle remplissait un seau de crabes en une demi-heure ; le poisson-chat mordait n'importe quoi ; les huîtres s'alignaient le long du rivage, les crevettes affluaient dans les paniers, les lièvres pullulaient dans les bois, les eaux étaient recouvertes de canards et d'oies, et le sol donnait trois récoltes par saison... Le rythme de leur vie leur était aussi familier que le cri des oiseaux qui planaient au-dessus de leurs têtes, et Oliva se sentait rassurée par ces retours cycliques.

Un jour de septembre, pourtant, presque quatre ans jour pour jour après la naissance des jumeaux, elle crut bien que plus jamais elle ne pourrait se sentir en sécurité dans le bayou...

L'été s'écoulait, torride. Chaque jour récoltait la chaleur qui montait de la terre, de l'eau, ou des deux qui se combinaient dans le marais ; la végétation poussait comme si les courants d'air brûlants la faisaient exploser. On était en plein dans les beaux jours du vin d'oranger et des levers de soleil dégagés, lorsqu'une nuit Oliva fut réveillée par un claquement contre les volets, des battements et des entrechocs dans les fourrés et les saules au bord du bayou. Elle referma solidement les volets et retourna se coucher. Quand elle se leva le lendemain matin il pleuvait à verse, mais c'était habituel pour septembre, la saison des orages. « C'est juste une bourrasque », avait-elle dit à Joseph, puis elle l'avait envoyé aux champs. Et lorsque le soleil refit son apparition, Simon et Samuel allèrent jouer sur la levée.

Mais Valsin, quand il était venu avec son père boire son café de l'après-midi, lui avait signalé que la rivière était plutôt haute pour cette époque de l'année. « Pas étonnant, le vent vient du sud, avait-il dit tranquillement. Quand il tournera, le bayou redescendra, tu verras. »

Le jour suivant Oliva était quand même allée sur la levée avec les garçons pour en avoir le cœur net. Le bayou était haut, sans aucun doute... Mais les pêcheurs n'avaient pas l'air de s'inquiéter. Ils continuaient à calfater leurs bateaux et leurs femmes réparaient les filets, comme toujours en cette saison. Ils disaient que les vagues étaient hautes, mais que peut-être, quand le vent tournerait...

Lorsqu'ils se réveillèrent le 29 septembre, des nuages très bas et d'une couleur brun grisâtre filaient aussi vite que s'ils avaient été tirés par des chevaux noirs qu'on cravache. Le vent tirait la petite maison, dans une direction puis dans une autre. Des torrents de pluie allaient frapper les herbes du côté du bayou, s'écoulaient dans le poulailler, faisaient déborder les fossés d'irrigation du jardin, et inondaient ses potirons. Oliva regardait par la fenêtre, quand elle aperçut une panthère qui se glissait furtivement sur la haute branche d'un tupelo, le corps trempé et luisant ; elle bondit sur la branche d'un autre arbre, puis sauta à terre, dans une courbe lente et majestueuse. Oliva retint son souffle lorsque l'animal disparut de sa vue. Elle avait rarement vu une panthère, en tout cas jamais aussi près de sa fenêtre...

« Je crois qu'on ferait mieux de se préparer pour une bonne bourrasque », dit Joseph paisiblement.

Oliva mit les enfants au calme avec Deborah dans la pièce du fond, puis tous les deux ils coururent de la cave au grenier, pour boucher les fissures, rassembler des bougies et des seaux et clouer les volets. Elle se mit à la fenêtre du grenier et regarda le bayou, au-delà du jardin. Il était encore plus haut, bleu-gris et houleux, à mi-hauteur du tronc des saules. Les oiseaux volaient à ras de la rive, poussant des cris qui semblaient provenir d'une terreur humaine...

« Sainte Mère », souffla-t-elle en pointant un doigt vers le ciel.

Joseph la rejoignit rapidement et suivit son doigt.

« C'est un navire-de-guerre, dit-elle, les yeux écarquillés en mesurant les conséquences de sa découverte...

— Et alors ?

— Et alors, on ne l'appelle pas l'oiseau des tempêtes pour rien, cher. Lorsqu'il vole bas et en direction du nord, c'est que quelque chose de terrible vient derrière... »

Elle dévala les escaliers et s'agenouilla devant l'image sainte et la soucoupe d'eau bénite que contenait le petit sanctuaire de l'entrée. Derrière elle, Simon et Samuel se blottissaient sur le lit avec Deborah, observant avec de grands yeux chacun de ses mouvements. « Seigneur Jésus, pria-t-elle à voix basse, garde mes enfants sains et saufs... Protège-nous maintenant, dans le désespoir de l'adversité ; Mère de Dieu, priez pour nous maintenant et à l'heure de notre mort...

— Oliva, apporte les seaux ! » cria Joseph de la chambre.

Elle fit un signe de croix à la hâte, se leva et accourut avec deux grands seaux en chêne. Mais il y avait déjà dix centimètres d'eau dans la chambre, et encore plus qui jaillissait par-dessous la porte... c'était l'endroit le plus bas de la maison.

« Est-ce qu'il faut partir ? demanda-t-elle.

— Où ça ? » Il repoussa ses cheveux qui tombaient sur son front. « J'aurais dû prévoir... Mais je ne veux plus prendre le risque d'emmener les enfants sur la pirogue... J'ose espérer qu'on sera plus en sécurité ici...

— On ne devrait pas aller chez papa ? » Simon et la veuve partageaient la maison la plus grande du bord de la rivière. Elle était construite en briques, avec une large et fière galerie au premier, et avait même un petit deuxième étage : elle dépassait n'importe quelle maison de Lafourche d'au moins trois mètres...

« S'il le faut, nous irons, dit Joseph, mais pour l'instant, on va voir si on peut attendre que ça passe. Peut-être que ça se calmera rapidement... »

Le vent se changea soudain en une plainte aiguë, et ils entendirent à l'arrière de la maison un grondement terrifiant. Ils s'y précipitèrent pour constater que l'arrière du porche s'était écroulé, les deux piliers emportés par les flots... Simon se mit à pleurer, d'une plainte forte et étrange qui ressemblait à celle du vent ; sa mère alla vers lui et le prit dans ses bras, pendant que Samuel les regardait tous les deux avec attention, avec de grands yeux étonnés.

Joseph prit son accordéon et commença à jouer, tandis qu'Oliva chantait aux garçons :

Fe dodo, mo' fils, l'crab est dans la coquille
Papa li couri la rivière
Maman li couri pêcher l'crab
Fe dodo, mo' fils.

Joseph entendit le bruit avant elle... Il se précipita à la fenêtre et elle le suivit. Il murmura : « Écoutez-les. Seigneur, écoutez-les... »

Le bruit semblait provenir des branches mêmes des arbres du marais, un son lugubre... Il n'y avait pas d'erreur possible : les cris des oiseaux avaient changé. Ce n'était pas les chants amoureux ni les notes que l'on entend lorsqu'une troupe d'oies s'envole. Non, tous les oiseaux criaient en même temps, les hérons et les corbeaux, les ibis, les fauvettes, les canards et les oies tous ensemble, une plainte stridente et crispée ; il y avait quelque chose d'horrible dans ce hurlement collectif, comme ferait un enfant au bord de l'hystérie...

Midi approchait, mais tout était obscur. Deborah apporta un couscous de maïs froid mais personne n'y toucha, sauf Samuel qui réussit à en manger quelques bouchées. Ils entendaient tout autour d'eux le tourment des arbres, le craquement des saules et des peupliers, et dehors, contre les murs, des choses venaient se cogner et se fracasser, ils ne savaient jamais quoi. A une fenêtre, une fissure s'élargit subitement et laissa ruisseler l'eau à l'intérieur... Lorsque Joseph s'en approcha avec un marteau et des clous, elle s'arracha complètement et fut emportée par le vent. La pluie battait désormais avec violence et dans tous les sens, cinglant et sifflant comme des fouets d'eau... ils durent donc condamner cette pièce et aller se réfugier dans la nursery en se serrant les uns contre les autres. Oliva commença alors à prier tout haut, un murmure grave et continu, ne s'interrompant que lorsqu'elle sursautait au bruit de quelque chose qui frappait les murs de la nursery...

Les oiseaux étaient désormais totalement silencieux. A la place on entendait un gargouillement constant et de plus en plus fort... Samuel montra le sol du doigt : un flot venant de sous la maison s'engouffrait dans un coin de la pièce. Joseph saisit un vilebrequin et commença à creuser un trou dans le plancher.

« Mais qu'est-ce que tu fais ? cria Oliva, hystérique, tu vas nous faire engloutir par la rivière ! »

Il était en train de faire le deuxième trou. « Il faut que je renforce la maison, sinon elle va carrément se détacher de ses piliers ! »

Ils s'assirent sur le lit et regardèrent l'eau qui montait en bouillonnant et faisait une grande mare. Mais il semblait qu'elle ne dépassait pas un certain niveau... Oliva se sentait elle-même sur l'île la plus petite et la plus précaire du monde.

Le vent n'était à ce moment-là plus qu'un hurlement continu qui augmentait et diminuait. Elle regarda dehors et aperçut une grande chose sombre... elle arriva peu à peu à distinguer : c'était un ours noir, qui avançait d'un pas lent et lourd, penché la tête dans le vent, entre la maison et le bayou... Et à l'abri derrière l'animal il y avait une forme plus petite, l'ourson blotti contre sa mère, puis ils disparurent tous les deux dans les trombes d'eau cinglantes... Oliva ne voyait désormais plus du tout le bayou.

Brusquement le vent se transforma en un mugissement sauvage et l'eau se mit à monter beaucoup plus rapidement. Joseph lui cria : « On a deux solutions ! Soit on monte au grenier et on prie, soit on essaie d'aller chez ton père !

— Mon Dieu ! cria Oliva plus fort que le vent, allons chez papa ! On y sera en sécurité !

— Pas sûr du tout !... Même pas sûr qu'on arrive là-bas ! »

Mais pendant qu'il parlait, ils entendirent les grincements et les crissements de la charpente à l'étage : on aurait dit qu'une main géante était en train de décortiquer le toit, lentement et péniblement. Puis il y eut un énorme bruit sourd, le plus violent jusqu'alors, comme si un arbre s'était abattu sur la porte et l'avait arrachée. L'eau monta rapidement dans la maison et leur arriva presque au niveau du genou... « On ne peut pas rester ici ! hurla Oliva en tirant les enfants à elle. Il faut qu'on aille sur un terrain plus élevé ! »

Joseph traversa la pièce et la prit dans ses bras en serrant les deux garçons entre eux deux. « On va essayer ! cria-t-il, j'aurais dû vous emmener plus tôt ! »

Elle lui serra le bras très fort : ce n'était pas le moment d'avoir des remords... Puis ils s'aidèrent mutuellement à descendre du lit ; elle souleva Samuel, et Deborah tendit les bras pour attraper Simon. Oliva eut un instant d'hésitation... Mais Joseph prenait déjà son pistolet, son accordéon et toutes les couvertures qu'il pouvait porter. Elle ferma les yeux et tendit son fils à Deborah, en se rappelant toutes les fois où elle l'avait bercé... « Garçons pareils être bonne chance », disait-elle souvent. Le Bon Dieu voudrait peut-être bien l'entendre cette fois-ci...

Ils ouvrirent la porte et se trouvèrent dans un battage infernal... Le vent était si violent qu'ils devaient se pencher jusqu'aux genoux, s'accrocher les uns aux autres et se tenir aux murs pour ne pas tomber. Contre la maison étaient groupés un trio de serpents, chacun d'environ un mètre de long. Des crotales. L'un d'eux ouvrit la gueule... Il y en avait sans doute encore plus dans l'eau qui les entourait... Par miracle le petit bateau était resté accroché au chêne le plus épais, bien que sa corde d'ancrage se tendît au-dessus de cette mer grise jusqu'au poulailler. Joseph les fit monter, attrapa une pagaie supplémentaire, et il installa Deborah et les deux garçons à l'arrière. Avec une longueur de corde il attacha Samuel et Simon ensemble, puis les noua autour de la taille de la squaw. Il balança la perche à Oliva et lui cria : « Écarte du bateau toutes les branches que tu peux ! » Il prit les rames et coupa l'amarre du bateau...

Ils furent instantanément emportés dans le courant par les rafales de vent, les vagues claquaient furieusement contre la pirogue, et des torrents de pluie rendaient la visibilité presque nulle. Le ciel était gris, puis noir, puis gris, comme des couvertures qui s'enroulent et se déroulent, et les eaux déchaînées les éloignaient de la protectrice maison paternelle...

Oh, si au moins elle était encore debout..., priait-elle à voix haute, sans même pouvoir entendre ses propres paroles. Les jumeaux gardaient un silence angoissé, normalement elle aurait dû entendre leurs braillements même dans les plus furieuses rafales, mais là ils étaient pelotonnés dans les couvertures, deux petits tas sombres à côté de celui plus gros de Deborah. Des troncs d'arbres menaçaient constamment de les percuter et d'inonder le bateau ; elle les repoussait de toutes ses forces, frénétiquement, ne voyant guère plus d'un mètre ou deux devant elle dans les remous du courant. Les arbres sur les levées étaient ployés jusqu'au sol, leurs longues branches étaient toutes rabattues dans la même direction comme les cheveux des femmes en deuil. Au bout de la levée elle arriva à peine à distinguer une maison...

Alors le vent tourna, l'obscurité s'atténua un moment, et elle vit qu'il y avait deux maisons ; l'une d'elles avait été projetée par-dessus l'autre, et les deux étaient entièrement détruites. Il lui sembla entendre des cris dans le vent, animaux ou humains... mais il y avait peu de différence : c'était l'appel des désespérés...

Les vagues étaient de plus en plus hautes, et Oliva perdit son souffle lorsqu'elle fut giflée par une lame d'eau glacée qui la fit presque suffoquer. Joseph se démenait avec sa perche, essayant de toutes ses forces de diriger le bateau qui se bornait à tourner en rond, battu par le courant. « Pas la peine ! cria-t-il, on n'y arrivera pas !

— On ne peut plus faire demi-tour ! hurla-t-elle, on n'a plus d'abri où retourner ! Et peut-être aucun où aller, non plus... » Mais elle ne savait pas s'il l'avait entendue.

« A la levée ! » cria-t-il, indiquant de sa main libre, au-delà de la levée, un retranchement de chênes qui se tenaient toujours droit malgré le vent et la pluie. Trois d'entre eux semblaient encore enracinés... Joseph fit virer le bateau, en travers du vent qui les battit alors de plein fouet : la petite embarcation se souleva littéralement hors de l'eau, tournoya violemment et retomba d'un coup sec, ce qui faillit faire basculer Deborah dans les vagues ; elle hurla et se jeta par terre, plaquant les enfants avec elle au fond du bateau.

A ce moment-là Oliva sentit la pirogue racler la levée ; elle rassembla ses forces et tendit les bras vers Simon qui était le plus proche. Mais Joseph lui jeta sa perche en criant : « Ne la lâche pas ! » Il prit la corde, l'attacha à une branche d'arbre qui fouettait dans le vent, et attrapa Deborah par l'arrière de son manteau. Il donna un coup de couteau et la corde nouée autour de la taille de Simon se desserra ; il releva Deborah, la tira hors du bateau puis la poussa sur la levée, tout en portant Samuel dans ses bras, complètement penché dans le vent.

Simon commença alors à hurler de terreur en voyant qu'on emportait Samuel ; d'une main Oliva maintenait son fils à l'abri du vent, et de l'autre elle s'agrippait à la corde qui retenait le bateau. « Il va revenir nous chercher ! cria-t-elle à son fils dans la tempête, papa va revenir ! »

Elle discernait vaguement Joseph remonter la levée et pousser Deborah devant lui en direction des chênes qui frémissaient. Là-bas on pouvait s'abriter, Oliva en était persuadée, sûrement mieux que dans ce bateau minuscule. Et ils n'avaient pas le choix, quoi qu'il advienne. Elle priait avec ferveur, et avec ces paroles ses lèvres s'agitaient d'une passion qu'elle n'avait pas ressentie depuis des années. Si seulement ils s'en sortaient... s'ils pouvaient s'en sortir, elle le suivrait partout, elle s'en irait du bayou, elle s'en irait pour toujours... mais si seulement ils restaient sains et saufs !

Il était désormais en train de revenir luttant contre le vent, courbé comme un vieillard, s'accrochant aux branches pour pouvoir avancer. Elle s'engagea à l'avant du bateau en portant Simon pour aller à sa rencontre, et lorsqu'elle sentit le bras de Joseph l'agripper à la taille, elle fut submergée de soulagement, bien qu'elle pût à peine voir où elle posait les pieds sur la levée en pente... Ils se dirigèrent à grand-peine vers les chênes, ces silhouettes sombres qui se contorsionnaient et fouettaient l'air, là-bas sur la terre ferme, et elle eut l'impression qu'il leur fallait une éternité pour y arriver... une éternité dans le vent, la pluie et la fureur qui se déchaînaient autour d'elle.

Et lorsqu'ils atteignirent l'ombre obscure des chênes et le léger abri qu'offraient leurs énormes branches contre le vent, elle poussa un cri... Elle rejeta la tête en arrière et cria de plus belle... Deborah et Samuel avaient disparu. L'arbre où ils avaient attendu était toujours là, intact, avec ses hautes branches qui formaient une sorte de voûte, abri sans doute peu efficace... mais l'Indienne et son fils n'étaient plus là où Joseph les avait laissés.

Une fois que la tempête se fut assez calmée pour qu'ils puissent tenir debout, ils se mirent à leur recherche. Ils cherchèrent dans la nuit et dans la pluie, malgré le vent qui noyait leurs paroles. Dès qu'ils le purent, d'autres se joignirent aux fouilles, et ils explorèrent dans le bayou, le long de la levée, dans le moindre abri, dans les moindres débris de branche flottante et de buisson déraciné.

Paul Bellard vint la voir, son chapeau dans les mains ; c'était la première fois qu'elle lui parlait depuis son mariage, à part des salutations courtoises. Il avait épousé Adèle Naquin, qui était enceinte de leur troisième enfant. « Ça m'a fait de la peine pour toi », lui dit-il, simplement. D'un geste elle repoussa son chapeau et se jeta dans ses bras, sanglotant sur sa poitrine.

Lorsque la crue diminua, ils continuèrent tous à chercher. Oliva longea en pirogue toutes les terres qui émergeaient de l'eau, et apercevait d'ailleurs de nombreux animaux qui attendaient, eux aussi, que les eaux retournent dans leur lit... Un lynx et un gros lièvre des marais partageaient ainsi une petite butte, assis à un mètre l'un de l'autre, s'ignorant mutuellement. Tous les deux regardaient fixement l'inondation, et ne firent même pas attention à elle lorsqu'elle leur passa devant.

Elle dut finalement rester chez elle avec Simon, tandis que les hommes fouillaient. Elle triait et rangeait avec indifférence tous les débris de la maison. Celle-ci avait résisté, par miracle, mais resterait encore longtemps en désordre... Et enfin, le soir arriva où Joseph rentra et lui annonça qu'ils ne pouvaient plus chercher. Samuel avait bel et bien disparu...

Tout en parlant il la serrait fortement dans ses bras, et elle se laissait faire. « Ça ne sert à rien, chère, dit-il calmement. Il est dans les mains de Dieu.

— Si seulement j'en étais persuadée, gémit-elle doucement, au moins je serais tranquille...

— Alors, dis-moi où tu veux encore que j'aille voir ?... »

Elle crispa son menton. « Va voir dans les bras de la squaw, mon mari. C'est elle qui l'a pris. »

Il l'étreignit avec ardeur. « Tu dois l'oublier, Oliva. La tempête les a emportés tous les deux.

— Et ne nous a laissé aucune trace ?

— Ça arrive... Beaucoup se sont perdus sans laisser de trace.

— Non, dit-elle en secouant la tête, je sais qu'il n'est pas mort. Je le sens. » Elle se tourna vers Simon, qui était assis sur le lit et les regardait avec de grands yeux interrogateurs. « Lui, il le sent ! »

Simon fourra son pouce dans la bouche, sans rien dire.

Joseph laissa tomber ses bras et secoua la tête. « On a cherché encore et encore... Il n'y a plus aucun endroit où chercher. Sa propre tribu la tient pour morte, chère. On doit faire pareil...

— Elle disait toujours que les jumeaux portaient chance ! Elle ne voulait jamais les quitter ! C'est elle qui a pris mon fils ! »

Il se détourna d'elle et, par la fenêtre, fixa le bayou, encore en crue et tout noir sous le clair de lune. « Dieu t'a pris ton fils, Oliva. Et même moi je ne peux pas te le ramener... »

Ils l'appelaient désormais le Territoire, le Territoire de Louisiane. Et entre 1795 et 1810, les habitants du Delta virent plus de changements qu'ils n'en avaient vu pendant les cinquante années précédentes.

Des bateaux à aube commencèrent à naviguer sur les eaux du fleuve, charriant de grosses fortunes en aval et en amont tandis que les gens affluaient sur les terres. Certains pensaient qu'ils pouvaient construire leur propre civilisation dans le bayou, d'autres voulaient simplement fuir le monde civilisé...

Le riz devint la culture principale des gens du fleuve. Il lui fallait un terrain plat, humide, fréquemment recouvert d'eau, et elle ne demandait pas de grands investissements d'argent et de travail. Un homme n'avait qu'à semer des graines à la volée. Quand les crues arrivaient, l'irrigation était bonne ; s'il avait besoin de plus d'eau, il n'avait qu'à creuser un petit canal et le fleuve faisait le reste. On récoltait à la main, on décortiquait le grain au pilon et l'on ajoutait ensuite l'enveloppe à toutes les soupes, les gombos et les farces.

Dans les plantations de plus grande importance, l'indigo poussait à perte de vue. Il rapportait beaucoup d'argent. Mais un ver apparut et contamina les récoltes, conduisant ainsi beaucoup de planteurs à la faillite. La culture de l'indigo fut bientôt remplacée par celle du coton et de la canne à sucre...

Ce fut l'âge d'or de la souveraineté espagnole à La Nouvelle-Orléans, mais en fin de compte, l'Espagne dut rendre la Louisiane à la France. La Nouvelle-Orléans avait tout juste fini de célébrer l'événement que Napoléon, incapable de s'occuper de ses colonies comme de l'armée anglaise, brada le Territoire, et la Louisiane fut bientôt envahie par des Yankees qui descendirent en masse dans le Delta.

Au milieu de tous ces changements et belles promesses d'avenir, une sirène d'alarme retentit : une insurrection d'esclaves survint en 1811, à cinquante kilomètres à peine au nord de la Queen City. Plus de trois cents esclaves saccagèrent et brûlèrent cinq plantations, semant la terreur dans les campagnes. La milice de Baton Rouge les mit en fuite et en massacra soixante-six, en blessa cinquante autres et chassa le reste dans les marais. On y retrouva, quelque temps après, cinquante cadavres de plus.

On était passé, dans le bayou, du drapeau espagnol au drapeau français, puis aux couleurs américaines ; mais cela ne modifia en rien les récoltes, la pêche à l'écrevisse ou la chasse au rat musqué. Il y avait encore des mariages, les aînés rendaient l'âme, et les nouveaux-nés les remplaçaient, car les blessures les plus profondes, si elles ne sont pas mortelles, finissent toujours par guérir...

Oliva dut finalement s'occuper de Simon, le seul survivant de ses fils, et de sa petite sœur Emma, née un an après la disparition de Samuel lors de la tempête.

La Grande Aigrette Blanche décrivit lentement des cercles au-dessus des eaux noires, avant de se poser sur les branches d'un palmier nain, à la lisière du bayou. Elle savait qu'en ces lieux, sur les rives du fleuve, les alligators construisaient des tunnels d'hibernation. Beaucoup d'oisillons s'y perdaient, et même quelques adultes imprudents, impatients de fourrager les eaux peu profondes, avaient été engloutis dans un magma de mâchoires et d'écume... Mais la route avait été longue, et ses ailes étaient lasses. Elle se choisit un endroit et se laissa choir dans la vase.

Rha était un grand mâle de sept ans, au faîte de sa maturité. Il mesurait plus d'un mètre, du bout de son bec noir jusqu'à son aigrette, remarquable par ses plumes effilées aux barbes espacées.

Cette distinction le faisait appartenir au clan des Grandes Aigrettes Blanches... Étendues, ses ailes faisaient un mètre cinquante d'envergure. Depuis cinq saisons il effectuait sa danse amoureuse dans le bayou... Il avait élevé cinq couvées et dit adieu à cinq femelles lors des migrations qui séparaient les familles au gré du vent. Il sentait une sève lui parcourir le corps, il pressentait que cette saison serait meilleure que jamais...

Il s'apprêta à manger, dans une position qui s'avérait très efficace mais également très dangereuse. Le dos au soleil, Rha rabattit ses grandes ailes au-dessus de sa tête et de son bec, formant ainsi une voûte qui ombrageait les eaux. Immobiles, ses ailes créaient de l'ombre mais empêchaient surtout les reflets. Dans cette posture, il scrutait les bas-fonds et pouvait ainsi repérer distinctement les poissons... mais ne voyait évidemment plus rien autour de lui.

En temps normal, Rha n'aurait jamais fait sa voûte en un lieu pareil. Les petits n'avaient pas le droit de se nourrir en adoptant cette position, quel que soit l'endroit, mais lui, il y avait si longtemps qu'il ne s'était rempli le gosier... Il sonda prudemment la vase avec sa patte, espérant trouver un repas facile. Se tenant sur le bout des griffes, il était prêt à s'élancer vers le ciel à la première alerte.

Certains de son clan se rebellaient contre le Grand Envol, la migration, chaque printemps vers les pays du nord. Quelques-uns restaient toute l'année dans ces terres marécageuses, avec les hérons et les butors, couvrant le ciel d'une nuée blanche et souillant les arbres et les nids, à tel point que les mouettes elles-mêmes ne s'y attardaient plus.

Rha ressentait la confusion de son clan à travers les batailles qu'ils menaient pour les territoires de chasse. Beaucoup de couples avaient déjà fait leur cour et engendré des petits; il avait pris du retard... Habituellement, à cette époque, lorsque les cornouillers étaient en fleur, il avait fini sa cour. Normalement, sa femelle devrait être en train de construire le nid avec les brindilles qu'il lui aurait fournies, ce nid destiné à recevoir une couvée de quatre œufs bleu pâle.

Mais cette année le bayou était surpeuplé, et les territoires de chasse énergiquement défendus, tout comme les femelles... Pour la première fois, Rha n'avait pas pu se débarrasser des intrus.

Il aperçut une petite grenouille verte, l'attrapa prestement et la fit descendre dans son gosier. Beaucoup trop d'accouplements maintenant... C'était la conséquence de la rébellion. Il y en avait toujours beaucoup qui se perdaient pendant le Grand Envol; désormais ce nombre venait simplement s'ajouter aux volées et plus personne ne pouvait se nourrir en paix.

Le moindre bruit poussait Rha à déplier ses ailes et fléchir les genoux, prêt à s'envoler. Ce n'était qu'une tortue aux oreilles rouges, qui se laissait glisser d'un tronc d'arbre jusque dans l'eau. Il reprit sa garde, piqua un vairon, et l'avala d'un seul coup.

La pulsion d'engendrer l'empêchait de se nourrir calmement.

L'accouplement était toujours difficile, même dans les meilleures conditions. Pendant six semaines, il fallait nourrir quatre bouches insatiables, traquer sans arrêt les poissons, les grenouilles, tout ce qui rampait, nageait ou grouillait, sans jamais pouvoir se rassasier soi-même. On voyait sa femelle dépérir. Tout ce qu'ils pouvaient ramasser devait être gardé et partiellement digéré dans leur gosier, jusqu'à ce qu'ils regagnent le nid. Il chassait tout le jour et rejoignait ses quatre oisillons voraces, qui se cramponnaient à son bec et le secouaient de haut en bas afin qu'il régurgite son butin.

Une saison, il avait élevé des petits si forts et agressifs qu'ils s'étaient agrippés trop violemment à son bec et qu'il n'avait pas pu rendre sa chasse. Un ou deux l'avaient même fait basculer hors du nid, tellement ils étaient affamés. Où étaient ces enfants maintenant ?...

Quand le problème n'était pas la progéniture, il fallait affronter les tempêtes, les inondations, les faucons, les ratons laveurs, les serpents... Et puis les alligators adoraient rôder autour d'un arbre sur lequel se trouvaient des couvées ; ils frappaient l'arbre de la queue, envoyant à leur mort quelques oisillons.

Cette année, les plus beaux cyprès porteraient jusqu'à une douzaine de nids. Une véritable aubaine, même pour le plus fainéant des alligators...

Un autre bruit, plus fort cette fois-ci, et Rha se retourna pour regarder l'intrus, donnant un coup de bec agressif. C'était une femelle, toute blanche et soyeuse dans la lumière chatoyante. Elle s'était posée de l'autre côté de la rivière, un peu plus bas. C'était un jeune oiseau qui avait les plumes et les pattes pâles, la couleur de la jeunesse. Elle jeta un regard furtif à Rha puis se mit à manger.

Elle était trop jeune, trop jeune d'après ses sens. Pourtant ses plumes se dressaient d'elles-mêmes, sans qu'il puisse rien y changer. Son aigrette et son plumage prirent leur plus bel atour, il en oublia son gosier vide et la regarda marcher lentement et gracieusement dans l'eau. Son cou se balançait légèrement, la tête haute. Rha émit un doux « cuk-cuk-cuk », prit son élan et s'envola au-dessus de l'eau, battant lentement des ailes pour la contourner.

Elle ne lui jeta pas un seul regard lors de son ballet aérien, cou et tête tendus, sans doute le plus beau qu'il ait fait depuis deux saisons ; ses ailes laissèrent échapper un « whoomp ! » lorsqu'il la survola. Il se posa délicatement un peu plus bas, à une dizaine de mètres d'elle.

Il poussa son cri d'amour, « rha-a-a », d'où il tenait son nom. Mais elle continua sa marche silencieuse.

Était-elle trop jeune pour ne pas connaître la réponse courtoise, « rhoo-oo », le salut habituel ? Peut-être faisait-elle partie des nouveaux rebelles... Peut-être devrait-il la chasser après tout. Il se rapprocha rapidement, la tête haute, prêt pour le Vol du Rejet ou même pour le Déploiement Effrayant, si c'était nécessaire.

A son grand étonnement, la femelle se mit à pêcher d'un mouvement délicat, piquant le bec dans l'eau, ignorant complètement ses avances. Il ne bougea plus pour mieux l'observer. Puis elle plia les genoux et se baissa plus près de l'eau, les plumes ébouriffées, le cou gracieusement courbé.

Était-ce une parade amoureuse après tout ? Rha s'approcha et poussa le Cri de Reconnaissance, « skiouu ! », claquant nerveusement du bec.

Elle alla vers la rive sans même le regarder. D'un mouvement calculé elle fit semblant de prendre une brindille et la secoua doucement de droite à gauche. Alors qu'elle s'écartait, toute son attention portée sur la brindille invisible dans son bec, une grande masse fauve jaillit d'un taillis, rugit et bondit sur son cou duveté. Rha émit un cri d'alarme, la femelle releva la tête juste à temps pour éviter l'étreinte mortelle de la panthère, mais ses griffes l'atteignirent à la poitrine et la plaquèrent au sol.

A ce moment-là Rha se jeta sur le dos de la panthère et s'agrippa à la fourrure avec ses pattes, pour donner des coups de bec vicieux sur la tête et les yeux du félin. La femelle poussa un hurlement strident et voleta à grand-peine : une de ses ailes avait été abîmée et pendillait. La panthère se retourna pour attraper Rha tandis que l'oiseau blessé parvenait aux branches basses d'un cyprès ; mais Rha s'élança aussi haut que possible, dans un puissant déploiement d'ailes. Une fois perché sur une haute branche, il lui lança un appel désespéré : elle vacillait dangereusement à la portée de la panthère, une aile ballante.

Rha savait que le fauve pouvait bondir suffisamment haut pour atteindre l'aile blessée et la happer en un éclair. La femelle répondit enfin à son appel et tenta de s'envoler mais elle en était incapable. Rha vit le félin prêt à s'élancer, et l'appela une fois encore. Elle fit un dernier effort, et voleta jusqu'à une branche plus élevée à laquelle elle se cramponna fermement, laissant échapper un « cra-a-ack ! » de terreur...

La panthère poussa un rugissement de frustration qui retentit dans tout le marécage. Elle s'étira de tout son long pour essayer d'atteindre les branches, et lança un grondement féroce aux deux oiseaux, déchiquetant l'écorce de ses griffes. Mais l'arbre était trop frêle pour supporter son poids, et les branches étaient trop loin au-dessus de l'étang...

Elle se laissa tomber sur le sol, grognant de colère. Puis elle s'en alla, la queue frémissant nerveusement.

La femelle était recroquevillée au bout de la branche, ses plumes hérissées comme sous une averse. Avec précaution elle lissa son aile blessée, tentant de la replier tout contre sa poitrine.

Rha l'appela doucement, « rhoo-oo ».

Après un long moment elle lui répondit faiblement. Puis elle se redressa, étendit ses ailes et les agita prudemment ; son aile blessée bougea normalement, mais quelques plumes de vol étaient bizarrement pliées...

Rha vola jusqu'à sa branche et se posa près d'elle. Il inclina la tête et dressa son plumage : elle replia coquettement ses ailes et se détourna légèrement... Il se baissa pour ramasser une brindille sur la branche, la secoua et la lui présenta.

Elle hésita.

Peut-être était-elle trop jeune après tout, pensa Rha. Peut-être pouvait-il trouver mieux qu'une femelle immature et blessée. L'accouplement n'était pas fait pour les lâches, ça il le savait, et si l'attaque d'une panthère suffisait à la terroriser, alors...

Elle se retourna brusquement et lui agrippa fermement le bec, le bec et sa brindille en même temps, et lui secoua la tête délicatement.

Rha poussa un léger « rhaa-aa ! », battit des ailes sur le dos de la femelle, puis il la monta, là, sur la branche du cyprès.

Simon avait presque dix ans quand il cessa de chercher son frère derrière chaque bosquet de peupliers et d'entendre sa voix dans le vent qui rasait le marécage. Et il fallut deux années supplémentaires pour qu'il puisse pardonner au bayou et s'y sentir en sécurité.

Mais à l'âge de douze ans, il savait déjà pagayer sur une pirogue réellement aussi bien que son papa, mais pas aussi bien, cependant, que son oncle Valsin. Il connaissait suffisamment le bayou pour y traîner pendant des heures, sans qu'on puisse le voir ni l'entendre, au lieu de dépecer du gibier ou de cueillir des légumes. Son père le grondait, mais sa mère n'élevait jamais la voix contre cette paresse...

Durant les longues et claires journées, mais aussi durant les journées mornes, ayant dû grandir sans son frère, il avait appris à être un garçon solitaire... C'était à cette époque-là que Simon remarquait le vol bleuté d'un oiseau dans le ciel blanc et frais, comme une lame aiguisée qui déchire le passé. Ou qu'il voyait une caille méticuleuse avec sa nouvelle couvée de poussins, qui se dandinaient et se faufilaient sur une petite dune à travers la fougère. Et que pendant un instant il rêvait d'être ce dernier poussin, de faire cinq centimètres de haut, de manger la même chose, d'être l'enfant d'une poule aux grandes ailes accueillantes, et d'avancer dans un univers où les brins d'herbe et les boutons de fleurs étaient des dieux... là où le diable n'était rien de plus qu'un serpent noir ou un faucon, et le paradis, la nuit tombante et les ailes d'une mère qui gardaient tous ses frères sains et saufs.

Il s'était habitué à entendre maman et papa parler de Samuel comme s'il fût encore là. Ils parlaient aussi de lui, quelquefois. Une fois il les entendit parler à voix basse dans la nuit.

« Il n'essaie pas de s'accrocher, dit Joseph tristement. Quand je le cherche pour labourer les deux derniers hectares, il est où, lui ? En train de rêvasser à des histoires extravagantes du marais, et de se laisser dériver là où il ne peut pas nous entendre l'appeler.

— Tu as Ben et Varsh pour t'aider. Il me semble que deux nègres devraient suffire pour quinze hectares, non ? Peut-être que si je te donnais plus de fils...

— Je n'ai pas besoin d'avoir plus de fils, dit-il sèchement. J'ai seulement besoin de celui que j'ai déjà.

— Valsin dit qu'il chasse aussi bien que n'importe qui... Il dit qu'il peut dénicher des rats là où rien n'indique qu'il y en a, et qu'il pourrait nourrir la moitié du village avec sa canne à pêche... Devrait-il aller aux champs, alors, pour te faire plaisir ?

— Non, pas pour me faire plaisir, dit son père d'un ton plus calme, mais pour faire son chemin dans ce monde, il a besoin d'en connaître plus long que ce bayou, chère. Un homme doit être capable de jeter l'ancre dans n'importe quel fond, quitte à la laisser chasser... Mais lui, sors-le de Lafourche et qu'est-ce qu'il reste ?

— Un cœur vide, répliqua sa mère. Et alors là il n'est plus bon à rien. »

Emma, qui était frêle et sombre, avec les cheveux noirs et les mêmes yeux que sa mère, traversait la vie de Simon comme un spectre silencieux... Sa sœur sortait rarement de la maison, sauf pour donner à manger aux poules ou pour aller jardiner, et dans ce cas son visage tout entier était entouré par son *garde-soleil*, comme si elle ne voulait absolument rien voir du monde. Elle n'avait pas l'air d'être malheureuse, mais en fait, Simon n'aurait pas pu affirmer non plus qu'elle était heureuse. Emma était simplement résignée. Il n'y avait qu'à la messe que son visage prenait un éclat rayonnant, et les amis de son frère la regardaient alors à plusieurs reprises. Mais elle ne répondait jamais à leurs regards.

Une fois pourtant, Simon emmena Emma dans le marais pour lui montrer un de ses endroits préférés, dans l'espoir qu'elle partage son émerveillement. Une sœur, même plus jeune de cinq ans, était mieux que rien, se disait-il, et il la fit monter dans la pirogue, avec autant de précaution que le plus courtois des soupirants.

« Je vais te dire une chose, chère, lui dit-il tandis qu'ils arrivaient dans un endroit qu'il connaissait bien, je vais te faire un sac de voyage pour tes vêtements. Pour quand tu seras une dame élégante et que tu iras à La Nouvelle-Orléans. Je sais où il y a un gros alligator mâle qui fera parfaitement l'affaire. »

Emma eut l'air terrifié. « Mais je n'ai pas besoin de sac de voyage..., dit-elle rapidement. Et puis ce serait un péché de vanité, de toute façon. »

Ils passèrent sous les branches pendantes d'un cyprès, et on entendit un roucoulement tout en haut de l'arbre. Il immobilisa la pirogue et montra du doigt la colombe qui se lamentait. C'était un oiseau gris-brun, assis sur son nid.

« La colombe construit plus de nids que tous les autres oiseaux du bayou, lui expliqua Simon tranquillement. Quatre fois par an, avec deux œufs dans chaque nid.

— On devrait être envahis de colombes, alors..., dit-elle en relevant la tête pour regarder l'oiseau.

— Elles ne font pas du très bon travail... Les nids tombent à la moindre brise, et si elles les construisent trop bas ce sont les serpents qui les attrapent. » Il haussa les épaules : « La voie du Seigneur, je suppose... »

Tandis qu'ils l'observaient, l'oiseau se mit à voleter en direction de la rive, non loin de son tronc d'arbre. Il se posa maladroitement et pendant un petit moment resta en un tas immobile, comme assommé. Puis, dans un effort intense, il commença à avancer en boitillant et en s'effondrant, pour s'éloigner d'eux le plus possible.

Simon sourit. « Elle croit qu'on veut lui prendre ses œufs... Elle essaie de détourner notre attention de son nid ! »

Une fois éloignés, ils se retournèrent pour voir la colombe étendre ses ailes, gonfler son jabot comme un pigeon et s'envoler tout droit vers ses œufs.

« Est-ce que cette ruse marche aussi avec un serpent ? demanda Emma.

— Peut-être. Mais dans ce cas le serpent l'attrape, et ses œufs meurent quand même... elle ne pense pas à ça, elle le fait, c'est tout. C'est son instinct maternel qui lui fait faire ça. »

Emma frémit et fixa son regard sur le courant.

Ils bifurquèrent de nombreuses fois, mais Simon ne s'égarait jamais. Les affluents qu'ils suivaient avaient un flux presque hypnotique ; le rythme lent du bayou s'imposait sur tout. Même les plantes qu'ils voyaient semblaient pousser plus vite que l'eau n'avançait ; les magnolias étaient en pleine floraison et diffusaient un fort parfum.

Ils arrivèrent sous une voûte ombragée ; les chênes, saules et cyprès qui bordaient la rivière de chaque côté enchevêtraient leurs branches et formaient une arche au-dessus de leur tête. L'eau était presque stagnante, marron foncé, et la mousse et les feuilles masquaient le ciel ; de grands roseaux, quelques verges d'or et des pissenlits sauvages parsemaient les rives boueuses. Un lièvre des marais s'assit pour les regarder passer, puis se remit calmement à brouter. L'endroit semblait figé, sans un souffle d'air, comme si la terre entière s'était arrêtée de respirer.

Simon échoua la pirogue et descendit sur une bande de boue sèche et dénudée. Il prit son crochet à alligators et se mit à le racler sur la grosse branche d'un arbre déraciné, d'avant en arrière et de plus en plus fort, jusqu'à ce que la branche tremble et fasse vibrer l'eau et la terre.

« Ça les exaspère au plus haut point, dit-il à sa sœur. Regarde bien, ils ne vont pas tarder à sortir de leur tanière et tu pourras faire ton choix. »

Emma se tenait solidement à l'avant du bateau, aussi loin du bord que possible, et elle ne quittait pas des yeux les fonds obscurs.

Simon remonta dans la pirogue et la conduisit vers des eaux plus profondes. Effectivement, juste à ce moment-là, trois alligators firent apparaître leur gueule noueuse, sifflant comme de l'huile sur le feu. Puis leurs têtes émergèrent, noires et rugueuses comme des souches pourries, en dilatant leurs grosses narines rouges.

Emma poussa un cri perçant, les yeux écarquillés de frayeur.

« Ils ne vont pas te faire de mal, lui dit Simon pour la rassurer. Ils ont l'air énormes, mais ils sont aussi stupides que des oies. Et puis ils sont trop nombreux pour ces eaux en ce moment, ils vont bien finir par se battre et s'entre-tuer... » Il en repéra un qui avait la tête plus petite que les autres. « Celui-ci fera l'affaire », dit-il en faisant approcher le bateau. Simon prit son crochet et en donna des petits coups sur la tête de l'animal. L'alligator ouvrit tout grand ses mâchoires vers Emma, comme s'il voulait la menacer spécialement... En un clin d'œil, Simon lui engouffra son pistolet dans le gosier et tira ; l'alligator se débattit furieusement, fouettant l'eau et brisant le silence.

Simon le transperça d'un coup sec avec son crochet, lui donna un coup de machette dans les vertèbres derrière la tête, et quand l'animal cessa de s'agiter, il le traîna dans la vase du bord de l'eau. Emma regardait son pistolet fixement : il y avait une nouvelle bosselure.

Simon remarqua où elle dirigeait son regard. « Ils mordent fort, chère, dit-il en riant, mais ils relâchent tout de suite ! »

Il retourna l'alligator sur le dos. Agonisant, l'animal balayait paresseusement son énorme queue, toute sa férocité avait disparu. Une sangsue, toute noircie par le sang de l'alligator, rampait sur le ventre cuirassé. Simon fit une première entaille sous la mâchoire inférieure, puis il tira la peau du ventre et des côtés et la détacha à petits coups de machette. Mais il laissait le cuir épais et noir du dos, qui n'avait aucune valeur. L'alligator était désormais étendu, tout nu et rose. Simon coupa la queue ; demain il la traînerait autour de la maison pour faire fuir les puces.

« On peut ramener la viande à la maison pour la faire frire, dit-il à Emma.

— Non merci », grommela-t-elle.

Il la regarda étonné. « Mais tu as mangé de l'alligator des dizaines de fois, Emma ! Celui-ci est à toi...

— Plus jamais. Maintenant que j'ai vu leurs yeux. »

Il sentit son cœur s'emplir de tristesse. « Tu ne veux pas la peau non plus ? Peut-être un petit sac pour ramasser tes herbes ?

— Je veux rentrer à la maison, c'est tout ce que je veux, Simon. »

Il soupira et releva un genou. De ses deux mains il prit la peau de l'alligator, la remua dans l'eau et la pendit à la proue du bateau. Un peu plus loin, les alligators bougèrent lentement puis plongèrent dans l'eau à l'odeur du sang frais.

« Il va bientôt faire nuit, dit-elle nerveusement. Allez, rentrons à la maison. »

Il remonta dans la pirogue et la poussa dans le courant. « Aucune bête sauvage ne te fera de mal, dit-il d'un ton bourru. Je n'ai jamais eu de problème. Juste peut-être un mocassin ou un serpent à sonnettes, mais tous les autres s'éloignent, ils ont beaucoup plus peur que toi... Tu devrais savoir ça, si tu écoutes maman.

— Elle m'a dit ça quand j'étais petite, et j'y ai cru ; mais je n'y crois plus. »

Simon se renfrogna et pagaya plus vite. C'était bien la dernière fois qu'il partageait son bayou avec Emma... et peut-être même tout ce qui lui tenait à cœur, se jura-t-il.

Lorsqu'ils arrivèrent à la maison, grand-père était sur la galerie en train de se balancer, comme souvent en fin d'après-midi. Il avait tiré son fauteuil sous l'arche du porche et regardait les oiseaux dans les buissons de tupelos. Emma sourit et lui effleura l'épaule en passant près de lui ; Simon s'assit pesamment à côté de son grand-père.

« Il y en a de l'air qui sort de ce ventre, dit le Vieux Simon gentiment, en fixant toujours les oiseaux. Quels motifs peut donc avoir un petit ventre pour soupirer comme ça, hein ?

— Du temps perdu », grommela Simon.

Son grand-père fit un large sourire. « C'est le temps qui te fait soupirer ? Attends un peu d'en avoir aussi peu que moi...

— Toi tu sais comment l'utiliser, au moins.

— Et qui ne le sait pas ?

— Ma sœur, par exemple. Et moi non plus. Je l'ai emmenée pêcher l'alligator dans un de mes meilleurs coins, je pensais qu'elle aimerait peut-être avoir un petit sac en cuir ou quelque chose comme ça... Mais le temps que j'en tue un et que je le dépouille, tout ce qu'elle voulait c'était rentrer à la maison. Elle dit qu'elle ne veut plus jamais manger d'alligator de toute sa vie. » Dépité il s'allongea sur le dos, une jambe repliée sur l'autre. « Elle faisait comme si elle avait peur tout le temps. »

Le Vieux Simon restait assis à se balancer. En quelques minutes il se mit à tomber une pluie légère qui moucheta toute la surface du bayou ; c'était une de ces tièdes pluies de printemps qui semblaient s'évaporer aussitôt après avoir touché le sol... Le vieil homme se leva en s'appuyant sur son fauteuil à bascule. Au grand étonnement de Simon, il défit sa chemise et s'en couvrit la tête ; puis il retira ses chaussures et resta là, pieds nus, sa maigre poitrine blanche offerte au ciel.

« Allons marcher sous la pluie », dit-il.

Simon bondit et enleva rapidement sa chemise. Il avait déjà dépassé le porche et se retournait en riant vers son grand-père, avant même que le vieil homme aborde prudemment les escaliers. Le Vieux Simon descendit la dernière marche et tortilla ses orteils nus dans la boue.

« Je crois, dit-il posément, que marcher sous une pluie de printemps doit être une des choses les plus agréables qu'un être humain puisse faire.

— Est-ce qu'on enlève aussi notre pantalon ? »

Le Vieux Simon secoua la tête sérieusement. « Pas un dimanche, à mon avis. Il y a déjà assez de peau comme ça pour le Jour du Seigneur... »

Le Vieux Simon prit la main du garçon, et ils remontèrent le long de la rivière, essuyant une averse de temps à autre ; tantôt le soleil leur brûlait le crâne, tantôt il disparaissait derrière les arbres ou les nuages. Les herbes du marais se pliaient sous leurs pieds, et trempaient leur pantalon jusqu'aux genoux. Simon était si transporté par le délice de la pluie sur sa peau nue qu'il aurait voulu s'écrouler dans l'herbe mouillée... Pendant un bref instant le monde était parfait, et il se moquait de savoir si quelqu'un qu'il aimait pensait la même chose ou non.

Joseph et Simon étaient un soir à la pêche sur le rivage du Bayou Bleu. Le soleil descendait vers l'horizon et diffusait sa lumière rouge à travers les chênes. Le père jouait une mélodie à l'accordéon et chantait doucement une ballade, comme pour lui-même, en gardant un œil sur sa canne à pêche.

> *Mo gagnin une 'tite cousine*
> *Qui donne moin cœur a li*
> *Li gagnin si doux larmine*
> *Novzette ye marie sordi*
>
> *(Moi j'ai une p'tite cousine*
> *Qui m'a donné son cœur*
> *Et elle a l'air si doux*
> *Qu'on s'marie aujourd'hui)*

« Est-ce que tu aimais pêcher quand tu avais mon âge ? » demanda Simon nonchalamment, les yeux fermés avec juste un doigt posé sur sa ligne.

Son père poussa un profond soupir de bien-être, savourant l'air chaud et léger. « Un peu. Mais pour moi ce n'était pas une révélation divine, comme dans la famille de ta mère. On pêchait pour manger... eux ils pêchent uniquement pour avoir un prétexte pour aller naviguer, j'ai l'impression. » Il lui donna un petit coup de pied dans la jambe pour le taquiner. « Toi tu tiens plutôt d'elle, oiseau de malheur ! »

Un léger floc dans le bayou attira leur attention. Une famille de canards des bois venait de quitter le creux d'un tronc d'arbre et les canetons avaient tous sauté dans l'eau, pour barboter autour de leur mère. Elle se lissait les plumes, passant son bec sur tout son corps, du bout de sa queue au bout des ailes. Lorsqu'elle aperçut leur pirogue, elle entraîna ses canetons plusieurs mètres plus loin.

Simon fit un grand sourire. « Alors qu'est-ce que tu faisais pour t'amuser quand tu étais jeune ?

— Je chassais un peu... Je jouais de mon instrument... Je jetais mon dévolu sur quelques femmes ici et là... Mais on n'avait pas beaucoup de temps pour s'amuser, quand j'avais ton âge. Trop de travail à faire...

— Ce n'est pas ce que maman raconte. Elle dit que tu passais ton temps à danser. Et à faire la cour aux femmes... »

Joseph eut un petit rire. « C'était vrai au moment où je l'ai connue. Mais quand j'avais ton âge, c'était une époque plutôt difficile... Mes parents ont quitté le pays natal lorsqu'il y avait la guerre et la famine. Le pain coûtait cinquante *cents* le kilo, et même à ce prix-là on n'en trouvait pas. Ils devaient faire cuire les mauvaises herbes pour pouvoir survivre ! Il y en avait tellement qui partaient, une *Völkerwanderung*, hein ? Un véritable exode, par milliers. Je me rappelle, mon père disait qu'il voulait aller dans un endroit où il n'y avait pas de roi. "Je ne veux pas user mon chapeau à force de le lever devant les gentilshommes..." Il nous disait : ici en Amérique on ne te dit pas "mange ce qu'on te donne ou crève", mais "travaille ou crève". Alors on est venus, et on a travaillé... Eux ils sont morts pas longtemps après, mais pas avant de constater qu'on pouvait réussir, Adolph et moi.

— La brasserie ?

— Oui, on s'en sortait bien... Ce n'était pas de la bonne bière au froment de Hambourg, mais les gens buvaient tout ce qu'on produisait. On a d'abord essayé de faire le moût avec du maïs, mais c'était trop amer. Le riz était moins cher, et puis l'eau était meilleure pour la macération du malt, et quand on a commencé à rajouter de la mélasse, on en a vendu encore plus. Au début on avait des difficultés pour la conserver, elle devenait avariée, et on ne pouvait brasser que quelques mois par an. Alors on a sorti les cuves au soleil, on les a enveloppées dans de la paille et des bagasses*, et on les a

---

* Tiges de canne à sucre dont on a extrait le jus (*NdT*).

88

plongées dans des abreuvoirs remplis d'eau. Même les jours les plus chauds on arrivait à garder la bière fraîche. Et on n'avait pas besoin de la garder longtemps ! A cette époque il y avait tellement d'Allemands pour en acheter... il y en avait tellement qu'ils ont baptisé l'endroit la Côte des Allemands, à cause de nous. Là-bas on plante un écriteau et on démarre une affaire. Pas besoin de payer un homme pour en avoir le droit, ou d'attendre que quelqu'un meure... Il fallait simplement travailler.

— Tu as failli épouser quelqu'un d'autre avant maman ? » Simon ramena sa ligne puis la relança à l'avant du bateau, dans un endroit plus ombragé.

« On t'a raconté cette histoire, hein ?

— Vaguement, sourit Simon.

— Eh bien c'était il y a longtemps... C'était une catholique comme il faut, ses parents connaissaient les miens, on était du même milieu. Je suis passé du *Kaffee und Kuchen*, pâté, polka et bière, au gombo et au vin d'oranger. Tu sais, ta maman m'a dit, quand on s'est mariés, que je ne devais jamais labourer le Vendredi saint. Les vieux disent que si on laboure un Vendredi saint, la foudre frappera les champs et qu'il en jaillira du sang. » Il sourit. « Mais Valsin dit que le poisson mord plus facilement le Vendredi saint que tous les autres jours de l'année... » Il haussa les épaules. « Ta maman est vraiment quelqu'un de bien, tu sais ?

— Quelquefois on est encore amoureux comme deux colombes. Quelquefois... Et les autres fois ? » Il regarda son fils en fronçant les sourcils. « Tu poses beaucoup de questions, ces temps-ci...

— Quelques-unes... » Simon hocha la tête à contrecœur.

« Ne précipite pas ta vie, dit Joseph posément. Tu seras marié bien assez longtemps.

— Gaston LeBleu est fiancé, tu savais ? Ils vont lire les bans samedi prochain. Lui et Lucille Guidry. Et il a quatorze ans...

— Peut-être que tous tes amis se marient avant seize ans, mais souviens-toi de ce que dit ton oncle : si tout le monde est d'accord, ce n'est sûrement pas le bon choix... »

Simon fit un sourire timide. « Valsin, il a attendu d'être plus vieux, lui. Et ils ont l'air très content. »

Son père acquiesça. « Ta mère était déjà vieille pour se marier, elle aussi. » Il rembobina subitement sa ligne. « Remontons et allons voir cette série de pièges avant de rentrer. Valsin dit que tu flaires les rats aussi bien qu'un chien de chasse ! »

Simon releva les yeux, étonné. D'habitude son père montrait peu d'intérêt pour les peaux de rats musqués qu'il rapportait chaque saison. Mais il reprit sa perche, dirigea la pirogue vers une eau plus profonde et descendit vers l'endroit du bayou où il avait posé une ligne de pièges.

Lorsqu'ils atteignirent la rive, Simon échoua le bateau, prit son sac à peaux et remonta vers la rangée de cyprès où il avait caché son premier piège.

Un gros rat musqué était capturé, et il se démenait, grinçant des dents et tentant de se libérer du piège qui le retenait en haut d'une patte arrière. Il était couvert de boue : il s'était tellement débattu toute la nuit qu'il avait tracé un cercle autour de la chaîne et du piège. Il bondissait d'un côté à l'autre en les regardant, et tirait sur sa longe pour se libérer. Lorsqu'ils s'approchèrent de lui, le rat musqué fonça sur eux.

« Fais attention ! dit Simon. Il peut t'attraper la main. »

Simon pointa le bout de son bâton pointu : le rat musqué l'attaqua et le mordit de toutes ses forces. Simon releva son gourdin et l'animal mordait toujours, étirant le cou. Une seconde plus tard, il se tordait sur le sol en secouant les pattes dans tous les sens, et du sang jaillissait du sommet de son crâne et de ses narines. Simon dégagea du piège le corps flasque ; la peau et le muscle de la jambe prise étaient creusés jusqu'à l'os.

Ils allèrent voir les autres pièges, et Simon trouva quelques jeunes rats qu'il laissa partir : ils filèrent en clopinant s'abriter dans les herbes marécageuses, stupéfaits.

Lorsqu'ils arrivèrent au piège suivant, Joseph émit un petit sifflement de surprise derrière son fils. Le rat musqué du premier piège avait le dos taillardé, une partie du foie et le cœur avaient été dévorés ; la peau était perdue... Simon se précipita sur le piège d'après, dans un coin ombragé de la berge, son père juste derrière lui. Un autre rat, à nouveau le dos ouvert, la peau lacérée... « Merde ! » jura Simon, sans faire attention au regard sévère de son père. « Une bête a déjà dû passer sur ces peaux. Tiens, regarde... » Il bondit au piège d'après... « Elle a fait toute la série. Ils sont tous déchiquetés !

— Tu avais déjà vu ça ? »

Simon était en train de dégager le rat mutilé du piège. « La semaine dernière j'en ai perdu quatre. Tous foutus... Regarde, elle n'en mange pas beaucoup, juste assez pour les ruiner. J'ai changé les pièges d'endroit, et elle revient. » Simon jeta brutalement le piège dans la boue. « Merde ! En plus il n'y a même pas de traces, juste des marques de griffes... » Il se pencha et examina de plus près. « Des serres... un faucon, je pense.

— Une buse, peut-être ?

— Non, elles ne courent pas après la viande fraîche. » Simon retourna à la pirogue à grands pas et se saisit de son mousquet. « Cette fois, il va en avoir plus qu'il ne l'espérait, celui-là. »

Ils s'enfonçaient désormais dans le marécage d'un pas résolu, s'éloignant peu à peu de la rive. Les tunnels des rats musqués formaient un peu partout des zigzags sous l'herbe et la boue ; les toits étaient fragiles, et un trappeur qui faisait un faux pas pouvait se retrouver dans la boue jusqu'aux cuisses... Simon était très habile pour marcher sur un terrain pareil, il gardait les genoux souples et dès qu'il se sentait tomber, il se penchait et s'écartait rapidement pour ne pas tomber plus bas. Mais Joseph le suivait à grand-peine...

Ils remontèrent la rangée hâtivement, et c'était la même histoire pour la plupart des pièges : des peaux déchirées et aucun indice pour identifier le coupable. Tout à coup, Simon aperçut quelque chose s'agiter et voleter à la fin de la rangée. Il siffla un coup et rapidement l'indiqua du doigt à son père.

Ils s'accroupirent et tentèrent d'avancer aussi vite que possible dans le marais, Simon en tête. Ils devaient faire attention de poser les pieds sur ce qui pouvait supporter le poids d'un homme, les touffes d'herbe, ou les monticules dont la végétation était immergée avec seulement quelques brins qui dépassaient. Il suffisait de glisser d'un centimètre pour prendre un bain glacé dans l'eau du bayou... Simon ralentit la cadence et scruta droit devant lui. Une cinquantaine de mètres plus loin, un grand aigle se débattait désespérément, battant des ailes sur l'herbe autour de lui ; plus les deux hommes avançaient, plus il se débattait.

L'aigle s'était fait prendre dans le piège, et la chaîne s'était emmêlée dans les herbes épaisses du marais ; il avait les yeux furieux. En les voyant approcher il se démena encore plus violemment pour se libérer. Simon leva son mousquet à son épaule, mais brusquement l'aigle s'envola... Les herbes avaient cédé juste à cet instant, et l'aigle passa au-dessus de leurs têtes en emportant le piège enchevêtré dans les joncs. Il vola jusqu'à un bosquet de chênes environ un kilomètre plus loin.

« Nom de Dieu, c'est un gros ! laissa échapper Joseph en retenant son souffle alors que l'aigle passait près d'eux à tire-d'aile.

— Et il a la jambe cassée, repartit Simon. Viens, on peut encore l'avoir.

— Tu crois ?

— Il faut qu'il paie pour toutes ces fourrures. Maintenant qu'il s'est échappé, il pourra revenir chasser tranquillement. »

Les hommes partirent donc à travers le bayou, à la recherche du perchoir de l'aigle. Sur ce terrain traître miné par les rats musqués, leurs chaussures se prenaient dans le limon et se remplissaient d'eau froide ; à un moment Joseph glissa et tomba de tout son long dans la boue, qui puait les gaz des marais et la pourriture, et il se releva en jurant. Lorsqu'ils arrivèrent en terrain plus ferme, Simon se mit à courir, son mousquet en position, suivi par son père. L'aigle les regardait venir, un air de défi dans ses yeux jaunes. Finalement, lorsqu'ils furent juste en dessous de lui, il battit de ses ailes grises, se souleva de la branche du chêne et sa silhouette se découpa dans le ciel. Il avait toujours l'affreux fardeau du piège, et sa patte cassée pendait, désarticulée. Mais il ne s'enfuyait pas.

« Regarde, dit Simon en pointant le doigt. Il est de nouveau coincé. »

L'aigle s'élevait au-dessus des branches mais ne pouvait pas aller plus loin ; le piège se balançait juste en dessous d'une branche fourchue. Sa patte était sur le point de se rompre, mais l'oiseau était retenu par le tendon blanc qui luisait sur l'écorce sombre du chêne. A cet instant l'œil jaune de l'aigle se planta dans ceux de Simon, et l'oiseau poussa un cri strident de défi. Lentement, Simon leva son mousquet et l'épaula ; l'aigle cessa de se débattre. De ces yeux qui pouvaient repérer un lapin à mille cinq cents mètres d'altitude, il fixa le chasseur. Et le fusil.

« Fiston... », commença Joseph, mais Simon l'ignora. Il appuya sur la détente. Le mousquet détona et le piège dégringola, avec le pied sinistrement déformé. L'aigle décolla du chêne d'un coup d'aile puissant, replia la patte qui lui restait en préparation d'un long vol, et disparut au-dessus de la cime des arbres.

Simon se sentit rempli de soulagement, lorsque son père lui posa une main sur l'épaule. « C'est du bon travail, dit Joseph avec douceur, il ne reviendra pas.

— S'il revient, maugréa Simon, je ne lui laisserai pas une seconde chance... »

Joseph s'abrita les yeux d'une main et observa le ciel qui s'était obscurci. « Tu crois que tu pourras nous ramener à la maison avant que maman ne donne notre part de dîner aux cochons ?

— Possible, répondit Simon avec un léger sourire. Tu ne veux pas m'aider à replacer ces pièges ?

— Tu ne veux pas m'aider à labourer les deux hectares qui restent ? »

Les deux hommes échangèrent un grand sourire et se mirent en route vers le bateau.

Il fut un temps où Simon semblait ne rien voir du monde extérieur, sinon les oiseaux, le lent mouvement de l'eau, et ses pièges. Puis un jour il se rendit compte qu'il commençait à faire attention aux gens. Il observait son père et sa mère lorsqu'ils étaient ensemble. Et Emma... Mais Emma n'était pas tout à fait attachée à eux de la même manière. On aurait dit parfois qu'elle venait d'une famille différente. Ou d'aucune famille. Il se demandait même si elle était vraiment née, sachant que d'une certaine manière elle était là pour combler un manque, la perte de Samuel, qu'elle ne pourrait jamais remplacer... Ou alors si tout ça était seulement dans sa tête, et que c'était lui qui suivait une voie bizarre.

Il entendait la manière dont sa mère parlait à sa sœur, et s'aperçut qu'elle prenait un ton différent d'avec lui. Une fois il écouta Emma et Oliva discuter de la préparation d'un repas. D'habitude il se faisait discret quand elles cuisinaient, il était dehors en train de bricoler quelque chose, ou dans le bateau sur la rivière, n'importe où pourvu qu'elles ne puissent pas l'appeler pour lui demander son aide. Mais cette fois-ci il s'assit dans un coin, à tourner la viande sur la broche et à les écouter, tout en tenant un livre dans la main.

« Verse les herbes tout doucement, chère, disait Oliva. Sinon elles vont brûler. Tu apprendras ça quand tu feras la cuisine pour ton mari, eux ils remarquent la différence. » Elle venait de couper des oignons et des poivrons, et elle s'approchait de la marmite en fonte pour remuer la sauce. « Il faut qu'elle soit brune, mais jamais brûlée, dit-elle à Emma.

— Que de problèmes..., dit Emma d'un ton las... pour des broutilles.

— Des broutilles ? La nourriture n'est pas une broutille, pas pour un homme.

— Pour moi c'est une broutille... Juste quelque chose pour alimenter les ardeurs du corps et qu'on rejette ensuite...

— Emma ! » Oliva semblait à la fois amusée et choquée. « D'où te viennent de telles idées ?

— C'est vrai, non ? On passe notre temps à préparer un repas, ils le mangent, puis on passe autant de temps à nettoyer, et tout ça pour quoi ? Tout a la même fin, c'est la volonté de Dieu... On devrait être comme les bêtes et les oiseaux, qui avalent ce qu'il y a à portée de la main. On ne devrait pas prendre autant de plaisir à manger. C'est pécher, d'une certaine manière...

— Pécher ? Ce bon chapon est un péché ? Et les petites tartes que je fais pour ton père sont un péché ? » Oliva fit un grognement et se détourna de la marmite qu'elle était en train de remuer. « Estime toi heureuse que je t'apprenne à pécher comme ça, alors. Tu ferais une bien piètre épouse sans de tels péchés.

— Peut-être que je ne serai pas une épouse du tout », répondit Emma d'un air songeur. Elle s'arrêta d'éplucher les pommes de terre et regarda droit devant elle sans faire attention à Simon, comme s'il n'avait pas eu plus d'oreilles que le rôti. « Peut-être que je ne préparerai plus jamais un seul repas une fois que j'aurai quitté cette maison...

— Bien sûr que si ! Sauf qu'il n'y aura peut-être personne pour l'apprécier. Ne laisse pas les pommes de terre brunir, plonge-les dans l'eau.

— Que Dieu me bénisse...

— Dieu a dit, soyez féconds et multipliez-vous, répliqua Oliva sèchement. S'il nous a donné toute cette bonne nourriture, c'est pour qu'on ne meure pas de faim et nos hommes avec.

— Les hommes peuvent se nourrir tout seuls. Ils n'ont pas besoin de femmes pour ça. »

A ces mots Simon leva la tête. Où allait-elle chercher tout ça ? « C'est bien peu de chose que de nous nourrir, avança-t-il calmement. Alors que papa travaille si dur pour nous procurer tout ce dont on a besoin. »

Emma réfléchit un instant. « Mais si on ne veut pas ce qu'il nous procure ?

93

— Le lit où tu dors ? Les vêtements que tu portes ? Tu ne veux pas de tout ça ? » Oliva alla vers la table, les mains sur les hanches. « Tu n'es qu'une enfant rêveuse, chère. Tu lis trop, à mon avis. Tu n'as pas assez de travail à faire. Si tu en avais plus, tu apprécierais ce que les autres font pour toi. »

Emma haussa légèrement les épaules et retourna à son épluchage.

Simon médita longtemps les paroles d'Emma ce soir-là avant de s'endormir. Décidément les filles étaient difficiles à comprendre. Même sa propre sœur, son propre sang, il ne pouvait pas comprendre pourquoi elle se sentait et parlait comme ça.

Cette année-là, lorsque les enfants déguisés du Mardi gras arrivèrent devant sa porte, Simon se demanda encore une fois si Emma n'avait pas été un de ces bébés qui dormaient tous ensemble au *fais-do-do*, et qu'on aurait rendu à la mauvaise famille. Mais quelle famille du bayou aurait pu engendrer une sœur pareille ?

Le soir de Mardi gras amena à Lafourche la même gaieté que les autres années. Les cavaliers masqués se présentèrent à la porte des Weiss, mendiant un poulet pour faire un gombo. Une vingtaine d'hommes portaient des habits de clown de toutes les couleurs, et leurs chevaux étaient parés de clochettes et de rubans ; puis ils déclamèrent :

> *Oh, Mardi gras, d'où tu viens*
> *Tout autour du fond du verre,*
> *Je viens de l'Angleterre,*
> *Oui mon cher, oui mon cher !*

Lorsqu'ils disaient la ligne à propos des Anglais, la maîtresse de maison devait faire semblant de trembler comme une feuille et de fourrer ses enfants sous sa jupe pour les protéger des méchants, comme des poussins qu'on abrite du faucon.

Simon et Joseph, qui se tenaient sous le porche, invitèrent les hommes à l'intérieur, où Oliva et Emma leur servirent du popcorn — le *tac-tac* traditionnel — ainsi que les beignets tout frais qu'elles avaient faits spécialement pour eux, accompagnés de la meilleure bière de Joseph. Lorsqu'ils étaient rassasiés ils sortaient en file, chantaient une dernière fois et réclamaient leur poulet pour les marmites collectives de gombo.

La tâche de Simon, qu'il avait attendue à la fois avec impatience et anxiété depuis qu'il était petit, consistait à sortir sur la galerie, lancer un poulet en l'air aussi haut qu'il pouvait, puis s'écarter le plus vite possible tandis que les hommes se ruaient sur l'animal pour l'attraper. Et une fois que le poulet mutilé était dans leur besace, ils repartaient vers la maison suivante du bayou.

La journée se finissait par des courses de chevaux et des combats de coqs. Tous les hommes s'attroupaient sous le grand arbre à chapelet de chez LeBleu et admiraient le champion rouge et noir de Landry qui avait vaincu tous les coqs du village.

Le soir, tout le monde se rassembla pour le bal de Mardi gras, où les poulets collectés avaient été transformés en marmites fumantes de gombo, et la musique et les danses ne cessèrent que lorsque plus un seul pied n'eut la force de bouger.

Mais Emma ne voulait pas danser.

Elle était assise sur le banc auprès de sa mère, tapait du pied au rythme de la musique, souriait et saluait ses amies. Mais quand des jeunes hommes s'approchaient, elle les rejetait l'un après l'autre... alors que beaucoup de filles plus jeunes qu'elle dansèrent la moitié de la nuit. Lorsque Joseph se rendit compte que plus aucun ne viendrait braver son ferme refus, il l'arracha de son banc et la fit tournoyer dans toute la salle sur un pas de deux effréné.

Elle dansa avec son père, adressant des sourires aux autres couples de danseurs et à sa mère qui rayonnait, puis elle regagna sa place sur le banc.

Cela redonna du cœur à plusieurs garçons du village qui vinrent se présenter à elle. Mais chaque fois elle secouait la tête en souriant. La danse qu'elle avait accordée à son père était sa seule danse de la soirée...

Simon voyait que sa mère l'implorait doucement, lui faisait des cajoleries, et pour finir la grondait gentiment... Mais Emma ne voulait pas bouger d'un millimètre.

« Danse avec ta sœur, lui dit son père en faisant une moue. Ça lui enlèvera la peur.

— Elle n'a pas peur, répondit Simon. Elle n'aime pas danser, c'est tout.

— As-tu déjà vu une jeune fille qui n'aime pas danser ?

— Oui, celle-là. » Simon indiqua sa sœur d'un signe de tête. Néanmoins, il traversa la salle pour aller les rejoindre ; sa mère le regarda en souriant, et il dit : « Emma, allons danser, chère.

— Je ne préfère pas », se contenta-t-elle de dire, et elle ne quitta pas son siège.

En grandissant, Simon remarquait que comprendre les filles était toujours aussi difficile, mais que l'effort à fournir était moins pénible... A seize ans il se surprenait à regarder certaines jeunes filles en prière, à retenir son souffle pour entendre le sifflement de leurs murmures lorsqu'elles disaient leur rosaire, à respirer en même temps qu'elles comme s'il avait été relié à elles par des fils invisibles. L'année précédente, le flot gracieux des mains et de la voix du vieux père LeBlanc arrivait encore à le captiver, mais plus maintenant.

A dix-sept ans, Simon avait réduit ses convoitises à deux filles, mais il découvrait que le fait d'avoir moins de diversions ne faisait qu'en augmenter la force. Son obsession semblait au contraire grandir pour combler le vide. Marie LeVille et Cerise Guidry aimantaient ses regards dès qu'elles apparaissaient dans son champ de vision, et elles aimantèrent bientôt ses pas, là où sa vue pourrait être fréquemment sollicitée... Il se demandait parfois comment il avait pu, deux ans auparavant, ne pas remarquer le noir soyeux de la chevelure de Marie, le doux rose des joues de Cerise. Il lui semblait qu'elles venaient d'autres cieux et qu'elles avaient soudain atterri à Lafourche, bien qu'elles aient grandi sur le même rivage que lui. Une année, elles étaient invisibles ; l'année suivante, c'étaient elles qui lui rendaient le monde visible.

Ses parents ne tardèrent pas à remarquer son air distrait, mais ils ne paraissaient pas réagir de la même manière... Sa mère souriait avec bienveillance et le taquinait à propos de sa soudaine maladresse, de son étourderie, et de ses promenades fréquentes vers la petite boutique des Guidry ou les vastes champs des LeVille.

« Il faudrait peut-être qu'on retouche le costume noir de papa, cher, dit-elle très pragmatique. Il doit presque t'aller, je pense. Tu es pratiquement aussi grand que papa maintenant. Et on dirait, ajouta-t-elle en souriant tendrement, que tu vas bientôt en avoir besoin... »

Mais son père ne partageait pas ce point de vue. Ces temps-ci il avait besoin de lui dans les champs de riz, plutôt plus que moins apparemment, et le dimanche, le jour où les familles acadiennes qui avaient une fille à marier s'apprêtaient à recevoir des visiteurs, Joseph lui donnait à lire le rapport du contremaître sur la semaine passée. Après avoir lu le nombre requis de rapports, effectué le nettoyage hebdomadaire de la pirogue et assisté à la messe, il pouvait encore rendre visite à l'une ou l'autre fille au choix, mais certainement pas aux deux...

Un jour, Simon se promenait lentement sur les bords du bayou, son bâton à la main. C'était une de ces journées qu'il savourait particulièrement, un après-midi tiède et mélancolique, où le bourdonnement des insectes et le bruissement de l'eau le plongeaient dans un sentiment de quiétude. Mais ce jour-là son plaisir était contrarié par une certaine tristesse... Souvent Gaston LeGros l'avait accompagné dans ses recherches de nids d'oiseaux, mais pas aujourd'hui. Gaston se mariait le lendemain, et ses femmes l'avaient attelé à tant de préparatifs qu'il ne referait pas surface de toute la journée. Peut-être ne serait-il plus jamais le même, ce vieux Gaston...

Marié pour toujours... Quand il pensait à Marie et à Cerise, il se perdait dans d'heureuses perspectives... Mais quel effet cela ferait d'en choisir une des deux ? D'appartenir à une seule fille ?

Simon savait que c'était comme ça que ça se passait chez eux. Il y en avait peut-être qui délaissaient ou rejetaient leur premier choix, mais à Lafourche on se mariait une fois pour toutes, pour le meilleur et pour le pire...

On lui avait raconté que certains hommes allaient à La Nouvelle-Orléans pour rechercher d'autres plaisirs : là-bas des femmes avaient pour métier de procurer certaines choses. Mais il avait le sentiment que peu d'hommes de Lafourche allaient leur rendre visite...

Il avait aussi entendu parler d'une jeune fille, en amont de la rivière, une certaine Jeanne Savon, qui divertissait des jeunes hommes... un peu trop au goût de ses voisins. On disait que son dévergondage n'avait pas de limites. Mais si Gaston, Pierre ou un autre de ses amis était allé dans sa maison à la nuit tombée, Simon n'en savait rien. Et si une telle rumeur parvenait aux oreilles de la fiancée de Gaston, ce serait un motif suffisant pour rompre les bans...

Simon s'assit sur une souche qui surplombait les eaux sinueuses. C'était un endroit calme, seuls les chevaux du vieux Benoît et les aigrettes blanches fréquentaient cette partie du rivage. Derrière lui s'étendait un pâturage, devant lui la rivière, et Simon avait l'impression, à ce moment précis, de se trouver sur une hauteur et d'y apercevoir à la fois son passé et son avenir.

« Tu seras marié pour un bon bout de temps... », lui avait dit son père.

Sa mère semblait désirer que ce bon bout de temps commence le plus tôt possible.

Et Emma avait déclaré que si ce moment ne lui arrivait jamais, elle s'en accommoderait fort bien.

Une partie de son cœur lui disait de se joindre à quelque chose, quelqu'un de plus vaste que lui-même, de changer sa vie brusquement, une fois pour toutes. Et une autre partie de lui désirait rester toujours pareille... ressentir perpétuellement ce qu'il ressentait à cet instant, en contemplant l'eau s'acheminer vers la mer.

Le problème venait peut-être de ce qu'il n'avait pas fait son choix... S'il n'avait eu qu'une seule fille dans son cœur, il lui aurait sans doute été plus facile de se représenter une image plus complète... Tous les deux, côte à côte, partageant le lit conjugal pour le restant de leurs jours...

La souche de cyprès devenait de plus en plus inconfortable, tandis que Simon se remémorait la démarche élancée de Cerise, la manière dont elle posait un doigt sur ses lèvres chaque fois qu'elle riait, comme pour s'assurer qu'elles étaient toujours sur son doux visage. Il lui vint également à l'esprit l'image des cheveux noirs de Marie et de leur odeur : chaude, parfumée, animale...

Ces deux images furent soudain interrompues par des chevaux

qui s'approchaient dans un bruit de tonnerre. Simon se retourna et vit la jument grise de Benoît poursuivie par un immense étalon bai. C'était le bai de LeBeck, un hors-la-loi récidiviste connu dans tout le bayou... Il était plus souvent à l'extérieur qu'à l'intérieur de sa clôture, et maintenant c'était la grise du Benoît qu'il faisait courir et rattrapait rapidement. La jument galopait comme une flèche en hennissant, elle s'éloignait de la rive et se dirigeait en amont, vers le terrain bourbeux où Simon avait vu Benoît poser des pièges à ratons laveurs.

Elle passa seulement à quelques mètres de lui, avec de grands yeux affolés. Elle était en chaleur, mais naturellement elle s'enfuyait tout de même, et ne ressemblait en rien à la douce pouliche qui tirait la carriole de Benoît pour aller à la messe... Sa crinière flottait au vent, sa queue était tendue et provocante, et en courant elle gardait la tête de côté pour voir s'il la suivait. Subitement, elle s'arrêta dans la boue et l'étalon la couvrit. Il se dressa sur ses jambes arrière et l'agrippa fermement, plaquant son arrière-train contre elle. Elle s'avança mais il maintint son emprise en poussant un hennissement furieux, les yeux foudroyants. Ses narines se dilataient, larges et noires, et il respirait par souffles haletants. Il serra la jument plus fort en lui mordant le cou, et il la pénétra violemment, dans un hurlement exalté.

La jument restait immobile pendant que l'étalon s'agitait et s'enfonçait pour se mettre en position. Tout à coup Simon entendit un craquement et l'étalon hurla, de douleur cette fois... Un de ses sabots avait heurté un rondin de cyprès et était passé à travers, et de la brèche dépassaient des éclats de bois saillants et tranchants. Simon contemplait avec horreur l'étalon tirer sur son sabot, tout en étant emprisonné dans la jument. Son seul moyen de se libérer était de se retirer d'elle...

Elle avança, et dans un cri enragé l'étalon la suivit, ne pouvant ou ne voulant toujours pas se séparer d'elle, et traînant le rondin fendu. Le bois raclait son sabot d'avant en arrière et le sciait lorsque la jument avançait, le sang jaillissait de la chair déchiquetée sur la jambe de l'étalon. L'herbe du marais se tachetait de rouge, tandis que la jument continuait inexorablement à avancer et qu'il la suivait : il hennissait de plus belle, mais elle ne s'arrêtait pas. Il tapait et secouait son sabot, mais en vain, et il ne se résignait pas à relâcher la jument. Finalement on entendit un fracas de chocs et de déchirure, et la bûche resta derrière eux... Simon se précipita pour aller la voir, et découvrit, enfoncé dans la brèche, le sabot... Ce n'était qu'une masse ensanglantée, avec au centre des tendons blancs qui remuaient encore lentement.

Simon suivit les chevaux. Tout en boitant l'étalon restait sur la jument, son sang ruisselait dans la boue. Il finit par lâcher, à bout de souffle, tandis que la jument trottait d'un air indifférent. Perplexe, le bai regardait tout autour de lui comme s'il voyait le monde pour la première fois... Au bout d'un moment, il inclina sa tête si

fière, et s'affaissa progressivement sur ses genoux ; la jument brou-
tait tranquillement non loin de là. L'étalon se laissa alors tomber
dans la boue, ses yeux noirs grands ouverts ; Simon ne le quitta pas
des yeux, pendant un temps qui lui sembla une éternité, jusqu'à ce
que le cheval meure dans un râle atroce, tandis que son sang s'écoulait plus lentement, puis s'arrêtait totalement.

Simon rentra à la maison d'un pas lent, abasourdi par la sauva-
gerie de cette scène. Emma avait peut-être entièrement raison,
songeait-il. C'était peut-être une leçon qu'il lui faudrait retenir...

Un mois plus tard, Simon était assis sur la galerie de Marie LeVille,
tandis qu'à l'intérieur sa maman confectionnait le gombo domini-
cal. Deux des petites sœurs de Marie gambadaient du porche à la
cuisine en gloussant, pour rapporter à qui voulait l'entendre des bribes de leur conversation. Simon s'efforçait de trouver quelque chose
à lui dire qui eût une signification confidentielle, quelque chose
qu'elle seule comprendrait, même si c'était transmis par une de ces
petites ricaneuses.

Finalement il lui chuchota : « J'ai découvert quelque chose un peu
plus loin en amont de la rivière... un endroit secret.

— Ah oui ? sourit Marie.

— Au-delà du Bayou Bleu. Je crois que personne ne l'a jamais vu. »

En entendant cela, Lucie LeVille, la plus petite des quatre filles,
qui avait à peine six ans, l'interpella : « C'est un trésor de pirates,
Simon ? »

Cette enfant avait l'ouïe aussi fine qu'un furet...

Marie lui toucha délicatement la main. « Continue, ne fais pas
attention à elle. »

Dans un élan de hardiesse, Simon prit la main et ouvrit la petite
paume, pour en admirer la douceur.

« Maman ! » cria l'avant-dernière fille, Lisette, qui se précipita à
la porte pour aller rapporter.

Mme LeVille finit par prendre le couple en pitié. « Marie ! héla-
t-elle, je n'ai plus d'okra, chère. Va m'en chercher...

— Viens avec moi », dit Marie. Elle poussa la lourde porte battante, chassa d'un geste ses deux petites sœurs et entraîna le jeune
homme au fond du jardin, où le potager s'étendait juste à côté du
poulailler. Elle évolua gracieusement au milieu des plates-bandes,
et se pencha pour ramasser l'okra. « Et qu'est-ce que tu as trouvé,
dans cet endroit secret ? demanda-t-elle. Le plus gros rat musqué
du delta ? »

Il piétinait derrière elle, un peu vexé. « Non, pas un rat. Quelque chose de beau. » Il toucha légèrement sa chevelure. « Ça devrait te plaire, chère. »

Elle se releva face à lui, en tenant sa jupe remplie d'okra. « Vraiment ?

— Vraiment.

— Tu me le montreras ? »

Il lui prit le bras. « On peut y aller tout de suite, si tu veux. »

A cet instant, Mme LeVille sortit sa tête de la petite porte. « Marie ! Le gombo va bientôt se transformer en charbon ! »

Il retira brusquement sa main, comme s'il s'était ébouillanté. La jeune fille courut vers la maison, et en retournant la tête par-dessus son épaule elle lui lança : « Peut-être une autre fois, d'accord ? » Mais elle ne lui fit pas signe de rentrer avec elle.

Il fit demi-tour, remonta sur le poney qui accompagnait ses escapades amoureuses, et s'éloigna sur la route. Les deux sœurs le regardaient de la maison et pouffaient en se cachant la bouche dans les mains. Marie apparut à la porte et lui fit un grand signe de la main. « Reviens une autre fois, Simon ! » Mais lui ne se sentait pas apaisé...

Sur un coup de tête, il fit bifurquer le poney en direction de la boutique des Guidry. Là-bas, au moins, on pouvait se rafraîchir quand on avait la gorge sèche. A sa grande surprise, Cerise vint à sa rencontre alors qu'il attachait sa monture à la barrière.

« Papa m'a demandé d'aller porter ces saucisses chez Mme Benoît », dit-elle d'une seule traite, et ses joues s'empourprèrent lorsqu'il la regarda. « Elle est au lit avec la grippe. Tu veux m'accompagner ? »

Mme Benoît habitait en aval de la rivière, au bord de la levée. Il était possible d'aller chez elle à cheval, mais la pirogue amarrée devant chez les Guidry s'avérait tout de même le moyen le plus sûr de s'y rendre... « Volontiers », répondit Simon qui attacha son poney, invita la jeune fille à prendre place dans la pirogue et poussa l'embarcation dans le courant, avant que le destin ne lui reprenne cette chance trop rare...

Ils suivirent lentement le méandre du bayou, partiellement caché par les chênes verts qui se penchaient au-dessus de l'eau. Simon se soumit calmement à la partie de la conversation qu'ils semblaient répéter chaque semaine : comment allaient sa famille à elle, sa famille à lui, leurs amis communs... ainsi que quelques rumeurs qui couraient. Puis il annonça : « J'ai découvert un endroit particulier, en amont de la rivière. Il devrait te plaire, chère. Il est magnifique.

— C'est loin ? »

Il réagit immédiatement. « Pas tellement. C'est un endroit secret.

— J'adore les secrets.

— Est-ce que tu as envie de le voir ?

— Est-ce que tu l'as montré à... quelqu'un d'autre ? » Elle faisait traîner sa main dans l'eau, sans le regarder.

« Non. Sinon ça ne serait pas un secret...

100

— Bon... on pourra peut-être aller le voir un jour, alors.

— Aujourd'hui ? »

Elle hésita. « Il faut que je rentre tôt, sinon papa va se demander... »

Il posa l'aviron un instant et se retourna complètement vers elle. « Je peux te le montrer après avoir vu la mère Benoît, on sera à mi-chemin. » Il était très rare qu'une jeune fille ait la permission d'être seule avec un homme, et il se rendit compte que s'il ne lui demandait pas, elle ne le proposerait jamais. Il n'aurait peut-être plus jamais cette occasion. « Avant que ça disparaisse... »

Un petit sourire creusa les joues de Cerise. « Qu'y a-t-il de si spécial et qui disparaîtra si je ne vais pas le voir aujourd'hui, Simon ? »

Il prit un air malicieux. « Je ne peux pas te le dire. Mais je peux te le montrer... »

Elle s'adossa au fond de son siège et resserra son manteau autour de ses épaules. « Accélère, alors. Je ne peux pas m'absenter trop longtemps. »

Il fit le trajet si rapidement que ses bras lui faisaient mal lorsqu'ils arrivèrent chez les Benoît. Ils livrèrent les saucisses à la vieille femme ronchonneuse, échangèrent des politesses puis remontèrent dans la pirogue. Le soleil commençait à décliner vers la surface de l'eau.

« Je ne sais pas si je dois oser..., dit-elle sur un ton un peu plaintif.

— On n'en aura pas pour longtemps », dit-il fermement ; il poussa le bateau un grand coup pour l'éloigner de la berge, et le dirigea vers le bayou, et non vers le chemin du retour. Il ne la regardait plus du tout, pour ne pas être influencé par son doute à elle. Il se mit à chanter en ramant, une vieille ballade qui parlait d'amoureux et de la mort, sachant qu'elle l'adorait. Il mettait toute la force de ses épaules à pagayer. Et bientôt elle fredonna doucement avec lui ces paroles tourmentées.

Un groupe d'aigrettes s'envola en spirale comme un tourbillon de neige. Il prit son mousquet, visa et tira. Un oiseau tomba en battant frénétiquement des ailes tout au long de sa chute vers la rive. Simon mit pied à terre et le ramassa. Heureusement il était tombé sur des herbes et des feuilles sèches : les plumes de sa queue n'avaient pas une tache de sang ou de boue ; elles étaient longues, tombantes et soyeuses. D'un geste rapide il prit son couteau et coupa les quatre plumes de la queue, qu'il déposa dans la paume de Cerise.

« Oh, les pennes sont aussi fines que des cheveux ! dit-elle attendrie.

— Dans certains endroits c'est aussi précieux que des perles sauvages, dit-il. Ça fait une jolie décoration pour le chapeau d'une dame, j'ai déjà vu un chapeau comme ça.

— Où ça ?

— A La Nouvelle-Orléans. J'y suis allé deux fois avec mon père. Et une fois à Baton Rouge. »

Elle soupira. « Est-ce que c'est aussi merveilleux qu'on le raconte ?

— Pas vraiment, répondit-il en fronçant les sourcils. C'est plus joli, à mon avis. Mais rien à La Nouvelle-Orléans ne vaut ce que j'ai devant les yeux... »

Elle sourit et rangea délicatement les plumes sous sa pèlerine.

Ils traversaient désormais une région sauvage entièrement recouverte par les arbres, avançant lentement sur un bourbier tout noir, dépassant des rivières cachées qui serpentaient entre des îles envahies de roseaux. Les huarts s'envolaient sur leur passage ; et lorsqu'ils prenaient des virages, les alligators s'enfonçaient doucement dans l'eau et disparaissaient, en laissant une légère écume sur la surface noire. Simon connaissait chaque repaire, chaque nid d'aigle dans les plus vieux cyprès, et s'enfonça encore plus loin en contemplant le soleil couchant. Ils se parlaient à peine, mais chaque fois qu'il se retournait, elle fixait le regard du jeune homme sans détourner les yeux. Il sentait une sorte de courant filer entre eux, un lien qui se rompait chaque fois qu'il regardait ailleurs... Soudain il planta énergiquement la perche au fond de l'eau, et fit pivoter le bateau pour qu'il aille se caler contre la berge.

« Ferme les yeux maintenant », dit-il gentiment. Il se retourna pour vérifier qu'elle ne regardait pas. Elle attendait, la bouche immobile et légèrement entrouverte, en respirant à peine. Il déplaça la pirogue pour l'orienter différemment, et la poussa sur le sable. « Ouvre les yeux. »

Devant eux s'amoncelaient des fleurs sauvages dans une profusion exubérante, une petite colline de splendides couleurs enchevêtrées, elles étaient grosses comme des bols et serrées en un tapis épais. On aurait dit que toutes les fleurs du marais naissaient ici, nues et impudiques, à l'abri des regards.

« Oh ! souffla Cerise, comme prise de douleur.

— Ça m'étonnerait que quelqu'un ait déjà vu ça, dit-il en l'aidant à se lever. Je n'ai jamais vu une seule trace de pas. »

Ils sortirent du bateau et s'enfoncèrent dans les fleurs jusqu'aux genoux. Cerise se pencha et y enfouit son visage, respirant profondément leur saveur enivrante. Ses yeux se fermaient de plaisir.

Elle les rouvrit. « Je n'aurais jamais pu croire ça... Ça semblera invraisemblable quand je rentrerai à la maison et que je leur raconterai une chose pareille, perdue dans le marécage. »

Il lui prit la main, soudain devenu timide. « Il ne faut pas que tu leur dises. Personne ne doit le savoir... Ça sera notre endroit secret. »

Elle se tourna vers lui et posa sur lui ses grands yeux sombres. « Et tu n'as jamais montré ça à personne ? »

En guise de réponse, il la prit par les épaules et l'attira doucement vers lui. Mais dès qu'il sentit son corps près du sien, sa poitrine, ses jambes cachées dans sa jupe, il ressentit le besoin de s'en approcher encore plus. Elle ne résista pas à son étreinte, elle semblait s'offrir à lui. Leurs bouches se rapprochaient... Il la sentait respirer par petits souffles rapides, et son cœur se mit à battre si fort qu'il le sentait jusque dans sa gorge. Il posa sa bouche sur son front, et de ses lèvres il suivit le contour de ses sourcils, de ses yeux ; elle baissa les paupières. Sa bouche continuait sa descente vers ses joues, et atteignit finalement ses lèvres... Il l'embrassa d'abord doucement, puis passionnément, en lui écartant les lèvres. L'énergie qui jaillissait dans ses reins et le long de ses bras le fit presque chanceler, et il dut s'empêcher de la serrer trop fort contre sa poitrine.

Elle jeta la tête en arrière et l'observa, pleine d'étonnement. Elle murmura son nom et l'embrassa dans le cou, une douceur humide comme le museau d'un cerf qui fouine dans l'eau sombre... il poussa un gémissement, envahi par un désir déchirant. Il s'allongea dans les fleurs en la tirant à lui, si profondément qu'ils étaient presque submergés, et il ne pouvait plus faire la différence entre les parfums de la jeune fille et ceux des fleurs. Elle était à la fois douce et brûlante, fougueuse et tendre... En un instant ils se retrouvèrent les yeux dans les yeux, peau contre peau, leurs souffles mélangés.

Il était évident que Cerise lui appartenait désormais. Il fit ses adieux à Marie, scène douloureuse qu'il n'aimait pas se remémorer. Il se tenait debout sur la galerie, refusant la tasse de café qu'elle lui offrait toujours, refusant également le siège qu'il prenait toujours. Il tenait dans les mains son chapeau qu'il tournait et retournait, et il lui annonça qu'il avait demandé la main de Cerise Guidry, en la regardant droit dans les yeux. Mais plus tard, il regretta de l'avoir vue tressauter, mettre son poing devant la bouche et se mordre les lèvres, en lui présentant, d'une voix tremblante, tous ses vœux de bonheur...

Elle n'avait pas bougé lorsqu'il était reparti. Elle était restée raide comme un piquet, sans faire un pas, et elle avait même réussi à sourire et à lui faire un signe d'adieu de la main.

Il secoua la tête en y repensant. Les femmes étaient plus fortes que les hommes, il en était convaincu. Elles avaient les os plus solides, aussi douce que fût leur peau. Elles avaient l'esprit plus ouvert, plus vif d'une certaine manière. Même Emma, peut-être l'âme féminine la plus fermée et la plus sombre qu'il ait connue, dégageait comme une lumière que lui-même n'avait jamais diffusée. Il se rappelait souvent l'étalon dans le marécage, mais quand cette image lui venait à l'esprit, il la repoussait. Tout autour de lui, il avait la preuve flagrante que l'amour signifiait le plus souvent fécondité, naissance et renouvellement. Et non pas une mort sanglante dans un endroit isolé...

Lorsqu'il revint de chez Marie, son grand-père et son oncle avaient rejoint son père sur la galerie, comme souvent le dimanche. Ils regardaient le crépuscule descendre sur le bayou, tandis qu'à l'intérieur les femmes se préparaient pour la messe. L'eau était alors presque silencieuse, comme si même le courant s'était un instant arrêté.

« J'ai demandé Cerise Guidry en mariage », annonça Simon tout en s'asseyant sous le porche, à côté du fauteuil de son père.

Valsin rigola gentiment et secoua la tête. « Bon, tant pis... je viens de perdre dix dollars, alors, parce que j'avais parié avec Préjean que tu prendrais l'autre, moi.

— Et moi j'avais parié que tu aurais l'intelligence d'attendre jusqu'à ce que tu puisses faire vivre une femme correctement, dit son père d'un air mécontent. Tu es trop jeune.

— Il y en a beaucoup qui se marient encore plus tôt, dit Simon.

— Beaucoup n'ont pas les mêmes possibilités que toi... Tu devrais sortir de cette eau stagnante, aller à La Nouvelle-Orléans, en apprendre plus sur la brasserie et voir un peu le monde, avant de t'installer dans un petit village perdu...

— Est-ce qu'on parle de ta vie ou de la mienne, au juste ? demanda Simon calmement. La Nouvelle-Orléans n'est pas du tout ma vision du paradis... Je ne veux pas non plus passer mon temps à verser du malt dans des fourneaux...

— Qu'est-ce que tu veux faire alors, cher ? coupa son grand-père, du fin fond de son fauteuil à bascule. Une femme ne vit pas de plumes d'aigrettes et de peaux d'alligator...

— Surtout une comme mam'zelle Guidry, dit Valsin. Cette jolie frimousse a l'habitude de sourire, je suppose.

— Mes séries de pièges peuvent tout à fait subvenir à nos besoins, et s'il n'y a pas de rats on vivra sur ma part des bénéfices de la meunerie... On n'a pas besoin d'avoir la plus grosse calèche du bayou.

— Et qu'est-ce que vous ferez quand vous aurez des enfants ? demanda son père. Vous en aurez, tu sais, avait même d'y être préparés. »

Simon lança un rapide regard à Joseph pour voir s'il le soupçonnait d'avoir déjà possédé Cerise, mais il ne décela aucune accusation dans son expression. Il haussa les épaules. « J'espère bien qu'on en aura... et encore plus pour leur tenir compagnie... » Son père détourna les yeux. « Et quand on en aura, on fera comme Valsin et Marie, comme Gaston et Céleste, comme Ovide et Odette, et comme tous les autres, hein ? On fera de notre mieux. »

Joseph hocha tristement la tête.

« Je suis sûr que ça ne te surprend pas, papa, dit Simon très formellement dans leur vieille langue, pour que son grand-père puisse comprendre. Je dois faire comme mon père et mon grand-père ont fait, je dois trouver ma propre voie... Tu préférerais que j'agisse autrement ? »

A cet instant il sentit une main se poser sur son épaule. Oliva était sortie de la maison et était restée dans l'ombre à écouter leur conversation. « Il n'est pas surpris, cher, dit-elle doucement, juste un peu triste que ça arrive si tôt. Es-tu amoureux d'elle ? »

Simon hésita. « Je ne peux pas me passer d'elle... »

Elle dirigea les yeux vers son mari, et sa main passa de l'épaule de Simon à l'épaule de Joseph. « Eh bien, c'est peut-être de l'amour, après tout, qui sait... Vas-tu publier les bans dimanche prochain, Joseph ?

— Tu devrais peut-être lire les bans toi-même, puisque tu l'approuves », répliqua sèchement son père.

Elle rit tendrement dans l'obscurité. « Que je l'approuve ou pas, le mariage aura lieu, je présume. » Elle enroula ses deux bras autour du cou de son mari. « Tu liras les bans ?

— Tu en es sûr et certain ? s'adressa Joseph à son fils.

— Je lui ai déjà promis.

— Bon, répondit Joseph posément, que le Bon Dieu t'accorde pleine et entière satisfaction... »

Simon arriva devant la porte, posa ses pièges vides par terre sur la galerie et s'essuya les mains sur son manteau. Il aurait bien aimé passer cette matinée pluvieuse dans un lit bien chaud, et prendre le café à sa table à lui, avec sa femme si adorable. Mais c'était devenu son habitude d'aller prendre le déjeuner chez sa mère tous les jours de la semaine ; ainsi il n'obligeait pas Cerise à se tirer du lit plus tôt qu'elle ne le désirait.

Comme toujours, son père lisait au coin du feu et sa mère cuisinait derrière lui. Elle sourit et posa sur la table la tasse de Simon fumante et parfumée. « Est-ce que ça va s'arrêter ?

— On dirait plutôt que c'est parti pour toute la journée », répondit-il en pendant sa cape ruisselante au crochet de la porte.

Oliva posa une assiette de saucisses devant lui. « Cerise va bien ? »

Il hocha la tête en trempant les lèvres dans sa tasse de café.

« Elle a fini ses draps ? »

Ses draps... La question semblait innocente, mais bien sûr elle était loin de l'être. Il se rappelait très précisément le moment où il s'était avancé dans la nef de l'église avec la mariée. Avec ses boucles ravissantes qui tombaient tout autour de son visage, le corsage de sa grande robe qui serrait sa poitrine... Avec un visage si joli qui l'accueillait tous les soirs, qu'est-ce que ça pouvait faire si elle ne se levait pas pour lui préparer le petit déjeuner ? Et avec un corps si magnifique dans son lit, qu'est-ce que ça pouvait faire qu'elle n'ait pas fini le nombre de draps dans l'armoire, que sa mère considérait comme nécessaire pour commencer leur vie conjugale ? Mais quand même, il aurait bien aimé que la question ne revienne pas.

« Pas encore, maman, dit-il calmement, mais on a tout notre temps pour les draps. »

Elle posa une main délicate sur son épaule. « Tu as un accroc qui grandit sur ta manche. Si on ne répare pas ça va filer dans le dos. »

Elle tendit la main. « Donne-le-moi, je vais t'arranger ça. »

Il enleva sa chemise et se rassit torse nu, soudain un peu confus d'être partiellement déshabillé devant sa mère. Comme si le fait de dormir au côté de Cerise avait provoqué en lui un changement physique que sa mère aurait pu remarquer.

Le mariage l'avait en tout cas changé moralement, il en était persuadé. A la sortie de l'église les attendait une carriole recouverte de fleurs, et les chevaux broutaient patiemment les hautes herbes. « Allons-y ! » lui avait murmuré Cerise à la seconde où ils prenaient place, et il avait senti son ardeur augmenter rien qu'en voyant l'éclat qui brillait dans les yeux de sa jeune épouse. Une vieille femme avait marmonné dans sa barbe qu'une jeune mariée ne devait pas avoir l'air si empressée de retrouver le lit de noces. Mais quand Simon s'était retourné vers ses parents et qu'il avait aperçu sa mère qui se tenait là, encerclée dans les bras de son père, il avait compris que l'amour que Cerise et lui allaient bientôt sceller était encore célébré par ses parents après toutes ces années... Plût au Ciel que nous connaissions encore une passion si riche quand notre couple aura vieilli ! s'était dit Simon.

Cette nuit-là ils se couchèrent sur le lit que Simon avait construit et qu'Oliva avait cousu. L'ombre de la lune recouvrait la nudité de Cerise, mais elle la révélait plus qu'elle ne la cachait. Même s'il savait que le père LeBlanc les avait déclarés mari et femme le matin même, et qu'il avait béni ce qu'ils étaient en train de faire ensemble, il ne pouvait pas s'empêcher de penser qu'il était au lit avec une inconnue... Une étrangère qui tenait dans ses mains son cœur à lui, tout comme de ses jambes agiles elle retenait ses hanches.

Emma entra dans la cuisine avec une serviette pour se sécher les cheveux près du feu, et elle lui fit bonjour d'un signe de tête. « J'ai donné à manger aux poules, dit-elle tranquillement, mais je n'ai pas vu ta pintade noire, maman, elle doit encore se cacher dans les bois. »

Simon leva les yeux de son second beignet de maïs pour la regarder. Elle avait treize ans, l'âge de se marier. Pourtant il n'arrivait pas à se représenter sa sœur dans un lit avec un homme, ni à voir son corps dans les positions de l'amour comme il avait celui de Cerise clairement à l'esprit, pas plus qu'il ne pouvait imaginer sa mère monter sur le dos d'un alligator... Et il se rendit compte avec stupéfaction qu'il n'avait jamais vu Emma embrasser personne d'autre qu'Oliva et Joseph. Pas grand-père, ni Valsin, ni Marie, ni même lui, aussi loin qu'il s'en souvienne.

Soudain on entendit quelqu'un frapper à la porte... Cerise surgit dans la maison, enveloppée dans une cape de toile cirée, la tête auréolée par ses cheveux noirs en bataille ; elle avait l'air d'avoir reçu un choc... Il se leva pour aller à sa rencontre, et elle se jeta dans ses bras en larmes.

« Ils viennent juste d'apporter la nouvelle, dit-elle en sanglotant, tournant les yeux vers Oliva. Je suis désolée, tellement désolée ! C'est le Vieux Simon, ma mère, il a été emporté dans la nuit, la veuve l'a trouvé ce matin. Il n'est plus... »

Emma se signa et murmura : « Grand-père, pauvre vieux... »

Oliva s'écroula sur sa chaise. Elle se couvrit les yeux d'une main et tendit l'autre vers Joseph. « Qui est venu le dire ? »

Cerise quitta alors les bras de Simon pour aller vers Oliva, tout en s'essuyant les yeux avec sa cape. « M'sieur Bellard, avec mon frère. Le père LeBlanc est avec la veuve.

— Et Valsin ?

— Ils sont allés le prévenir.

— Il va venir, dit Oliva calmement, raffermissant sa voix. Il viendra ici avant d'aller le voir... il faut que je me prépare à l'accueillir. » Elle se releva, chancela légèrement et se retint à la table.

Joseph se leva pour l'enlacer, mais Cerise arriva la première auprès d'elle. Sans plus pleurer, elle prit Oliva dans ses bras pour la consoler. « C'est très triste de l'avoir perdu... Mais le Bon Dieu lui a donné une vie bien remplie et une mort rapide, non ? Vous lui avez donné sa place au soleil, comme il le souhaitait... On devrait peut-être prier pour lui maintenant ? »

Oliva sembla vouloir se dégager de l'étreinte de Cerise, mais elle se laissa aller dans les bras de la jeune fille ; elle semblait en tirer une douceur réconfortante. Elle finit par se libérer et se laissa enlacer par Joseph.

« Bien sûr qu'on devrait », dit Emma sur un ton calme et apaisant. Et ils se mirent tous à genoux, tandis qu'elle dirigeait leur prière pour l'âme de Simon Doucet.

Lorsque l'on s'enfonçait dans le sud vers le golfe du Mexique, les marais noirs, lieux protégés des bayous, se transformaient en un vaste marécage. Il n'y avait plus de bras de rivière morts, les affluents

sinueux se mêlaient à des étendues marécageuses et sans arbres. Plates et à ciel ouvert, elles semblaient immuables, et seule la brise souf-flant du golfe faisait osciller l'herbe à son rythme.

Mais cette monotonie était illusoire. Ces deux millions d'hectares de marécage nourrissaient toute l'année une concentration de faune et de flore plus vaste que partout ailleurs sur le continent. Le soleil, la température constante, l'épaisse terre noire et les eaux saumâtres, tout cela formait le foyer de plus d'un tiers des volatiles de l'Amérique du Nord. En effet, les oiseaux venus de divers continents se retrouvaient à cet endroit, car dans le Delta toutes les différences étaient adoucies.

L'eau douce et l'eau salée fusionnaient en un mélange qui se modifiait à chaque marée ou dès que le vent tournait. Les poissons d'eau douce et les poissons d'eau salée nageaient côte à côte ; les animaux terrestres apprenaient à s'immerger, et les animaux aquatiques s'élevaient facilement jusque sur la terre et même au-dessus. Tout comme une famille d'origines diverses, qui est rendue plus forte de par les différences d'un individu à l'autre.

Jusqu'au début du XIXe siècle, l'homme n'avait pas trop altéré le Delta. Les chasseurs voyaient moins de jaguars, de loups et d'ibis rouges, mais leur diminution passa presque inaperçue dans des pâturages si fertiles. Quand le regard humain se levait vers le ciel, il y avait toujours des masses d'oiseaux dont on ne pouvait voir la fin. Le Delta semblait être un terrain d'abondance à tout jamais, où le héron s'envolait avec extase vers la liberté absolue, par-delà les arbres qui symbolisaient son foyer et sa prison.

Quelque part dans les marécages, un grand alligator mâle nageait vers la rive. Le moment le plus chaud de la journée était passé, et son sang avait besoin d'absorber de la chaleur afin de réchauffer ses entrailles. N'étant pas un animal à sang chaud, il était dépendant du soleil et de l'eau pour se sentir à son aise. Il grimpa sur la rive, se positionna en demi-cercle, son museau et sa queue pointant vers la rivière, et il replia ses courtes pattes... Ventre contre terre, il s'assoupit.

Peu de créatures se seraient aventurées sur son lieu de repos : quatre mètres de long, la mâchoire entrouverte, et la majorité de ses quatre-vingts dents, aiguisées et jaunâtres, qui présentaient dans sa bouche un étalage mortel.

Ses plus grandes dents n'étaient pas visibles. Contrairement à son cousin le crocodile au museau effilé, l'alligator possédait une mâchoire à l'extrémité arrondie. Elle ne cachait pas ses molaires. Cependant, deux dents proéminentes, ses crocs, sortaient de sa mâchoire inférieure pour se nicher dans un petit creux du maxillaire. Elles étaient donc invisibles, à moins qu'il ne choisisse de les montrer...

Sa peau rugueuse ainsi que ses paupières tannées qui se fermaient maintenant sur ses yeux protubérants étaient d'une couleur brune et grisâtre, presque noire quand son corps était mouillé. Quand il se séchait au soleil, sa peau ressemblait à un petit torrent de montagne. La peau de son ventre avait la couleur sombre de l'ivoire jaunissant, mais légèrement plus foncée. C'était au cuir de son ventre que les chasseurs attachaient le plus de prix... et il était prêt à lutter jusqu'à la mort pour ne pas avoir à exposer cette partie vulnérable de son corps.

Il n'était évidemment pas le seul dans les marais. Dans tout le Delta, au nord vers Lafourche, ou au sud vers le Teche, à Terrebone ou Barataria, à tout endroit où l'eau était assez profonde pour la protéger, son espèce proliférait. A la saison des amours, il y en avait un tel nombre qu'ils auraient pu boucher le fleuve avec leurs dos... s'ils avaient pu tolérer la proximité de leurs congénères.

Aussi grand qu'il fût, cet alligator n'était pas le plus gros du bayou. Un autre, long de six mètres, occupait les eaux à plusieurs kilomètres de là. Peu nombreux étaient ceux qui se hasardaient dans son territoire, et tous les autres mâles respectaient son sifflement d'avertissement.

Mais ses quatre mètres de longueur donnaient le droit à cet alligator de somnoler en paix, au soleil. Même endormi, son ouïe et son odorat restaient remarquablement développés. Éveillé, il pouvait suivre l'odeur d'un animal dans l'eau : sans la voir il pouvait dire quelle créature était en train de barboter beaucoup plus loin, et si elle avait des problèmes. Pour l'instant le silence du marais l'apaisait autant que le soleil sur son dos.

Peu avant le crépuscule, un bruit le réveilla. C'était un clapotement régulier, à peine audible, différent du bruit que faisait un raton ou un rat musqué. Il se releva aussitôt, et avec une agilité incroyable pour un tel poids, il détala jusqu'à la rive et plongea. Malgré sa taille et sa vitesse il entra dans l'eau presque sans créer de remous : un gargouillement momentané, alors que les eaux se remettaient en place, et il disparut sous la surface sombre, ne laissant derrière lui qu'un petit tourbillon.

Sa vitesse sous l'eau était spectaculaire, car sa queue battait de droite à gauche en de puissants mouvements, et le conduisait à travers le bayou en quelques secondes, le menait vers l'autre rive, lui faisait remonter un cours d'eau à trois ou quatre mètres de la berge, là où l'eau faisait à peine trente centimètres de profondeur.

Tout au bout de son territoire, il y avait un couloir découvert, où l'eau coulait paresseusement, encombrée de roseaux et d'arbrisseaux. A cet endroit une biche à queue blanche, âgée d'un an, se démenait dans les broussailles pour atteindre les eaux claires.

Elle était fine et petite, ne pesant pas plus de vingt-cinq kilos. Une meute de chiens l'avaient poursuivie sur plusieurs kilomètres avant qu'elle ne réussisse à leur échapper en traversant le bayou, et elle était maintenant fort assoiffée. Elle était pantelante et avait chaud, et les eaux peu profondes l'invitaient à venir y patauger.

Une fois dans l'eau, elle entendit un léger gargouillis un peu plus haut dans la rivière, mais il était encore loin. Elle s'arrêta tout de même, aux aguets, écoutant et reniflant afin de déceler le moindre danger. Ses flancs se soulevèrent sous l'effet des fatigues du matin, la panique encore à fleur de peau. Enfin elle avança dans l'eau et se mit à boire.

En nageant l'alligator ne fit surface qu'une seule fois, et seuls ses yeux et ses narines troublèrent le calme de l'eau. Il aperçut la biche à plusieurs centaines de mètres, puis se glissa sous l'eau pour se rapprocher.

Elle s'arrêta de boire une fois encore afin de flairer le danger, mais elle ne remarqua rien. Les oreilles couchées pour écouter si les chiens l'avaient suivie...

L'alligator refit surface à vingt mètres d'elle, alors qu'elle baissait le museau pour la seconde fois. Or cette fois sa tête s'était légèrement détournée de lui, et elle s'enfonça plus en avant dans l'eau, épanchant sa soif plus tranquillement maintenant qu'elle s'était calmée.

D'un mouvement rapide l'alligator se souleva hors de l'eau et lui saisit le museau jusqu'aux yeux. Avant même qu'elle puisse faire un écart, il donna un coup de queue avec une telle force qu'elle fut projetée à terre. Elle se débattit afin de se remettre sur ses pattes, mais ses genoux plièrent dans un craquement aigu, et il l'emporta dans la rivière.

S'agitant désespérément, ruant et donnant des coups de sabot, elle essayait de lui faire lâcher prise, mais il la tordit d'une façon si brusque que son épine dorsale se rompit, craquant tel un bout de bois. Elle mourut sur le coup, avant même que l'eau ne lui remplisse les poumons, tandis que l'alligator l'entraînait dans la rivière.

Les ruades de la biche avaient cessé ; l'alligator se calma et la plaqua au fond de l'eau avec ses griffes, pendant un long moment. Enfin il relâcha son museau, juste le temps d'attraper l'une de ses épaules et de ramener sa carcasse molle à la surface.

Une demi-douzaine d'alligators avançaient vers lui, traçant dans l'eau un sillage en forme de V ; mais il fit volte-face, intrépide, prêt à les affronter. Il traîna la biche jusqu'aux bas-fonds en la maintenant avec ses deux pattes ; puis il se retourna vers ses adversaires, la gueule grande ouverte, et lança un sifflement aigu et menaçant.

Il était plus grand que la plupart d'entre eux, mais tous ensemble ils pouvaient le vaincre en s'y mettant de concert. Pourtant ils s'arrêtèrent un instant, lui laissant le temps de gonfler ses flancs et son ventre, et de paraître à présent plus long et plus large que sa taille normale. Ils l'encerclèrent à une distance de dix mètres et attendirent, leurs mâchoires juste en dessous de la surface de l'eau.

Mais l'alligator n'attendit pas qu'ils attaquent. Il agrippa la patte antérieure de la biche et la tordit plusieurs fois, à la force de son cou. Les os se brisèrent, les tissus se déchirèrent, et en un instant il décrocha la patte, joua de la mâchoire et la fit descendre en deux bouchées, sans jamais quitter ses adversaires des yeux.

Ils se rapprochèrent très vite. Il releva le museau pour émettre un nouveau sifflement, un avertissement plus fort, et les autres s'immobilisèrent.

Il prit de nouveau la biche, et la tordit si violemment que l'eau devint toute boueuse et qu'il finit par lui arracher la tête du cou Il l'avala d'un seul coup, en la manipulant de telle façon qu'il engloutit le museau en premier... Puis une autre patte, postérieure cette fois-ci. Il mastiqua les muscles de la hanche avec plus de difficulté, et alors qu'il baissait la tête, concentré sur sa tâche, le plus grand des alligators à l'affût se précipita et attrapa la carcasse de la biche par la seule jambe antérieure qu'il lui restait.

Comme s'ils avaient reçu un signal, les autres fondirent également sur lui; l'un d'eux arracha une patte arrière et l'enfourna prestement dans son gosier, et un autre planta ses dents dans le reste de l'abdomen. Tout à coup une lutte acharnée se déclencha : les alligators s'observaient, s'encerclaient, se lançaient des grognements dès qu'ils s'approchaient trop. L'eau et l'écume ensanglantées volaient de toutes parts, ils rugissaient, s'affrontaient, ruaient et se tordaient, puis la carcasse se démantela et ils se précipitèrent tous à la fois pour s'approprier les viscères éparpillés.

La queue de l'énorme mâle décrivit un grand cercle et flanqua un adversaire dans l'eau. La biche allait disparaître dans la confusion, mais il en attrapa une hanche et plongea dans la rivière, satisfait.

En un instant il fut de retour sur son rivage, les yeux brillants dans le crépuscule, qui dans les marécages s'étirait toujours. Il était à l'écoute d'un autre clapotis — les bruits des animaux nocturnes du bayou.

La femme Choctaw n'avait pas eu l'intention de voler le garçon magique. En tout cas pas au début. Oui, c'est vrai, elle avait eu envie de le posséder du jour où on l'avait placé dans ses bras, lui ou son frère au même visage... Un tel prodige était rare dans sa tribu, dans toute tribu sans doute, et n'avait cessé de la fasciner chaque fois qu'elle nourrissait les deux garçons, qu'elle les changeait ou qu'elle balançait doucement leurs berceaux identiques.

Mais il ne lui était pas venu à l'esprit d'en prendre un pour elle, jusqu'à ce qu'elle se soit retrouvée toute seule avec le garçon aux yeux noirs, le blottissant contre elle alors que le marécage se déchaînait tout autour d'eux. A cet instant, il s'était agrippé à elle de toutes ses forces et s'était mis à brailler aussi fort que son frère, qui était resté dans la pirogue ballottée par les vagues. Alors elle s'était rendu compte qu'elle pourrait le garder, si elle était très rapide et très forte.

Cela faisait longtemps qu'elle n'avait pas ressenti une telle force dans ses membres, sûrement pas depuis qu'elle était arrivée dans la maison de la femme blanche. Mais là, avec les rafales qui lui hurlaient de filer, elle se mit à courir plus vite qu'elle n'avait jamais couru de toute sa vie. Elle s'était bien emmitouflée dans sa couverture trempée, abritant l'enfant contre son buste incliné, elle s'était élancée dans le vent et se laissait pousser comme une flèche le long de la rivière, fuyant le bateau, fuyant l'homme, la femme et le double du garçon, la puanteur de la maison et le goût infect des épices de la visage-pâle, fuyant dans la tourmente... D'une main elle s'accrochait aux arbres pour ne pas tomber, de l'autre elle cramponnait la tête et la bouche du garçon, et elle courait de plus belle. Lorsqu'elle entendit au loin les cris et les appels de la femme blanche, qu'elle discernait malgré le vent, elle baissa la tête dans l'ouragan et fonça.

Ils passèrent cette nuit-là et la suivante dans un trou à peine assez grand pour contenir une famille de castors. Mais il était bien au-dessus de la rivière, suffisamment pour que l'eau ne fasse que clapoter à ses bords et crotter leur couverture. Le garçon finit par s'arrêter de crier. Et lorsqu'il gémissait, la tête cachée sur sa poitrine, elle lui parlait tout doucement de son village, de tous les chiens qu'il aurait pour lui tout seul, du petit canoë qu'elle lui construirait de ses mains, et des peaux de daim moelleuses sur lesquelles il dormirait.

Elle lui racontait toutes ces choses et bien d'autres, et commençait à l'appeler par le nom qu'il allait finir par mieux connaître que son propre prénom, Samuel. « Tu viens de renaître, lui murmurait-elle dans l'obscurité de la tanière de castors. Maintenant tu t'appelles Api-polukta, Celui-Qui-A-Deux-Corps, pour que tout le monde connaisse ton pouvoir. »

Mais le garçon ne cessait de geindre et de pleurer, refusant de répéter son nouveau nom, et incapable de se dégager des bras qui le retenaient. Lorsqu'il l'appelait Deborah, le nom que la femme blanche lui avait donné, elle s'obstinait à détourner la tête et à ne pas lui répondre. Au bout de deux jours il l'appelait déjà par son vrai nom, Amo-ani, Celle-Qui-Cueille-Les-Fruits. Et elle savait qu'il ne tarderait pas non plus à prononcer le sien... Elle était patiente.

Lorsqu'enfin la tempête se calma, ils émergèrent dans un monde où tous les points de repère avaient été balayés, et toutes les limites effacées. La rivière avait même, dans sa fureur, dévié sa trajectoire, et pendant un jour Amo-ani ne sut absolument pas de quel côté son village pouvait se trouver... Finalement, ils marchèrent suffisamment loin pour arriver dans une région un tant soit peu familière. Elle se dirigea alors vers le nord, aussi loin que possible du cours d'eau. Plus ils avançaient, moins la campagne avait été chamboulée. Quelque part, juste au sud de cette ville blanche du bâton rouge, elle bifurqua vers un bayou sinueux, déjà un grand sourire aux lèvres. Plus que deux jours de marche pour arriver à la clairière où son peuple avait construit ses abris, avait vécu, chassé et enfanté, pendant d'innombrables saisons.

Mais le village était presque vide. Pleine de stupeur et de consternation, Amo-ani se rendit compte qu'elle n'avait pas été la seule à cueillir des fruits... Les Blancs avaient entraîné son peuple, par la force ou par la ruse, et seuls quelques vieux restaient. Il n'y avait plus d'hommes pour chasser, plus de pêcheurs pour pagayer... rien que des vieux qui pêchaient des petits crabes et ramassaient des racines et des baies. Mais pas un seul homme pour servir de père à son garçon magique.

Pendant plusieurs saisons, Amo-ani essaya de lui servir de père et de mère à la fois. Elle aménagea pour eux une hutte abandonnée, elle pêchait et cueillait pour lui, et elle lui racontait les vieilles légendes tous les soirs près de leur petit feu. Il demeura attentif pendant un temps. Mais au bout d'un an, il s'enferma dans le silence. Au bout de deux ans, ses yeux se ternirent et ses cheveux noirs perdirent leur éclat. Et au fil des saisons, ses bras et ses jambes maigrissaient au lieu de grandir, et il mangeait de moins en moins ; il ne parlait presque pas, malgré toutes ses menaces. Il commença à lui tourner le dos quand elle l'appelait par son nom, insistant pour qu'elle l'appelle Samuel.

Amo-ani se mit alors à rêver qu'Api-polukta allait mourir. Il devait désirer ardemment quelque chose qu'elle ne trouvait pas, même en chassant et en fouillant de son mieux. Elle savait que si elle provoquait sa mort, son autre corps périrait aussi certainement. Elle ne pourrait supporter un péché si énorme, et elle devinait que les dieux ne l'accepteraient pas non plus...

Le quatrième hiver arriva, et elle se lamentait. Les prochaines lunes apporteraient encore moins de quoi satisfaire le ventre rachitique du garçon, et redonner une étincelle d'intérêt à ses yeux. Finalement, et dans une grande tristesse, elle fit les préparatifs pour leur dernier voyage ensemble. Ils remontèrent le sinueux bayou en canoë ; c'était elle qui pagayait et elle avait assis son fils d'emprunt à l'arrière du bateau pour qu'il puisse faire traîner sa main dans l'eau noire. Comme toujours, il faisait bien plus attention aux cris des oiseaux qu'à ses paroles à elle. Et comme toujours, le bayou semblait lui parler comme il le faisait à peu de gens...

Lorsqu'ils arrivèrent au point où le bayou s'élargissait, ils mirent pied à terre et marchèrent jusqu'au grand village blanc du bâton rouge ; elle savait qu'il y avait un endroit dans le village où l'on pouvait tout vendre. Amo-ani conduisit l'enfant à travers les rues des hommes blancs, sans regarder d'un côté ni de l'autre. Sa couverture cachait presque entièrement son visage, tant elle craignait qu'à tout moment une voix blanche se mette à crier : « Voleuse ! » et que des mains blanches la punissent. Elle faillit le prendre par la main et repartir en courant vers son village, mais lorsqu'elle vit ses yeux regarder avec avidité les maisons et les visages des Blancs, elle poursuivit son chemin...

Le marché central de Baton Rouge était le plus vieil endroit de la ville, et les gens qui venaient y faire leurs courses étaient habitués à y voir les choses les plus hétéroclites vendues par les gens les plus étranges. Des trappeurs côtoyaient des marchands d'esclaves, des vendeurs créoles vantaient à tue-tête leurs fruits frais et leurs épices, des pêcheurs étalaient leur prise du jour dans des paniers puants, et faisaient fuir les mouches en agitant des grandes palmes humides. Amo-ani s'assit sur sa couverture, tira Api à elle et lui fit signe de se taire.

Il n'était pas nécessaire d'obliger le garçon au silence... Il pressentait ce qu'elle allait faire, et ne pouvait espérer mieux qu'une délivrance. Par qui et pour quoi, il ne le savait pas, mais ce dont il était sûr, c'est qu'il ne voulait plus voir le village Choctaw de toute sa vie... Il s'assit à côté d'elle, croisant ses jambes maigrelettes en tailleur. Les plantes de ses pieds étaient si noires et calleuses qu'elles ressemblaient plus à de l'écorce de cèdre qu'à de la peau ; son visage et ses cheveux étaient aussi sombres que ceux de la squaw. Mais il se souvenait parfaitement qu'il ne lui appartenait pas, qu'il ne lui avait jamais appartenu ; et il croyait fermement que quelqu'un découvrirait la vérité...

« Regarde cet enfant », s'exclama une douce voix non loin de lui.

Samuel ne tourna pas la tête. Cela faisait quatre ans qu'il n'avait pas entendu parler cette langue, mais il se souvenait des nuances de l'anglais comme s'il en avait rêvé pendant des années.

« Il est Choctaw, tu crois ? dit un homme. Il en a le sang, on dirait.

— Ce qu'on dirait, c'est qu'il crève de faim, répondit la femme. Et pas plus vieux que notre benjamin. »

Même Samuel avait pu déchiffrer le regard que l'homme avait lancé à sa femme. On y lisait une prudente mise en garde, un refus direct et obstiné.

Elle lui répondit par son regard à elle, aussi puissant que chaleureux. A ce moment-là leurs têtes s'éloignèrent, et il n'entendit plus leurs paroles. Amo-ani commença à se balancer d'avant en arrière, en murmurant quelque chose qui ressemblait à une vieille complainte. Le grouillement du marché tourbillonnait autour de lui, et il fut soudain envahi par un sentiment de manque profond... Il devait se retenir pour ne pas bondir sur ses pieds et crier : « Je suis Samuel ! Emmenez-moi d'ici ! » Mais ne pouvant trouver les mots il resta silencieux, et s'efforça de fermer les yeux.

« Il peut travailler ? demanda l'homme à Amo-ani. Je ne vais pas prendre un bon à rien, tu m'entends ? »

Sa femme lui toucha le bras, mais il la repoussa légèrement.

Amo-ani leva les yeux vers l'homme, puis les tourna rapidement vers son épouse pour la fixer. Samuel vit passer un courant entre les deux femmes, presque palpable dans le brouillard matinal. Amo-ani se leva sans dire un mot, et tira sa couverture sur ses épaules d'un air digne.

« Tu en demandes combien, alors ? demanda l'homme. Dieu sait que je ne veux pas m'encombrer, mais je veux quand même savoir son prix. »

Amo-ani regarda alors Samuel avec une vive tendresse. Puis elle s'engagea dans la foule et disparut, aussi rapidement et complètement que si elle avait été sur un sentier familier du bayou. Elle ne se retourna pas une seule fois.

« Ça c'est trop fort ! » s'exclama l'homme stupéfait.

Le garçon se releva et leur dit : « Je m'appelle Samuel. Est-ce que vous pouvez me ramener chez moi ?

— Et où cela se trouve-t-il ? » demanda gentiment la femme.

A ces mots, Samuel se mit à pleurer à chaudes larmes, comme il ne l'avait pas fait depuis quatre ans, et comme seul peut le faire un petit garçon de huit ans qui réalise qu'il ne sait pas où se trouve sa maison, ni où ses parents et son frère peuvent bien être, et qui comprend qu'il passera probablement le reste de sa vie parmi des étrangers...

La couleur de l'eau s'éclaircissait de plus en plus, au fur et à mesure qu'il descendait le Mississippi avec l'homme et la femme. Ils s'approchaient progressivement du Golfe, et on apercevait de temps en temps des îles qui émergeaient — des buttes de sable, de coquillages et de terre qui dépassaient de l'eau. Sur ces îles, des franges de chênes s'agrippaient tenacement aux petites bandes de terre ferme. Des « chênières », les appelait l'homme, et ce mot avait une résonance familière pour Samuel, au fond de sa mémoire.

La région semblait dépourvue de toute végétation, à part les herbes du marais, l'indigo sauvage ballotté dans ses cosses sèches, et des palétuviers chétifs et grisâtres. Ce marécage immense ne semblait rien contenir d'autre que ses millions d'oiseaux criards... et leur bateau qui avançait lentement.

Il était huîtrier, il avait dit. Sa femme et lui habitaient au fin fond du Delta. Ils s'appelaient les Popich, des Slaves de Dalmatie, et ils vivaient de la pêche dans la baie de Barataria. Ils avaient quatre enfants, mais ils avaient toujours besoin d'une paire de bras supplémentaire pour les filets à crevettes et les bancs d'huîtres...

« Tu peux nous appeler Monsieur et Madame, lui dit Popich d'un ton solennel. Je te donnerai un lit, trois portions par jour et un peu d'argent de poche. J'vais t'apprendre un métier, mon garçon, et puis à lire et à écrire pendant qu'on y est. Tu travailleras avec moi, tu ne peux pas tomber mieux. Et je t'apprendrai la religion correctement.

— Mais d'abord, dit sa femme d'un ton ferme, on va le remplumer un peu... »

Les Popich étaient venus, avec d'autres Dalmatiens, des régions slaves des Balkans. Ils avaient subi les pillages des Turcs, des Romains, des Allemands et des Italiens, et ils savaient trop bien que seul le travail pouvait leur épargner une lente famine. Leurs premiers compatriotes étaient arrivés dans le Delta, avaient revendiqué l'occupation d'une région que personne d'autre ne semblait vouloir, et avaient construit des petites baraques de pêcheurs sur les rives. Ils se tenaient à l'écart des Français : c'était un peuple calme, peu enclin au bavardage, presque morose dans sa vision de la vie. Quand ils parlaient, ils décontenançaient les Français avec leurs intonations graves et gutturales, et ces hommes balourds intimidaient les Acadiennes avec leurs grosses moustaches...

Alors que les Français avaient essayé de s'adapter au pays, ces nouveaux arrivants voulaient adapter le pays à eux.

Les Acadiens se donnaient des petits coups de coude quand ils voyaient passer des Dalmatiens. « Tu les vois à l'aube et tu les vois au coucher du soleil, et Nom de Dieu, tu sais qu'ils n'ont pas arrêté une minute, eux ! »

Quand un Slave en rencontrait un autre, il le saluait en lui disant : « *Kako ste ?* » (« Comment ça va ? ») Et la réponse était : « *Dobro* » (« Bien »). Les Français les avaient donc surnommés les Kakostés, puis les Tockos.

Ils plantaient les huîtres, dispersaient les coquilles de semence en eau peu profonde, et cultivaient les bancs avec des jurons et des chansons. Voilà tout au moins ce que les Français arrivaient à saisir. Puis ils emmenaient leur récolte encore dans les coquilles à La Nouvelle-Orléans, ou alors séchée, grillée et assaisonnée, plus haut sur la rivière. Ils consommaient d'énormes quantités d'huile d'olive et de vin... mais seulement après avoir fini leur travail et rentré leur récolte. Les Français méprisaient ce gaspillage de la vie, mais les différences ne tardèrent pas à s'estomper, à se confondre, comme tout ce qui se trouve dans les marécages.

Il faudrait du temps à Samuel pour apprendre toutes ces choses, car quand il était arrivé avec le bateau des Popich, il avait simplement remarqué l'air paisible des fermes huîtrières dans le soleil brûlant. Au-dessus d'eux planaient des mouettes qui poussaient leurs cris stridents, et de gros nuages rebondis traînaient lentement. Un peu plus loin dans l'eau, une loutre plongea d'un seul coup, un coquillage entre les dents. Lorsque le bateau des Popich approchait, les huîtres fermaient toutes leur coquille en faisant gicler dans l'air un petit jet agacé de liquide bleu ; cela faisait rire Samuel qui les observait au fond de l'eau.

Plusieurs maisons étaient disséminées, peintes de couleurs vives ; elles étaient toutes perchées sur de hauts poteaux enfoncés dans la boue, face à la baie, drapées de filets qui séchaient, et flanquées de barques et de pirogues. Chaque maison reposait également sur un pied solide, composé de coquilles d'huîtres empilées sur plus d'un mètre d'épaisseur.

La maison des Popich était grande et propre, blanche avec un contour vert ; sous les poteaux, une cage en fil de fer renfermait plusieurs poulets et deux porcelets. Lorsqu'ils accostèrent, quatre enfants d'âges et de tailles variés sortirent précipitamment de la maison, et les saluèrent dans un jargon de slave et d'anglais que Samuel avait peine à comprendre ; il saisit tout de même leur message de bienvenue, et remarqua qu'il s'adressait aussi à lui, comme s'il avait été attendu... Il restait prudemment derrière le Monsieur et la Madame jusqu'à ce que ces bras curieux l'attirent dans la maison.

Il ne put cependant supporter leur vacarme qu'un moment, et se retrouva bientôt de nouveau sur le quai, à explorer l'île de coquillages aux alentours de la ferme. C'était une région où il y avait peu d'ombre. Un héron bleu le regardait fixement d'un air doux et brave, quand il entendit, venant de sous le pilier de la plate-forme, le son étrange qu'une créature sous-marine répétait, un son nasillard et bref, impossible à déterminer, comme la vibration d'une corde qu'on pince...

Popich sortit de la maison, l'aperçut et l'appela. Il fit s'asseoir Samuel sur le quai et lui dit : « Regarde-moi bien, maintenant. » Il lança un filet là où des mulets défilaient rapidement dans le courant. Les poissons qu'il pêchait étaient gonflés d'œufs. Il faisait sortir les œufs d'un coup de couteau, puis rejetait les poissons dans l'eau, où ils étaient immédiatement attrapés par des aiguilles de mer affamées. La Madame sortit avec une grande poêle noire, et il y fit glisser les œufs.

« Pour le dîner, dit-il. Tu aimes ça ? »

Samuel hocha la tête, certain que si les autres en mangeaient, il le pouvait aussi. Il ressentit soudain à quel point l'eau et le monde étaient plats à cet endroit ; il percevait l'énormité de la terre tout autour de lui, le poids gigantesque de l'espace, de l'eau et du ciel. Ici il serait seul, il le savait, mais il serait en sécurité...

En l'espace d'une saison il s'était mis et à grandir et à devenir plus robuste, évolution qui avait semblé s'arrêter dans le village Choctaw. Au bout d'un an, il parlait le tocko, comme ils appelaient la langue slave, avec une relative aisance, il maniait les filets aussi bien que le fils aîné des Popich, Daniel, et les coquilles d'huîtres avaient rendu ses mains si calleuses qu'on aurait pu râper du fromage dessus, disait Madame.

Les mains d'un parfait huîtrier, ajoutait Monsieur.

Les enfants Popich — et pour finir la plupart des habitants du village de Barataria — vinrent à l'appeler Samuel LeFrançais. Il ne connaissait pas son vrai nom, et ne voulait pas prendre le leur. Et comme il se rappelait juste quelques vieilles expressions acadiennes et qu'il pouvait ainsi parler facilement avec les pêcheurs de crevettes acadiens, le nom de « Français » semblait lui convenir.

Popich lui enseigna sa religion : les huîtres. Il expliquait à Samuel que dans les estuaires tièdes et saumâtres de la Louisiane, ces créatures atteignaient leur taille adulte deux fois plus vite que partout ailleurs dans le pays.

« Les meilleures foutues eaux à huîtres du monde ! disait fièrement Popich. Ici, Dieu a fait le paradis des huîtres, hein ? On a la bonne quantité d'eau douce et d'eau salée, les vents les mélangent, le Mississippi dépose plein de bonnes choses à manger pour Mam'zelle Huître, et elle a des mois entiers de beau temps pour les savourer. Des conditions meilleures que Chesapeake et Long Island réunies ! »

Mais les Popich et leurs compatriotes ne se contentaient pas d'attendre les bontés de la nature... Ils recherchaient les bancs d'huîtres avec une grande détermination, arrachaient celles qui étaient collées au rocher pour découvrir ce qui les faisait vivre et mourir. Ils faisaient des expériences, essayaient de nouvelles localisations, et consacraient toute l'année à cette activité, chose que les Français n'auraient jamais accepté de faire. Ils concevaient des outils qui correspondaient à leurs besoins : des pinces, faites de deux râteaux de trois mètres de long rattachés par une charnière, qu'on actionnait avec les deux mains, comme des ciseaux géants, pour attraper des grappes d'huîtres. Et ils construisaient des trois-mâts spéciaux, très larges et aux voiles peu élevées, qui pouvaient contenir des prises très importantes.

Les Tockos qui faisaient les plus belles prises partaient à La Nouvelle-Orléans les vendre au meilleur prix. Ils remontaient le bras mort de la rivière aussi loin qu'ils le pouvaient, arrivaient dans les bas-fonds et devaient attendre la marée montante. Le moindre retard les inquiétait, car chaque heure qu'une huître passait hors de l'eau était comptée. Les jours de beau temps, Popich criait : « Elles claquent encore ! », ce qui signifiait qu'elles étaient encore vivantes dans leur tas. Mais lorsqu'il tombait un brouillard tiède, il se mettait à jurer : « Le brouillard c'est comme la fumée. En dessous du tas elles vivent, mais au-dessus elles meurent tout de suite. »

Mais une fois que Popich atteignait la ville, les négociants lui prenaient tout ce qu'il pouvait fournir. Les meilleures huîtres, ça oui... Ils auraient pu les goûter, mais s'en donnaient rarement la peine : les Tockos étaient réputés pour avoir les meilleures...

Et ils savaient travailler.

C'était d'avril à octobre que les huîtriers de Louisiane étaient les plus occupés, car c'était, sous l'influence de l'eau tiède, la période de la reproduction. Les huîtres produisaient alors leur « lait » — période pendant laquelle tout huîtrier qui se respectait se refusait à en manger — c'est-à-dire les œufs pour la femelle et le sperme pour le mâle. Tout le long des rives, le lait et le sperme formaient des nuées blanches dans l'eau, et se rencontraient pour former les naissains, les larves d'huîtres, qui nageaient en liberté pendant seulement quatre semaines.

Quand leur coquille se formait, elles étaient entraînées vers le fond, où elles restaient cimentées aux rochers, aux vieilles coquilles, ou les unes aux autres pour le restant de leur vie... sauf si Popich les repêchait avant.

A l'aube, le bateau à huîtres des Popich s'éloignait vers le Golfe, en direction des bancs qu'ils avaient décrétés comme les leurs. Une fois là-bas, le bateau commençait une danse curieuse, tournait lentement au-dessus du récif dans une série de manœuvres compliquées que Popich dirigeait méticuleusement, criant à ses fils et à Samuel : « Virez bâbord ! »

Ils raclaient le fond de l'eau avec une grande drague, pendant que le bateau faisait des allées et venues sur le bayou. Parfois un autre trois-mâts passait à vingt mètres d'eux, mais chaque bateau connaissait sa place. Lorsque deux embarcations s'approchaient de trop près, on entendait à peine les boutades qui s'échangeaient, à cause des dragues qui grondaient et crissaient.

« Vous avez combien de sacs ?

— Six, bientôt sept.

— Ah, trop de bavardage là-bas, pas assez de drague...

— Bon Dieu, nous on est tellement bons qu'on pourrait partir à la pêche et revenir, et qu'on ferait quand même plus de sacs que vous dans la journée...

— Mais vous devrez rester là jusqu'à la nuit, et vos femmes partiront avec des bûcherons !

— Elles peuvent toujours courir ! Pendant que vous êtes là à beugler, nous on en fait deux sacs de plus ! »

C'était un treuil qui faisait monter et descendre la drague. On l'actionnait à la main, deux par treuil qui devaient tourner les lourdes roues d'acier jusqu'à ce que la drague soit hissée à bord. Dégoulinantes de boue et d'herbes, les huîtres étaient déversées sur le pont, puis on rejetait la drague par-dessus bord.

Samuel et les fils Popich passaient le plus clair de la matinée à quatre pattes avec un marteau à huîtres, pour décoller les masses de coquillages et les fourrer dans des paniers en grillage. Bientôt les mains de Samuel ressemblèrent à celles de tous les autres huîtriers, écorchées par les coquilles tranchantes et rendues rugueuses par l'eau salée. De temps en temps, il s'arrêtait pour prendre un crabe trouvé dans la drague et le jeter dans un seau pour le repas du soir. Et quand les sacs étaient pleins, ils retournaient à la maison.

Cent sacs valaient environ mille dollars, mais pour les atteindre il fallait travailler tous les jours de la saison excepté le dimanche, de l'aurore au crépuscule.

« J'vais te dire une chose, lui confia un jour Popich, si tu fais une bonne saison une année, tu en feras une mauvaise l'année suivante. L'année dernière l'eau était trop agitée ; on en a repêché des tas, mais elles étaient toutes ouvertes. Quand il y a trop de vase elles meurent, quand il y a trop de sel elles ne mangent plus. Et quand il n'y a pas assez de sel, elles n'ont plus la force de manger. Alors, j'ai s'coué la tête et j'ai dit, on r'viendra l'année prochaine... C'est tout c'qu'on peut faire... Là-dedans on ne peut rien maîtriser, sauf son dos et sa cervelle. »

Le cœur du Delta était une région où on ressentait bien plus la mer que la terre, ou que toute autre eau. Barataria était une baie sans rivage, une immense étendue d'eau à l'intérieur des terres, limitée çà et là par des petites grappes d'îles, des péninsules et des bribes de terre détrempée. Le courant se divisait dans toutes les directions, en ruisseaux, fourches, méandres et bayous, entortillés au milieu de buttes de sable et de coquillages. Ce réseau ramifié couvrait plus de mille kilomètres carrés, et peu d'hommes le connaissaient bien.

Même après quatre ans passés dans le Delta, Samuel ne connaissait qu'une partie des cours d'eau, avec leurs impasses et leurs boucles circulaires, sur lesquelles un étranger pouvait errer pendant des semaines sans retrouver sa route.

Popich disait qu'il fallait être né dans le Delta pour le connaître, et qu'alors on pouvait toujours retrouver son chemin dans ces eaux lentes, même la nuit.

Samuel avait également appris à plisser les yeux pour les protéger de la violence du soleil au cours de son travail quotidien, et à rester à l'ombre lorsque la lumière était trop forte. Mais il ne cessait de penser à ces eaux obscurcies par les cyprès, et ces mystérieux arbres aux mousses pendantes et aux ombres noires. A un frère, un jumeau, chaleureusement blotti contre lui, et à un visage maternel qu'il devinait, les surplombant tous les deux comme la lune.

Le Delta offrait cependant plus que des eaux enchevêtrées. C'était la région de la contrebande par excellence. Sur la Grande Ile, où les Popich avaient leur maison, les flibustiers prospéraient. Ils s'étaient baptisés les « corsaires », travaillaient aux côtés des pêcheurs, et faisaient des voisins aimables et profitables. Deux d'entre eux étaient particulièrement bien vus dans le Delta, ils étaient même célèbres jusqu'à La Nouvelle-Orléans.

Jean Lafitte, élégant, cultivé et mystérieux, et son frère aîné, Pierre, costaud et discret, étaient bien accueillis même dans les maisons les plus pieuses du Delta. Ce qui avait été un commerce querelleur et inefficace de biens volés était devenu sous leur direction une affaire organisée et florissante. La plupart des marchands étaient de leurs clients, et la plupart des pêcheurs profitaient de leur flotte de grands navires pour acheminer rapidement leurs prises vers des marchés rentables.

Les Lafitte contrôlaient une trentaine des meilleurs bateaux, et plus de cinq mille hommes. Le port où ils s'étaient installés dans la baie ne pouvait être atteint du Golfe que par trois étroits canaux, dont le plus large, entre Grande Terre et Grande Ile, ne faisait que quatre cents mètres. Les batteries de canons des Lafitte étaient élevées sur les plus hauts points de chaque île, et leurs entrepôts — un à Barataria et l'autre à La Nouvelle-Orléans — regorgeaient des trésors d'une centaine de navires. Des esclaves haïtiens, du lin, du café, de la soie, des épices, les meilleurs vins, de l'acier, de l'acajou et de l'or, tout ça échappait aux taxes douanières, remontait le Delta en pirogue, puis à dos de mule, et enfin dans des barges à fond plat à proximité de la ville.

La première fois que Samuel avait vu Jean et Pierre Lafitte, c'était dans les rues de La Nouvelle-Orléans, lors d'une visite en compagnie du vieux Popich. Il avait douze ans... Madame l'avait mis en garde contre la ville des semaines avant son excursion, et en fait, elle avait failli l'empêcher d'y aller.

« C'est un endroit malsain de nos jours, Samuel, disait-elle calmement. Ça a beaucoup changé, même en l'espace de quelques années.

— J'ai besoin de lui, avait tranché Monsieur. C'est soit Samuel, soit Daniel... »

Mais il était hors de question qu'elle laisse son fils faire un tel voyage.

Samuel fut ainsi ébloui dès l'instant où il posa le pied sur les passerelles de La Nouvelle-Orléans. Il regardait partout à la fois, et tournait ses oreilles dans toutes les directions pour saisir ces foules en cohue et leur mélange de langues, l'anglais, le français et l'espagnol. Des affiches sur les réverbères annonçaient une course de taureaux : une image terrifiante montrait un taureau dans une arène, harcelé par une meute de chiens en furie, aux crocs acérés, tandis que des spectateurs les acclamaient, penchés au-dessus d'une rambarde. Des combats de coqs, il en avait déjà vu plein, mais jamais au milieu de la rue comme ici. Des joueurs il y en avait aussi à Barataria, mais ils ne titubaient pas en plein jour, complètement ivres, en brandissant des pistolets et en lançant des jurons aux passants... passants qui faisaient d'ailleurs à peine attention.

A une fenêtre du deuxième étage d'un établissement qui semblait tout à fait correct, Samuel aperçut des femmes de couleur, la peau café au lait et parées de rubans brillants, qui se penchaient en hélant les hommes qui passaient sous leur fenêtre.

Le même après-midi, Samuel vit deux marins efflanqués, leur toque en raton laveur tournée de travers, se battre à coups de couteau dans la rue, et deux hommes élégants et distingués se battre en duel dans un parc. On entendit deux coups de feu, et un des hommes s'effondra par terre, avec un gémissement que Samuel perçut même de là où il était...

Sur le marché, où Popich faisait son commerce et où Samuel était chargé de transporter les grandes caisses d'huîtres, il avait toute la peine du monde à se concentrer sur son travail... Était-il réellement resté à Barataria pendant quatre longues années ? Et dans ce cas, avait-il vraiment envie d'y retourner ?

Il voyait sur les immenses étalages plus de légumes qu'il n'en avait goûté de toute sa vie : des pois, des choux, des betteraves, des artichauts, des haricots verts, des radis, et deux variétés de pommes de terre, les douces et les irlandaises. Et puis du maïs indien, du gingembre, des mûres, des roses et des violettes, des oranges, des bananes et des pommes, des trios de volailles attachées par les pattes, des cailles, du pain d'épice, des bouteilles de bière entassées... et enfin des huîtres !

Tout le monde en mangeait, même à cette heure matinale, crues, frites ou cuites à l'eau. Des grandes marmites de ragoût et de soupe de palourdes mijotaient sur une douzaine de tables. Popich, qui avait le chargement de quatre familles réunies, avait quatre mille huîtres à vendre, ce qui fut fait en à peine un quart d'heure. La foule grouillante des acheteurs criait à tue-tête et impunément, et chacun semblait savoir non seulement ce qu'il voulait, mais aussi combien ça devrait coûter. Pour chaque achat, le marchand flattait et enjôlait, puis donnait un *lagniappe*, un petit cadeau supplémentaire, comme une botte de radis, une rose ou une poignée d'allumettes.

A côté des piliers de la halle du marché, Samuel apercevait des femmes de couleur qui vendaient du café et du chocolat chaud, et des assiettes fumantes de riz et de gombo. D'autres femmes de couleur circulaient dans la foule avec des paniers de confiseries, tandis que des quarteronnes, parfois plus belles que les femmes les plus blanches, les cheveux coiffés avec des rubans bigarrés, proposaient du jasmin, des œillets et des violettes pour les boutonnières.

Samuel comprenait maintenant pourquoi la Madame ne voulait pas que Daniel aille dans un endroit pareil... mais lui le trouvait parfaitement à son goût. Dans un coin, des Indiens vendaient leurs peaux, leurs fourrures et leurs herbes, ainsi que de la poudre verte qu'ils faisaient à partir de feuilles de sassafras séchées et que les femmes de couleur mettaient dans leur gombo. Ils étaient assis par terre, immobiles et silencieux, apparemment indifférents au vacarme qui les entourait.

Il se retourna et ne les regarda plus.

Popich avait fini ses affaires au marché, et ils partirent pour les quais. Ils s'engagèrent dans des rues étroites et boueuses, se faufilant entre les caniveaux et les rigoles encombrés par les ordures et le contenu des pots de chambre. Chaque maison avait plusieurs tonneaux alignés devant la porte ou le long de la grille de la cour.

« L'eau du Mississippi, lui dit Popich. Ils l'apportent par chariots, cinquante *cents* le tonneau. Tu t'imagines, donner une pièce d'argent pour de l'eau, hein ? Ah, il faudrait qu'on me paie pour que je vive dans cette Sodome. »

Non loin des docks, ils passèrent devant une maison peinte en rose entourée d'une grille en fer forgé aux motifs richement travaillés. Deux hommes très élégants en sortirent, s'inclinèrent rapidement devant le maître de maison et s'en allèrent.

« Ce sont les frères Lafitte, lui souffla le vieux Popich à l'oreille. Jean et Pierre, en personne. »

Samuel ouvrit tout grand les yeux. Ils semblaient posséder la rue dans laquelle ils marchaient ; tous ceux qui les croisaient s'inclinaient bien bas, ôtaient leur chapeau et leur parlaient courtoisement ; les femmes leur faisaient une révérence en souriant, certaines les suivaient même du regard.

« Les plus célèbres de tous les pirates, ajouta Popich à voix basse.

— Qu'est-ce qu'ils faisaient là ? demanda Samuel en montrant la maison rose d'un signe de tête.

— Le comptoir de Maspero, répondit Popich, c'est leur préféré. C'est d'ici qu'ils préparent leurs attaques, font leurs affaires et suivent leurs contrats.

— Quelle audace, murmura Samuel.

— Personne ne peut les faire tomber. Personne n'essaie, à vrai dire. Ils peuvent tout fournir moins cher : des esclaves, du whisky, de la soie, tu peux trouver tout ce que tu veux... On dit qu'ils sont reçus dans les salons les mieux fréquentés.

— Où est-ce qu'ils gardent toutes leurs marchandises ? »

Popich éclata de rire. « Pourquoi ? Tu veux leur acheter quelque chose ? Ou les surprendre en train de décharger leurs trésors au clair de lune, peut-être ? Sors-toi ça de la tête, petit. C'est la meilleure façon de vivre vite et de mourir jeune ! »

Mais Samuel ne l'écoutait plus. Les deux hommes qui marchaient devant eux représentèrent soudain pour lui tout ce qu'il y avait de plus attirant et de plus puissant. Jean était habillé tout en noir, Pierre en soie verte et brillante. Leurs vêtements élégants avaient une coupe qui révélait une certaine dignité et une position élevée... Ils avaient des chaussures de cuir verni, et leurs chapeaux noirs étaient relevés à un coin, comme pour défier le monde entier de faire autre chose qu'une révérence. Sans réfléchir, il pressa le pas. Alarmé, Popich l'attrapa par le coude, mais Samuel le repoussa ; il rattrapa les deux pirates et se planta devant eux...

« Je cherche un travail, dit-il rapidement, s'efforçant de cacher le tremblement de sa voix. Je peux faire tout ce que vous voudrez, et je le ferai sérieusement. Vous ne voulez pas m'engager ? » Derrière l'épaule de Jean Lafitte, il apercevait le vieux Popich, la bouche béante de stupéfaction.

A sa grande surprise, aucun des deux frères ne le rembarra. Jean, le plus jeune, sourit aimablement, et le toisa de la tête aux pieds. « Qu'est-ce que nous avons là ?

— Samuel LeFrançais, répondit-il. J'ai perdu mes parents très tôt, je suis resté avec les Choctaws pendant un moment, et récemment je pêchais les huîtres dans la baie de Barataria. Je sais presque tout faire, messieurs. Si vous me prenez, vous ne le regretterez pas.

— Quel âge as-tu, garnement ? demanda Pierre nonchalamment, ses yeux noirs tournés vers son frère.

— Quatorze ans, monsieur », dit Samuel sans hésiter. Il entendit Popich cracher d'indignation, il savait qu'il devait les convaincre rapidement... « J'ai passé trop de temps plongé jusqu'au cou dans les huîtres, et si vous me donnez une chance, je ne travaillerai pour rien de plus que mes repas et un lit pendant un an. Après ça, si vous pensez que je l'ai mérité, vous me gardez avec une bonne paie. Sinon, vous m'envoyez balader. »

Jean rigola. « T'envoyer balader ? On dirait qu'on t'a déjà envoyé balader plus d'une fois, non ? »

Samuel sourit, se sentant presque sur un pied d'égalité. « Ça oui... Mais je veux dire, m'orienter pour le futur...

— C'est ton père ? demanda Pierre, avec un geste à l'intention de Popich qui se précipita à leurs côtés

— Non, dit Samuel fermement. Il m'a pris avec lui, et je lui en suis reconnaissant. Mais je lui ai donné quatre bonnes années, ça suffit.

— Qu'est-ce qu'il est pour vous ? » demanda Jean à Popich, avec un sourire étrange.

Popich ouvrit puis referma la bouche comme une carpe. « Quoi ! On l'a accueilli comme notre enfant ! On l'a sauvé de la barbarie, on lui a appris un bon métier... c'est un ingrat, un petit morveux qui... et en plus il n'a que douze ans ! Un môme ! un sale petit menteur !

— Je ne sais pas exactement l'âge que j'ai, dit Samuel sérieusement. La plupart du temps j'ai l'impression d'avoir quatorze ans, ou même plus. J'ai les doigts raides et le dos voûté à force de manier la pince à huîtres, et rien ne m'appartient. Je veux investir ma sueur dans quelque chose à moi ! On est en Amérique, après tout. » Il leur sourit d'un air conspirateur. « La terre des espérances.

— Qui est ce garçon pour vous ? répéta Jean sur un ton mielleux.

— Moins que rien, dit Popich sévèrement.

— Bon. » Jean regarda de nouveau Samuel, et le garçon devina que quelque chose allait se décider à cet instant. « Je suppose qu'on va vous le reprendre, alors... » Et les deux frères poursuivirent leur chemin le long de la rue.

Samuel se retourna vers Popich. « S'il vous plaît, dites à Madame que je suis désolé. Dites-lui que je suis reconnaissant pour tout ce que vous avez fait pour moi, mais il faut maintenant que je trouve ma propre voie. » Il empoigna la main du vieil homme, la serra une fois et courut après les Lafitte.

Lorsqu'il arriva à côté de Jean, ralentissant un peu pour marcher à quelques pas derrière eux, en signe de respect, Jean dit seulement : « Je ne tolérerai pas l'infidélité, LeFrançais, et je fais fusiller les menteurs : que ce soit la dernière fois que je voie l'un et l'autre.

— Oui, m'sieur. Merci, m'sieur », répondit immédiatement Samuel.

Sans faire plus attention à lui, Jean et Pierre Lafitte l'autorisèrent à les suivre à travers La Nouvelle-Orléans.

Les Lafitte placèrent Samuel au déchargement des cargos sur leur île, Grande Ile, pas très loin de l'île de Grande Terre, où Popich naviguait. Grande Ile était le bastion des Lafitte. Jean et Pierre y avaient construit un entrepôt aux dimensions impressionnantes, un baraquement d'esclaves bien garni, un ensemble de solides fortifications, et des rangées de petites huttes gardées qui contenaient la soie, les meubles, le vin, les épices et l'or. Tout autour de l'île courait un chenal naturel, profond et sûr, qui permettait aux bateaux pirates d'accoster facilement, mais les courants peu profonds qui serpentaient à l'intérieur de la baie rendaient impossible toute poursuite à ceux qui ne connaissaient pas les *tranasses*, ces dédales marécageux qui ne menaient nulle part.

Barataria était un endroit de brusques changements d'humeur. Quand soufflait la douce brise du sud, c'était un calme infini ; mais la brise pouvait tomber d'un moment à l'autre, et on se retrouvait boursouflé de chaleur. Un vent sifflant pouvait venir du Golfe, une pluie battante et des embruns salés faisaient alors claquer les voiles... puis le soleil revenait après quelques instants. Les gens étaient comme le climat, ils passaient en une seconde de la joie insouciante à la colère furieuse. La vie avait peu de valeur à leurs yeux, et c'était volontairement qu'ils étaient hors la loi.

Les équipages qui arrivaient et partaient sur Grande Ile étaient de véritables amalgames... Des Portugais, des Malais, des Slovaques, des Cubains, des Orientaux, des Français, des Allemands, des Espagnols et des Américains... Des borgnes et des manchots qui avaient passé leur vie en mer, des jeunes hommes taciturnes qui avaient déserté les armées et les marines du monde entier, et parfois également Samuel rencontrait des hommes venant de familles célèbres de Louisiane, mais qui avaient délibérément choisi cette activité.

Certains hommes venaient aussi avec leur femme, ils les planquaient dans des huttes en palmes sur la plage, aussi longtemps que duraient leur désir ou leur patience. Les Françaises et les Espagnoles, qui étaient aussi avides et téméraires que leurs hommes, remplissaient Grande Ile de couleurs et de drames, et c'est au milieu de tout ça que Samuel atteignit l'âge de dix-huit ans.

Il était depuis déjà deux ans responsable de l'emmagasinage du vin sur Grande Ile, une position qu'il avait obtenue lorsqu'il avait montré à Jean Lafitte que le vin, si on l'enterrait profondément dans du sable et des algues humides, restait frais tout au long de la saison la plus chaude.

Samuel ne voyait que très rarement Lafitte en personne. La plupart du temps, il travaillait sous les ordres d'un de ses lieutenants et frère aîné, prénommé Alexandre, mais que personne n'appelait par son vrai nom. Il se faisait appeler Dominique You, et il était réputé pour être un brillant tireur, qui avait descendu une douzaine de bateaux français et britanniques en moins de deux ans.

You était petit et trapu, avec des cheveux clairs et la peau tannée, il avait bon caractère et c'était un vrai farceur; il naviguait sous le drapeau bolivien avec des lettres de marque de Carthagène...

Il avait une manière particulière de fixer droit dans les yeux un homme à qui il parlait, et Samuel s'imaginait que dans ces yeux You devait apercevoir des navires aux voiles enflammées, des femmes faisant la danse du ventre sur une plage à la lumière du feu, de l'or, des bijoux étincelants, des vins écarlates... Il se demandait parfois quel effet cela faisait d'en avoir connu autant que You.

Un jour, You demanda à Samuel : « Tu n'en as jamais assez d'être le magasinier des Lafitte ? » Ses yeux scintillaient comme deux chandelles dans un courant d'air. « Tu devrais peut-être aller parler au capitaine. Il t'aime bien... et qui sait ? Il peut te rendre riche, hein ?

— Vous voulez dire, participer aux attaques ? » Samuel sentit la question descendre jusque dans son estomac. La première rencontre lui revint soudain à l'esprit, ce premier jour où il avait marché derrière les Lafitte dans la rue de Bourbon, en allant chez le maréchal-ferrant. La forge était entourée d'un mur élevé, et cette façade plate cachait complètement ce qui se passait à l'intérieur. Il s'était dit alors — et le repensait encore parfois — que derrière le masque d'un mur pouvait s'accomplir n'importe quelle mauvaise action. Jean avait frappé avec le heurtoir en cuivre, et la femme qui avait ouvert la porte était sombre, d'une beauté à la fois irrésistible et inquiétante.

« Bienvenue, cher », lui avait-elle dit, sans jamais lancer un seul regard à Samuel derrière les deux frères. Samuel ne voyait pas grand-chose dans l'obscurité derrière elle, il avait juste senti une odeur d'épices planer autour d'elle, puis il était rentré dans la forge des pirates sans se retourner. Au-delà de cette porte s'ouvrait un horizon aussi vaste que l'océan, un soleil tropical qui brûlait la peau des hommes, une chaleur où l'on n'était jamais assez violent...

« Ce n'est pas un jeu d'enfant, poursuivait You. Mais peut-être que tu es un homme, maintenant. Il y a plein de grosses dindes espagnoles pas loin, qui attendent de se faire plumer. Avec des œufs d'or à récupérer » Il fit un large sourire. « On ne leur tord pas toujours le cou, à ces dindes, hein ? On les épargne pour une prochaine fois...

— Je vais y réfléchir », répondit Samuel posément.

Dominique haussa les épaules et s'éloigna, comme si ce genre d'offre ne se présentait qu'une seule fois.

Après ça, Samuel fut plusieurs fois tenté de quitter les eaux du Golfe pour les étendues plus vastes de la mer. Mais il retournait toujours vers les bas-fonds. Lafitte le payait cinq cents dollars par mois pour ranger ses trésors et en faire l'inventaire, et il appréciait cette régularité. Il lui semblait que là-bas, dans les grands espaces, il y avait quelque chose d'incontrôlable... et la leçon qu'il avait apprise et retenue durant toutes ses années, c'était qu'il fallait pouvoir maîtriser sa vie si on voulait la garder.

Si Samuel était parti en mer avec les Lafitte, il aurait vu à quel point la situation qui se profilait au large de la Louisiane échappait effectivement à tout contrôle. Sur mer, les bateaux de Barataria rencontraient des navires britanniques de plus en plus hostiles, et la marine royale semblait déterminée à prendre possession des eaux que les bateaux yankees avaient annexées.

La France et la Grande-Bretagne étaient déjà en guerre, et ce depuis près de vingt-cinq ans. Jefferson avait publiquement proclamé que l'Amérique était neutre, mais en espérant bien sûr secrètement que ces deux géants allaient s'entre-dévorer. Quand les vaisseaux français croisaient des navires yankees en haute mer, ils leur dérobaient souvent des cargaisons entières, ignorant impudemment leur neutralité.

Mais les Anglais allaient encore plus loin. Quand ils accostaient des cargos américains pour les voler, ils embarquaient de force les marins pour les employer dans la marine anglaise.

Pendant ce temps les colons qui se trouvaient près de la frontière américaine, du Vermont au Tennessee en passant par New York, l'Ohio, le Kentucky et la Géorgie, faisaient également entendre les grondements de leurs plaintes : ils soutenaient que les révoltes indiennes étaient souvent fomentées par les Britanniques. Ils avaient trouvé des fusils et de l'argent anglais sur les campements des tribus guerrières indiennes, et ils étaient certains — même s'ils ne pouvaient pas en apporter la preuve — que des Anglais s'associaient parfois aux éclaireurs indiens pour leur montrer les meilleures cibles des colons.

En 1812, Jefferson décréta un embargo coupant tout commerce avec la Grande-Bretagne. La Couronne riposta en barrant le passage des bateaux américains vers tous les ports du continent européen. Jefferson déclara la Louisiane État américain, et six semaines plus tard, le 18 juin 1812, déclara la guerre à l'Angleterre.

Les Américains et les Anglais, autrefois frères et désormais lointains cousins, n'avaient jamais réussi à se comprendre mutuellement. Les Anglais prenaient rarement les Yankees au sérieux, et les Américains ne prenaient personne d'autre qu'eux-mêmes au sérieux. Les Britanniques étaient férus de diplomatie ; les Américains préféraient s'en tenir à des principes bornés et appliquaient la politique du tout ou rien dès qu'ils pensaient pouvoir s'en tirer comme ça. Les Américains aimaient par-dessus tout les bonnes plaisanteries, et les Anglais refusaient d'en être une.

Malgré tout, la guerre aurait pu être évitée. La Grande-Bretagne se battait toujours contre Napoléon et ne désirait pas vraiment faire face à un nouvel adversaire. Pendant deux ans les bateaux yankees furent donc en guerre, mais seulement quand ils en avaient envie... Mais au printemps 1814, lorsque la défaite des troupes de Napoléon devint une réalité, l'Angleterre décida de donner une bonne claque à ce moustique américain qui lui bourdonnait dans les oreilles.

Et c'est cette claque qui tira finalement le bayou de sa torpeur, et qui mit La Nouvelle-Orléans en ébullition.

Durant les derniers jours de 1814, le café des Réfugiés était rempli d'hommes en colère qui disséquaient chaque nouvelle, analysaient chaque alerte, et discutaient chaque mesure qu'avait prise le gouverneur de La Nouvelle-Orléans, Claiborne, et la législature américaine. Le bourdonnement des rumeurs se changea en tollés de rage lorsqu'un certain général Djacksonne arriva et flanqua la ville entière sous contrôle militaire.

Le café des Réfugiés était un monde à part, où les hommes avaient la carrure plus petite et le teint plus sombre, où la langue française pimentait l'atmosphère et où le rire démarrait plus vite que dans les cafés créoles convenables. On y buvait du vin, le *petit gouave*, et on y mangeait le traditionnel déjeuner de Saint-Domingue, à base de tortillas, de tacos et de boudins, tout ça arrosé de café noir et épais comme de la mélasse.

Très ancien lieu de rencontre, le café attirait des pêcheurs et des trappeurs, des marchands et des fermiers, et tous ceux qui avaient une opinion à soumettre... Lafitte s'était mis du côté de la marine britannique, et il était sur le point de leur révéler un itinéraire secret pour atteindre la ville, disait-on. Ou alors Lafitte négocierait avec Claiborne l'amnistie pour tous les flibustiers, en échange de quoi il fournirait toutes ses armes pour résister contre les Anglais... Lafitte avait pris la fuite et ne voulait se battre avec personne... Les Anglais étaient invincibles, et ils étaient postés en masse juste à l'entrée du Golfe... Les Anglais étaient fatigués, et n'avaient plus le courage de combattre.

Samuel était assis à une table de vingt-et-un, une pile de monnaie devant lui. La chance avait été de son côté cet après-midi-là, malgré la présence de Mignon. Elle se penchait sur ses cartes avec une moue coquette, reposant ses seins sur le bras du joueur.

« Allons, cher, le taquinait-elle, tu as assez gagné, non ?

— C'est combien, assez ? » répondit Samuel avec un grand sourire, en prenant la main qui était sur son bras et en la serrant. « C'est le même p'tit chou qui me suppliait la nuit dernière de lui acheter une robe en soie moirée avec des roses sur les épaules, non ? » Il sourit tandis qu'un des marchands annonçait vingt-et-un. « Certains de nous ne peuvent pas se contenter d'un joli sourire, hein ?

— *Tu fais pas*, cher », murmura-t-elle avant de s'éloigner dans un sifflement de soie et une bouffée de parfum français

Il attrapa son poignet et embrassa l'intérieur de son bras, chatouillant cette peau ivoire avec sa moustache. Elle éclata de rire, à gorge déployée, et enroula ses bras autour du cou de l'homme.

Cela faisait un peu plus d'un mois qu'il était avec Mignon, et Samuel trouvait que jusqu'alors elle était la mieux de toutes ses conquêtes. Comme la plupart de ses maîtresses, il l'avait rencontrée au Temple, un vieux mémorial indien construit en coquilles d'huîtres, à mi-chemin entre La Nouvelle-Orléans et Grande Terre, où les Lafitte vendaient aux enchères, un soir par semaine, presque tous leurs biens aux marchands de la ville. C'était devenu un lieu de rencontres à la mode, où la bonne société se mélangeait volontiers aux flibustiers, et où les dames à la recherche d'un protecteur avaient de fortes chances de trouver des candidats...

Mignon était une quarteronne créole, avec juste assez de sang haïtien pour avoir les yeux légèrement tirés et la peau qui fonce au soleil. Samuel en était venu à préférer les Noires des Caraïbes aux Africaines. Elles avaient généralement la peau plus douce, les membres plus longs, et elles étaient intelligentes, alors que les Africaines ne pouvaient pas réfléchir pendant une demi-heure sans finir par s'endormir. Elle devait néanmoins se couvrir les cheveux avec un *tignon* jaune clair, puisqu'elle avait un quart de sang noir. Pendant des années, les femmes blanches de la ville avaient, par jalousie, tout fait pour que les femmes de couleur ne puissent pas porter de dentelle, de plumes ou toute autre parure dans les cheveux — alors qu'elle était, même avec sa coiffure toute simple, bien plus ravissante que la plupart d'entre elles. Une nouvelle paire de boucles d'oreilles en or suffisait à la rendre heureuse, puis elle lui roucoulait dans l'oreille toute la soirée pour obtenir une combinaison en soie jaune avec des rubans rouges.

Mais le plus beau, pensait-il, c'est que même sans les boucles d'oreilles et la combinaison, elle était prête à roucouler pour lui, et de gaieté de cœur.

Un des joueurs de la table déclara : « Jackson appelle des volontaires avec insistance, il paraît. D'ici samedi on sera sous le couvre-feu...

— Merde, s'écria son voisin, cette ville ne le tolérera jamais !

— Elle ferait mieux de le tolérer, et même d'en être contente, pardieu, parce que sans Lafitte et ses bateaux, et si nous on reste coincés là comme un cul de bonne sœur, Barataria n'est plus rien d'autre qu'un marécage, et La Nouvelle-Orléans une bouche d'évacuation ! Ils ont cinquante navires planqués là-bas, il paraît, et d'autres qui arrivent. Et c'est pas des enfants de chœur, non plus... La moitié se sont battus avec Wellington, les autres étaient sur le Nil avec Nelson. Et je suppose que s'ils peuvent écraser Napoléon, ils vont pas se laisser embêter par une bande de soldats morveux de Louisiane...

— Tu veux dire qu'ils vont nous avoir ?

— Je veux dire qu'ils en ont l'intention. On m'a dit qu'ils avaient même ramené leurs femmes et leurs enfants, pour prendre le contrôle de nos docks et de nos entrepôts quand ils auront hissé le drapeau anglais. Ils ont toute une liste de responsables, de collecteurs d'impôts et d'employés à évincer. Il paraît qu'un contrôleur des douanes a même amené avec lui ses cinq filles à marier ! »

On entendit alors une voix calme et distinguée prendre la parole en français. Samuel regarda à sa gauche et vit un Créole élégant prendre place juste derrière lui. « L'arrogance a déjà perdu plus d'une armée, mes amis, dit-il. C'est parce qu'ils s'attendent à une victoire qu'ils peuvent justement être vaincus.

— Et par qui ? demanda le premier avec dédain. Une poignée de chasseurs d'écureuils du Kentucky et du Tennessee ? Par les flibustiers, les huîtriers et autres ratons laveurs ?... Contre la Royal Navy ! La question n'est pas de savoir s'ils vont gagner, mais combien de temps il leur faudra pour nettoyer tout ce foutoir et nous remettre au boulot.

— C'est la pagaille, c'est vrai, coupa son voisin. Ils ont bradé notre fleuve à une meute de barbares ! Qui nous a demandé si on voulait être américains, hein ? Ils ne veulent pas plus de nous qu'on ne veut d'eux !... Et qu'est-ce que c'est que cette histoire de procès par un jury ? Tous ces inconnus qui se mêlent des affaires de quelqu'un ! Qu'est-ce que c'est que ces absurdités ? La semaine dernière, je suis allé régler une affaire au nouveau tribunal de Claiborne, figurez-vous que le témoin ne parlait pas anglais et que l'avocat ne parlait pas français ! Ils devaient traduire les questions au témoin, puis traduire de nouveau ses réponses ! Il fallait tenir l'autre avocat au courant, le juge ne parlait qu'espagnol, et les jurés ne se comprenaient pas entre eux... Vingt dieux ! quel charabia ! Et maintenant ils découpent notre pays et imposent de nouvelles lois... Ils ont interdit l'esclavage ! C'est de la trahison, je vous dis. J'en suis à espérer que les Anglais se dépêchent de reprendre tout ça...

— Vous avez vu Jackson le jour où il est arrivé dans la ville ? Il était dans un piteux état, je peux vous le dire. Des haillons, des chaussures pas cirées depuis un an, le teint jaunâtre et maladif, avec des cheveux gris qui lui tombaient dans les yeux. Tout juste capable de se tenir sur son cheval... C'est ça, le grand général qui va nous conduire à la victoire ?

— Cet homme souffrait de dysenterie, dit le Créole d'un ton sec.

— Eh ben, il va bientôt avoir tout le temps de se reposer. »

La voix de l'homme créole se fit de plus en plus sévère. « Voulez-vous dire, m'sieur, que nous allons perdre ?

— Moi je dis, môssieur, que le drapeau anglais flottera au-dessus de la cellule de Jackson dans une semaine. »

Samuel se retira prestement de la table, Mignon derrière lui, au moment où l'homme élégant tendit le bras et frappa l'homme aussi vite qu'un serpent. « Mon témoin passera vous voir », dit-il en furie.

Celui qui avait parlé en premier, une paire d'épaules robustes sur un corps arrondi, se leva en bondissant de sa chaise, mais Samuel n'avait aucune envie de rester là pour savoir qui gagnerait... En un instant il entraîna Mignon dehors sur la galerie et héla une calèche.

Samuel connaissait naturellement le nombre exact de bateaux qui mouillaient dans le Golfe ; les flibustiers avaient des tentacules sur la mer bien plus longs que les marchands les plus déterminés. Et comme la plupart de ses confrères, il ne se faisait guère de souci...

Plus inquiétantes, en revanche, étaient les provocations injurieuses du gouverneur de La Nouvelle-Orléans, William Claiborne. Déterminé à débarrasser le Golfe et le fleuve des pirates, il avait fait proclamer l'ordre d'arrêter tous les contrebandiers ; mais très peu en réalité pouvaient être arrêtés... Jean et Pierre continuaient de plastronner dans les rues avec leurs tenues brillantes, accompagnés de leurs lieutenants, et ils étaient toujours sous la protection de riches hommes d'affaires, d'avocats et de députés, dont certains de New York ou de Philadelphie. Ils défiaient les récentes lois américaines contre le trafic d'esclaves, et inondaient le Delta d'« ivoire noir », ces esclaves très recherchés.

Claiborne mit alors à prix la tête de Lafitte pour la somme de cinq cents dollars. Lafitte riposta en offrant une récompense de cinq mille dollars pour la tête de Claiborne...

Claiborne était bien résolu à punir les Lafitte pour leur insolence,

131

s'étant rendu compte qu'ils affaiblissaient fortement sa capacité à gouverner les habitants bagarreurs de la Queen City. Et en effet l'occasion se présenta : Pierre Lafitte se montrait trop effrontément dans La Nouvelle-Orléans ; il fut arrêté par le shérif de la ville et enchaîné en prison sans possibilité de caution.

Une semaine après la nouvelle de l'arrestation de Pierre, Samuel était assis dans l'entrepôt en compagnie de Dominique You et de plusieurs autres lieutenants.

« On le vengera, dit You d'un air arrogant, Pierre sera libre avant que sa barbe ne pousse d'un centimètre.

— Sa dernière tentative de fuite a épuisé leur patience, dit Samuel calmement. Ils l'ont mis dans leur cellule la mieux gardée.

— Eux aussi ils ont épuisé la patience de Lafitte ! S'ils ne libèrent pas son frère, Jean va finir par relever la proposition des Anglais.

— Quelle proposition ? » Samuel était souvent le dernier au courant des projets des pirates, même si ses mains étaient les premières à prendre soin de leur trésor.

« Ils lui ont promis trente mille dollars en or, un poste de capitaine et la libération de Pierre, s'il se battait à leurs côtés, exposa You en rigolant. Alors si Claiborne veut folâtrer, nous on va prendre la ville en tenailles, encore plus fermement que sa femme, nos bateaux bourrés de canons...

— Lafitte n'acceptera sûrement pas ce marché ! » Samuel se considérait comme un pirate, bien sûr, mais aussi comme un patriote... En plus de ça, des vieux souvenirs le portaient à croire qu'une alliance avec les Anglais ne pouvait jamais bien se finir.

« Il essaie de gagner du temps, dit You avec un haussement d'épaules. Le boss va se servir de l'offre des Anglais pour faire paniquer Jackson et Claiborne, un bon coup de pied dans la fourmilière, hein ? Mais il ne combattra jamais pour les Anglais... Regardez-le marcher dans la rue, porter la main à son chapeau pour saluer les dames, échanger des politesses avec les hommes, il est d'abord louisianais, et ensuite français... il n'y a pas que des raisons commerciales qui le retiennent à La Nouvelle-Orléans ! On ne permettra sûrement pas aux Anglais de prendre la ville... En fait, mon frère a retourné la proposition à Jackson, pour lui proposer de se battre dans le camp américain. »

Samuel éclata de rire. « Et qu'est-ce qu'il demande à Jackson en échange ? »

You sourit. « Simplement d'oublier toutes nos petites... indiscrétions, quoi !

— Il va accepter ?

— Pas pour l'instant... sa seule réponse était une nouvelle insulte : "Bandits de l'enfer", je crois que c'était ! » You imita les autres lieutenants qui avaient éclaté de rire. « Mais il va changer d'avis, j'en suis sûr. Les gentlemen de La Nouvelle-Orléans n'ont pas tellement le cœur à se battre s'il n'y a pas un témoin et une dame qui les regardent !

— Jackson installe des barricades, il paraît, ajouta un lieutenant.

— C'est ce qu'on m'a dit, répondit You. Mais les marchands ne lui fourniront jamais tout ce dont il a besoin. Personne ne voudra sauf Lafitte ! Jackson a ordonné de combler les canaux qui mènent à la ville pour empêcher les Anglais de passer, mais les fermiers ont fait sauter les barrages pour irriguer leurs plantations ! Son propre général en chef, Jacques Villere...

— Ah oui, je l'ai rencontré au temple, dit Samuel.

— Ah, quel crétin ! Il a une des plantations de riz les plus riches, au sud de la ville, et même lui a refusé de bloquer les canaux ! Et quand Jackson veut leur faire faire des entraînements, il doit d'abord aller rameuter tous ces fanfarons au sang chaud, qui sont tellement occupés à venger des affronts qu'ils n'ont pas le temps d'aller se battre ! Jackson n'a qu'une troupe d'amateurs, qui se jettent d'un soldat à l'autre avec une simple rapière... On leur fourre un fusil dans les bras et ils reculent comme si on leur avait tendu un serpent ! Vous verrez, dit You avec conviction, Jackson changera d'avis. Les Américains sont têtus, mais ils ne sont pas idiots. »

Samuel se rendit vite compte que Dominique You avait raison. Un dimanche à l'aube, le 8 janvier 1815, les Lafitte furent accueillis dans les troupes américaines, pardonnés pour tous leurs crimes antérieurs, et leurs hommes rallièrent l'armée hétéroclite du général Andrew Jackson. Accroupis sur un remblai en boue, derrière une palissade qu'ils avaient construite à la hâte à Chalmette le long du canal Rodriguez, les pirates se retrouvaient parmi des Créoles, des Acadiens, des Indiens, des hommes de couleur libres, l'armée régulière, des milices volontaires, les troupes d'infanterie du Tennessee et du Kentucky... Au total ils étaient près de quatre mille à attendre dans ce froid humide.

De l'autre côté du terrain attendaient les Anglais, forts de huit mille hommes. Mais atteindre Chalmette n'avait pas été aussi facile qu'ils l'avaient escompté... D'abord leurs petits bateaux avaient mis beaucoup de temps à transporter les troupes ; d'autre part, personne ne leur avait dit à quel point l'hiver pouvait être froid en Louisiane : les deux régiments des Antilles britanniques, qui étaient habitués au climat tropical, refusaient catégoriquement de combattre. Certaines nouvelles recrues étaient même tombées malades et avaient succombé.

Ce qu'aucun des camps ne savait, c'est qu'un traité de paix avait été signé à Gand le soir de Noël, rendant la bataille de Chalmette superflue... Mais les deux armées attendaient tout de même le signal, croyant dur comme fer que leur action allait décider du sort du Mississippi, et donc de l'Amérique. La nuit était glaciale et humide, et pénétrait Samuel jusqu'aux os ; il tremblait, et tira plus près de lui sa couverture éclaboussée de boue. Il s'estimait déjà heureux d'avoir au moins ça... Ceux qui étaient arrivés les derniers aux chariots de recrutement devaient se recroqueviller sous des branches de pin pour ne pas geler. En janvier il faisait bien plus froid ici, à Chalmette, que dans le Delta...

Il était assis, appuyé contre le talus de bois et de terre qu'ils avaient passé la journée à bâtir, le long du canal Rodriguez, et que les Américains appelaient la « Ligne Jackson ». Un bouclier en boue de presque deux kilomètres de long...

Au début, les pirates s'en étaient donné à cœur joie, désireux de montrer aux bataillons des deux camps qu'ils étaient des soldats au même titre que tous les autres. Dirigés par Dominique You et Nez-Coupé, le vieux Louis Chighizola, qu'on surnommait ainsi parce qu'il avait perdu la moitié de son nez dans un combat au sabre, ils avaient travaillé en criant, en jurant et en chantant... Mais après avoir creusé et charrié la terre pendant six heures d'affilée, avec les doigts si congelés qu'ils collaient à la pelle, Samuel commençait à regretter que Jean et Pierre n'aient pas accepté le marché que leur proposaient les Anglais...

Quel intérêt avait-il dans cette bataille ? Ils étaient là pour sauver La Nouvelle-Orléans... S'ils échouaient, la moitié du pays tomberait aux mains des *redcoats**, à ce qu'on disait. Mais tout ce que Samuel remarquait, c'était que ni les Anglais, ni les Yankees n'appréciaient vraiment les gens de son espèce... « Pirates », disaient les fusiliers du Tennessee d'un ton ricaneur en longeant la ligne. « Bandits », ajoutaient-ils avec un air de dégoût... Cela suffisait à provoquer des rencontres brèves mais explosives, jusqu'à ce que chacun soit assigné à son propre régiment.

Et ces Kentuckys au bout de la ligne, par exemple... La pire racaille qu'il ait jamais vue ! Ils braillaient et s'excitaient comme des fous quand des chariots apportaient les lainages que les femmes de La Nouvelle-Orléans leur avaient tricotés, et ils faisaient aussi un chahut infernal quand les provisions arrivaient. Mais ils toisaient les pirates comme des moins que rien, alors que Lafitte avait fourni à Jackson cent fusils, quatre canons et soixante-dix hommes...

C'était une nuit sans lune, et Samuel ne voyait qu'une partie de la ligne de chaque côté ; les soldats étaient blottis les uns contre les autres, tenant leur mousquet contre le ventre. Le bruit courait même que les Volontaires du Tennessee du général Coffey, près du bois de cyprès, dormaient dans la boue.

---

* « Habits rouges » : surnom donné autrefois aux soldats britanniques à cause de la couleur de leur uniforme (*NdT*).

Mais bien entendu personne ne dormait. Les Anglais étaient bien trop près...

Lorsqu'ils étaient arrivés, le champ semblait avoir déjà été occupé depuis des mois ; la boue des tranchées avait gelé et fondu tant de fois que par endroits on s'y enfonçait jusqu'aux chevilles. Sur les ordres de Jackson, les troupes avaient planté des piquets à intervalles réguliers, et les avaient recouverts de boue sur deux mètres de haut. Mais Samuel n'était pas convaincu de leur efficacité contre les canons anglais...

Il se remémorait son dernier jour à La Nouvelle-Orléans... Il faisait aussi froid, ils avaient quitté la ville pour se diriger vers le champ de Chalmette, marchant au pas, dans une file informe de pirates et autres pêcheurs équipés à la hâte. Des femmes leur lançaient des fleurs depuis leurs balcons, sous les chants de *Yankee Doodle* et *La Marseillaise*.

« Allons enfants de la patrie ! » chantait une femme à tue-tête, et elle s'était mise à genoux quand Samuel était passé devant elle. « Sauvez nos filles des *redcoats* ! »

Ça l'avait fait sourire. Étant donné les vêtements et l'apparence de cette femme, ses filles étaient sans doute très favorables à l'arrivée d'un nouveau commerce...

Tandis qu'ils marchaient, on entendit au loin des détonations d'un tir d'artillerie, et les explosions se mêlèrent aux carillons du couvent des ursulines qui se trouvait derrière eux.

Une semaine avant leur arrivée, le 8 décembre, les Anglais avaient fait une première tentative. Une attaque plutôt timide, d'après ce qu'on disait, juste pour voir si les Américains allaient prendre la fuite et se disperser. Les premier et second régiments de Louisiane leur avaient fait front sur la ligne principale, la troupe de Féliciana du général Smith et celle de La Nouvelle-Orléans du général Chaveau étaient arrivées par-derrière, et le navire de guerre *Louisiana* avait engagé ses canons dans la bagarre.

Pas un seul homme ne s'était sauvé, racontait-on. Et l'artillerie du front était si imposante que les Anglais avaient fait demi-tour et avaient battu en retraite.

Gonflés par cette victoire, les Américains avaient brûlé la grande maison de Chalmette, en prétendant qu'elle était sur leur ligne de tir. Puis ils s'étaient à nouveau retranchés.

Le premier janvier, les Anglais étaient revenus, et cette fois-ci Samuel avait été témoin de la bataille. L'artillerie de leurs navires avait commencé à pilonner la ligne dès l'aurore, et les troupes d'Odgen et de Sainte-Geme avaient été sérieusement touchées. Samuel entendait les hommes hurler, mais ils étaient couverts par les jurons et les ordres que criaient les pirates de tous côtés. Avec une rapidité étonnante, l'artillerie yankee avait répliqué d'un autre endroit de la rivière, et les Anglais s'étaient retirés.

« Mettez le paquet, les gars, envoyez-les en enfer ! » jurait You, et

Samuel tirait, rechargeait, tirait, rechargeait, sans jamais se demander où les balles atterrissaient et si le coup portait. Les détonations et la fumée empêchaient les hommes de garder les yeux ouverts et de voir ce qui venait du champ de bataille. Mais les *redcoats* n'avaient pas tardé à se replier, et la nouvelle de leur retraite n'avait mis que quelques secondes pour se propager sur toute la ligne.

Ce soir-là Samuel était assis à l'écart du tohu-bohu des pirates, et réfléchissait à sa contribution à la bataille : cela avait été d'une facilité étonnante... Effrayante, même. Il s'était préparé à la peur, et effectivement, il l'avait ressentie. Mais elle avait disparu dès qu'il avait commencé à faire marcher son fusil... En fait, il n'avait pas vu un seul visage ennemi, ou trop vaguement pour discerner autre chose qu'une vision de rêve s'approchant dans un brouillard de fumée et de vapeur matinale.

C'était donc ça, une bataille. Pas étonnant que ce soit si simple de tuer un homme, comme le répétait You. On n'avait qu'à viser, tirer, et chercher des yeux une nouvelle cible... Il se sentait cependant isolé de ses camarades et n'avait pas le cœur de participer aux réjouissances de la nuit. Comme s'il avait été contagieux, il s'éloigna discrètement et s'assit à l'écart.

Le lendemain matin, il se releva, se secoua, et partit longer la ligne avec ce qui lui semblait être la démarche d'un vétéran. De nouveaux arrivants continuaient de rallier les rangs. Il avait envie de s'arrêter pour leur parler, leur dire que ça ne faisait rien d'affronter l'ennemi et qu'il ne fallait pas craindre leurs tirs...

La foule était bigarrée : les pirates portaient leurs plus belles soies, comme s'ils avaient été à un bal de quarteronnes et non à une bataille ; les marines américains portaient leur uniforme complet avec leur grand chapeau sombre. Les gars du Kentucky et du Tennessee avaient des peaux de ratons laveurs et d'autres bêtes, aussi débraillés que les Houmas, les Choctaws et les Cherokees qui étaient assis parmi eux, avec leur tomahawk ou leur couteau de chasse attaché à la taille.

Leurs armes étaient aussi variées que leurs vêtements. Samuel avait eu une double chance — si on pouvait se considérer comme chanceux d'être à Chalmette —, il avait obtenu une couverture et une Springfield correcte. C'était un fusil à canon lisse. La monture était entièrement en acier, sans une once de cuivre. Un tireur entraîné pouvait sans doute tirer trois coups à la minute, mais Samuel s'estimait heureux de pouvoir déjà en tirer deux... La balle pouvait aller jusqu'à une centaine de mètres. Il espérait seulement que les Anglais exposeraient leur large cible habituelle — un millier de *redcoats* groupés ensemble —, ce qui demandait moins de précision au tireur...

L'arme pesait près de quatre kilos et était très froide au toucher. Son mousquet lui apportait peu de réconfort, mais c'était toujours mieux que ces vieux fusils de chasse qu'avaient certains fermiers.

Lorsque Jackson avait donné l'ordre de faire une réquisition dans chaque maison de La Nouvelle-Orléans, il avait trouvé si peu d'armes utilisables qu'il s'était demandé tout haut — et un peu insolemment — si les bonnes gens de la ville avaient l'intention de faire fuir les Anglais en leur lançant des coquilles d'huîtres...

Les mieux lotis étaient les troupes de Pennsylvanie qui avaient apporté leurs propres fusils. Ils se targuaient de pouvoir abattre un homme à trois cents mètres, et un cheval à quatre cents.

« Ça peut abattre un ours », avait dit un vieux rapace à Samuel, un soir près du feu. Il caressait son fusil aussi tendrement qu'une femme.

« On a de la peine à le croire, répondit Samuel doucement.

— Tu peux me croire ! C'est pas pour la chasse à l'écureuil, la balle pulvériserait l'animal, tu vois. Ou alors il faut viser juste en dessous, pour faire éclater la branche et effrayer l'écureuil... »

Macomb, un commerçant de La Nouvelle-Orléans, se pencha pour examiner de plus près le fusil de l'homme de Pennsylvanie. Puis il regarda avec un air de dégoût le pistolet à duel de fantaisie qu'il tenait dans la main.

« S'ils arrivent à me dépasser, dit l'homme d'une voix exagérément traînante, tu pourras toujours faire mouche.

— Comment ça ? demanda Macomb.

— Tu pourras t'en servir pour te faire exploser la cervelle avant que les Anglais le fassent à ta place ! »

Un rire bruyant éclata dans la tranchée, et des bouffées de vapeur s'élevèrent dans le froid au-dessus des têtes.

Les hommes travaillaient désormais de plus en plus activement ; tout le monde semblait sentir que la prochaine bataille arrivait à grands pas. Ils avaient entassé des balles de coton de part et d'autre des brèches du mur de boue, là où les canons dépassaient, mais elles n'avaient pas été très efficaces lors de la précédente bataille. Beaucoup d'entre elles avaient pris feu, ce qui avait empêché d'utiliser les canons. Mais c'était toujours mieux que ce que faisaient les Anglais, pensait Samuel...

You leur avait dit que les *redcoats* empilaient des barriques de sucre autour de leurs canons. Très bien, mais quand les barriques explosaient, le sucre se déversait sur le sol, et les Anglais se retrouvaient embourbés dans la mélasse jusqu'aux genoux ! You leur disait de viser dans la boue une fois sur deux, pour qu'ils restent bloqués jusqu'au printemps...

Samuel commençait à se demander pourquoi ces *redcoats* avaient une réputation si redoutable. Bien sûr l'infanterie était imposante, lorsqu'elle avançait par vagues écarlates successives, mais elle était aussi plus vulnérable... Les tireurs du Kentucky plaisantaient constamment sur le fait de renverser des quilles de bowling qui s'appelaient toutes Edward... Ou une volée de canards au plumage rouge ! Les Anglais ne semblaient pas connaître les attaques surprises non plus. Ils annonçaient la charge avec des lancements de roquettes et des cornemuses écossaises, ce qui laissait tout le temps aux hommes de se préparer. Et maintenant, alors qu'ils avaient la possibilité de foncer et de les prendre à l'improviste, ils attendaient. C'était très bien pour Jackson, cela lui donnait le temps de récupérer encore quatre cents hommes de Baton Rouge, des mousquets supplémentaires et de la poudre sèche. Et cela laissait le temps à chacun des hommes d'en face d'espérer qu'il serait peut-être celui, parmi ses camarades, qui échapperait aux balles...

Un soir, entre deux échauffourées, Dominique You leur annonça que les pirates avaient été désignés pour faire une petite expédition derrière les lignes ennemies.

« Jackson dit qu'ils ne s'attendent pas du tout à une telle infiltration, dit You en rassemblant les hommes autour de lui près du feu. On abattra juste quelques sentinelles, histoire de les faire un peu paniquer.

— À mon avis ça ne fera pas grand-chose », dit Jack Pike sèchement. C'était un des assistants de You aux canons. « Si seulement ils pouvaient utiliser l'artillerie et en finir...

— Moi, ça me rend nerveux de rester autant de temps sur la terre ferme, répliqua un de ses compagnons.

— Alors ils ne se douteront de rien ? Qu'est-ce qui fait croire ça à Jackson ? demanda Samuel.

— Il dit que les Anglais ne se battent pas sournoisement comme ça ; ils trouvent ça déshonorant... »

Tous ceux qui écoutaient pouffèrent.

Dominique choisit rapidement les dix hommes. « Le Français, puisque tu tiens un si beau bijou dans les bras, tu vas aller leur montrer comment on s'en sert. »

Quand la lune baissa et que la nuit s'assombrit, Samuel et neuf autres membres de la troupe quittèrent la ligne de retranchement en rampant, et la contournèrent du côté du bois de cyprès. Ils entendaient distinctement les bruits du campement britannique, et n'avaient pas besoin de lumière pour se guider, puisque les hauts cyprès constituaient la limite qu'en théorie on ne devait pas dépasser. Les oiseaux nocturnes s'étaient tus, et ceux de l'aube ne s'étaient pas encore réveillés.

Samuel se disait que c'était alors le court instant, dans la si longue nuit, où la mort semble frapper le plus... ces quelques heures où le meilleur repos est passé, mais où le réveil paraît encore extrêmement loin... Il tendit son mousquet devant lui, comme une baguette de sourcier, et continua à ramper en direction des bruits ennemis.

Deux hommes marchaient devant lui, deux que You avait choisis pour leur grande expérience des embuscades. Jack Pike menait la marche. Et derrière lui suivaient encore six hommes... Et pourtant Samuel se sentait isolé dans la nuit. Encore plus seul que quand il était accroupi avec ses camarades et qu'il tirait sur les *redcoats* qui avançaient, ces gabardines rouges sans visage. Ici, où la nuit était aussi bien autour de lui que dans sa tête, et où le silence était aussi primordial que chaque battement de cœur, il se disait qu'il aurait bien pu aller s'infiltrer tout seul chez les Anglais, vu le peu de réconfort qu'il tirait de ses camarades...

Lorsqu'ils furent encore plus près, leur chef leur fit signe de ralentir. Ils rampaient désormais dans l'herbe humide et gelée, qui craquait sous leur poids. Mais plus il était en contact avec le sol, plus Samuel se sentait rassuré dans cette position... comme si la terre avait soutenu chacun de leurs efforts. Après tout, se dit Samuel, c'était le sol de la Louisiane...

Finalement ils arrivèrent à se faufiler si près qu'ils purent apercevoir six sentinelles postées en demi-cercle, juste devant les feux du campement. La plupart des soldats se pelotonnaient autour de ces feux, mais quelques-uns allaient et venaient, en fumant, se plaignant et tapant des pieds pour se réchauffer.

Samuel sentait une chaleur au creux de son estomac, qui n'était jamais atteinte par le froid de l'herbe ; et plus il serrait son mousquet dans les mains, plus elle était vive.

Maintenant plus personne ne parlait, même à voix basse. Pike leur fit signe de se disperser et de rester à plat ventre. Samuel et deux autres s'approchèrent tout doucement des deux sentinelles extérieures.

Un des Anglais était assis sur un rondin, voûté au-dessus de son fusil ; il avait l'air endormi, mais quand ils se rapprochèrent ils entendirent un léger claquement de dents. Il regardait à ses pieds, sa couverture rabattue par-dessus la tête, et tenait son fusil dans les bras comme un petit enfant...

Comme prévu, Pike s'avança à plat ventre en contournant le soldat. Samuel et l'autre homme restaient en position, et visaient directement la poitrine de la sentinelle avec leurs mousquets. De longs moments s'écoulèrent ; Pike prenait tout son temps pour se faufiler derrière l'ennemi. A un moment un petit craquement fit tressauter la sentinelle, qui leva la tête d'un air fatigué et regarda de chaque côté ; Samuel pointa son arme sur lui en retenant son souffle. Mais le soldat soupira, laissa retomber la tête et resserra sa couverture.

Pendant à nouveau de longs moments, ils perdirent Pike de vue... Soudain ils le virent, tout noir, surgir derrière la sentinelle, lui saisir brusquement la tête et lui planter son couteau dans la gorge. Le soldat poussa un gémissement que la main de Pike étouffa ; on n'entendit que le crissement du couteau dans la chair.

Le bruit le plus fort se fit entendre quand le soldat s'affaissa par terre, dans un froissement de broussailles. Il n'y avait aucune atmosphère de sang ou de terreur, à la grande surprise de Samuel ; comme si tout était rapidement étouffé par le froid...

Et dans l'obscurité, la mort ne ressemblait qu'à une ombre qui va et revient.

Sans un mot ils rampèrent vers la seconde sentinelle. L'homme se tenait tout droit, le mousquet dans les bras, et se balançait d'avant en arrière en fredonnant au hasard. Le son de sa voix semblait à Samuel plus pénible que la vue de son visage ; le premier mort n'avait pas vraiment ressemblé à un homme, mais celui-ci paraissait d'une certaine manière plus vivant dès le départ, et il tenterait sans doute de s'accrocher à cette vie avec plus de résistance... Comment Pike pourrait-il faire tomber un tel morceau en silence ?

Ils attendirent patiemment que l'homme bouge, qu'il s'assoie, qu'il s'étire... Mais il ne fit rien de tout ça. Il ne faisait que fredonner, se balancer et secouer nerveusement ses pieds contre le froid. Samuel ne connaissait pas la mélodie que l'homme entonnait, mais c'était apparemment l'air préféré du soldat... Cela semblait provenir moins de ses lèvres que de sa poitrine, et il en jouait comme un chien joue avec sa chaussure préférée.

Pike soupira d'impatience, et Samuel vit que son corps était tendu. Il chargea son mousquet et lança un regard à ses compagnons : celui-ci pourrait mal se passer, lisait-on dans ses yeux, soyez prêts à tout. Et Pike commença à avancer.

Ils attendirent à nouveau que son ombre se faufile derrière le soldat, cette fois en faisant un détour encore plus large et plus long. Il ne faisait pas un bruit, il était plus lent encore que l'ombre de la lune, et il s'infiltra jusqu'à un point où Samuel le perdit de vue. Ils attendaient en ne respirant que par petits souffles courts contre leur bras, pour que la vapeur ne s'élève pas du sol.

La sentinelle ne cessait pas son léger balancement et son fredonnement régulier. Et Samuel tressaillait chaque fois que le soldat tapait du pied, mais son corps ne montrait jamais cette tension alerte qu'aurait provoquée le moindre soupçon de sa part. Comment se faisait-il, s'étonnait Samuel, qu'il y ait des hommes si près de lui et qu'il ne sente même pas leur présence ? Comment les humains pouvaient-ils se renfermer sur eux-mêmes au point que rien d'extérieur ne puisse les effleurer ?

Tout à coup la sentinelle changea d'attitude ; l'homme se cambra en arrière, et un souffle bref interrompit sa mélodie. D'une main il tâtonna derrière lui, et Samuel aperçut le bras de Pike l'étreindre, le tirer encore plus en arrière, puis le plaquer au sol. Le couteau avait privé le soldat de toute la force qu'il avait dans les genoux, et il s'affaissa, tout en continuant d'agiter désespérément un bras. Son mousquet tomba par terre dans un bruit sec, et l'homme poussa un petit cri étrange que Pike étouffa aussitôt en lui recouvrant la bouche... Cela n'avait duré que quelques secondes.

Cette fois-ci Samuel resta prudemment immobile, puis s'approcha des deux autres en rampant, impliqué dans l'affaire comme si Pike l'y avait soumis de force. Pike repoussa les jambes du soldat égorgé, essuya son couteau sur la couverture, et leur fit signe de s'éloigner à toute vitesse.

Ils rampèrent alors beaucoup plus vite, sans se soucier du bruit qu'ils faisaient, et retournèrent à leur poste initial. Ils n'avaient rien entendu en provenance des deux autres petits commandos, aucun cri d'alarme dans le campement britannique, et en se retournant Samuel remarqua que la disposition des soldats autour des feux n'avait pas bougé d'un pouce. Et pourtant ils laissaient deux sentinelles mortes dans leur sillage.

Deux morts, à additionner aux quatre que les deux autres commandos avaient tués...

Lorsqu'ils parvinrent à leur point de rencontre à la lisière du bois de cyprès, ils abandonnèrent toute prudence, et ils se mirent à courir et à crier comme des démons dans la nuit ; derrière eux, les Anglais répliquèrent par des cris et des coups de feu, prenant leur repli pour une attaque subite.

Samuel ne se retourna pas une seule fois lorsqu'ils avaient commencé à courir, et plus tard, quand il repensa à ce qu'ils avaient fait, il ne revit qu'un rêve fait d'obscurité, de silence et d'ombres diffuses.

Les jours suivants, les Anglais tentèrent plusieurs attaques, sans doute rendus furieux par la découverte des cadavres de leurs sentinelles. Tous les matins, les troupes américaines se crispaient dans leur tranchée, attendant les lancements de roquettes qui annonçaient les attaques. Et toutes les nuits ils guettaient une éventuelle action de représailles contre leur garde.

Un soir, alors que Samuel marchait le long de la ligne pour porter un message de la part de You à un autre capitaine de troupe, il entendit une musique qui provenait d'un des feux. Il s'aventura un peu plus près, et aperçut un homme avec un instrument qu'il n'avait jamais vu auparavant... Les pirates étaient passionnés de musique, et Samuel pensait avoir déjà entendu tous les instruments qui pouvaient exister. Mais celui-ci faisait une musique des plus étranges et fascinantes, il semblait presque respirer en même temps que l'homme qui en jouait...

Le soldat était assis sur un rondin dans le noir, entouré de plusieurs de ses compagnons, et il chantait une chanson en français. La combinaison de ces paroles, qui résonnaient dans de lointains souvenirs, et des sons de l'accordéon, firent Samuel s'arrêter brusquement, tendu et figé, tel un daim à la lisière d'un pré.

La chanson était un canon qui lui évoquait vaguement son enfance... Même s'il ne pouvait pas anticiper les paroles, elles lui étaient familières dès qu'il entendait l'homme les chanter. Il utilisait très rarement son français, mais il n'avait aucun problème pour comprendre le refrain...

Allons à la cantine,
O'boire et bien rire,
Et bien se divertir,
Nous et nos amis.

Samuel rejoignit le groupe des chanteurs et s'accroupit sur ses talons, observant fixement l'homme qui ouvrait et refermait son instrument, menant les voix avec sa musique plaintive.

« Simon ! héla un des chanteurs lorsqu'il eut fini, joue-nous *La Jolie Blonde* ! »

Le nom de l'accordéoniste parut soudain aussi évident, aussi familier à Samuel que les accords de la ballade qu'il avait jouée... Il fixa l'homme éclairé par le feu, puis il s'approcha. Lorsque ce Simon releva la tête pour rire et accepter leur requête, Samuel fut frappé de voir à quel point le visage du musicien ressemblait au sien...

Samuel porta la main à son menton, et sentit la barbe qu'il avait récemment fait pousser pour se protéger du froid hivernal ; l'autre homme n'avait pas de barbe, et pourtant leurs mâchoires avaient la même forme.

Pendant la chanson suivante, il l'observa remuer les doigts, il examina la manière dont il se pinçait les lèvres, clignait les yeux ou regardait les autres chanteurs, et il eut l'impression de reconnaître ses propres gestes et ses propres attitudes dans ceux de cet étranger...

A la fin de la chanson, Samuel se leva et posa une main sur l'épaule de l'homme. « Tu t'appelles Simon ? »

L'homme hocha la tête, et s'adossa un instant pour faire une pause. « Simon Weiss. Compagnie Lafourche. Tu voudrais que je te joue une chanson en particulier ?

— Je crois que tu les as déjà jouées, dit Samuel doucement. Je m'appelle Samuel LeFrançais. »

Simon tendit le bras et lui serra la main. Mais Samuel garda la main, la retourna, et l'approcha de la sienne pour les comparer. Voyant le regard perplexe et interrogateur de Simon, il lui dit : « Excuse-moi, mais j'ai l'impression de te connaître, ainsi que ta musique, depuis déjà très longtemps...

— Ah bon ? Tu viens d'où ?

— Trop d'endroits différents. Est-ce que je... » et là, Samuel hésita, sachant que la peine qui lui emplissait le cœur allait soit disparaître, soit grandir avec les prochaines paroles de cet homme... « Est-ce que je te rappelle quelque chose ? »

Simon se leva, posa son accordéon de côté, et regarda attentivement l'homme qui lui tenait toujours le poignet. Ils avaient si peu de différence de taille que leurs yeux se rencontraient exactement aù même niveau. « J'avais un frère qui s'appelait Samuel, dit Simon gravement. Il a disparu il y a très longtemps, dans un ouragan...

— Mort ?

— Perdu... On ne l'a jamais retrouvé.

— Et quel âge avait ce frère ?

— Mon âge, répondit Simon d'un air attendri. C'était mon jumeau... »

A ces mots Samuel sentit ses genoux flancher ; il tâtonna pour trouver le rondin et s'assit lourdement avant de chanceler. Il tendit une main tremblante à Simon. « Regarde nos paumes », murmura-t-il.

Simon s'assit à côté de lui, lui prit la main et la retourna. Une fois les deux mains ouvertes et mises côte à côte, les deux hommes voyaient très bien qu'elles étaient parfaitement identiques... Simon avait une longue cicatrice à la base de l'index, Samuel en avait une sur le mont du pouce ainsi que de la corne sur plusieurs doigts — mais sinon elles faisaient exactement la paire.

« Comment tu as eu ça ? demanda Simon en montrant la cicatrice de Samuel.

— En empilant des barriques. Et la tienne ? demanda Samuel.

— Je me suis pris la main dans un piège... Tu as quel âge ?

— Je ne l'ai jamais su au juste... Vingt-quatre ans, je crois. Peut-être plus, peut-être moins...

— Comment se fait-il que tu ne saches pas ton âge ? »

Samuel haussa les épaules et résuma l'histoire qu'il avait déjà racontée tant de fois. « J'ai passé plusieurs années dans une tribu Choctaw, puis j'ai été recueilli par les Tockos dans le sud du Delta. Et j'ai rejoint les Lafitte il y a un bout de temps.

— Tu es un flibustier ? »

Samuel sourit. « En quelque sorte... Mais je suis un crabe d'eau douce : c'est moi qui m'occupe de gérer les biens des Lafitte dans le Delta... »

Simon ne sembla pas aussi impressionné par cette information que beaucoup de ses camarades. Il examina d'encore plus près le visage de Samuel. « Je vois bien que nos mains se ressemblent... mais nos visages, je n'en suis pas si sûr. Français tu dis ? Peut-être un cousin éloigné, non ? Mon père et ma mère sauraient certainement... »

Samuel sentit sa tristesse lui remonter aux yeux. « Tes parents vivent toujours ?

— Oui... à La Nouvelle-Orléans, en fait. » Il secoua la tête d'un air sombre. « Ça m'étonnerait qu'ils repartent à Lafourche avant d'avoir vu de leurs propres yeux Jackson remporter la ville. Ou relâcher leur fils... Ma femme attend aussi avec eux.

— Tu es marié ?

— Bien sûr... avec une fille de mon village, Cerise Guidry. On a trois gamins, deux garçons et une fille. Elle ne voulait pas que je parte, j'te dirai, mais c'est les vieux qui ont décidé, et tous les hommes valides de Lafourche se retrouvent ici... » Il leva les bras et les laissa retomber... « Enfin, quelque part. Ils ne nous ont pas gardés tous ensemble comme on l'espérait.

— Tu dis que les vieux ont décidé ?

— Eh oui... on est des Acadiens, et c'est comme ça que ça se passe à Lafourche... Les vieux se sont réunis devant tous les gens du village et ont reparlé de l'exil, comme leurs pères le leur avaient raconté... Tous ces voyages terribles sur tant de bateaux, et les cadavres qu'on jetait à la mer l'un après l'autre... Tous les enfants du village peuvent te réciter les étapes de notre exode aussi bien que les stations du Chemin de Croix ! Du Massachusetts au Connecticut, New York, le Maryland, la Pennsylvanie... Puis la Caroline du Sud et la Géorgie où on a été fait esclaves ; Boston, où on a été repris en charge ; les Caraïbes où on est morts de chaleur au soleil ; puis de nouveau en Pennsylvanie, où ces Bons Citoyens Quakers ont voté une loi qui obligeait nos pères à donner leurs enfants comme domestiques. *Vive Jésus, portons la croix*... nous on porte notre propre croix, hein ? Et là-bas pas une âme ne l'oublierait... Alors les vieux ont décidé que plus jamais on ne serait sous contrôle britannique.

— Mais ce ne sont pas les mêmes troupes...

— Non, bien sûr, ce ne sont pas ces soldats qui arrachaient les bébés du sein de leur mère et qui fourraient les pères dans les bateaux, mais ils servent la même armée et la même dynastie de rois. Des hommes comme ça on doit les pousser vers leur purgatoire, à notre avis, et le plus vite possible.

— Est-ce que tu as déjà tué un homme ?

— Oui, et j'en tuerai d'autres.

— C'était difficile ?

— De tuer des hommes comme ça ? Non, mon ami, je l'ai fait sans aucun problème. Fièrement. Tu crois qu'en vingt-cinq ans ils ont oublié comment nous tuer ? Jamais ! ces choses-là on ne les oublie pas... Et son pays, personne n'oublie son pays...

— Jackson dit que s'ils prennent La Nouvelle-Orléans, tout le fleuve tombera sous leur contrôle...

— C'est bien leur intention, pas de doute. Ils ont collé des tracts sur tous les piquets de barrière dans le bayou, pour nous dire que ce n'était pas notre combat... qu'il fallait qu'on reste chez nous à nous occuper de nos champs, pendant qu'ils nous libéraient des Américains... Mais on connaît leurs ruses... En Acadie ils nous répétaient que la guerre ne nous concernait pas, jusqu'au moment où ils ont pris les vieux, les ont embarqués sur des bateaux bizarres et chassés à tout jamais... Alors on est venus, il a fallu dix bateaux pour tous nous transporter ici, dans l'armée de Jackson.

— Et tes parents ont suivi... Comment s'appelle ta mère, si ce n'est pas indiscret...

— Oliva Doucet. Et mon père s'appelle Joseph. »

Samuel essuya du revers de la main ses yeux secs et brûlants. « Seigneur Jésus, murmura-t-il, je connais ces noms... »

Simon lui prit gentiment l'épaule. « Peut-être les as-tu entendus de la bouche de ta mère ? On est peut-être des cousins éloignés d'Acadie, non ? Parce que ton visage, mon ami, ne ressemble pas vraiment au mien... »

Samuel saisit le couteau qu'il portait à la ceinture et le racla rapidement sur sa barbe, découvrant ainsi sa mâchoire et sa joue. « C'est la barbe, dit-il, c'est la barbe qui cache notre ressemblance. Est-ce que tu as la barbe rousse ?

— Oui, acquiesça Simon lentement, en examinant la joue de l'autre. C'est exact... surtout en hiver. Une bande rousse à travers la joue... » Il écarquilla les yeux. « Oui, tu me ressembles un peu... » Il reprit la paume de Samuel et l'observa encore plus attentivement. « Je n'ai jamais eu d'autre frère.

— Oliva n'a plus eu d'enfants ?

— Si, une fille. Ma sœur Emma. Elle est entrée au couvent des ursulines. Elle a pris sa décision le jour où je me suis engagé dans le régiment de Lafourche. Mes parents n'avaient pas d'autre enfant... mais maman était persuadée que son fils — mon jumeau — était toujours en vie. »

Samuel sentit sa gorge se serrer. « Et elle avait peut-être raison depuis le début...

— Mon jumeau ?... Est-ce que ça serait possible ? » Simon posa les deux mains sur les épaules de Samuel. « Le nom de Weiss ne te dit rien ?

— Maintenant je ne sais plus. La première fois que tu l'as prononcé je me suis dit...

— Mais maintenant tu ne sais pas si c'est un souvenir ou un rêve ? » Il avait deviné ses pensées. « C'est ça. »

Alors ils s'assirent côte à côte, à la faible lueur du feu ; l'un raconta les histoires de son passé tandis que l'autre essayait d'y retrouver des bribes de son enfance perdue...

Samuel supposait qu'ils avaient désormais atteint leur potentiel maximal. Les régiments de Baton Rouge étaient arrivés et placés, occupant une des parties du canal qui étaient les moins protégées. Ils avaient reçu des stocks de munitions de La Nouvelle-Orléans la nuit précédente, et même s'ils avaient l'estomac vide, les hommes avaient tous leur propre provision de poudre.

Les Anglais sont stupides, pensa Samuel consterné. Une armée qui joue selon des règles — qui ne sont jamais reconnues par l'ennemi — mérite d'être non seulement vaincue mais humiliée... Il plissa les yeux à la lumière pâle du soleil qui apparaissait derrière l'horizon. Dans la semi-obscurité qui régnait sur Chalmette, il distinguait un vague mouvement dans les lignes britanniques. Il sentit sa poitrine se creuser, et ses mains étaient glacées.

« Ils ont l'air de s'affairer », dit-il tout doucement à Simon. Il avait reçu l'autorisation de You d'aller plus bas sur la ligne et de se battre au sein de l'unité de Lafourche. Ce qui était un léger réconfort...

« Ils ne vont pas tarder à s'affairer encore plus, répliqua Simon en enfonçant sa casquette encore plus bas sur sa tête. Sauf s'ils ont l'intention d'attendre jusqu'à la saison des plantations... C'est la seule chose qui pourrait réduire nos troupes ! »

Il fut interrompu par la détonation d'une roquette, et une deuxième explosa à la lisière du marais.

« Les voilà, les gars ! s'écria le capitaine au bout de la ligne, baissez-vous ! »

La fusée d'alarme éclaira la couche de brouillard qui planait sur le champ boueux. « Prêt ? » chuchota Samuel à Simon, sans jamais quitter du regard les lignes britanniques. Il avait beau agripper aussi fort qu'il pouvait la crosse de son fusil, il ne pouvait empêcher ses mains de trembler.

« Prêt. Bon Dieu, quelle cible ils font ! »

On commençait à distinguer leur mouvement oblique, une rangée d'uniformes rouges qui leur faisait front à l'autre bout du champ, agitant leurs mousquets.

Ils entendirent un cheval galoper rapidement derrière eux, et la voix du général Jackson qui retentissait d'un bout à l'autre de leur ligne. « C'est le moment ! criait-il, pour que chaque homme entende ses paroles distinctement. Visez bien et touchez le but, qu'on en finisse aujourd'hui ! » Déjà, la forte odeur de soufre rendait l'air piquant.

La mélodie grinçante des cornemuses leur parvenait désormais, recouvrant le grondement des troupes en marche, et la bataille démarra soudain par une explosion assourdissante, provenant d'une salve de canons juste à leur droite. Les balles traversaient la fumée en sifflant et faisaient des trouées dans la ligne des *redcoats* qui continuaient à avancer. Quand Samuel s'efforça de regarder dans le brouillard, il vit que certains soldats étaient déjà tombés. De plus en plus de canons tiraient de chaque côté de la ligne, et soufflaient des hommes comme des feuilles mortes dans une rafale d'hiver... mais ils poursuivaient leur progression. Il serra les dents d'un air déterminé.

« Ne tirez pas ! criait le capitaine dans le vacarme, ne tirez pas tant que je ne vous ai pas donné le signal ! »

Simon grogna et baissa son mousquet à terre, mais il vit que personne n'avait baissé le sien et il le remit brusquement en position devant ses yeux.

146

Les Anglais s'étaient maintenant divisés, et avançaient en deux colonnes qui pivotaient pour se déployer. Tout à coup les régiments du Tennessee et du Kentucky ouvrirent le feu simultanément, et un millier de détonations semblèrent partir au même instant. Une des colonnes de flanc fut totalement disloquée, avec la moitié des hommes tombés ou chancelants, tandis que les autres continuaient à avancer. Mais la plupart des unités ne tiraient toujours pas.

Samuel regarda Simon qui tourna les yeux vers lui. Ils échangèrent un sourire, et Samuel remarqua qu'il relevait le coin de la lèvre du même côté que Simon. Cette ressemblance le rassurait d'une certaine manière, comme s'ils avaient été deux fois le même, deux parmi les autres, trop parfaits dans leur synchronisation pour qu'une balle ennemie puisse les séparer.

Le grondement saccadé des troupes anglaises était moins régulier, mais de plus en plus proche. Comment pouvaient-ils continuer à avancer de la sorte ? s'étonnait Samuel... Ils s'obstinaient, fusils en avant, alors que les balles sifflaient dans tous les sens, que des bombardements de canons envoyaient en morceaux des soldats juste à côté d'eux, que des obus éclataient de part et d'autre, et que les hurlements des blessés leur faisaient sans doute flageoler les genoux dans leur progression entêtée. C'était déjà assez pénible d'attendre accroupi derrière ce rempart de boue... En face, ça devait être une atroce marche en enfer.

Le capitaine cria alors soudain : « Feu ! » et l'enfer se rapprocha. Lorsque les Anglais furent à deux cents mètres, le régiment Lafourche et ceux qui l'entouraient envoyèrent un véritable barrage de feu qui assomma les *redcoats* d'une étourdissante mêlée d'explosions. Une confusion générale s'était emparée de l'ennemi : certaines troupes continuaient à avancer dans le feu et la fumée, tandis que d'autres faisaient demi-tour et s'enfuyaient. Un nouveau flux de *redcoats* arriva et se mit à riposter. Samuel se rabaissa, et remarqua que Simon avait fait de même. Leurs deux mousquets tiraient à coups répétés, comme s'ils avaient été reliés à la même détente, mais Samuel entendait à peine celui de Simon, alors qu'il était suffisamment près pour le voir retenir son souffle au moment de déclencher son arme.

Un officier britannique à cheval faisait une avancée dans ce nuage de feu, beuglant des ordres à ses hommes et battant l'air avec son épée. Mais le cheval se cabra subitement : l'officier tomba de sa monture et s'efforça de se remettre sur ses pieds, en se tenant la jambe. Le cheval trébucha, faillit tomber mais se rétablit et s'éloigna des balles au grand galop.

Samuel entendit un cri dans leur ligne, si près qu'il s'en alarma · il se releva pour voir, mais Simon le rattrapa par le bras et le tira à terre. Un homme était touché. Un des leurs... Il distingua alors l'agitation qui entourait le blessé pour l'aider, mais il se concentra de nouveau sur les Anglais, avec une détermination accrue, les mâchoires crispées par une rage de vengeance. Il prit son temps, visa méticuleusement et observa les deux soldats qui s'écroulèrent sous ses tirs. « Tiens ! » grommela-t-il tout haut, à personne en particulier, en combattant sa peur par une ferme volonté.

« T'as raison ! » répondit Simon dans sa barbe, fermant un œil pour viser lui aussi. Et un autre *redcoat* s'effondra en poussant un cri perçant.

C'était un peu plus bas sur la ligne que le feu était le plus virulent et le plus terrible. De là où se tenaient les tireurs d'élite du Tennessee et du Kentucky partaient des tirs groupés, et des volées meurtrières de balles déferlaient sur le champ de bataille. Les soldats étaient accroupis sur trois ou quatre rangs : sur l'ordre du commandant, la première rangée faisait feu et repartait à l'arrière, l'autre rangée s'avançait, tirait d'un seul coup, repartait à l'arrière et ainsi de suite. Le bruit était infernal, et les Anglais en face d'eux s'écroulaient par vagues entières.

Ils n'avaient même pas de pause pour recharger, et pas une seule hésitation dans les coups de feu. Mais Samuel remarqua qu'il y avait également des pertes parmi ces tireurs d'élite, car chaque fois qu'ils repartaient en arrière, ils présentaient une cible de dos qui dépassait du mur de boue. Samuel pressa son ventre contre terre.

Vers le marais, un brouillard bas avait permis aux Anglais de prendre le rempart d'assaut. On entendait les cris des combats au corps à corps au bout de la ligne, mais deux régiments armés de mousquets arrivèrent en renfort, et les Anglais furent une fois de plus rapidement refoulés. Leurs officiers n'étaient plus à cheval en train de crier des ordres : beaucoup étaient en effet tombés, et les troupes avaient relâché leurs formations serrées.

Au milieu de ce vacarme retentirent soudain des cris déchaînés : un peu plus bas, des hommes bondissaient dans tous les sens, sans prendre garde aux tirs qui faisaient rage autour d'eux.

Simon s'exclama : « Regarde ! On a descendu leur général !

— Pakenham ? » demanda Samuel en laissant tomber son mousquet sous la surprise. En face, un officier anglais, sans doute un de leurs plus haut gradés d'après son uniforme et sa monture, était tombé, et quatre autres soldats l'aidaient à quitter le champ de bataille.

« Ils vont peut-être sonner la retraite, maintenant...

— Tu n'as qu'à leur dire... », lui dit Samuel qui rentra la tête dans les épaules, le ventre soudain tremblant de panique. A sa droite, des soldats anglais escaladaient le rempart pour se battre corps à corps.

« Baïonnettes en l'air, soldats ! cria le capitaine de Lafourche, ils arrivent !

— Ça sûrement pas ! jura l'homme à gauche de Samuel.

— Tiens-toi prêt ! cria Simon à Samuel. Les voilà ! »

Trois *redcoats* leur foncèrent dessus, trop vite pour que Samuel ait le temps de réagir. Il saisit son pistolet et en toucha un à la poitrine, juste au moment où il franchissait le rempart en pointant son

148

épée, mais pas avant qu'il ne transperce le cou de l'homme à gauche de Samuel. L'homme s'effondra en gémissant, tentant désespérément de respirer, tandis que son sang se répandait dans la boue par jets réguliers. Simon hurla, et Samuel se retourna juste à temps pour apercevoir le deuxième *redcoat* en train de franchir le mur en brandissant sa baïonnette. Simon enfonça sa pointe dans cette nouvelle cible, le soldat se tourna et à cet instant reçut une balle perdue dans la mâchoire. Sa tête se projeta de côté, il poussa un hurlement et Samuel vit que sa langue avait été déchiquetée dans une explosion d'éclats de dents et d'os, de chair et de sang glacé. Samuel recula, l'homme tomba à ses pieds, puis il se retourna en même temps que Simon pour affronter ensemble le troisième soldat.

Simon poussa un cri d'avertissement, mais cela ne fit qu'attirer la baïonnette ennemie sur lui : l'Anglais lui frappa sauvagement l'épaule et la déchira jusqu'à l'os. Samuel lui tira alors dans le ventre à bout portant, mais ses mains tremblaient trop pour l'atteindre aussi haut qu'il avait cru viser. L'Anglais se rua sur lui et le flanqua par terre, dans une éclaboussure écarlate ; Samuel était bloqué sous son poids, et ne voyait rien d'autre au-dessus de lui que ces yeux bleus et enragés. L'Anglais commença à lui serrer les mains autour du cou, comme si sa propre douleur lui avait donné une force surhumaine : Samuel n'avait jamais vu autant de haine dans les yeux d'un homme. Il se débattait frénétiquement pour essayer de respirer et pour lui faire lâcher prise... et au moment où il sentit sa volonté diminuer, où la panique céda la place à une inconscience progressive et assourdie, la tête de l'homme s'écroula, ses mains se relâchèrent, et Samuel se dégagea de cette masse.

Simon était debout au-dessus d'eux, sa baïonnette toute sombre à la main. Et l'Anglais était étendu à côté de lui, la tête et le cou traversés par une longue entaille bouillonnant de sang. Malgré le sang qui recouvrait tout, et ce vacarme de coups de feu et d'épées heurtées, Samuel était surtout frappé par le visage soudain gris de l'Anglais, après avoir été rouge de colère, et par ses yeux bleus figés, voilés par une sorte de seconde peau, comme celle qui se forme sur de la crème anglaise en refroidissant.

Mais il aperçut Simon ensanglanté, il se précipita pour le retenir, et chancelant tous les deux, ils appelèrent à l'aide. Personne ne vint. Samuel noua un morceau de tissu autour de la blessure de Simon, referma de ses mains tremblantes cette chair qui ressemblait tant à la sienne... Ensemble ils se hissèrent à grand-peine sur le talus pour observer le champ de bataille par-dessus l'arête.

Les coups de feu et les bruits du combat diminuaient peu à peu. On entendait une détonation de temps à autre, mais plus aucun Anglais ne chargeait : des troupes disloquées d'uniformes rouges se repliaient de Chalmette en toute hâte, et les canons anglais s'étaient tus. Samuel sentit le soulagement le saisir aux genoux et le faire quasiment tomber par terre.

Devant eux s'étendait une véritable mer de rouge : des uniformes rouges, des drapeaux rouges, de la peau et des vêtements rougis et durcis, et des manteaux rouges disséminés sur ce qui semblait des hectares entiers de défaite. Les sons de la bataille étaient désormais remplacés par un concert encore plus atroce : les hurlements des blessés, les hennissements des chevaux qui, les flancs sanglants ou les jambes cassées, tentaient de se relever, les gémissements des agonisants, et les cris que s'adressaient des frères d'armes les uns aux autres.

« Merci à Dieu, murmura Simon, la voix tremblotante. C'est fini. »

Samuel et Simon restaient là, Simon se tenant l'épaule, tous les deux hébétés par cette vision d'horreur, jusqu'à ce que le capitaine de Lafourche les appelle. « L'ennemi bat en retraite, mes garçons, occupez-vous des blessés ! »

Samuel se souviendrait de cet après-midi comme un mélange d'espoirs et de désespoirs extrêmes. Il se remettait à peine d'une émotion qu'une suivante l'envahissait et le laissait abasourdi. Maintenant Simon et lui marchaient parmi les blessés et les morts, pour essayer d'aider ces mêmes *redcoats* qu'ils s'évertuaient à exterminer quelques heures auparavant. Il y avait apparemment peu de victimes yankees, d'après ce qu'ils pouvaient en juger, mais Chalmette était jonché des corps déchiquetés des Anglais.

Samuel et Simon s'affairaient ensemble, ainsi qu'au moins la moitié de chaque régiment des deux camps. Ensemble, ils retournaient les soldats qui s'étaient effondrés sous les canonnades, pour voir s'ils étaient morts ou vivants. Ensemble, ils se penchaient pour examiner l'ennemi vaincu, qui n'était plus considéré comme ennemi dès qu'il cessait toute tentative hostile. Une fois, Simon se baissa pour toucher un soldat, lorsqu'un bras surgit et l'attrapa par le cou pour le tirer à terre.

« Pas encore, rebelle, criait faiblement l'homme, tu m'as pas encore eu ! »

Samuel saisit le bras du soldat et l'arracha de Simon juste au moment où le frisson de la mort secoua le corps du *redcoat*. Il expira pratiquement dans leurs bras.

Simon observa son visage tout noir, et ses cheveux crasseux qui retombaient sur ses yeux vides. « Sans cet uniforme, on ne pourrait pas deviner qu'il est anglais. Il pourrait aussi bien être allemand..., dit-il d'un air songeur.

— Comme Joseph, répondit Samuel.

— Oui, comme mon père... »

Ils s'approchèrent d'un autre corps, et découvrirent que celui-ci était toujours vivant. L'homme gémissait, et relevait une main pour les supplier. « Lettre, appela-t-il d'une petite voix.

— Il doit délirer, dit Simon.

— Lettre ! » insista le blessé en laissant retomber sa main pour montrer sa poitrine.

Samuel ouvrit délicatement le manteau de l'homme, durci par le sang. Ses plaies étaient larges et profondes, et découvraient par endroits ses côtes et ses poumons. Mais au milieu du sang se trouvait une lettre, en partie détrempée. Il la retira du manteau de l'homme, et la lui plaça devant les yeux. « Tu veux qu'on la poste ? »

Le soldat hocha frénétiquement la tête en agitant les bras dans le vide.

« Tu as ma parole, mon vieux. Tiens, Simon, prends ses pieds. » Ils transportèrent l'homme vers la zone où on avait aménagé un hôpital, et où la plupart des blessés attendaient qu'on les soigne. Après l'avoir déposé au milieu des gémissements, Simon demanda : « Tu vas la poster ?

— Oui, une fois que j'aurai recopié l'adresse.

— Elle n'est pas lisible ?

— Oh si, on peut parfaitement la lire, mais je ne veux pas que la femme de cet homme reçoive ses dernières paroles tachées de son dernier sang... »

La zone-hôpital était envahie par les morts et les blessés, et les médecins, américains et anglais, s'efforçaient de soulager tous ceux qu'ils pouvaient. Il y avait très peu d'anesthésiques et d'antiseptiques. Les blessures de la poitrine et de l'abdomen étaient simplement recousues dans l'espoir qu'elles guériraient. Pour tout ce qui dépassait une simple fracture ou une plaie dans la chair, le seul remède restait l'amputation à la scie. C'était un code d'honneur chez les soldats que de supporter la douleur sans une plainte, et de toute façon il n'y avait que du whisky et des chiffons pour faire cesser ces cris déchirants. Samuel et Simon quittèrent l'homme, n'ayant guère envie d'assister à son agonie...

Quand ils retournèrent sur le champ, Simon lui confia : « Je n'aurais jamais cru qu'un jour je ressentirais de la pitié pour ces *redcoats*. On m'a tellement répété les vieilles histoires. Comment les Anglais nous ont dépossédés de nos terres natales et de tous nos biens. Maman en parle comme si elle avait vu ça de ses propres yeux, quand grand-mère a été embarquée sur un bateau et grand-père sur un autre, et qu'ils ne se sont jamais plus revus... Ces maudits Anglais ! Je l'ai entendu tellement souvent. Et maintenant... » Il s'interrompit pour examiner un nouveau corps, poussa un soupir et se détourna. « Maintenant j'ai de la peine pour ces pauvres salauds. La plupart ne retourneront jamais chez eux...

— Je sais... Moi, ce qui me fait le plus de peine, ce sont ceux qui sont séparés mais toujours en vie... Une sorte de mort vivante... Est-ce qu'Oliva a pleuré la perte de ton frère ?

— Pleuré, cherché, pleuré tant et plus... Je me rappelle bien cette époque. De quoi te souviens-tu à propos de ta mère ?

— Pas grand-chose... Je me souviens mieux de ma mère indienne...

— Elle s'appelait comment ? »

Samuel s'arrêta tout net, comme cloué au milieu du champ. Sur le côté on entendit un bruit sourd : un cheval blessé et en équilibre sur trois jambes venait de s'effondrer par terre; quelques autres montures britanniques étaient toujours debout. Samuel les revoyait, comme ils étaient au début de la bataille, si majestueux, si bien dressés, si nobles... Il avait notamment aperçu un cheval précis dont l'officier, touché, était tombé de sa selle. L'animal avait sans doute été également blessé, mais il était resté à côté du soldat, et il avait attendu jusqu'à ce qu'il meure pour voir si l'homme le monterait à nouveau. Puis il était parti au trot, pour tenter de reprendre sa place, sans cavalier, dans la ligne d'attaque...

A cet instant, un souvenir traversa subitement l'esprit de Samuel, un qu'il n'avait pas réussi à retrouver depuis des années. « Deborah, je crois... » Il se tourna vers Simon, les yeux enflammés. « Oui, je crois qu'ils l'appelaient Deborah. Oh, ce n'était pas son nom indien, bien sûr, mais c'était comme ça qu'on l'appelait, j'en suis sûr. »

Simon écarquilla les yeux. « C'était le nom de ma première nourrice indienne, Deborah... Mon Dieu, j'ai entendu ce nom tellement de fois, ma mère n'arrêtait pas de le maudire lorsqu'elle a disparu.

— Mais elle n'avait pas disparu, dit Samuel lentement. Moi non plus. Elle m'a sauvé la vie... En tout cas c'est ce qu'elle m'a dit... Qu'elle m'a sauvé la vie quand ma famille a disparu dans une tempête.

— Elle t'a dit que ta famille avait disparu ?

— Dans un ouragan, je crois.

— Ta famille n'a jamais disparu. » A ce moment-là, Simon ouvrit les yeux aussi grands que ceux de Samuel. « C'est toi qui avais disparu. Mon frère... Comment est-ce possible... » Il s'approcha de Samuel, empoigna sa barbe et la secoua doucement.

« J'ai tellement espéré... Mais c'est la première fois que j'y crois vraiment...

— Moi je n'espérais même plus...

— Je comprends. Mais est-ce que tu... — Samuel hésita, embarrassé — est-ce que tu accepterais une chose pareille ? » Il se détourna. « Après toutes ces années à être fils unique, héritier unique... Tu préférerais peut-être un cousin plutôt qu'un frère, non ? »

En guise de réponse, Simon lui attrapa le bras, le retourna et l'enlaça avec force. « Si c'est vrai, je louerai le Seigneur. Et si ce n'est pas vrai, je le remercierai de m'avoir donné un frère d'armes.

— On se ressemble, c'est vrai... », dit Samuel. Pendant une seconde, il eut presque peur de connaître la vérité. Puis il se rendit compte que c'était ce qu'il désirait le plus dans sa vie, et depuis déjà de trop nombreuses années. Il était curieux de savoir quel effet ça lui ferait d'avoir de nouveau une mère. « Il n'y a qu'une personne au monde qui puisse en être certaine... »

Simon sourit et lui donna une tape dans le dos. « Alors on lui laissera avoir le dernier mot... Elle adore ça ! »

La foule était rassemblée sur la place du Vieux-Carré, devant la cathédrale Saint-Louis reconstruite. Cela faisait des heures qu'ils écoutaient attentivement les détonations assourdissantes qui leur parvenaient de Chalmette, beaucoup d'entre eux priaient même à genoux pour être libérés de l'invasion britannique. L'air froid et humide en avait poussé beaucoup à l'intérieur, où ils s'étaient agenouillés devant l'autel, se soustrayant aux coups de feu qui semblaient si proches. Mais beaucoup d'autres refusaient de quitter l'horizon du regard, et juchés sur les balcons et les tourelles, ils essayaient de découvrir, d'après la direction de la fumée dans le vent qui gagnait la bataille.

Finalement la fumée avait commencé à se dissiper, et le grondement des canons s'était tu. Les habitants de La Nouvelle-Orléans avaient attendu pendant de longues heures... Les premières nouvelles apportées avec le retour des chariots d'approvisionnement étaient bonnes, mais on ne pouvait pas vraiment s'y fier. Ceux qui avaient des fils, des frères, des maris ou des pères sur le front — et c'était le cas pour presque tout le monde dans la ville — attendaient non seulement la nouvelle de la victoire, mais surtout la liste des morts et des blessés.

Un cheval passa au galop, son cavalier criait : « Victoire ! » et agitait un drapeau américain, mais cela ne fit que semer encore plus la confusion... Et enfin, enfin, des petits groupes de soldats commencèrent à arriver dans la ville, et la nouvelle se propagea alors comme un éclair : victoire ! La Nouvelle-Orléans était sauvée ! Mais qu'en était-il de tous leurs hommes ?

Les femmes encombraient les marches de la cathédrale ou se penchaient aux balcons, s'appelant les unes les autres quand les soldats commencèrent à arriver. La plupart étaient à pied, et tenaient toujours leur arme. Le général Jackson avait donné à certains la permission de quitter leur régiment, avec l'ordre de revenir dès qu'on aurait besoin d'eux pour régler les derniers détails des enterrements. La ville débordait de réfugiés, car beaucoup avaient fui le bayou par peur d'une invasion des Anglais, bien avant que ceux-ci ne parviennent à Chalmette. Des familles étaient regroupées autour de petits feux dans le parc, le long du fleuve et partout où de simples couvertures pouvaient les protéger du froid. Les plus chanceux étaient arrivés assez tôt pour trouver des chambres, avant que les affrontements ne commencent vraiment.

Oliva, Joseph et Cerise avaient trouvé à se loger dans l'auberge près du couvent des ursulines. Oliva et Joseph venaient de confier leur fille à Dieu et leur fils à Jackson, et ils ne pouvaient se résoudre à retourner à Lafourche. Après tout, plus rien ne les y rappelait... Cerise se refusait catégoriquement à rentrer chez elle, même pas pour voir ses trois enfants. « Ma mère, mon frère... il y a assez de monde pour s'en occuper, disait-elle, crispant d'obstination son joli menton. Mais qui s'occupera de mon mari si je m'en vais ? » Oliva avait dû, à contrecœur, reconnaître son admiration pour le courage de cette femme, car on était sans doute plus en sécurité à Lafourche que dans ce chaos de La Nouvelle-Orléans. En cette saison où la nature entière paraissait attendre, rien n'était plus important que les nouvelles de Chalmette.

Ils se tenaient désormais sur les marches de Saint-Louis, ballottés par les courants et contre-courants des nouvelles qui déferlaient sur le Vieux Carré. Il y avait beaucoup de morts, disait-on... mais non ! La plupart des victimes étaient des Anglais ! Des milliers de blessés, rapportaient d'autres... L'équipement médical était insuffisant, on n'utilisait la quinine que pour les plus gravement mutilés... Mais encore une fois, transmettait la rumeur, il s'agissait surtout d'Anglais. Combien de nos hommes ont été tués, la question était sans cesse répétée, mais la réponse n'était jamais claire. Combien de blessés ? Il y avait trop de réponses pour discerner la vérité...

On en avait transporté des centaines au couvent des ursulines, qui avait été transformé en hôpital, les religieuses faisant office d'infirmières. Oliva se demandait si les mains d'Emma avaient lavé un corps inconnu, touché un moribond, réconforté un blessé... Son propre frère serait-il parmi eux ?

« Il n'a peut-être pas encore été relâché, dit Joseph à Oliva et Cerise, en les tenant toutes les deux par le bras. Le monsieur là-bas dit qu'on les laisse partir en fonction de leur ordre d'arrivée.

— Mais il était dans les premiers ! s'écria Oliva qui ne quittait pas la rue des yeux. Il est là-bas depuis la première bataille !

— Certains sont arrivés encore avant... Ils disent que les régiments du Tennessee et du Kentucky étaient les premiers sur nos lignes.

— Mais personne ne les attend, eux », se plaignit doucement Cerise.

Une femme à côté d'eux prit la parole. « Il y en a qui ont amené leur femme, il paraît. Au tout début, elles sont arrivées, et elles se sont installées comme si elles avaient suivi des campements toute leur vie.

— Tout le monde a quelqu'un qui attend quelque part », dit Joseph calmement.

Une nouvelle gronda dans la foule : un groupe d'au moins une vingtaine de soldats allait arriver. La foule se pressait en avant, on ne pouvait même plus distinguer clairement une paire d'épaules ou un visage particulier.

« Montez en haut des marches », dit Joseph à Oliva et Cerise ; il les saisit par le bras et les tira vers l'arrière de la foule. « S'il est là, on le verra bien. »

Les deux femmes le suivirent jusqu'à la porte de Saint-Louis, ôtèrent leur chapeau et leur voile et les agitèrent en l'air, au cas où Simon ait été parmi ceux-là.

Cerise faisait tout pour être aussi grande que possible, et brandissait son chapeau, avant de le rabaisser, découragée.

Leurs visages avaient l'air si incroyablement vieux et sales ! Ces corps, qu'elle savait jeunes, se déplaçaient avec la fatigue des vieillards ! Pourrait-elle seulement distinguer son pas et reconnaître son sourire lorsqu'elle le verrait ? Et le reverrait-elle jamais ?

Oliva faisait de grands signes avec les bras. Cerise grimpa alors sur un rebord en marbre et agita son chapeau en l'air avec encore plus de détermination.

Des soldats arrivaient et étaient aussitôt engloutis par la foule, des êtres chers, des femmes qui ne pouvaient s'empêcher de les embrasser, des hommes qui tenaient à leur serrer la main... et d'autres suivaient. On ne pouvait plus rien voir et encore moins distinguer les soldats, et derrière eux les cloches de Saint-Louis se mirent à sonner de plus belle, rendant le vacarme un vrai supplice.

Oliva se remémora subitement sa conversation avec le père LeBlanc lorsqu'Emma leur avait annoncé qu'elle prenait le voile.

« Tu n'es pas venue à l'église ces derniers temps, lui avait-il dit. Dieu a-t-il dit que c'est l'Église qui devait venir à toi ? Dis-moi tes péchés.

— Hier, j'ai vénéré le soleil, avait-elle répondu.

— Ça ne m'étonne pas, ta foi n'a jamais été très forte. Crois-tu en Dieu ?

— Il ne croit pas en moi, mon père. »

A sa grande surprise, le curé s'était contenté de ricaner en lui lançant un regard pénétrant. « J'aimerais bien savoir, avait-il dit tout doucement, en quoi tu crois vraiment. Quelle idée te fais-tu de Dieu ?

— Il y a des jours où je pense à Lui comme une immense solitude, vivant très loin dans la nuit et le froid. Je Le crains. Et parfois je Le hais. »

Le père LeBlanc avait pâli. « Continue. »

« Je Le hais quand Il me prend quelque chose. Deux enfants, par exemple. Et maintenant, un troisième... ma fille.

— Continue.

— On dirait qu'Il ne sait pas ce qu'Il fait ni pourquoi.

— C'est de l'arrogance, avait-il dit clairement. Tes enfants n'appartiennent pas à toi, mais à Lui.

— Il n'a qu'à les faire Lui-même, alors ! Il n'a qu'à les allaiter, les porter et les bercer ! Pourquoi les femmes ont-elles des cœurs, s'Il a l'intention de les leur briser ? Hier, je marchais sur la levée... Il faisait nuit, et tout était tranquille. Il y avait plein d'étoiles. Je suis passée devant une maison et j'ai entendu une femme gémir. Je l'entendais, mon père, et j'avais de la peine pour elle...

— Cette femme souffrait, Oliva. Une autre fois elle rira.

— Elle ne souffrait pas, mon père. Elle faisait l'amour avec un homme... »

Le prêtre avait froncé les sourcils.

Elle avait poursuivi. « Quand j'étais petite, j'ai vu Ulysse Breaux se faire fouetter. Sa mère l'habillait et l'asseyait sur une chaise en osier sur la levée. Elle lui disait de ne pas bouger. Mais dès qu'elle avait le dos tourné, il sautait de sa chaise et allait traîner dans la saleté. Et tous les soirs elle le fouettait à cause de ça. Elle répétait qu'il était têtu, je l'ai entendue dire ça à ma mère, et qu'elle devait le battre pour son bien. Un jour elle a décidé de peindre cette chaise en osier, et je la regardais faire... Eh bien, dans les fissures de la chaise, elle a trouvé un nid de punaises... elle s'est mise à pleurer sans pouvoir s'arrêter. J'étais en colère contre Dieu. Et je le suis en ce moment.

— Je comprends. Et pourtant, ta fille L'aime...

— C'est ce qu'elle dit. Les femmes font des enfants mais pas le cœur des enfants. »

Le père LeBlanc avait soupiré. « Ne t'enfonce pas trop dans ces pensées, Oliva. Les eaux sont plus claires plus près de la surface... Tu aimes la messe, non ?

— Oh oui... La musique, l'huile, l'encens... je suppose que oui.

— Alors laisse ta fille y aller. Et essaie de ne pas être en colère contre Dieu. Il accorde à chacun de nous ce qu'on veut endurer. »

Elle méditait désormais ces paroles, se demandant ce qu'on lui donnerait à endurer dans les prochaines heures.

« Là-bas ! leur cria Joseph, là-bas... est-ce que c'est lui ?

— Où ça ? s'écria Cerise, en sautant en l'air pour voir par-dessus la foule.

— Où donc, oh... où donc ? » Oliva trépignait frénétiquement d'un pied sur l'autre pour essayer de voir quelque chose.

« Là-bas, près de la porte de la taverne ! On dirait Simon ! » Il saisit sa femme par la taille et la souleva comme un enfant. Elle agitait son chapeau, bien qu'elle n'ait pas encore repéré l'endroit qu'il indiquait. Soudain elle aperçut deux hommes, chacun avait son bras autour de l'épaule de l'autre... Ils avaient des uniformes et des casquettes différents, mais ils faisaient la même taille. L'un portait une grande barbe... et l'autre, Dieu merci, ressemblait à Simon ! Elle hurla son nom à Cerise, puis hurla encore plus fort vers lui, en se débattant pour que Joseph la relâche.

Ensemble ils se frayèrent un chemin en descendant une marche après l'autre, mais se rendirent vite compte qu'ils ne parviendraient pas jusqu'aux hommes. Ils retournèrent alors sur la plus haute marche, et cette fois Joseph souleva d'abord Oliva puis Cerise, si haut que ses bras la tenaient en fait aux genoux : d'une main elle s'agrippait à la porte de la cathédrale, et de l'autre elle agitait vivement son chapeau. Cerise pouvait désormais distinguer clairement les deux hommes, et elle se mit à appeler le nom de son mari, en hurlant aussi fort qu'elle pouvait. Oliva criait avec elle. Finalement un des hommes fit un signe de la main. C'était Simon ! Les deux femmes fondirent en larmes toutes les deux en même temps, puis se démenèrent à travers la foule pour pouvoir le rejoindre, en criant : « C'est lui ! C'est lui ! Il nous a vues !

— Vous êtes sûres ? demanda Joseph.

— Il m'a vue ! Il m'a vue ! Il arrive ! » s'écria Cerise.

Joseph se mit sur la pointe des pieds et la rappela : « Quelqu'un arrive, ça c'est sûr... Deux hommes, je n'arrive pas à voir...

— C'est lui, j'en suis sûre ! » cria Oliva, qui s'enfonçait dans cette masse de gens avec une énergie qu'elle n'aurait jamais cru avoir...

En quelques instants, Simon se fraya un chemin à travers la foule et souleva littéralement sa mère du sol : elle, elle riait de joie de sentir à nouveau les bras de son fils... Il l'embrassa sur les deux joues, puis se planta solidement sur ses pieds pour résister à la tornade de Cerise, qui se rua dans ses bras. Il la serra très fort, fourra sa tête dans son cou et l'embrassa avec ferveur, avant d'aller enlacer son père. Quand les embrassades furent distribuées, il tendit le bras en arrière, et tira son compagnon près de lui. Un attroupement s'était formé autour d'eux, comme si chaque personne présente avait voulu emporter pour soi un peu de leur soulagement et de leur joie. Simon saisit le bras de Samuel : « Maman, est-ce que tu connais ce visage ? »

Oliva fit un large sourire et prit les mains du soldat dans les siennes. « Sans aucun doute le visage d'un ami. Étiez-vous compagnons d'armes ?

— Dis-lui ton nom », dit Simon doucement.

Samuel regarda la femme droit dans les yeux, sentit ses souvenirs vaciller dans son cœur, et déclara d'une voix profonde et voilée : « Je m'appelle Samuel. »

Oliva recula, le souffle coupé, et porta ses mains sur son cœur. « Et votre nom de famille ? » demanda aussitôt Joseph.

Samuel fixa l'homme attentivement : « Je ne m'en souviens plus. Ce que je sais, c'est qu'une femme qui s'appelait Deborah a été ma mère pendant un moment. Une femme Choctaw. Elle m'a donné un nom dont je ne me souviens plus, mais qui d'après elle signifiait Celui-Qui-A-Deux-Corps. »

Oliva poussa un petit gémissement, puis se ressaisit. Elle prit son visage dans les deux mains et se mit à le palper comme une aveugle. Puis elle prit sa paume, la retourna et l'examina sans rien dire. « Quel âge ? lui demanda Joseph.

— Je ne sais pas exactement... Mais toute ma vie, j'ai toujours cru que j'avais une autre vie, qui attendait que je la redécouvre... » Samuel baissa la tête, se demandant si finalement il osait encore y croire... Il referma les yeux pour les empêcher de pleurer. Le silence semblait désormais fait de glace, à la place des embrassades de bienvenue qu'il avait imaginées... Soudain il sentit de l'humidité sur sa main. Il rouvrit les yeux, vit la tête d'Oliva penchée sur sa main ouverte, et des larmes qui tombaient sur sa paume...

« C'est bien mon Samuel, dit-elle avec la voix frêle d'une petite fille. Notre fils, qui est revenu... »

Joseph lui prit la main de Samuel et la tint fermement entre les siennes. « Tu t'en souviens ? lui demanda-t-il.

— Moi, je m'en souviens, dit Oliva, la voix maintenant raffermie mais éraillée par l'émotion. C'est mon fils. Compare leurs mains, regarde ses yeux, son visage ! »

Mais c'est Simon que regarda Joseph, la bouche béate de stupéfaction. « Mais la barbe... Comment peux-tu savoir...

— C'est mon frère, déclara Simon avec fermeté. Il ne manquait plus que le regard d'une mère pour que ce soit sûr et certain. »

A ces mots, Oliva s'effondra dans les bras de Samuel en sanglotant sur sa poitrine. Il baissa tout doucement la joue pour la poser sur ses cheveux, mais lorsqu'il sentit le bras de Joseph envelopper ses épaules et les tirer tous les deux à lui, alors seulement il laissa ses propres larmes couler sur la tête de sa mère.

Oliva se rendit compte, bien des années plus tard, que ces larmes furent les dernières que Samuel ait jamais versées... Et pourtant il en avait eu l'occasion, au moins trois fois dans les dix ans qui suivirent.

Lorsque la femme qu'il aimait et qu'il avait choisi d'épouser (après en avoir essayé un trop grand nombre, au goût de sa mère...) l'avait quitté pour un autre homme, Samuel n'avait pas pleuré... Sa mâchoire s'était transformée en granit au cours de la nuit, ses yeux s'étaient ternis et son pas ralenti, mais il n'avait pas pleuré. En tout cas pas devant elle. Oliva se rappelait bien le mariage. Samuel et Simon se tenaient l'un à côté de l'autre, et Cerise entre les deux leur donnait le bras. Et en voyant les deux jumeaux assister au mariage de Mlle Diana DesLondes avec un inconnu, il aurait été impossible de deviner lequel des deux avait le cœur brisé...

Ce fut à cette noce que Samuel fit la connaissance de Matilde Villere, la fille aînée du planteur créole le plus riche de la paroisse.

Il possédait des terres dans tous les coins du bayou, certaines touchaient même les champs où Joseph venait de planter de la canne.

Un voisin avec une fille à caser, un fils sans fiancée en mal de se marier... Ah... se rappelait Oliva en soupirant, elle aurait peut-être dû apercevoir là le danger de la facilité... Mais Simon et Cerise avaient l'air si heureux ensemble qu'elle ne pouvait supporter de savoir son second fils tout seul. Quand Joseph avait parlé d'une union éventuelle, elle avait aisément consenti à essayer de persuader Samuel que Mlle Villere était plus qu'une séduisante danseuse et une agréable voisine.

Matilde était très belle. Elle avait un visage fin et gracieux, et la tête entourée d'une voluptueuse chevelure noire qu'elle portait *à la mode*. Elle avait été éduquée dans un couvent, et semblait expérimentée dans l'art de gérer un grand domaine... Toutes ces opinions, Oliva les avait exposées à table, le lendemain du mariage où Samuel n'avait pas versé une larme.

« Tu ne l'as pas trouvée charmante ? avait-elle demandé à Samuel d'un air innocent. J'ai remarqué que beaucoup de ses partenaires lui redemandaient une valse, tu as eu de la chance de pouvoir au moins danser avec Mlle Matilde...

— Oui, elle est plutôt charmante, avait répondu Samuel calmement, mais je trouve sa voix un tantinet arrogante.

— Ma foi, tu t'étais habitué aux chuchotements de cette Diana, moi je ne comprenais même pas la moitié de ce qu'elle disait. Au moins Matilde s'exprime clairement et fait connaître ses idées... et elle a de bonnes idées, en plus. Vraiment, Villere n'a pas élevé des imbéciles ! »

Samuel avait souri, d'une manière plutôt sarcastique, si elle se souvenait bien... « En effet, maman, il n'y a rien à redire à l'élevage dans l'écurie de Villere. On pourrait seulement espérer trouver mieux qu'une simple monture bien dressée... Une pouliche avec une certaine douceur autour de la bouche, peut-être même une étincelle dans les yeux et un pelage brillant, quelque chose qui vous fasse battre le cœur aussi vite que ses talons...

— Tu es incorrigible ! s'était écriée Oliva en étouffant un rire. Tu n'as que ce que tu mérites ! »

Samuel s'était levé devant son assiette vide, et avait salué sa mère en soulevant un chapeau invisible. « Je ne suis pas le seul... »

Oliva secoua tristement la tête en se remémorant ces paroles. Elle n'aurait probablement pas dû le pousser dans les bras de Matilde Villere, mais de toute façon, aurait-il seulement pu être heureux un jour ? Un cœur qui a été brisé une fois peut-il réellement aimer à nouveau ?

Le jour où il avait épousé Matilde, elle avait eu l'impression d'avoir assez de bonheur pour tous les deux. Et quand Oliva revoyait le visage jeune et rayonnant de la mariée, elle pouvait à peine reconnaître celui qu'avait désormais Matilde.

La deuxième fois que Samuel n'avait pas pleuré, c'était sur la tombe de son père. Il était de nouveau à côté de son frère, mais cette fois sa propre femme était à son bras. Simon et Cerise sanglotaient ouvertement quand le curé récitait les paroles du repos éternel de Joseph Weiss, elle-même avait les yeux noyés de larmes, même Matilde portait un mouchoir finement brodé à ses yeux, mais Samuel n'avait pas pleuré.

Il n'avait pleuré ni pour la perte, ni pour le gain, quand il avait appris que son père leur léguait, à Matilde et à lui, la plus grande partie des champs de cannes le long du bayou, ainsi que la maison qui allait devenir Beausonge.

Puis étaient venues les années heureuses, quand on avait dû agrandir la maison pour pouvoir contenir tous les amis, la famille, les enfants de Cerise et Simon qui couraient partout, les parties de cartes, les danses et les dîners aux chandelles, pour lesquels Matilde sortait la porcelaine de Limoges et le cristal d'Espagne. Et presque, elle l'avait presque vu pleurer le soir où Matilde lui avait présenté son premier fils.

Au moins, ce soir-là, Oliva s'en souvenait très bien, ils étaient heureux. Ils s'étaient chamaillés à propos du nom que Samuel voulait donner à l'enfant, Andrew Jackson Weiss, en hommage au général qu'il admirait tant, mais la dispute était plus douce que d'habitude, toute vibrante d'espoir pour l'avenir que Matilde tenait dans les bras.

Matilde ne lui avait jamais paru aussi ravissante, aussi pleinement épanouie...

La troisième fois qu'il aurait dû pleurer, la fois où même la pierre tombale semblait humide de chagrin, c'était quand il avait enterré Andrew derrière Beausonge, à côté de son grand-père. L'enfant portait son premier pantalon long, pour couvrir ses blessures...

Encore maintenant, Oliva pouvait à peine penser à Andrew sans en avoir la gorge nouée. Trop jeune pour aller dans le bayou, avait dit sa mère, trop jeune pour aller chasser avec son oncle...

« Ne dis pas de sottises, avait répliqué son père, les garçons de Simon sortaient déjà dans le marais avant même de pouvoir aligner une phrase. »

Samuel et Matilde avaient donc eu un de leurs accrochages coutumiers, mais cette fois-ci c'était elle qui avait perdu... « Je n'ai pas envie qu'il devienne un enfant gâté, le fils d'un riche planteur qui passe ses journées à cheval et claque son argent au poker », avait déclaré Samuel. Et il avait cédé à son fils, qui réclamait à grands cris la permission d'aller avec ses cousins faire la tournée des pièges.

Ils ne partaient qu'une semaine, disait Simon pour rassurer Matilde. On ne le perdrait pas de vue une seule seconde, et il en apprendrait plus sur le bayou que pendant les cinq années à venir...

Matilde avait froidement tourné le dos à Simon, et elle s'était refusée à préparer son fils pour son expédition.

Lorsque Simon était revenu en portant le garçon dans ses bras,

160

les deux jambes fracturées et presque sectionnées par les mâchoires d'un piège, Matilde avait poussé un hurlement, comme si elle était devenue folle. Et le lendemain matin, lorsque les amputations du docteur avaient dépassé ce que ce petit corps affaibli pouvait supporter, Matilde avait empoigné les épaules toutes froides d'Andrew, elle l'avait secoué et giflé pour essayer de le ramener à la vie, en criant à Samuel, à Simon et même à Dieu de lui rendre son fils...

Et à travers toutes ces épreuves, Oliva n'avait jamais vu Samuel pleurer. Ses épaules se voûtaient, son dos semblait s'affaisser sur lui-même, et il avait vieilli de dix ans en quelques heures. Mais il n'avait pas pleuré.

Oliva tournait et retournait ces souvenirs dans sa tête, pendant qu'elle récitait son rosaire en attendant à la porte du boudoir de Matilde. Elle entendait à l'intérieur les pas du docteur qui élevait parfois la voix, et les gémissements continus de sa belle-fille. Mais en bas il n'y avait pas un bruit. Elle savait que Samuel attendait dans la bibliothèque, avec son cognac et son serviteur. Depuis que Simon n'était plus vraiment bienvenu à Beausonge, Ulysse était devenu le plus fidèle compagnon du maître.

Dans la pièce les gémissements se transformèrent en cris perçants, et Oliva devina que le moment arrivait... Matilde allait enfin obtenir quelque chose à elle, ou alors elle mourrait en essayant. La femme de chambre sortit précipitamment avec une cuvette rouge sang, ses yeux tout blancs grands ouverts.

« Ça va v'nir, madame, dit-elle à Oliva, le docteur, y dit qu'elle s'déchire presque, mais qu'elle est forte et décidée... »

Un grand cri retentit alors dans le boudoir. Oliva rangea son rosaire dans la poche de sa jupe et se précipita dans la pièce. Matilde était allongée sur le lit, les jambes écartées et ses cheveux noirs ruisselants étalés sur les oreillers. Le docteur bougeait les épaules en rythme et l'encourageait : « Là... voilà ! Allez, encore un peu, madame, le voilà ! » et il tira un bébé rouge, glissant et braillard jusqu'entre les genoux de la femme ; Oliva put voir la tignasse noire, les membres de singe tout tordus et la tête toute plissée du second fils de Samuel.

Matilde ouvrit les yeux, regarda l'enfant, puis elle aperçut Oliva à la porte. « C'est un fils, madame, dit-elle, avec une force étonnante dans la voix. Un fils pour Beausonge. »

Oliva se rapprocha en souriant, et tendit les mains pour prendre le nourrisson. « Et quel bébé magnifique ! Même Samuel n'était pas aussi mignon à sa naissance...

— Donnez-le-moi », dit Matilde sèchement au docteur.

Le docteur avait quitté les jambes encore ouvertes de la femme pour s'occuper du placenta. « Attendez juste que je le nettoie...

— Je le nettoierai moi-même, grogna-t-elle avec le peu de force qui lui restait, donnez-le-moi ! »

161

Le docteur lui tendit l'enfant qui gémissait faiblement, et Oliva s'arrêta net dans son élan, les bras ballants. Matilde attrapa un coin du drap délicatement brodé, en tira une longueur et essuya le sang sur la bouche et le nez du bébé.

Samuel arriva dans la pièce et resta derrière elle, les yeux avides et son chapeau dans les mains. « C'est un garçon ? » Il fit un pas en avant puis s'arrêta, comme s'il attendait la permission d'entrer.

Matilde se rassit sur son lit en tenant le nouveau-né dans ses bras. Elle avait remonté les draps tout autour de son corps pour cacher sa nudité, bien que ses jambes fussent encore relevées et écartées. « Mon fils, dit-elle calmement.

— Elle va bien ? » demanda-t-il au docteur.

Oliva trouvait étrange que Matilde ne fasse pas signe à Samuel de s'approcher, et que lui ne s'approche pas spontanément, mais elle avait renoncé à essayer de déchiffrer les messages par lesquels ces deux-là communiquaient...

« Madame va bien, le garçon va bien, et il y a de fortes chances pour que beaucoup d'autres suivent... », annonça le docteur gaiement. Il était le seul à sourire, remarqua alors Oliva.

« Beaucoup d'autres..., reprit Matilde d'un ton neutre, et ils seront à toi et à moi. Mais celui-ci est mon fils... le mien. »

Samuel recula et demeura interdit. « Qu'est-ce que tu dis ? demanda-t-il incrédule.

— Je dis que tu as eu ton fils, et que celui-ci est le mien. Si on en a un autre, il nous appartiendra à tous les deux. Mais celui-ci m'appartient. »

Oliva se détourna pour partir, le cœur flétri par la voix et le visage de Matilde. Elle perdait juste un peu la tête, mais c'était souvent le cas pour les femmes au moment de la naissance... elle changerait sûrement d'avis, elle retirerait ses paroles quand elle irait mieux...

« Madame, vous êtes mon témoin », l'interpella Matilde.

Oliva se dirigea une fois de plus vers la porte. « J'aurais préféré n'avoir jamais entendu de telles paroles venant d'une épouse...

— C'est absurde », dit Samuel brusquement. Il s'approcha du lit pour prendre Matilde dans ses bras. « Tu es ma femme, c'est mon fils, c'est de ça que ma mère est témoin... »

Matilde se laissa enlacer, mais resta froide. « C'est ta mère, c'est certain, et je suis ta femme. Mais lui, c'est mon fils... »

Oliva se retourna, quitta la pièce et ferma sans bruit la porte derrière elle. Et elle pleura... pour Matilde, pour le bébé, mais surtout pour Samuel qui ne pouvait pas pleurer lui-même.

Deuxième Partie

1835-1865

Un mulâtre est l'enfant d'un blanc et d'un nègre;
un quarteron, d'un blanc et d'un mulâtre;
un octavon, d'un blanc et d'un quarteron;
un tierceron, d'un mulâtre et d'un quarteron;
un griffe, d'un nègre et d'un mulâtre;
un marabon, d'un mulâtre et d'un griffe;
un sacretron, d'un nègre et d'un griffe...

A la recherche d'une esclave en fuite, Mary, mulâtre claire, à la peau presque blanche avec des cheveux roux, qui se fait passer pour libre. Parle français, italien, hollandais, anglais et espagnol. Sans doute dans les environs de Lafourche, où ses enfants travaillent dans deux plantations.

Daily Picayune,
La Nouvelle-Orléans, juin 1842.

Vous pourrez également acheter des serviteurs et des servantes parmi les fils des hôtes qui résident chez vous, ainsi que parmi les familles qui sont chez vous, ceux qu'ils auront engendrés sur votre sol, et ils deviendront votre propriété.

Lévitique, 25,45.

Alors que le reste de l'Amérique devenait fermement anglo-saxon, le delta du Sud devenait une région à part dans le pays, avec une âme française, africaine et créole. Les Créoles, ces descendants blancs des premiers pionniers, avaient du sang français, espagnol et autre... ils semblaient presque un produit du sol, cette terre noire et féconde, cette profonde couche alluviale déposée par le Mississippi et qui grouillait de vie.

Tandis qu'au printemps les bateaux à vapeur descendaient le fleuve et que les eaux en crue recouvraient les levées, les passagers se tenaient aux balustrades en se protégeant les yeux contre l'éblouissant scintillement des vagues et la lumière ardente du soleil. Et ce qu'ils voyaient sur les deux rives était un des spectacles les plus grandioses du territoire américain.

Sur plus de cinq cents kilomètres en amont et en aval de La Nouvelle-Orléans, les plantations de sucre et de coton formaient une double rangée de splendeur. Fiers et sereins avec leurs colonnades, les manoirs extravagants surpassaient de loin l'ordre net et précis des États yankees comme le Connecticut et le Massachusetts. Les vapeurs faisaient une halte en plein courant tous les quelques kilomètres. Ils pouvaient s'engager même sur les bayous les plus étroits avec leurs roues à aube à l'arrière qui facilitaient les manœuvres, et on disait qu'un bon pilote pouvait faire naviguer un paquebot de deux étages dans une barrique de bière.

Les cloches tintaient, et sur le rivage un esclave agitait un drapeau en guise de signal : quelqu'un dans la Grande Maison avait des messages, des marchandises ou un passager à faire embarquer. Dans les remous le bateau s'approchait alors en douceur et s'arrêtait ; et si l'embarcation paraissait s'incliner et faire la révérence devant la propriété, cela semblait tout à fait naturel, car sur la rivière, c'étaient les plantations qui faisaient la loi.

Les gens qui possédaient ces Grandes Maisons avaient essayé le tabac, la cire de myrte, le safran et le riz. L'indigo avait bien marché pendant un certain temps, mais la manipulation de ces feuilles vénéneuses avait décimé les esclaves. Peu avant 1800, le Créole Étienne de Bore mit au point la technique de granulation du sucre, et environ à la même époque, la machine à égrener le coton fit son apparition. Le destin de l'État était désormais scellé, tandis que la société commençait également à se cristalliser.

Dans la région qui s'étendait jusqu'à la rivière Rouge, le coton était roi. Mais les basses terres du delta du Sud appartenaient au sucre, car la canne poussait mieux quand elle avait les pieds dans l'eau. Au début du XIXᵉ siècle, quatre-vingts planteurs cultivaient la Grande Herbe ; en 1835, ils étaient plus de huit cents à se faire des fortunes avec d'immenses superficies de cannes à sucre dans les paroisses d'Iberville, Ascension, Assomption, Plaquemine, Saint-James, Lafourche et Saint-John.

Il n'y avait pas d'autre endroit de la terre, disaient-ils, où l'on pouvait faire de l'argent aussi rapidement ; il coulait à flots, tel le jus jaune pâle qui se déversait des chaudrons odorants sous les yeux des ouvriers, noirs et blancs.

Dans le bayou, il y avait une heure de la journée où régnait un étrange silence.

Pendant tout le jour, le mouvement était pratiquement permanent, aussi infime fût-il. Les rats musqués nageaient et creusaient dans la terre, les écureuils gris filaient à toute allure, les alligators sifflaient et grognaient ; enfin les oiseaux passaient sans arrêt dans une éclatante agitation de couleurs et de bruits et dans un concert de roucoulades, de pépiements et de croassements. Et le tambourinage incessant du pic-vert, qui était continuellement à la recherche d'insectes et de larves, donnait la cadence.

Au crépuscule, les rôdeurs de la nuit commençaient à sortir. Les écureuils volants et les chauves-souris géantes se lançaient dans la nuit et l'emplissaient de cris aigus et perçants. Les hiboux partaient à la chasse et ululaient à travers le marécage ; les sconses et les renards, les opossums et les ratons laveurs pointaient leur museau, couverts par le bourdonnement des insectes et des grenouilles.

C'était juste après l'aurore que le silence se faisait dans le bayou. Les prédateurs s'arrêtaient pour se reposer et les échassiers — hérons, aigrettes et ibis — quittaient leur perchoir dans des nuées de battements d'ailes, et s'envolaient pour aller se nourrir dans la vase. L'eau était calme et plate, et les araignées regagnaient silencieusement leurs toiles pailletées de gouttes de rosée. Les longues lianes de mousse espagnole se balançaient doucement et sinueusement, et les insectes cessaient de bourdonner pour un temps, jusqu'à ce qu'ils soient réveillés par les rayons du soleil.

Ce jour-là, l'atmosphère était lourde et calme. Le soleil levant commençait à réchauffer le bois mouillé d'un tronc d'arbre à caoutchouc à moitié émergé de l'eau et appuyé contre un cyprès, et incitait son occupant à sortir dans le matin encore humide.

C'était son lieu de repos favori. Sa peau se confondait tellement avec la couleur noire du tronc que son corps long de deux mètres était impossible à repérer. Seule sa longue langue hypersensible qui surgissait régulièrement trahissait sa présence.

C'était un mocassin d'eau, une femelle. A l'âge de onze ans, elle mesurait juste un peu plus de vingt-cinq centimères de diamètre à l'endroit le plus large de son corps, et elle n'avait encore vécu que la moitié de sa vie.

Il y avait six autres espèces de serpents venimeux dans le bayou, mais la sienne était la plus répandue... et la plus dangereuse. Si un homme pouvait survivre à la morsure d'un mocassin à tête cuivrée ou d'un serpent à sonnettes, le poison puissant du mocassin d'eau pouvait tuer le fermier le plus robuste, voire le foudroyer.

Sa peau était colorée de larges rayures olive foncé ; de chaque côté de ses pupilles verticales, une fossette servait à détecter les proies, et sa gueule ouverte, position d'attaque caractéristique, était d'un blanc étincelant et resplendissant dans sa menace.

A mi-chemin entre son museau en spatule et ses yeux en forme d'ellipse se trouvaient deux cavités sombres — le signe distinctif de la vipère à fossettes. Grâce à ces cavités qui étaient ses seuls organes sensibles à la chaleur, elle pouvait deviner, même dans la nuit noire ébène du bayou, la présence d'une créature au sang chaud et la distance à laquelle elle se trouvait.

Bien qu'elle ne s'en souvînt déjà plus, elle et ses quatorze frères et sœurs avaient vu le jour à moins de cent mètres de là. Depuis, elle avait enfanté à quatre reprises, mais n'avait cependant jamais croisé une sœur ou une fille sur son chemin, tant le bayou était immense pour elles.

Elle avait bien connu les humains, et cela depuis l'époque où elle ne mesurait pas plus de trente centimètres de long. Une fois, un fermier l'avait capturée pour la donner à son fils ; celui-ci pensait pouvoir l'empêcher de mordre en enfilant des gants et en lui arrachant les crocs avec des tenailles. Elle était destinée à être son jouet inoffensif, et à être l'attraction parmi les animaux domestiques de ses camarades.

Mais le fermier et son fils ignoraient qu'elle gardait d'autres crocs en réserve, et qu'une fois que les anciens avaient été brisés, les nouveaux commençaient à apparaître. Et un matin, elle avait mordu le garçon alors qu'il la portait... Tandis que sa mère accourait en hurlant vers la cabane, la vipère s'était rapidement faufilée sur le sol et avait à nouveau regagné sa liberté.

Depuis, elle s'était améliorée et ne laissait plus une main la toucher sans mordre immédiatement et sauvagement en signe de représailles. Elle n'était pas de ceux qui se détournaient, qui s'enfuyaient ou se cachaient systématiquement dès qu'un homme approchait. Elle tenait bon, ouvrait une gueule béante en signe d'avertissement, et si l'intrus ne battait pas en retraite, elle s'efforçait de réduire promptement la distance qui les séparait dans un brusque mouvement d'agression.

Elle était allongée, à moitié submergée par l'eau chaude, et attendait ce qu'elle savait être proche. C'était la saison des amours et son heure était venue. Une fois tous les deux ans seulement, elle attendait ainsi — chaque fois, le bayou l'avait satisfaite. Cette fois, elle avait senti sa présence dans le fourré depuis la veille, mais elle n'était pas partie à sa recherche... A une autre saison, elle aurait pu le trouver, combattre avec lui et le forcer à quitter son territoire. Mais pour l'instant elle attendait, prête pour l'accouplement.

Sa langue très noire et fourchue surgissait de sa gueule, sortait de plus de quatre centimètres, et vibrait pendant de longues secondes à l'air libre. Malgré sa vue correcte, elle se servait surtout de sa langue et de son organe de Jacobson, constitué de deux petites cavités creusées dans ses mâchoires de chaque côté de son museau. Un conduit partait de chacune de ces cavités pour parvenir jusqu'à son palais. Lorsqu'elle dardait sa langue, celle-ci captait des particules odorantes microscopiques dans l'air et sur le sol. De retour dans sa bouche, les particules parvenaient jusqu'au cerveau qui les traduisait en une image qu'elle pouvait suivre sur n'importe quelle piste, et même dans l'eau.

Un mouvement dans les herbes hautes attira son œil. Elle leva légèrement la tête, pendant que sa langue sortie rassemblait les informations. Il sortait maintenant de sa cachette, doucement, levant bien la tête pour lui faire face. Il était noir, presque aussi noir qu'elle, bien qu'il ne se fût pas mouillé dans le marécage. Pendant un long moment il ne fit que la contempler; elle ne bougeait pas. Puis il baissa la tête, glissa hors de l'herbe, et son corps long d'un mètre soixante-dix vint se reposer sur la rive boueuse à quelques mètres du tronc où elle se trouvait.

Les brises du bayou cessèrent; l'eau était calme. Un loriot atterrit sur la branche au-dessus d'elle, jeta un regard apeuré sur les deux serpents et s'envola en poussant un cri rauque. Même les mouches semblaient s'immobiliser à cet instant.

Il s'approcha; elle ne se lovait toujours pas et ne donnait aucun signe de menace. Il s'approcha encore, et elle se retourna tranquillement sur son tronc, fit glisser son corps le long du bois, vers les racines du cyprès, jusqu'à ce qu'elle se retrouve auprès de lui. Sans aucun préambule ou manœuvre d'approche, il s'enroula autour de son corps, s'élevant et s'abaissant sur elle, emmêlant au sien son corps plus court; puis il se cabra pour la pénétrer, l'agrippant avec les muscles puissants de ses flancs pour qu'elle ne puisse plus s'échapper. Elle se tortilla mais n'essaya pas de se défendre. A un moment donné, sa gueule s'ouvrit malgré elle, mais ses yeux ne quittèrent pas l'herbe une seule fois. Noués l'un à l'autre, les deux serpents faisaient des méandres dans la boue ; leur odeur musquée s'élevait au-dessus des exhalaisons humides de la végétation décomposée et chassait tous les éventuels intrus...

A l'exception d'un seul.

Comme le mâle se retirait en relâchant son étreinte, elle aperçut un mouvement rapide dans les herbes. Ses deux fossettes reconnurent bientôt l'odeur du danger. C'était un parfum particulier sur sa langue, âcre, désagréable, et de mauvais augure. En signe d'avertissement, elle siffla, s'éloignant du mâle et se lovant rapidement. Un grand renard surgit des hautes herbes, la queue rousse relevée et la gueule ouverte en un rictus menaçant.

Maintenant elle comprenait l'origine de cette saveur rance sur sa langue, de cette odeur âcre dans ses fossettes. N'importe quel renard, à vrai dire n'importe lequel de ses ennemis, ne se serait jamais approché si imprudemment, ne lui aurait jamais fait face alors qu'elle était lovée à découvert. Mais celui-ci était atteint par la maladie : ses yeux ternes pleuraient, sa fourrure était boueuse et collante, ses mâchoires rigides et baveuses. Il avait cette maladie qui se répandait parfois dans tout le marécage pendant les mois d'été torrides. Le renard avait probablement été mordu par un raton laveur ou par une belette, et sa propre morsure allait propager la maladie jusqu'à ce qu'il meure d'une lente et douloureuse déshydratation...

Elle se rendit vite compte qu'il ne serait pas averti par sa position d'attaque, que la crainte du venin ne le ferait pas fuir. Dans son état, il ne connaissait pas la peur... il était donc plus dangereux qu'elle.

Le renard grogna bruyamment, baissa sa gueule et aboya en direction des deux serpents, grattant la terre devant lui avec ses griffes. Elle posa sa tête pour se sauver, se tournant vers l'eau, mais en un éclair il se retrouva sur elle et referma ses puissantes mâchoires au milieu de son corps. Elle pivota et le mordit, plantant ses crocs dans son épaule de devant, les enfonçant profondément dans son muscle. Il glapit, jeta sa tête violemment d'avant en arrière, puis relâcha le serpent sur la rive boueuse.

Elle avait vu que son compagnon avait fui immédiatement dans les hautes herbes ; elle tenta donc de l'y rejoindre, mais quelque chose n'allait pas dans ses muscles inférieurs. Elle n'avait pas assez de force pour une seconde attaque. Le renard s'était éloigné en chancelant à quelques mètres d'elle. Il recommençait à grogner et à glapir, essayant d'attraper son épaule avec sa gueule et vrillant son regard fou sur elle comme s'il allait à nouveau attaquer. Tout à coup son odeur changea, et elle sut que son poison avait pénétré. Elle n'avait pas chassé depuis deux jours, puisqu'elle attendait la venue

169

du mâle. Sa réserve de venin était pleine. Elle aurait même pu tuer plus d'une fois si nécessaire.

Mais elle savait désormais que ce ne serait sans doute pas la peine. Le renard commençait à trembler et à gémir en se laissant aller vers la rive, hébété. Elle rassembla douloureusement ses forces et essaya de ramper pour aller se cacher, mais la partie inférieure de son corps ne répondait plus à ses ordres. Calmement, elle regarda le renard trembler, avoir des convulsions et finir par se crisper, alors qu'il saignait des yeux, du museau et des oreilles. Quand il n'y eut plus aucun mouvement, elle tenta à nouveau de ramper, mais elle était trop brisée. Les mouches se rassemblaient maintenant autour du renard ; quelques-unes d'entre elles, insolentes, se groupaient également autour d'elle. Une fois seulement elle ouvrit sa gueule de douleur, sentant qu'elle venait de vivre son dernier accouplement.

Tandis que le soleil commençait à chauffer le bayou, la température de son corps dépassa ce qu'elle pouvait endurer. Elle se raidit et mourut.

Célisma avait quatorze ans la première fois qu'elle mit le pied à Beausonge, et pourtant elle était déjà femme depuis deux ans. Vendue par son maître de Rosewood qui n'avait pas besoin d'une négresse supplémentaire dans la maison, ce fut avec un certain soulagement qu'elle arriva à la Grande Maison de Samuel Weiss en ce printemps 1835. Il valait bien mieux se séparer de sa mère, qui était restée à Rosewood, que d'être envoyée dans les champs de coton... Et elle préférait coucher dans la grande chambre toute rose de Matilde Weiss et manger du pain blanc, que de loger dans les quartiers des esclaves et partager du pain de maïs avec bien trop de frères.

Partir et être n'importe quoi, n'importe où, plutôt que de vivre dans ces cases au bord des champs, où l'on se prélassait les mains ballantes et les yeux à demi fermés, où l'esprit tranquille on somnolait pendant la brève pause de midi, comme autant de chiens et de chats allongés contre un mur au soleil. Sans rien d'autre à faire, sans envie de rien faire...

Beausonge : le « rêve magnifique », comme disaient les esclaves... et c'est bien l'impression qu'eut Célisma la première fois qu'elle vit la maison dorée. La plantation de canne à sucre de Samuel Weiss était d'une moitié plus grande que celle de Rosewood, avec ses champs de cannes qui s'étendaient de chaque côté du bayou, et c'était un des endroits les plus agréables de Lafourche.

La maison principale était aussi haute que les chênes qui l'entouraient ; elle était peinte en jaune clair, et la façade était flanquée de grosses colonnes plus larges que des arbres... Beausonge écrasait toutes les autres maisons du bayou. Les colonnes partaient de la galerie du bas et s'élevaient jusqu'au toit du second étage, où un balcon parallèle à la galerie faisait tout le tour de la maison. De chaque côté se trouvaient des maisons plus petites, pour les invités qui voulaient s'arrêter au bord de la rivière et rendre visite à un membre de la famille, ou pour les hommes, quand ils voulaient finir la soirée avec leurs cigares et leurs plaisanteries bruyantes, sans déranger les femmes. Et il y avait encore d'autres bâtiments derrière la maison : les bureaux, la cuisine séparée, une garçonnière, un pavillon pour les soirs d'été trop chauds, et enfin deux pigeonniers de deux étages, où le maître gardait ses pigeons, ses pigeonneaux et ses colombes.

Son passe-partout lui permettait de se promener où elle voulait, et c'est ce qu'elle fit : elle s'aventura jusqu'à la laiterie pour y jeter un œil, puis à la buanderie, aux écuries de chevaux, aux enclos et aux étables où étaient les cochons et le bétail, aux greniers à maïs, à tabac et à riz, puis dans le fumoir où l'on fumait le gibier et le porc dans trois grands fours en brique. Elle fit également un détour par l'écurie du maréchal-ferrant, la menuiserie, l'atelier de tissage où des écheveaux de lin et de chanvre séchaient au soleil, la tannerie et la malterie, avant de revenir par la porte de service de la Grande Maison.

Et partout où son regard se posait, des mains noires étaient en train de travailler, des visages noirs la regardaient.

Un groupe d'ouvrières remontait un chemin en direction des champs de cannes, guidé par un vieux surveillant qui tenait un fouet. Plus de quarante femmes avançaient ensemble, toutes vêtues de la même blouse en coton bleu, mais pieds et mollets nus. Elles portaient chacune une houe, marchaient en se balançant amplement, et s'interpellaient les unes les autres. Célisma entendit un rire retentissant, puis elles disparurent derrière des nuages de poussière que soulevait une troupe de mules derrière elles.

Elle arriva ensuite aux quartiers des esclaves, une double rangée de petites cases blanchies à la chaux, toutes identiques et collées les unes aux autres, séparées par une large allée poussiéreuse.

Quand le soleil se levait le matin sur la rivière, la lumière colorait toute la plantation Weiss en rose, puis en doré. En fin d'après-midi, lorsque le soleil se cachait derrière elle, la Grande Maison prenait la teinte d'une pièce d'or espagnole...

« Ah ben tu t'es enfin décidée, fillette », lui dit le vieil Ulysse l'après-midi de son arrivée. C'était le chef des nègres à l'intérieur de la maison. Il était grand, maigre et grisonnant ; c'était lui que Madame appelait en premier quand quelque chose ne lui plaisait pas, et lui qui le dernier fermait toutes les portes à clé chaque soir. « Ton maît'

171

à Rosewood c'était un riche planteur de coton, avant d'commencer comme pauv' planteur de sucre... Maît' Sam c'est pas l'plus riche, mais pas loin... plutôt comme Maît' Crésus. T'as d'l'instruction ? »

Célisma réagissait avec calme à son interrogatoire. « J'peux faire tout c'qu'y faut.

— Cuisiner ?

— Nan, pas la cuisine.

— Laver ?

— P'têt' la lingerie de la dame.

— Frotter ? Repasser ? »

Elle se rappela subitement les longues heures de repassage à Rosewood avec les six fers plats alignés sur le fourneau, le côté lisse tourné vers le feu. Il fallait mettre les cylindres de métal brûlant dans les fers cannelés, asperger le vêtement d'un peu d'eau, repasser, tourner le fer cannelé et grinçant avec précaution pour que les manchettes soient à la fois raides et douces... et dans la chaleur assommante de la cabane à repassage, rester debout et manier les fers dix heures d'affilée...

Elle eut un petit sourire confidentiel. « J'travaille à l'étage, plutôt. J'connais les racines et les médicaments, les herbes, les potions, et j'sais lire et écrire... A Rosewood j'm'occupais personnellement d'la vieil' Miss et d'ses affaires.

— A Rosewood, reprit Ulysse fermement, tu d'vais chercher les lunettes de ton maît' et chasser les mouches au dîner, j'suis sûr. Tes mains ont jamais touché la vieil' Miss et ni ses affaires, gamine.

— J'apprenais.

— T'espérais, c'est tout c'que tu faisais. Où t'as appris à lire et écrire ?

— Maman.

— Et elle a appris où ? Enfin, c'est pas grave... Mais tiens ta langue, ma p'tite, les Blancs aiment pas voir traîner un serviteur qui sait lire. C'est interdit, et même si y a des Blancs qu'acceptent ça, sûrement pas Madame. Y faut juste faire une croix, d'toute façon. T'es trop jeune et effrontée pour la vieille Miss de Rosewood, et aussi pour Madame... Mais on peut essayer. » Il la toisa des pieds à la tête. « Y a six personnes à servir ici à Beausonge, mam'zelle, et c'est Maît' Sam, Madame, Vieil'Madame, le Jeun'Maît' Pierre, et les deux jeunes Mam'zelles Thérèse et Amélie. Jeun'Maît', il est presque grand, dans les dix-huit ans. Les deux jeunes Mam'zelles, elles sont à peu près comme toi, j'suppose. T'as dans les quinze ans ? »

Elle fit son sourire le plus féminin.

Ulysse fronça sévèrement les sourcils. « T'es plus vieille, alors. Mam'zelle Thérèse elle a quatorze ans, et Mam'zelle Amélie elle est un an plus jeune. Et pis y a tous les cousins et la famille qui débarquent, y en a un paquet à Beausonge en général, mais surtout à la saison où on moud le grain. Les deux Mam'zelles ont déjà tout c'qu'y faut avec leurs propres bonnes pour s'occuper d'elles, et ça m'étonnerait que Maît' Sam il t'ait achetée à ton maît' pour que ces deux gamines se chamaillent encore à qui-aura-quoi. T'aimes travailler ? »

Elle secoua la tête. « Mais j'peux apprendre presque tout. »

Ulysse se renfrogna. « Bon, eh ben j'sais pas c'que Maît' Sam pensait faire d'une fille aussi inutile que toi, mais j'suppose que c'est mon boulot de t'fourrer à un endroit où tu vas pas aller faire des histoires... Tu dis qu'tu t'y connais en racines et en potions et tout ça ? P'têt' que Madame va t'employer pour faire ses poudres et ses fards, y a de quoi faire pour une paire de mains... » Il l'examina de plus près. « T'es la fille la plus jaune qu'on a eue à Beausonge, en tout cas. Ta mère est jaune aussi ? »

Elle releva le menton et déclara posément, en français : « Maman est une *femme de couleur*.

— Si tu parles français, ça c'est bien... Madame aime bien ça. » D'un coup d'œil il considéra sa taille élancée, ses cheveux noirs noués en deux rouleaux réguliers autour de la tête, son nez fin et ses lèvres épaisses, et sa peau qui avait la couleur d'un whisky clair. « Ta mère est p'têt' noire, mais ton père sûrement pas... »

Elle plissa les yeux et pinça les lèvres ; on ne devait pas parler de ça dans les maisons convenables, elle savait au moins ça.

Ulysse gloussa pour faire oublier sa pique... « Ça fait rien, p'tite. On va voir c'qu'Odette dit... C'est elle qui s'occupe de Madame, et c'est elle qui décide qui doit l'aider. Tu vas p'têt' dormir dans la chamb' rose... »

Sur ce, le vieil homme monta le grand escalier tournant et conduisit Célisma à l'étage. Elle tenait ses mains contre ses jupes pour qu'elles ne tremblent pas, et relevait le menton le plus haut possible, tout en s'assurant de voir encore les marches sous ses pieds. Au moins j'viens pas en faisant claquer mes pieds nus par terre, se dit-elle fermement. Elle jeta un œil aux petits chaussons marron qu'elle portait, un peu éraflés, que la plus jeune fille du vieux Maît' lui avait passés dans un moment de bonté. Elle avait toujours mis ces chaussons d'enfant de côté, juste pour pouvoir les mettre dans une telle occasion, en priant le Bon Dieu qu'elle ne grandirait pas avant de pouvoir s'en servir... Elle agrippait ses orteils sur ces marches encore peu familières, en s'efforçant de lever la tête comme si elle était quelqu'un de bien plus important que la plus inutile et la plus jaune de Beausonge...

Odette vint à la rencontre d'Ulysse devant la porte massive de la chambre de Madame. C'était une femme noire énorme, presque aussi large que la porte. Ses jupes étaient toutes retroussées à la taille et retenues par une ceinture d'homme, où étaient attachés quatre trousseaux de clés qui tintaient à chaque mouvement du tablier. Et elle était justement en train de les secouer, en s'essuyant énergiquement les mains.

« C'est la nouvelle poulette ? lança-t-elle à Ulysse avant même qu'il puisse ouvrir la bouche. Viens pas m'l'amener ici pour qu'elle traîne

173

dans mes pattes, ajouta-t-elle sur un ton qui avait apparemment l'habitude d'être obéi.

— Et où d'autre j'pourrais l'amener, alors, hein ? grommela le vieil homme en haussant la voix. Elle peut pas travailler en bas, c'est pas une cuisinière ni une lingère, elle aime pas travailler. Et pis les jeunes Mam'zelles vont l'écarteler pour savoir qui elle sert, alors j'suppose que c'est Madame qui doit dire c'qu'elle fait et où elle va... »

Odette écouta son tapage, décibel après décibel. « A mon avis, Madame va s'demander si t'es pas devenu trop vieux et imbécile pour faire ton boulot, alors, si tu lui d'mandes de l'faire à ta place ! Mêm' pas capable d'aller donner à manger à un cochon... Bientôt tu lui d'manderas d'mettre le poulet dans la marmite à ta place ! » Elle fronça sévèrement les sourcils en direction d'Ulysse, tout en baissant légèrement une paupière pour faire un bref clin d'œil à Célisma.

Celle-ci ressentit le frisson de la complicité et de la camaraderie lui réchauffer le cœur ; c'était le premier signe de bienvenue qu'elle percevait depuis qu'elle avait franchi le seuil de Beausonge. Elle garda un air sérieux, les yeux baissés, mais elle croisa les mains devant ses jupes comme en position de prière.

Ulysse fulminait. « J'ai déjà perdu trop d'temps c'matin avec c'te gamine de rien du tout. Elle sera bonne à l'étage, c'est ça et pas aut'chose, et si t'es pas contente c'est toi qu'en parleras à Madame !

— Parler à Madame de quoi ? demanda une voix impérieuse juste derrière Ulysse. La moitié de la maisonnée vous entend rouspéter comme des geais au printemps, vraiment, c'est honteux que je doive me déplacer depuis la galerie pour venir régler une crise pareille... »

Aussitôt le vieil Ulysse se recula de la porte et inclina la tête en silence. Odette réussit à garder son sang-froid, mais s'écarta elle aussi du chemin de la femme, comme si elle méritait le plus de place possible pour passer. « Excusez-moi, Madame, dit-elle doucement, on a réglé ça, *s'il vous plaît.* »

Une femme petite et menue passa majestueusement en les frôlant tous les deux et entra dans la chambre rose ; elle relevait ses jupes du sol, comme si même le plancher en cyprès était trop vil pour elle. « Ça ne me plaît pas, Odette, mais alors pas du tout. J'ai dû laisser m'sieur Préjean tout seul sur la galerie d'une manière fort peu hospitalière et faire tout le chemin pour venir ici, uniquement pour régler l'installation d'une nouvelle négresse ? Non, vraiment, ça ne va pas du tout. C'est elle ? » Madame jeta un regard furtif à Célisma puis se tourna vers Ulysse.

« Oui M'dame, répondit le vieil homme après avoir retrouvé sa taille normale, c'est la Célisma de Rosewood, elle vient d'arriver.

— Et elle fait... ? »

Célisma prit alors la parole d'une voix douce. « S'il vous plaît, Madame, je fais tout. »

Mme Weiss porta alors toute son attention sur la grande fille mince qui se tenait devant elle. Célisma décida de prendre un gros risque :

elle ne baissa pas les yeux devant Madame, comme on lui avait appris à faire devant toutes les femmes blanches. Au lieu de ça, elle lui retourna son regard et sourit, en faisant une profonde révérence.

Elle aperçut aussitôt dans les yeux d'Odette une expression apitoyée, avant même que Madame ne parle.

« Il a donc acheté une négresse incapable et effrontée ? demanda sèchement la femme sans nommer personne en particulier. Une qui se targue de pouvoir presque tout faire, mais qui sans doute ne peut rien faire du tout, hein ? Quel âge as-tu, fillette ? »

Célisma baissa les yeux sur-le-champ et murmura : « Quatorze ans, Madame.

— Une mulâtresse trop jeune pour enfanter et trop vieille pour apprendre... Sacré Nom ! Faut-il donc que je fasse tout ? Que je prenne toutes les décisions pour éviter que tout aille de travers ?

— Elle parle le français, dit Ulysse pour essayer de plaider sa cause.

— Est-ce que cela doit justifier son insolence et son inutilité ? » Madame avait l'art de dire les paroles les plus cinglantes sur un ton très doux, et Célisma avait vaguement l'impression qu'un chat lui enfonçait peu à peu ses griffes dans la jambe sans qu'elle puisse la retirer. La femme s'approcha d'elle et l'observa attentivement. « Il faudra qu'elle aille aux champs, il n'y a pas de place pour elle ici. »

Célisma retint son souffle et devint toute rouge. Jamais une mulâtresse n'avait travaillé aux champs, ça elle en était certaine.

« P'têt'..., commença Odette doucement, p'têt' qu'elle pourrait aller pour Vieil'Madame. Elle s'y connaît en médicaments et en herbes et tout ça. Et Vieil'Madame pourra lui parler en français. Et pis elle aura besoin d'une aut'fille depuis que Gabrielle est tombée malade. Cette gamine peut faire l'affaire, en tout cas jusqu'à c'que Madame décide...

— Ou peut-être, coupa Matilde Weiss qui écoutait à peine, elle devrait aller à la nursery. On aura une bonne douzaine de bébés à nourrir cette saison, bien trop pour que cette vieille sage-femme puisse s'en occuper toute seule. »

Célisma ferma les yeux, horrifiée.

« Elle est trop p'tite, Madame, objecta Odette calmement. Y a pas une goutte de lait qui sort de ces tétés, pas avant plusieurs saisons...

— Bon, d'accord, d'accord, emmène-la chez ma mère, mais si elle n'en veut pas envoie-la aux quartiers. Je ne veux pas d'une fille jaune qui serve à ma table, et on n'a pas besoin d'une fainéante supplémentaire pour les éventails. » Elle les regarda tous les trois d'un air furieux et sortit en coup de vent. « Je t'en charge, Ulysse, et la prochaine fois réfléchis un peu à l'effet d'une telle débâcle aux yeux d'un homme comme M. Préjean. Je doute fortement que Mme Préjean abandonne ses invités pour aller régler des histoires de nègres... »

Puis elle quitta la chambre et descendit les escaliers aussi rapidement et royalement qu'elle était apparue.

Célisma s'apprêtait à suivre Ulysse, mais en passant la porte elle sentit Odette toucher délicatement son bras nu. « Te laisse pas impressionner, p'tite. Elle a sa propre croix à porter... Tiens-toi bien chez Vieil'Madame, et tu reviendras bientôt dans la Grande Maison. Et tâche d'apprendre que'qu'chose avec tes grands yeux quand tu s'ras avec elle... » Elle roula les yeux en direction d'Ulysse. « P'têt' ben qu'celle-là a la *bonne chance* et qu'elle le sait mêm'pas, hein ? »

Le vieil homme secoua la tête d'un air indifférent en guise d'acquiescement, puis il conduisit Célisma au rez-de-chaussée et se dirigea vers l'arrière de la Grande Maison. Le soleil tapait sur sa tête nue comme un marteau brûlant, ce qui l'obligeait à grimacer et à baisser les yeux vers le sol. La chaleur frémissait autour d'eux et les sauterelles grésillaient dans les herbes. Elle apercevait les quartiers des esclaves non loin de là, cachés entre des taillis et des pieds de maïs en broussailles, une double rangée de baraques qui avaient la même couleur délavée que la poussière du sol. Comme dirait maman, si petites qu'on ne pourrait pas crier après un chat sans avoir du poil plein la bouche...

Elle frissonna et agrippa ses jupes. A quinze ans elle pouvait être donnée à un homme qui habitait une de ces cases, elle serait à lui pour porter ses enfants et travailler à ses côtés sa vie entière... A moins que Vieil'Madame ne l'accepte.

Ulysse lui dit : « Maît' Sam y peut pas souffler une seconde avec Madame Matilde, j'te garantis. Cette femme elle a des yeux tout autour d'la tête et au moins autant d'bouches... Et les Jeun' Mam'zelles elles vont devenir exactement pareilles, j'suppose, y a pas grand-chose à y faire... Avant, Madame était un p'tit bout d'chou tout sourire et facile à satisfaire. Maît' disait qu'elle apportait l'soleil à Beausonge. Mais maintenant on dirait qu'la plupart du temps rien lui fait plaisir, sauf les gens chic qui viennent en visite et les robes chic qu'ils ont et... » Sa voix diminua subitement comme s'il venait de réaliser qu'il avait oublié sa condition. Et celle de Célisma...

« Mais t'as intérêt à satisfaire Vieil' Madame, p'tite, et l'mieux possible. Elle trouvait que Gabrielle s'occupait jamais assez bien d'elle, alors si elle s'remet pas d'sa consomption, elle manquera pas beaucoup à Vieil' Madame... Si Vieil' Madame et Maît' Sam sont contents d'toi, Madame te laissera tranquille. Évite-la, c'est tout. Tu t'cherches un mari ?

— Non. J'préfère pas.

— Hum... T'apprendras vite qu'une femme mariée a des dents et qu'elle mord... Maît' Sam il a fait un mariage de raison, mais la plupart du temps y a d'quoi perdre la raison, à mon avis...

— Un mariage de raison ?

— Les gens bien font ça, gamine. Si Madame a trente hectares de bons champs d'cannes et Maît' en a trente aut' à côté, c'est une bonne raison de les mett' ensemble, tu vois ? J'suppose que c'est l'meilleur moyen de t'marier, si tu dois t'marier un jour... Les gens disent que la femme c'est l'vaisseau l'plus faible, mais y mentent : c'bout d'flanelle rouge que vous avez entre les deux mâchoires, ça vaut tous les poings qu'Dieu a jamais donnés aux hommes... J'ai vu une femme attraper et ruiner un homme rien qu'avec sa langue. Alors j'm'en suis jamais vraiment préoccupé, moi. Vieil' Madame est p'têt' la seule veuve que j'connais qu'aimait pas porter les habits de deuil..

— Elle est veuve ?

— Depuis plus d'dix ans... Maît' Joseph il est mort et l'a laissée en plan... Mme Oliva Weiss, maman de Samuel, grand-mère des Jeun' Mam'zelles et Jeun' Maît'. Et... — là il s'accorda un de ses rares sourires — bête noire de Madame ! Vieil' Madame a un aut' fils, Simon Weiss, qu'habite un peu plus bas sur le bayou. C'est lui qui tient la sucrerie ; il a femme et enfants, mais c'est pas un Crésus comme son frère, ça non... J'ai jamais vu autant d'différence entre deux frères d'la même portée. Quand Maît' Joseph Weiss est mort, Vieil' Madame elle est venue à Beausonge. J'suppose que Madame voudrait qu'elle aille vivre avec son aut' fils, mais elle est ici et elle y reste. Tout c'que Madame peut faire, c'est la tenir à l'écart d'ses visiteurs distingués et d'leurs bonnes manières. Et au moins dix fois par an, Madame lui dit qu'elle serait p'têt' plus heureuse à La Nouvelle-Orléans ou ailleurs, mais Vieil' Madame veut pas partir de c'bayou... Ah, Vieil' Madame elle est pas stupide : elle sait c'qu'elle sait et elle a c'qu'elle veut !

— Elle parle français ?

— Elle parle anglais, mais elle le parle en français... Maintenant avance, p'tite curieuse, passqu'elle est pas sourde, non plus. »

Le vieil homme monta avec Célisma les marches du pavillon d'été, une version réduite de la Grande Maison. Il avait sans doute été construit avant la plupart des autres bâtiments, car sa charpente montrait une certaine souplesse, une élégante légèreté qui manquait à la grande maison. La chaleur et l'humidité avaient travaillé et adouci les lignes du pavillon, atténué ses couleurs, et les honorables taches de moisissure, vieilles de plusieurs décennies, transperçaient la peinture jaune comme un gâteau de mariage en train de fondre. Cela faisait le même effet qu'une matrone qui avait été mignonne, mais qui n'était pas moins belle maintenant qu'elle était plus mûre...

Ulysse frappa doucement à la porte et appela la vieille femme, tout en poussant Célisma dans l'ombre de la fraîche galerie. Les plafonds étaient très élevés, plus de trois fois la taille d'un homme, et les fenêtres étaient aussi hautes que les murs ; elles étaient grandes ouvertes, de même que les doubles portes, et la brise s'engouffrait partout. Le sol n'était pas en marbre mais en briques, avec de la jeune mousse qui poussait dans les interstices ; de grands chênes verts ombrageaient les flancs de la maison dont les murs étaient recouverts de chèvrefeuille.

A l'appel d'Ulysse, une vieille femme descendit les escaliers d'un pas léger, faisant glisser sa main sur la rampe blanche et usée.

177

« J'apporte la nouvelle fille, Madame. C'est Célisma, elle vient d'Rosewood. Maît' dit qu'elle est pour vous si elle vous convient. »

Célisma observa la vieille dame avec attention, mais cette fois tout en gardant les yeux baissés et la tête inclinée. On pouvait encore deviner la petite fille d'autrefois sur le visage de Madame, malgré les rides du vieil âge qui se tressaient sur sa peau blanche. Ses cheveux étaient presque entièrement noirs, avec juste une bande blanche à chaque tempe. Si elle avait jamais été belle ça ne se voyait plus, mais ses traits avaient une symétrie et une grâce qui semblaient inciter l'œil à s'attarder sur un tel visage.

« Tu veux dire qu'elle n'a pas plu à Matilde ? » demanda la vieille dame rapidement. Sa voix n'avait presque pas le ton mordant et rauque de la vieillesse. « Eh bien nous allons voir, Célisma, si nous pouvons convenir l'une à l'autre, hein ? » Elle releva légèrement le visage de la jeune fille pour pouvoir l'examiner entièrement. « Mais elle est charmante ! Tu sais coudre, chère ? »

Célisma répondit : « J'dois vous dire tout d'suite, Madame, j'sais pas coudre et pas tisser et pas crocheter... J'ai jamais servi une dame avant, et y disent tous que j'suis bonne à rien. »

Ulysse bredouilla d'effarement : « Elle dit qu'elle sert à rien chaque fois qu'elle ouv' la bouche, Madame, mais elle s'y connaît en herbes et en potions et tout ça, et c'est Maît' qui l'a apportée... »

Oliva éclata d'un rire à la fois amusé et songeur... « Personne n'est inutile, Célisma. A moins de s'y efforcer bien plus que je ne te laisserai le faire... Mon mari disait que tout est possible, à condition de le vouloir vraiment. On va bien se débrouiller, toi et moi. Ulysse, va dire à Matilde que cette 'tite jaune dormira au pied de mon lit jusqu'à ce que je change d'avis. Et dis à mon fils que j'aimerais le voir ce soir après le dîner.

— Oui M'dame, certainement », répondit le vieil homme, en s'inclinant dans l'ouverture de la porte.

Célisma logea donc cette nuit-là, et bien d'autres par la suite, dans la grande chambre blanche et claire à l'étage en compagnie de Mme Oliva Weiss, mais elle ne pouvait cependant pas passer devant les quartiers des esclaves sans qu'un frisson de méfiance lui traverse le dos. Tant qu'elle serait à Beausonge, elle savait qu'elle n'échapperait aux quartiers qu'au gré du caprice de Madame.

Vieil' Madame n'était pas difficile, Célisma s'en rendit vite compte, tant qu'on ne l'appelait pas Vieil' Madame... Matilde était trop heureuse qu'on appelle sa belle-mère avec un nom pareil, mais pour

Oliva Weiss il n'y avait qu'une vraie Madame à Beausonge : sa bru devait se contenter du titre de Maîtresse, jusqu'à ce qu'Oliva rejoigne son mari au cimetière de la plantation. Après tout, comme elle le racontait si souvent, c'était Joseph Weiss qui avait acheté les deux cents premiers hectares le long du bayou, qui avait envoyé ses propres esclaves défricher la terre pour planter de la canne, et enfin qui avait placé une petite fortune dans les mains de son fils — il était prêt à la partager entre ses deux fils, mais l'autre ne voulait rien posséder d'autre que la sucrerie et ses rangées de pièges... — alors elle resterait Madame de Beausonge tout le temps que ça lui chantait.

Les tâches de Célisma étaient plutôt minces pour ses longues journées. On apportait les repas dans des plats bien recouverts, de la cuisine de derrière jusqu'au pavillon de Madame, par le petit sentier ; Célisma n'avait plus qu'à les disposer sur la table et servir à la vieille dame ce qu'elle désirait. Les draps étaient emportés sales et ramenés tout propres de la buanderie, et la corvée la plus dure de Célisma était de récurer la baignoire en cuivre de Madame une fois par jour.

Dans la Grande Maison, lundi était le jour de la lessive, mardi le jour du repassage, mercredi le raccommodage, le jeudi on sarclait et on plantait dans le jardin, vendredi on nettoyait, et samedi était consacré aux pâtisseries. Célisma était parfois appelée à travailler avec les autres, mais la plupart du temps elle était retenue au côté d'Oliva.

Le rythme n'était pas très contraignant. Célisma fut bientôt capable de deviner ce que Madame désirait sans même qu'elle l'ait demandé, et comment elle se sentait sans qu'elle lui ait rien dit. La vieille dame se réveillait tôt, s'habillait et allait se promener au bord de la rivière tous les matins, tandis que Célisma la suivait à quelques mètres derrière. Qu'elle cueille des fleurs sauvages ou qu'elle regarde simplement les oiseaux, la femme exigeait qu'aucune parole n'interrompe ses méditations. Après la chaleur de la journée, elle allait de nouveau marcher le long de la rivière, mais sur un autre chemin, comme si elle s'attendait à voir le monde sous un jour différent. Le soir, Samuel Weiss venait souvent rendre visite à sa mère, pour lui lire des passages du journal ou pour jouer à la belote, et dès que la lune se levait Madame se retirait pour aller dormir, avec Célisma recroquevillée sur une paillasse dans un coin de sa chambre.

A l'aube, on sonnait la cloche qui résonnait jusque dans les quartiers des esclaves : les ouvriers et la Grande Maison commençaient à se remuer, et dans leur pâturage Célisma apercevait les mules pousser un souffle collectif, un long soupir, tournant toutes leur tête dans le même sens, en direction de l'écurie d'où arriveraient leurs conducteurs. A midi, la cloche retentissait à nouveau pour signaler le déjeuner. Les ouvriers abandonnaient les charrues au beau milieu des champs, décrochaient les chaînes d'attelage, enfourchaient les mules et se rendaient au trot vers la grange. De midi à trois heures ils mangeaient et se reposaient à l'ombre, puis ils repartaient dans les champs, pendant que les femmes blanches faisaient la sieste à l'abri des volets fermés, leur moustiquaire ondulant légèrement sous les éventails.

Au crépuscule, une autre cloche carillonnait dans le lointain : c'était l'appel à la prière de l'église catholique un peu plus bas... Le doux écho de l'angélus se propageait dans les champs, et Madame avait appris à tous les ouvriers, noirs et blancs, à s'arrêter un instant, à baisser la tête et à prier.

Le dimanche, le jeune Maître et ses sœurs accompagnaient leur père pour emmener Vieil' Madame à la messe. Même lorsqu'elles étaient habillées de sombre pour le Jour du Seigneur, les deux filles semblaient couronnées de lumière, avec leurs cheveux de feu noués et enroulés autour de la tête, que des épingles et des peignes avaient peine à contenir. Amélie et Thérèse étaient incapables de mettre une sourdine à leur gaieté et à leurs bavardages, même lorsque leur père à bout de patience les regardait sévèrement, en les installant dans la carriole sous des mètres de jupes bouffantes, de jupons et de crinolines.

Le jeune Maître ressemblait bien moins à son père que ses deux sœurs ; il avait les cheveux noirs, des yeux sombres qui semblaient regarder partout en même temps, et une démarche souple et gracieuse. Pierre suivait la carriole en caracolant sur son étalon noir, Houma : il maîtrisait l'allure dansante du cheval, les rênes tendues et la cravache prête.

Célisma était assise dans la carriole à côté de Madame, en face des deux jeunes Mam'zelles, qui ne faisaient pas plus attention à elle que si elle avait été un des sièges au velours mordoré de la calèche. C'était leur seul moment intime avec grand-mère, et aucune des trois n'avait l'air de regretter l'absence de Matilde, qui préférait aller toute seule à la messe du soir.

C'était le seul jour où elle pouvait faire la grasse matinée, aimait-elle répéter, et elle était certaine que le Bon Dieu ne lui refuserait pas un peu de tranquillité.

Célisma se réjouissait de cette escapade hebdomadaire ; elle était en effet toujours avide de découvrir de nouveaux endroits et de nouveaux visages. Mais de regarder les Blancs en train de prier était pour elle un moyen d'apercevoir le plus profond de leur âme secrète. Je vous salue Marie, pleine de grâce, vous êtes bénie entre toutes les femmes, et Jésus, le fruit de vos entrailles, est béni... L'église sentait les cierges et les fleurs ; le doux murmure de patois français s'élevait au-dessus de sa tête, et elle essayait de percer les secrets... Elle ne cessait de se demander à quoi ils pensaient quand ils étaient à genoux, quand ils chantaient, ou quand ils allaient communier dans l'église aux clochers blancs de la ville de Thibodaux, en aval de la rivière.

180

Elle n'avait jamais entendu la voix de Dieu ni senti Sa présence, mais elle était convaincue qu'Il parlait régulièrement à la plupart des Blancs. Il devait d'ailleurs rendre visite régulièrement à Oliva Weiss : jamais elle n'avait connu personne qui était plus au courant de la volonté de Dieu que Madame...

Maman parlait rarement de l'église, en vérité. Elle parlait à Célisma du loup-garou qui vivait dans la forêt, des lutins qui venaient la nuit pour donner à boire aux chevaux, de la vieil' Létitche blanche, le fantôme de la petite fille qui était morte avant d'avoir été baptisée et qui hantait les chambres d'enfants, et puis elle lui expliquait aussi que les trèfles à quatre feuilles et les fers à cheval portaient bonheur. Mais de Jésus elle ne parlait jamais. Elle lui disait que les crabes étaient plus gros à la pleine lune, que les oiseaux volaient bas quand il allait y avoir une tempête, qu'une oie sauvage qui s'envolait annonçait une vague de froid, et qu'un halo autour de la lune était signe de pluie, mais elle ne disait rien à propos de Dieu.

Célisma commençait à comprendre que certaines personnes connaissaient bien Dieu et que d'autres n'avaient pas réussi à attirer Son attention. Et pour elle c'était très bien comme ça, car elle avait déjà appris qu'attirer l'attention de quelqu'un pouvait s'avérer un redoutable obstacle aussi bien qu'une aide efficace.

C'était surtout devant Maître Samuel Weiss que Célisma se faisait aussi petite et discrète qu'une créature des bois au passage d'un aigle en chasse. Il était aimable, ça oui, mais ne faisait attention à elle que pour s'assurer qu'elle avait tout ce qu'il fallait pour prendre soin de sa mère. Les esclaves qui travaillaient dans la Grande Maison ne le craignaient pas, et ne chuchotaient pas derrière son dos avec un mépris amusé comme ils le faisaient à Rosewood, mais ils ne cherchaient pas non plus à lui faire plaisir ni à attirer son attention. Un peu comme si cet homme avait été protégé par un mur invisible, que tout le monde sentait mais que personne ne pouvait franchir.

Célisma observait Samuel Weiss au moment de la prière et remarquait que souvent, alors que tous les yeux qui l'entouraient étaient fermés dans une méditation respectueuse, les siens étaient ouverts et parcouraient nerveusement murs et fenêtres comme pour y trouver une réponse précise...

Un jour elle alla cueillir des herbes au bord de la rivière, afin de préparer une tisane pour apaiser l'indigestion de Madame. Comme elle marchait dans les broussailles à la recherche des minuscules fleurs vert-jaune qui poussaient juste à la limite de l'eau, elle aperçut une silhouette assise en contrebas, face au bayou sombre. Elle s'avança prudemment, cachée dans les buissons, posant ses pieds nus sans un bruit sur la mousse... C'était Maître Samuel qui pêchait de la rive.

Elle sentit immédiatement que ça lui était égal qu'une créature morde à l'appât ou non. Il n'observait ni sa ligne ni l'eau, il ne caressait pas sa canne en donnant des petits coups secs comme la plupart des pêcheurs. Non, ses yeux fixaient les cyprès de l'autre côté du bayou, et ne regardaient pas grand-chose, d'après ce qu'elle en jugeait. Elle s'étonnait de voir un tel homme en train de pêcher, alors que tant d'autres pouvaient faire cette corvée à sa place...

Elle aurait pu disparaître dans les fougères et les herbes sans être vue, sa maman lui disait souvent qu'elle pouvait marcher dans les bois aussi silencieusement qu'un rat qui pisse dans du coton. Mais quelque chose la poussa à faire juste assez de bruit pour qu'il relève les yeux.

« Qui est-ce ? demanda-t-il avec une voix qui semblait revenir de très loin.

— Célisma, Maît' Sam, répondit-elle doucement, la servante de Madame.

— Qu'est-ce que tu fais ? »

Elle plongea les deux mains dans les poches de son tablier et les ressortit pleines de petites fleurs. « Une tisane, m'sieur. Pour les vents d'Madame.

— Viens me montrer ça. »

Elle marcha timidement vers lui en tendant les mains comme pour une offrande ; il se leva, reposa sa canne et prit une des fleurs dans les doigts.

« Cette petite chose va guérir un mal de ventre ?

— Mais oui, m'sieur, dit-elle en hochant la tête, et plein d'aut' maladies. Dans l'marais y a que'qu'chose pour presque tout c'qui fait souffrir le corps, si on sait où regarder. »

Il la regarda avec insistance. « Et toi tu sais où regarder ? »

Elle sourit. « Oui, les pissenlits pour les intestins, les carottes sauvages pour l'urine, et la digitale pour le cœur. Et puis la morelle, la serpentaire...

— C'est ta mère qui t'a appris tout ça ? »

Elle hocha la tête puis la baissa, subitement confuse de sa propre audace. « Ce ρ'tit peu, m'sieur.

— Il y a aussi plein d'herbes et de racines par là qui peuvent tuer en un éclair... » Ce n'était pas une question.

Elle sentit tout à coup un poids de panique dans sa poitrine... Il y avait bien sûr des plantes vénéneuses et elle savait parfaitement lesquelles pouvaient tuer sans laisser la moindre trace, mais elle ne devait jamais admettre un tel savoir, sa maman l'avait mise en garde. Si les Blancs découvraient qu'elle connaissait des choses pareilles, impossible de dire ce que la peur pourrait les pousser à faire... Si déjà elle n'osait pas avouer qu'elle savait lire, il était hors de question qu'elle révèle une chose pareille à son Maît' blanc, aussi gentil qu'il paraisse. Elle garda un visage neutre. « Elle m'a jamais appris ça, m'sieur, dit-elle, si seulement elle le sait... »

Elle sursauta en l'entendant rire et releva les yeux, bouche bée. « Je parie qu'elle t'a appris bien des choses, dit-il, en tout cas assez pour pouvoir faire une bêtise... Ne te tracasse pas, Célisma, je ne te soupçonne pas de vouloir empoisonner ma mère. Elle est la seule barrière entre ma femme et toi, après tout. Et quelle que soit ta position, tu ne m'as pas l'air d'être une fille stupide... »

Elle murmura un peu déconcertée : « Non m'sieur.

— C'est très bien que maman ait une bonne qui soit capable de faire autre chose que remplir son assiette et lisser ses draps, non ? Tant que tu as sa permission pour sortir, je n'ai rien à dire. Tu as bien son autorisation pour te promener, n'est-ce pas ? »

Elle hocha la tête, les yeux au sol.

« Bien. Remets-toi à ta cueillette alors, p'tite. »

Elle se tourna pour s'éloigner, mais quelque chose la fit hésiter. « Pourquoi vous pêchiez, Maît' ? » demanda-t-elle étonnée par son courage. « Daniel ou Tim seraient heureux d'le fair' pour vous. » Daniel et Tim étaient les deux nègres qui travaillaient dans le jardin, ceux qu'elle voyait le plus souvent.

« Parce que j'aime faire certaines choses moi-même », dit-il sèchement.

Elle hésita encore.

« Qu'est-ce qu'il y a ? » demanda-t-il finalement, légèrement impatienté.

Elle releva le menton et lança par-dessus l'épaule : « Simplement qu'y a pas d'poissons dans c'bras d'rivière, Maît'. Feriez mieux d'tenter vot' chance là-bas », et elle montra du doigt l'endroit où le bayou bifurquait, s'enfonçait lentement dans l'ombre et ressortait dans un courant rapide. Puis elle détala, filant comme une flèche sur ses pieds nus, retenant son sourire jusqu'à ce qu'elle soit suffisamment loin pour qu'il ne l'entende pas glousser à pleine gorge.

Célisma fut surprise d'apprendre que peu d'esclaves à Beausonge en savaient autant qu'elle sur les manières de guérir. La nouvelle se répandit dans les quartiers que la petite jaune effrontée renfermait de la vraie magie dans son sac à herbes. Il fut bientôt courant de la voir se diriger vers une des cases au crépuscule, pour soigner la fièvre d'un ouvrier ou assister une femme dès les premières douleurs de l'accouchement. Mais en trois saisons à Beausonge, elle n'avait jamais été appelée à la Grande Maison pour prendre soin d'un Blanc. Le docteur arrivait dans sa carriole noire dès qu'une des p'tites Mam'zelles attrapait froid ou que le jeune Maître était alité avec une de ses migraines. Seule Vieil' Madame acceptait que les mains de Célisma la touchent et buvait ses tisanes sans broncher.

183

Un jour on vint lui apprendre qu'aux quartiers une femme souffrait d'une forte fièvre, probablement pour avoir sarclé la canne à sucre en plein soleil. Célisma partit alors en toute hâte, sachant qu'une insolation pouvait tuer aussi vite qu'un serpent à sonnettes.

Elle trouva Passi, une des plus jeunes femmes, allongée sur sa paillasse, et son mari debout à côté d'elle, le front crispé d'inquiétude. « Elle a jamais été prise comme ça avant, dit-il, la voix contenue et angoissée. Elle est pas grosse, si ? »

Passi fut saisie d'un tremblement, qui lui tordit la gorge et les mâchoires. C'était une belle esclave, le visage couleur fauve et les yeux lumineux, même dans la maladie. Elle empoigna le bras de Célisma, de ses mains musclées par le travail aux champs. « J'ai mangé quelque chose », dit-elle la voix rauque et profonde. Elle était trempée de sueur, et elle agitait les jambes sous la couverture rêche que son mari essayait de maintenir sur elle.

Célisma parlait doucement pour l'apaiser, tout en prenant son pouls et en tâtant la force des battements. Cela ne ressemblait pas à un cas de fièvre des champs... Elle n'avait pas le visage livide ni la peau moite, et cette femme avait l'air suffisamment robuste pour travailler toute une journée sans être épuisée par la chaleur. Mais sa mâchoire était crispée, ses lèvres torturées, et de la salive lui venait abondamment à la bouche.

Une ombre se dessina dans l'ouverture de la porte, et Maît' Sam avança la tête à l'intérieur de la cabane. Le mari de Passi s'écarta aussitôt du lit, comme s'il n'avait pas eu le droit de s'occuper de sa propre femme.

« Qu'est-ce qu'on me raconte, Passi ? Tu es tombée malade ?

— C'est rien, m'sieur, marmonna le mari de Passi, c'était pas la peine de vous déranger...

— Célisma, qu'est-ce qui ne va pas ? »

Célisma pressait sur l'ongle des pouces de Passi, et observait le bleu aller et venir sous la peau. « J'peux pas encore dire, dit-elle calmement. Elle dit qu'elle a mangé quelque chose. »

Passi commençait désormais à se tordre en se tenant l'estomac, et elle suait de plus en plus. Elle poussa un gémissement, et ses yeux exorbités se posèrent sur Maît' Sam avant de se détourner à nouveau.

« T'as mal au ventre ? » demanda Célisma qui écarta les mains de la femme et appuya sur son abdomen. Elle répondit par un gémissement encore plus fort, qui se transforma en cri.

Le visage assombri, Maît' Sam se rapprocha. « Elle a l'air d'aller mal, dit-il anxieux. Je croyais que c'était seulement une insolation.

— C'est plus grave que ça, dit Célisma sans quitter des yeux les membres tremblants de Passi. Ça ressemble à une sorte de poison, plutôt. »

A ces mots le Maître recula, la bouche serrée par l'inquiétude. « Quel genre de poison, tu peux le dire ?

— On dirait une morsure de serpent, répondit Célisma. Passi, t'as été mordue ? » Elle commença à découvrir ses bras et ses jambes pour chercher des traces de piqûres. « Une araignée, p'têt' ? »

Le mari de Passi ne disait toujours rien, il regardait Célisma et Maît' Sam avec ses yeux tout blancs et écarquillés d'angoisse. Sa femme commençait de nouveau à se débattre sur le lit, sa bouche et son menton se couvraient désormais d'une bave qu'elle ne pouvait pas retenir. Les spasmes lui raidissaient la colonne vertébrale et lui voûtaient le dos, puis la relâchaient aussi subitement qu'ils étaient arrivés.

Maît' Sam étendit la main, la posa sur l'épaule du mari pour le réconforter, puis la retira et serra les poings d'impuissance.

Une nouvelle silhouette apparut dans l'ouverture de la porte, et Madame Matilde entra élégamment, le frou-frou de ses jupes recouvrant le bruit du matelas de paille que Passi écrasait. Elle regarda immédiatement son mari. « Encore ici ? demanda-t-elle froidement.

— On m'a dit qu'une femme était malade, répliqua-t-il.

— Oui. Une ouvrière agricole, non ? » Madame s'approcha de Passi et la regarda calmement. « Quels sont ses symptômes ? demanda-t-elle à Célisma en tournant le dos à son mari.

— De la fièvre, répondit-elle lentement, pour ne pas se tromper. Des spasmes dans les membres. Mâchoires et gorge crispées. » Elle prit un linge dans le seau, l'essora et en essuya le visage de Passi.

Au contact de la serviette Passi ouvrit les yeux un instant et sembla tout voir d'un seul coup. Elle aperçut Madame qui était en train de l'examiner, puis elle sombra, en laissant échapper un petit cri de sa bouche entrouverte.

« Elle perd la tête », déclara Madame. Elle ajouta au mari de Passi : « Allez vite chercher de l'eau froide. » Tandis que l'homme se précipitait dehors, elle s'adressa à Maît' Sam : « Il me semble que Célisma peut très bien s'occuper de cette esclave sans nous, Samuel. A moins que tu veuilles faire venir le docteur Comeaux ? »

Il parut hésiter. Célisma savait bien qu'il était très rare qu'un docteur de Blancs prenne soin d'un esclave. Le docteur pouvait peut-être venir si un forgeron ou un menuisier compétents tombaient malades. Ou alors si une épidémie contaminait la moitié des quartiers, car des ouvriers malades au moment du broyage des grains pouvaient réduire une récolte à néant... Mais certainement pas pour quelque chose comme une fièvre, un accouchement ou une fracture, là les esclaves se débrouillaient eux-mêmes. Surtout pour une fille des champs.

Passi secouait maintenant la tête d'arrière en avant sur le lit, sa tête dure comme du bois. Ses yeux étaient grands ouverts mais ne regardaient rien, et sa bouche était tachetée d'écume rose, car elle s'était mordu la langue dans un spasme. Célisma fixait Maît'Sam en espérant qu'il comprenne sa supplication. Oui, voulait-elle dire, allez vite chercher le docteur, celle-là j'peux sûrement pas la sauver.

Mais Maît'Sam se leva tout à coup et sortit dans la lumière du soleil sans réponse, croisant le mari de Passi. Le Noir se précipita vers le lit avec son broc et tendit une tasse d'eau fraîche. Lorsqu'il la porta à la bouche de sa femme, celle-ci se mit à trembler encore plus fort, et tenta de s'écarter de l'eau en se tordant dans de violentes convulsions.

« C'est la rage, déclara Madame fermement. Vous voyez comme elle craint l'eau... La rage, *hydrophobie*. J'aurais dû m'en apercevoir tout de suite.

— Non, M'dame, protesta le mari de Passi, la voix cassée par la peur, Passi a pas pu êt'mordue, elle a pas été avec des rats ou des chiens !

— Comment peux-tu savoir où elle est allée, lui répliqua Madame sèchement, je te dis que cette femme a la rage. Célisma, dis à Daniel et Tim de venir tout de suite.

— Non ! Non ! s'écria le mari de Passi en se jetant sur le corps tremblant de sa femme. C'est que'qu'chose qu'elle a mangé ! Demain elle est en forme !

— Célisma, répéta Madame doucement, fais ce que je te dis. »

Lorsque Célisma s'éloigna à contrecœur et se dirigea vers la porte, Madame ajouta : « Dis-leur que c'est certainement la rage et qu'elle souffre. »

Célisma hocha la tête, les yeux écarquillés, et courut vers la Grande Maison jusqu'au jardin où Daniel et Tim faisaient des fagots de bois. A ses mots ils lâchèrent leurs outils, la mine sinistre. Elle les suivit jusqu'à la galerie du pavillon où ils prirent un des plus grands matelas des banquettes, qu'ils portèrent ensuite à la case de Passi.

Ils firent passer à grand-peine le lit de plumes par la petite porte, et lorsque ce fut fait, l'immense couette encadrée par leurs épaules remplissait presque entièrement la petite pièce. Ils regardèrent Passi puis son mari, qui gémissait et roulait les yeux dans un coin.

« Nous devons lui apporter la grâce de Dieu », annonça Madame aux deux esclaves en leur faisant signe d'approcher.

Sous les yeux horrifiés de Célisma, Daniel et Tim posèrent délicatement le matelas de plume sur Passi, recouvrant sa tête, sa poitrine et ses membres agités, et ils pressèrent tous les deux de toute leur force. Elle poussa un seul cri, un cri étouffé par les plumes ; son mari répondit par un petit cri d'angoisse, puis le silence retomba dans la cabane... Ils attendirent un long moment. Enfin les deux hommes relevèrent lentement le matelas pour découvrir le corps inerte de Passi.

Ses yeux étaient toujours grands ouverts et sa mâchoire crispée, mais sa poitrine ne bougeait plus. Sa lutte était finie.

« Je suis désolée, dit doucement Madame au mari de Passi en effleurant son épaule tremblante. Sa souffrance est terminée. Elle est avec le Bon Dieu, non ? » Il ne répondait pas, et elle attendait patiemment. Il se força finalement à hocher légèrement la tête. « Tu es un brave homme. Tu viendras voir le Maître ce soir, et il te donnera quelque chose. »

Elle indiqua la porte à Daniel et à Tim. Pendant qu'ils sortaient tous les trois elle dit : « Veillez à ce qu'elle soit enterrée rapidement et profondément. Loin des quartiers et derrière les champs. Et brûlez le matelas de plume et la paillasse sur laquelle elle était. Célisma ? »

Célisma s'approcha sans enthousiasme.

« Est-ce que tu lui as donné à boire ou à manger ?

— Non M'dame, répondit-elle doucement.

— Bien, va immédiatement à la maison et dis à la cuisinière que la souffrance de Passi a pris fin. Dis-lui que tu t'es occupée d'elle, demande-lui la térébenthine et frotte-toi partout avec. » Elle pointa un doigt vers le visage de Célisma. « J'ai dit partout, tu m'entends ? Et brûle-moi cette blouse tout de suite, qu'il n'en reste pas un fil.

— Oui, Madame, tout de suite.

— Je vois que tu ne portes pas ton *tignon.* »

Le *tignon* était un fichu en coton de couleur que les femmes noires utilisaient pour recouvrir leur tignasse frisée, et on lui en avait donné un en même temps que ses instructions de travail le jour de son arrivée. Mais elle avait choisi de ne pas le porter ; elle avait les cheveux longs et brillants avec un reflet roux, qu'elle se contentait d'attacher derrière la tête en les laissant à découvert. « Non Madame, répondit-elle d'une petite voix.

— A partir de maintenant tu couvriras tes cheveux sous ton *tignon.*

— Oui Madame.

— Et la prochaine fois qu'on t'appelle aux quartiers pour une maladie, si le Maître vient, tu me fais chercher. On ne peut tout de même pas risquer que le Maître tombe malade, n'est-ce pas ? Si un esclave est atteint trop gravement pour que tu puisses le guérir, je dois être prévenue immédiatement, est-ce que c'est clair ?

— Oui Madame », répéta-t-elle.

Madame sourit gentiment. « Bon. On se comprend, alors. » Puis elle accompagna les esclaves jusqu'au jardin, afin qu'ils se mettent à la construction d'un cercueil pour Passi.

Le sucre était une obsession permanente à Beausonge, comme dans toutes les plantations situées des deux côtés de la rivière. La canne à sucre était une plante tropicale qu'on forçait à survivre dans une région semi-tropicale, et il fallait la choyer bien plus que le coton... mais elle rapportait plus d'argent.

Chaque année à la fin du mois de septembre, les ouvriers labouraient la terre noire sur toute sa longueur pour y creuser des sillons et y planter des tiges de cannes à sucre. Bientôt des pousses apparaissaient aux jointures de chaque tige, les premiers signes de la tendresse du printemps. Tout autour des pousses les mauvaises herbes tentaient de gagner de l'espace, et il fallait les arracher à la main et à la binette. Au fil des mois les esclaves travaillaient pour que la canne devienne grande et forte, et qu'elle tire des averses et de la chaleur sa sève vigoureuse.

La feuille de canne prenait le gaz carbonique de l'air et le transformait en sucre qu'elle stockait la nuit dans la tige. On disait ainsi que le sucre ne provenait pas de la terre mais de l'air, et que la canne à sucre était à la fois une usine et un entrepôt, ouverts vingt-quatre heures sur vingt-quatre. On plantait la canne tous les quatre ans ; un plant fournissait trois récoltes, et chaque récolte procurait au planteur du sucre, de la mélasse noire —un sirop lourd qu'on ne pouvait utiliser que pour la nourriture du bétail et des esclaves— et des bagasses, les fibres de canne broyée qui servaient de combustible.

Vers le mois de juillet, Maître Samuel parcourait chaque jour ses sept cents hectares sur son cheval blanc, Valcour, et déjà les tiges lui arrivaient au-dessus de la tête. Comme un lac vert, la canne s'étendait dans toutes les directions ; elle était si épaisse qu'elle cachait le sol et abritait une foule de vermine, de serpents et d'oiseaux. C'était la seule époque de l'année où l'on pouvait laisser la canne sans protection : on laissait les plants pousser librement, et on envoyait les esclaves réparer les levées, découper des planches, fabriquer des tonneaux et s'occuper de tout ce qu'ils avaient dû négliger à Beausonge pendant que la canne les appelait.

Lorsque les chaudes semaines d'été déclinaient pour faire place à l'automne, la grande herbe prenait une teinte pourpre, et Samuel commençait à l'examiner en plissant le front. S'ils coupaient trop tard, ils risquaient toujours de voir la récolte entièrement détruite par le gel précoce ou par les orages. Mais s'ils coupaient trop tôt, le jus n'était pas assez doux. La canne n'arrivait jamais à pleine maturité en Louisiane, car la saison était de quelques mois trop courte : le mieux qu'ils puissent espérer chaque année était un juste compromis entre le temps et le jugement de chaque planteur...

Samuel attendait donc aussi longtemps qu'il l'osait, et donnait finalement les ordres, en général vers le début du mois d'octobre. Beausonge était alors plongée dans une véritable frénésie. Les coupeurs, les chargeurs et les transporteurs travaillaient nuit et jour ; tout le monde, homme ou femme, était dans les champs avec un couteau à cannes. Au premier coup de lame toutes les feuilles étaient rasées d'un côté de la tige ; au deuxième coup la canne était dénudée. Au troisième la canne était coupée à la base, et le quatrième enlevait la partie du haut qui n'avait pas mûri. Un lancer de côté et *whack, whack, whack*, le coupeur passait à la suivante. C'était un rythme, une danse, un mouvement oscillatoire que les meilleurs coupeurs pouvaient garder presque toute la journée sans s'arrêter, et ils faisaient ça seize heures par jour de début octobre à fin novembre.

Le moulin Weiss était situé à la limite entre les propriétés de Samuel et de Simon; il servait à Beausonge et à quelques petites fermes dans le proche voisinage. Simon avait considérablement agrandi la petite fabrique qu'avait construite Joseph Weiss, et c'était désormais un grand bâtiment en briques, avec une haute cheminée que les bateaux à vapeur apercevaient de très loin. On y poussait les charrettes à cannes surchargées de tiges, qui formaient une file ininterrompue pendant deux mois. Les esclaves enfournaient la canne dans les broyeurs et des mules se traînaient dans des cercles sans fin, tirant les grosses poutres qui écrasaient la canne. Le jus coulait dans des chaudrons, tandis que les bagasses et les restes des tiges alimentaient les feux. Les énormes fourneaux faisaient bouillir ces chaudrons jusqu'à ce que le jus fume et se couvre d'écume. Dans la lumière éblouissante des feux, les esclaves s'activaient en permanence dans l'air moite et sucré : ils alimentaient les fourneaux, remuaient les chaudrons et versaient le jus bouillant dans des cuves, où la mélasse se séparait et des cristaux de sucre brun se formaient peu à peu. Lorsque le sucre était jugé assez fin, on le transvasait dans des barriques d'une demi-tonne chacune, qu'on embarquait sur les bateaux de la plantation et qu'on envoyait à l'intendant de Weiss à La Nouvelle-Orléans.

Le courtier, ou l'agent d'affaires, réceptionnait la récolte et la vendait au meilleur prix possible, sur lequel il percevait 2 %. Une fois le moulin remboursé, le bénéfice de Samuel était porté sur le compte qu'il avait chez le courtier, et quand Samuel commandait du matériel ou avait besoin d'argent liquide, il devait lui signer une traite. En échange, l'agent faisait payer un intérêt si les dépenses étaient plus élevées que le produit de la récolte. De cette manière les comptes d'une plantation se reportaient d'une récolte à l'autre, d'une année sur l'autre, et il était parfois difficile de dire qui avait fait combien.

Mais le sucre était extrêmement rentable, peu de gens le niaient...

Les bonnes terres à sucre valaient jusqu'à deux cent cinquante dollars l'hectare, et les esclaves pouvaient atteindre le millier de dollars par tête. Chaque planteur devait par conséquent évaluer le coût d'exploitation de sa terre comme étant au moins égal à son prix d'achat. Et avec le moulin, les outils, les animaux de trait, le logement des esclaves et le train de vie de la Grande Maison, un planteur pouvait avoir investi facilement deux cent mille dollars dans son domaine... mais même dans ce cas, il n'avait pas de mal à récupérer 10 % de son investissement chaque année.

La fin de l'année était le moment des comptes. C'était l'époque du broyage, une saison tendue où tous les ouvriers travaillaient jusqu'à l'épuisement. Des invités assistaient aux fêtes du sucre pour sentir et goûter la *cuite*, un sirop épais presque arrivé au stade de la granulation. Ils trempaient des noix pécan dans le sirop pour faire des confiseries, et buvaient du punch au sucre fortement relevé de whisky.

Les fêtes du sucre de Beausonge étaient très réputées : des groupes de jeunes gens déambulaient pour aller goûter le sirop puis allaient manger leur panier pique-nique sous un abri en bagasses avec Amélie et Thérèse. Souvent Maître Pierre et ses amis versaient discrètement une ou deux doses de whisky dans le sirop, tandis que les filles dansaient et sommeillaient à l'ombre jusqu'à ce que leur chauffeur les appelle pour rentrer.

Lorsque le broyage était terminé, les esclaves avaient leur unique fête de l'année. Un peu après Noël le sucre était habituellement terminé et mis en barils. Ils avaient alors droit à leurs cadeaux, à leur supplément de nourriture et de boisson, à leur propre musique et leurs propres danses.

Les dernières charrettes qui arrivaient des champs étaient décorées de pieds de maïs et de bannières aux couleurs gaies, et les cravaches et les harnais des mules étaient ornés de fleurs. Chaque ouvrier recevait une petite bourse remplie de monnaie et se surnommait « richenègre » pendant plusieurs jours. Le *vin de canne*, un rhum très fort à base de sirop de canne fermenté, était apporté dans de grandes barriques, et lorsque l'on broyait les dernières tiges, les ouvriers balançaient leur chapeau de paille dans la cuve en poussant des hourras. Ils disaient que les chapeaux de paille apportaient une saveur particulière au sucre. Au dernier coup de sifflet du moulin, ils allaient tous se rassembler devant la Grande Maison pour recevoir les éloges de Maît'Sam.

Le début de la nouvelle année était l'époque où l'on sarclait, labourait et plantait les champs pour la prochaine récolte, et le cycle de la canne à sucre recommençait...

Le premier mois de l'année était également la période où l'on vendait des esclaves à d'autres planteurs, ou alors on les mariait entre eux s'ils en avaient l'âge. Une demi-douzaine de mariages avaient souvent lieu en même temps, car après le broyage le Maître se montrait particulièrement généreux en longueurs de tissus pour les filles, en nouvelles chaussures et en pantalons pour les hommes, et en viande fraîche et en nouvelles cabanes pour les jeunes couples.

Les festivités comprenaient le déjeuner de noce, et pendant toute une journée les esclaves prenaient place devant des tables où s'amoncelaient de la semoule de maïs, d'épaisses tranches de pain blanc, des huîtres frites, des crevettes, des œufs, du jambon, de la sauce à la viande, du lait et du beurre. Ils mangeaient tout leur soûl en se chuchotant : « Tu crois qu'les Blancs mangent comm'ça tous les jours ? Y vont exploser, alors ! » Célisma se disait que seuls des ouvriers qui vivaient toute l'année de farine et de lard pouvaient apprécier un tel festin...

Après le déjeuner, ceux qui étaient musiciens se mettaient à jouer, et les esclaves commençaient leurs danses qui continuaient bien après le crépuscule. Maître Samuel et sa femme sortaient pour venir les regarder, entourés de leur fils et de leurs filles. Ils étaient accompagnés des nègres qui travaillaient dans la maison, et qui ne se joignaient aux danses des ouvriers que lorsque le rythme devenait si grisant qu'ils en oubliaient leur honneur et leur position.

Pendant cette fête du Nouvel An, Célisma se tenait à côté d'Odette et observait ces corps noirs qui s'agitaient et tourbillonnaient dans tout le jardin. Submergés par leurs danses ils sautillaient et se trémoussaient, bondissaient et gesticulaient, pris par l'extase du tempo. Ils avaient réussi à se procurer des cors, des tambours et des violons à une corde qui amplifiaient la clameur des musiciens, et l'enthousiasme les poussait à entonner les vieilles chansons et à exécuter les anciennes danses : la calinda, la bamboula, et le pilchactaw où la femme devait rester immobile tandis que l'homme s'agenouillait et se contorsionnait autour d'elle.

Célisma portait la nouvelle robe dont Vieil'Madame lui avait fait cadeau cette année-là, une simple tunique couleur de pêche, mais qui avait une petite bande de dentelle ivoire au col et aux manchettes. Elle restait debout à taper son pied nu sur le sol au rythme de la musique, les yeux brillants et avides. Tim s'approcha d'elle, l'attrapa par le bras et l'attira dans le cercle. Elle dansa avec lui une gigue effrénée puis elle se ressaisit, s'écarta et se faufila de nouveau à côté d'Odette.

« Y a pas assez d'filles pour danser, c't'année, lui dit Odette, ces daims voudraient avoir plus de biches, à mon avis. Çui-là là-bas il est d'attaque... Alors si tu restes plantée là y vont sûrement dire qu't'as la grosse tête !

— Et toi tu restes bien là comme si tu prenais racine, lui répliqua Célisma, t'as qu'à y aller, toi ! »

Odette éclata de rire, un aboiement puissant. « C'est pas ces vieux os qu'y veulent, p'tite. » Lorsqu'en dansant Daniel passa près d'elles, Odette pour s'amuser la poussa vers l'homme et Célisma faillit trébucher dans ses bras. Il la rattrapa et la fit virevolter, puis quand les danseurs se séparèrent de nouveau en petits groupes, elle s'éloigna en tournoyant vers l'autre bout de la piste.

Pierre restait là à l'observer, en souriant.

Elle baissa poliment la tête devant lui, mais continua de le regarder par-dessous ses sourcils. Il était grand, le seul fils de Maît'Sam, avec des cheveux et des yeux noirs qui tenaient plus de Madame que de son père. Comme il fallait s'y attendre de la part du fils unique d'un maître riche comme Crésus, il arborait une fière arrogance, se déhanchant d'un côté comme s'il chevauchait la terre entière.

« Tu as trouvé une nouvelle robe ? » lui demanda-t-il.

Elle hocha la tête en lançant un regard furtif en direction d'Odette. La vieille femme était restée là où elle l'avait quittée, faisant ballotter sa large poitrine chaque fois qu'elle tapait du pied et des mains au rythme de la musique.

« Ça fait très coquin, ajouta-t-il.

— C'est Vieil'Madame qui m'l'a donnée, dit-elle doucement. Y a d'la dentelle au col et aux manches...

— C'est ce que je vois. Tu ressembles à une pêche de printemps, Celly. » C'était ainsi qu'il s'était récemment mis à l'appeler, et ses deux sœurs s'étaient bien sûr empressées d'adopter ce surnom.

Elle préférait son vrai nom, en fait, mais même s'il avait décidé de l'appeler chien elle aurait été forcée d'y répondre également...

« Douce et pleine comme une pêche juteuse. »

La prudence la fit se raidir et détourner les yeux à ce changement de ton... Pas d'erreur, elle avait déjà perçu ce ton chez des hommes, des maîtres aussi bien que des fils de maître. Elle devait maintenant se tirer avec précaution de ces sables mouvants...

« Merci, m'sieur », dit-elle poliment en faisant mine de s'écarter pour aller rejoindre les danseurs.

Il l'empoigna par le bras et la retint à lui. « Reste, et dis-moi les paroles de la chanson qu'ils sont en train de chanter, Celly. Tu dois la connaître, moi je n'arrive pas à la comprendre. »

Elle regarda de tous côtés comme pour chercher de l'aide, mais les esclaves qui les entouraient s'étaient volatilisés pendant que Pierre lui parlait. La plupart étaient en train de danser, de taper des mains et de s'élancer dans tous les coins du jardin, et quelques-uns des couples les plus hardis disparaissaient dans les ombres du soir.

« Chante-la-moi, répéta-t-il, la voix encore plus déterminée.

— Moi j'étais une négresse, bredouilla-t-elle le plus faiblement possible, Plus bell' que ma maîtresse, Et j'vole des jolies robes, Dans l'armoire de Mam'zelle. » Elle s'interrompit lorsqu'elle réalisa avec confusion que les paroles devenaient de plus en plus dangereuses. « Danse, danse, danse, Calinda, danse, danse, danse ! » Elle s'arrêta de chanter et tenta à nouveau de s'éloigner de lui.

Il l'attrapa cette fois par l'épaule et la retourna avec toute la force de son bras. Elle sentit un frisson de haine et de peur lui ramollir les jambes. « J'vous en prie, m'sieur... »

La voix tonitruante d'Odette lui fit presque exploser les oreilles. « Dis donc gamine, t'as envie de t'faire fouetter ? Ça fait une heure que Vieil'Madame t'appelle, et tellement fort que même mes vieilles oreilles ont entendu. T'entends pas derrière les tam-tams ? Elle dit qu't'as assez dansé pour c't'année et qu'tu dois rentrer tout d'suite à la maison. » Puis Odette se tourna poliment vers Pierre : « M'sieur, pardonnez-moi, vot' maman vous d'mande, Jeun' Maît'. Elle vous dit d'venir. » Odette se tourna et montra du doigt l'endroit où Madame Matilde regardait les danseurs, debout à côté de Maître Sam. Célisma n'avait même pas remarqué leur arrivée, elle leva les yeux par-dessus son épaule et aperçut effectivement Madame plisser sévèrement ses yeux noirs. Célisma sentit quelque chose sombrer au plus profond d'elle, et elle serra les poings pour se retenir de trembler.

« Pardon, m'sieur », dit-elle rapidement ; elle s'échappa de l'étreinte de Pierre et fila vers le pavillon. Et une fois qu'elle s'était suffisamment éloignée des danseurs, elle retroussa les jupes de sa robe et se mit à courir vers le refuge frais et ombragé des ordres de Vieil'Madame.

Vieil'Madame recevait peu de visiteurs, mais pour ceux qui se rendaient sur la galerie du pavillon, tout était fait pour qu'ils aient l'impression que le temps s'était arrêté à leur arrivée. Madame demandait en effet souvent à Célisma de stopper les aiguilles de la vieille horloge qui se trouvait dans l'entrée, lorsqu'un visiteur arrivait, et de les faire redémarrer à son départ, juste pour le geste...

Son visiteur préféré était son frère aîné, Valsin. Il venait une fois par semaine se balancer dans un fauteuil et parler avec elle du bon vieux temps. Il était tout voûté par la vieillesse, ce frère, mais il avait encore un sourire de jeune homme. « Célisma, appelait-il chaque fois qu'il arrivait, est-ce que tu as déjà bu tout le vin d'oranger de ma sœur ?

— Non, m'sieur, pas encore », répondait-elle invariablement avec un grand sourire. C'était une vieille raillerie entre eux deux, qu'il n'appréciait qu'en français. Puis il commençait bien entendu à lui apprendre le bon accent, en répétant qu'elle était née pour parler cette langue, comme toutes les jolies filles... jusqu'à ce que Madame le supplie de la laisser en paix.

Célisma s'écartait donc et allait au fond du salon, où elle restait debout en silence derrière le fauteuil de Madame ; de là elle pouvait apercevoir le moindre geste de la vieille dame et accourir pour remplir une tasse ou débarrasser une assiette. De son poste, elle pouvait regarder à travers les persiennes et voir le jardin, observer les vers luisants briller çà et là dans l'herbe sombre, sentir la douceur amère du chèvrefeuille et, au-delà, la fraîcheur obscure du bayou.

Un soir, Valsin parlait à propos de Simon, l'autre fils de Madame, et Célisma abandonna ses rêveries pour l'écouter. Elle ne voyait le frère de Samuel que de temps en temps, et la dernière fois, c'était à l'occasion de la fête d'anniversaire de Madame, qu'elle avait donnée en privé sur cette même galerie pour quelques heureux élus ; elle s'étonnait que Simon ne rende pas visite à sa maman plus régulièrement...

« Et comment va sa santé ? demanda Madame.

— Il va bien, chère, répondit Valsin en se moquant d'elle. Une femme ne cesse-t-elle donc jamais d'être une mère ? Tes fils sont d'âge mûr maintenant, plus de quarante-cinq ans !

— Est-ce que c'est pour ça qu'il n'a plus besoin d'une mère ? demanda-t-elle d'un ton acerbe. Toi, ça ne t'aurait certainement pas fait de mal d'en avoir une un peu plus longtemps, mon frère. Maman aurait un peu atténué ton côté sauvage, elle t'aurait appris le respect !

— Oui, je suppose, dit Valsin d'un air nostalgique. Tu te souviens encore d'elle, Oliva ?

— Comme si on l'avait enterrée hier, répondit Madame doucement en lui prenant la main. Et papa aussi. »

Ils bavardaient en français, leurs réflexions coulaient à mi-voix comme si chacun devinait la pensée de l'autre avant même qu'il n'ait fini de parler. Célisma comprenait presque tout ce qu'ils disaient, mais elle savait qu'elle saisissait à peine tout ce qu'ils ressentaient.

« Enfin, Simon va bien, en tout cas, continua Valsin, et Cerise de même. Elle va assister à la naissance de ton premier arrière-petit-enfant, grand-mère, sûrement dans un mois ou deux. Tidings est devenue énorme et se plaint de ne plus voir ses orteils...

— J'ai toujours trouvé que c'était un nom bizarre, celui de ma première petite-fille. Glad Tidings. C'est bien un nom qu'un Yankee calviniste épinglerait à un gamin, ça. Je me demande ce qui a pris Cerise.

— Tu ne l'as jamais beaucoup aimée, sourit Valsin. Si elle avait appelé l'aînée Oliva, tu aurais certainement trouvé une raison de bougonner ! Je suppose qu'elle a entendu ce nom à La Nouvelle-Orléans et qu'il lui a plu... Si ça convient à Simon, je ne vois pas pourquoi ça te reste en travers de la gorge.

— Tout ce que fait cette femme convient à Simon. S'il y a un homme qui à ma connaissance prend une femme pour de l'or pur, c'est bien Simon, et cette femme c'est Cerise ! Enfin... à peine une femme même après quatre enfants et tant d'années. Tu savais qu'elle laissait ses p'tites courir dans les champs nues comme des rouges-gorges presque jusqu'à l'âge de la communion ? Les fesses à l'air tous les étés !

— Tu perds vraiment la tête, vieille femme. Les jours de chaleur elle les laissait se promener sans leurs frusques, avant leur sevrage, oui, et ça me semble logique... Ça fait moins de bacs à lessive à remplir.

— Ah, tu es aussi insensé que mes deux fils. Toutes les jolies filles que je vois vous font perdre le peu de cervelle que vous avez et vous laissent veufs une douzaine d'années.

— Tu ne devrais pas t'inquiéter pour Simon. Le moulin marche bien, ses pièges sont les plus remplis de Lafourche, et ses enfants te donnent des arrière-petits-enfants.

— Il va bientôt falloir que je fasse le voyage pour aller les voir. Mais c'est plus difficile pour moi d'aller là-bas que pour eux de venir ici...

— Tu sais bien que Simon n'est pas vraiment le bienvenu ici, dit

Valsin calmement. Même après toutes ces années. Matilde n'oublie pas.

— Personne n'oublie, mais elle devrait pardonner, si elle veut guérir. Elle a une telle colère, pour tout et pour tout le monde... »

Il haussa les épaules. « Ça l'a complètement rongée, certainement.

— Simon devrait venir plus souvent, s'obstina Oliva. Je suis sa maman, c'est moi qui décide. »

Il posa le bras sur son épaule. « Tu sais où il habite, chère, et tu sais très bien que je t'y emmènerai quand tu voudras. Le bayou n'est pas aussi long et large que tu veux le faire croire. Tu te rappelles quand tu pagayais toute seule sur ta pirogue ? Samuel a l'air content quand son frère vient. Ce sont des hommes très occupés tous les deux, tes fils, mais parfois aussi différents l'un de l'autre que deux étrangers... Mais dois-je vraiment te le répéter ? Tu es leur mère à tous les deux...

— Parfois j'en douterais, si je ne les avais pas vus naître.

— Je sais, je sais, ils t'ont toujours brisé le cœur avec des petites choses...

— Avec des grandes choses, aussi. La plus grande, c'est quand j'ai compris que, frères ou non, ils étaient jumeaux dans les lignes de la main, mais que dans leur tête ils étaient aussi différents que certains cousins... A mon accouchement la sage-femme m'avait dit qu'ils briseraient des cœurs, mais j'étais bien loin de penser qu'il s'agirait du mien... Simon, c'est un têtu ; même moi, sa mère, je dois le reconnaître. Il n'a jamais pu pardonner que son frère prenne des esclaves. Peu lui importait que les champs doivent être labourés et qu'on ait besoin d'ouvriers, Simon a fermé un bout de son cœur à son frère le jour où Samuel a rapporté les premiers nègres.

— Même garçon, il savait ce qu'il pensait et il le disait, dit Valsin. C'est quelque chose qu'on peut respecter.

— Je le respecte. De même que je respecte la piété de sa sœur. Mais Samuel en a plus à pardonner que Simon, à mon avis. C'est pour ça que je reste avec lui. C'est le seul qui ait vraiment besoin de moi... » Elle soupira et s'enfonça dans son fauteuil, en s'éventant avec son mouchoir. « Quelquefois je me demande comment j'ai pu avoir des enfants pareils. L'un si têtu et l'autre si pieuse, alors que mon âme est complètement païenne ! » Elle fit un sourire désabusé et se frappa doucement la poitrine. « Deux jumeaux... Je les ai portés sans faire de différence, comme deux œufs de colombe, et je sais qu'ils pourraient mourir l'un pour l'autre si c'était nécessaire. Mais ils ne peuvent pas vivre l'un pour l'autre, même pas à côté. Et j'en veux plus à Simon qu'à Samuel, vraiment, car Samuel... il a dû traverser tant d'épreuves... Chaque fois que je pense à tout ce qu'il a connu avant de nous retrouver, j'ai envie de pleurer. Alors que lui, sans doute, il a tout oublié depuis longtemps. Mais Samuel n'a jamais connu... » Elle chercha ses mots. « Il n'a jamais connu la sérénité qu'a eue Simon. Le sentiment de plénitude...

— Ah, chère, il faut bien qu'ils suivent leur propre voie. Regarde, est-ce qu'aucun de tes fils a pris une femme qui te plaisait ? Non, tu trouves toujours quelque chose à reprocher à Cerise, et un tas de choses à reprocher à Matilde...

— La Sainte Mère en ferait autant », coupa Oliva.

Valsin ricana gentiment. « Ça j'en suis sûr ! Mais quand tu te plains que tes deux poussins sont têtus, je te ferai remarquer que les œufs ne sont pas tombés très loin du nid ! Et ils ne tenaient pas ça du coq ! »

Oliva sourit tristement. « Non, Joseph n'était pas têtu, c'est vrai. C'était quelqu'un de bien. Parfois difficile à comprendre, mais il était bon. Si seulement... » A ce moment-là elle soupira, croisa les bras au-dessus de ses seins flasques comme pour s'enlacer elle-même, l'air absent... « Si seulement il vivait encore pour voir comment sont ses fils maintenant. Il pourrait peut-être servir de pont entre les deux. Dieu me l'a pris trop tôt... » Elle sourit. « Juste au moment où je commençais à bien l'aimer.

— Tu l'aimais bien dès le début. Seigneur, je te revois devenir toute rouge !

— C'est vrai, rit-elle. Chaque fois que je regardais Joseph, je voyais un homme. Mais bon... il était difficile à enlacer, celui-là. »

Valsin prit une gorgée de vin. « Voilà tes seuls regrets, ma sœur, deux frères qui ne voient pas les choses du même œil, et un mari dont le souvenir ne te réchauffe pas toujours le cœur... Ça ne m'a pas l'air d'avoir été une vie trop dure à supporter.

— Non, cher, ce ne sont pas mes seuls regrets. Mais ce n'est pas fini. Pas tant que je peux encore te battre quand j'en ai envie, au jeu de ton choix ! Viens me chercher samedi, et on verra si Cerise n'a toujours pas appris à faire les beignets correctement, d'accord ? Dis-leur que je viens.

— Tu veux qu'ils restent chez eux ? Je ne leur dirai rien... »

Le pas lourd d'un homme sur la galerie fit taire Valsin, jusqu'à ce qu'il voie que c'était Samuel qui venait les rejoindre. Célisma s'empressa d'aller lui chercher un verre et la carafe de son cognac préféré. Valsin se leva et serra son neveu dans ses bras.

« Tes oreilles ont dû siffler, sourit Valsin. Ta maman n'a parlé que de ses fils ce soir. Peut-être que je vais pouvoir avoir une conversation intéressante, moi, maintenant que tu es là !

— Une conversation ! C'est bien la dernière chose que je viens chercher en venant ici, mon oncle, chaque fois que je vois ton chien qui attend dehors sur la galerie. Boire en bonne compagnie, peut-être, et rire un coup... J'ai suffisamment de conversation..., ajouta-t-il en roulant les yeux amèrement... à la table de Matilde.

— Matilde reçoit ce soir ? demanda sa mère prudemment.

— Son club de whist. Six volées de grosses cailles qui se disputent des mises à deux sous et qui s'asticotent pour se soutirer le moindre potin. Je me suis éclipsé pour aller prendre l'air. » Il avala une gorgée de cognac. « Je crois savoir que je ne leur manquerai pas ! »

Les yeux d'Oliva scintillèrent de gaieté. « Ça c'est sûr !

— Elles sont toutes tourneboulées par l'événement du mois prochain. Maman, n'oublie pas de réserver ta soirée.

— La fête des Magnolias ?

— Comme tous les ans... Et Valsin, cette fois il faut que tu nous fasses l'honneur de ta présence. Ça vaut le coup d'œil... »

Célisma se rappela rapidement celle de l'année précédente, sa première à Beausonge, lorsque la maison avait accueilli les meilleurs planteurs de la région et leurs familles pour un immense bal de gala. Les tables débordaient sur la galerie, les danses s'étaient étalées jusqu'à des heures tardives, tous les lits étaient occupés, et on avait fait venir des musiciens de La Nouvelle-Orléans en bateaux à vapeur ; les nègres de la maison avaient tressé des centaines de mètres de guirlandes de magnolias, qu'ils avaient accrochées sur la galerie, dans les escaliers et le long des couloirs.

« Ah, tu devras m'excuser une nouvelle fois, dit Valsin à Samuel, mais c'est pas pour moi... Reste avec tes amis distingués, et moi je viendrai quelques jours plus tard pour t'écouter te lamenter à leur propos avec un verre de cognac ! » Il choqua doucement son verre avec celui de Samuel.

En entendant le tintement des verres, Célisma s'avança tranquillement, pensant qu'ils avaient peut-être besoin de quelque chose. Oliva leva les yeux sur elle et sourit. « Tu devrais aller te coucher si tu es fatiguée, ma fille. Je crois qu'on n'a plus besoin de rien, si ? » Elle interrogea Samuel du regard.

« Je ne crois pas, dit-il en s'enfonçant dans son fauteuil pour regarder Célisma. Oh, ça me rappelle que j'ai une demande à ton sujet, p'tite.

— M'sieur ?

— Absolument. Enfin, une proposition plutôt... Tu connais William, le forgeron ? »

Célisma hocha la tête sans un mot, tous ses membres frissonnant d'effroi.

« C'est un garçon qui promet. C'est un gars compétent, qui doit valoir pas mal d'argent aux enchères, maintenant qu'il est formé », dit Samuel à Valsin. Puis il se tourna à nouveau vers Célisma : « Eh bien, il te demande tout spécialement... Il est mûr pour avoir une femme, ça je le sais, et c'est un homme bien, pas trop vieux... Qu'est-ce que tu en dis ?

— J'veux pas d'mari, Maît'Sam », répondit-elle sans hésiter.

Il y eut un silence autour de la table. Finalement Samuel reprit la parole : « Tu ne veux pas de celui-ci, alors ?

— Non, m'sieur. J'veux pas d'mari du tout. Jamais. »

Il fronça les sourcils. « Et pourquoi ça, Celly ?

— J'veux pas d'un homme qui m'dit c'que j'dois faire. Un mari c'est comme un deuxième maît', sûr et certain. »

Oliva s'adressa à elle : « Tu sais naturellement que ce que tu veux

197

ne compte pas beaucoup, ma fille. Matilde ne voudra certainement pas garder une fille célibataire longtemps à Beausonge... Tu as bientôt seize ans, c'est ça ? Il y a plein de filles plus jeunes que toi qui sont déjà mères... Maître Samuel ne t'a pas ramenée de Rosewood uniquement pour subvenir aux besoins d'une vieille dame, je suis sûre...

— Tu n'en es pas satisfaite ? demanda Samuel.

— Mais si, cher, Célisma me convient parfaitement. Mais elle peut très bien me convenir et satisfaire un mari en même temps. Je suppose que Matilde la fera transférer dans les quartiers un jour ou l'autre.

— Je préfère savoir qu'elle dort ici avec toi, dit-il, mais bien sûr on les marie d'ordinaire avant seize ans, ça crée moins d'ennuis... » A ces mots il releva les yeux sur Célisma, et laissa échapper de sa gorge un petit hoquet de surprise.

Elle se tenait toujours un peu en retrait derrière le fauteuil, immobile comme du marbre doré, mais des larmes traçaient deux lignes parallèles le long de ses joues... Oliva et Valsin le remarquèrent au même instant.

« Allons, Celly, il ne faut pas pleurer... Si tu ne veux pas de William, eh bien je lui dirai », dit Samuel gentiment. Il tendit le bras et lui serra doucement le poignet. « Monte te coucher, maintenant, et repose-toi bien, c'était une longue journée pour tout le monde... »

Célisma hocha la tête sans un mot et quitta la galerie. Et lorsqu'elle franchit la porte elle entendit Valsin dire : « Tu es bon avec eux, Sam. Beaucoup d'autres se dépêcheraient de les marier et de leur faire faire des enfants pour avoir de la main-d'œuvre aux champs.

— Je ne vois pas l'intérêt de les rendre malheureux. Tu sais, je suis en train d'essayer le système des tâches, juste pour voir si ça marche... A la place du système de groupe, où ils travaillent tous sous le contrôle d'un conducteur — tu sais que j'ai été obligé d'engager et de renvoyer quatre contremaîtres différents en trois ans, ce sont tous des canailles — j'expérimente ce que j'appelle le système des tâches, où chaque esclave reçoit chaque jour des instructions de travail précises. S'il travaille bien, il arrête plus tôt. Ça les motive à mon avis, et en plus ça permet d'éliminer ceux qui travaillent mal.

— Ça leur donne de la fierté dans leur travail, je dirais, ajouta Valsin d'un air songeur.

— C'est exactement ça. Ça peut bien sûr se révéler moins efficace, je ne sais pas, c'est encore un essai. Ils préfèrent se spécialiser, quel que soit le système dans lequel ils travaillent. Le cuisinier refuse d'entrer dans la maison, et la femme de chambre ne veut pas mettre le pied à la cuisine ; la laveuse ne veut pas toucher un fer, et la repasseuse ne tremperait pour rien au monde ses mains dans l'eau de lessive... Essayer de s'y retrouver dans leur propre système de castes est un vrai casse-tête, mais on finit par en saisir la logique et par la respecter...

— Ce qui fait la différence, je crois, c'est de ne pas avoir été élevé avec eux, dit Oliva posément. Je ne l'ai pas été, mes fils non plus, alors pour nous ce sont des êtres humains. Mais pour Matilde, qui a grandi avec la possibilité de leur donner des ordres, ce sont... des meubles. Des accessoires, comme ses habits, à utiliser et à user quand on en a envie. Mais Célisma est une brave fille, elle me manquerait... »

Célisma s'était arrêtée dans la pénombre pour les écouter, et elle put voir que Samuel s'était retourné pour fixer un long moment l'endroit où elle était sortie. Elle savait qu'il ne pouvait pas la voir, mais il y avait dans ses yeux une question qu'elle n'arrivait pas à lire. Puis il se tourna vers la table et reprit : « Oui, laissons ça de côté pour l'instant. Est-ce qu'on t'a raconté la dernière de Pierre, maman ? Il doit tenir de toi, Valsin. Il faisait la cour à la plus jeune des lingères, et il a provoqué son rival en duel, ce petit imbécile ! Quand j'ai entendu ça j'ai dû aller moi-même à la buanderie... »

Célisma quitta le flot des voix pour monter lentement les escaliers dans le noir. C'était bien la dernière fois qu'ils essayaient de l'atteler à un homme. William... C'était un grand costaud, avec une petite tignasse noire et frisottée, et une peau noire pleine de sueur, il n'était rien de plus à ses yeux. Une fois elle était passée devant la forge et il l'avait appelée pour lui montrer comment il faisait un clou en quatre coups de marteau. Les tiges de métal étaient encore incandescentes, fumantes et sifflantes, et il avait souri lorsqu'elle avait reculé, prenant son ennui pour du respect craintif...

Maintenant il la suivait des yeux quand elle passait pour aller à la lingerie, mais il n'était pas le seul, et elle ne faisait pas plus attention à eux qu'aux moucherons qui se collaient aux commissures de ses lèvres lorsqu'elle allait cueillir des herbes dans les ombres fraîches.

C'étaient ses larmes qui lui avaient chaviré le cœur... Il était fermement décidé, Maît' Sam, jusqu'à ce qu'il la voie pleurer... Et il avait tendu la main pour lui tenir le poignet, et lui avait dit d'aller se coucher...

Elle arriva en haut des escaliers et regarda son poignet, mince et couvert de poils fins, s'attendant à découvrir sur sa peau la marque de l'homme... Le clair de lune qui entrait par la fenêtre rayonnait sur sa chair, comme si elle avait diffusé une chaleur qui lui venait de l'intérieur et qu'elle ressentait jusqu'au bout des doigts.

Les préparatifs pour la fête des Magnolias commençaient plus d'un mois à l'avance. Chaque année, Madame Matilde essayait d'organiser quelque chose de si surprenant que ses invités se rappelleraient cette soirée à Beausonge plus que n'importe quelle autre. Pour la fête de cette année-là, elle avait choisi le thème des jardins anglais, et les esclaves avaient dû construire la « Montagne de Beausonge », une butte de sept mètres de haut. Dans une région aussi plate qu'un étang, son œuvre devint facilement la seule colline de cette taille à des kilomètres à la ronde.

Elle se fit envoyer une pagode chinoise pour l'installer au sommet de la Montagne de Beausonge, avec des fenêtres en vitraux et des centaines de minuscules clochettes en argent qui tintaient à la moindre brise. Lorsque les invités y prendraient place, ils surplomberaient des allées en perspective, un petit étang bleu argenté et des cygnes d'une sérénité splendide qui glisseraient lentement sur l'eau. Dans la butte était creusée une véritable grotte réservée aux amoureux, mais comme on pouvait la voir très clairement depuis le balcon de la maison, elle n'offrait en réalité aucune intimité.

« Il faut trouver des colombes pour la grotte, déclara Matilde à Samuel, lors d'un souper tardif trois jours avant le bal. J'ai envoyé quelqu'un à Baton Rouge et à La Nouvelle-Orléans, impossible d'en trouver une seule !

— Je suppose que tout le monde veut des colombes cette année... », dit-il en farfouillant dans son assiette pour éviter les oignons. Ayant dépassé la quarantaine, il trouvait que les oignons gênaient sa digestion, mais il avait beau faire part de ses préférences à Matilde, ils apparaissaient inévitablement dans le moindre plat de légumes.

« Des rossignols ! s'exclama-t-elle dans un élan d'inspiration. C'est plutôt chinois, non ? Parfait pour une pagode, bien mieux que des colombes, finalement.

— Et où comptes-tu trouver des rossignols en si peu de temps ?

— C'est quelque chose que ton agent devra résoudre. Je suis sûre qu'il peut arranger ce petit détail-là. Dieu est témoin, c'est moi qui aurai fait tout le reste... Il est sur place à La Nouvelle-Orléans, il connaît tout le monde, je suis certaine qu'il pourra les trouver à temps.

— En qualité de courtier, la tâche de Graham est de négocier la vente de ma récolte, et il fait ça remarquablement bien. Mais il n'est pas tenu d'assurer les fournitures de tes soirées.

— Mes soirées ! Ne te fais pas d'illusions, mon cher. Si je m'exténue comme ça, ce n'est pas pour mon plaisir, mais parce que c'est une responsabilité, en raison de notre position. Les gens s'attendent à ce qu'une fête à Beausonge rivalise avec toutes les autres sur la rivière, et je n'ai pas l'intention de les décevoir. Quant à Graham, il se charge bien de toutes les autres fournitures dont nous avons besoin, je ne vois pas pourquoi il ne serait pas tenu de remplir la même fonction pour nos obligations sociales. » Elle recoupa un petit morceau de bœuf et le mâcha énergiquement. « D'autre part je ne peux pas tout faire, il y a trop de choses... Si tu m'aidais un tant soit peu, Samuel, je ne serais peut-être pas obligée d'abuser de la gentillesse de Graham. Étant donné la situation, il faudra simplement qu'il compense ta paresse. »

Samuel fronça les sourcils et crispa sa mâchoire. « Matilde, je n'ai rien dit quand tu as pris six de mes meilleurs ouvriers occupés sur les levées pour construire cette stupide montagne — alors que je n'arrive pas à voir en quoi un tel effort pourra contribuer à rendre agréable une réunion d'amis. Je n'ai rien dit non plus quand tu as barré les canaux et que tu as inondé un demi-hectare semé de cannes pour faire flotter des cygnes. Tes caprices me coûtent quarante pour cent de plus que l'année dernière, et je ne bronche toujours pas. Alors ne me dis pas que je n'apporte pas ma contribution ! Mais des rossignols ! Qu'est-ce qu'une foutue pagode a d'important de toute façon...

— Il ne s'agit pas de la pagode, mais de la fête elle-même. Je veux que toute la paroisse se souvienne de cette fête des Magnolias plus que de toutes les autres de Beausonge, et si tu tenais compte du fait que tu as deux filles qui sont bientôt en âge de se marier et un fils qui ne s'est pas encore trouvé de fiancée, tu te féliciterais de mes efforts au lieu de me mettre des bâtons dans les roues.

— Pour l'amour de Dieu, Matilde, si tu te souciais un peu plus du caractère de Pierre et un peu moins des fêtes, il aurait peut-être déjà trouvé une femme. Quant aux filles...

— Je te défends de parler de mes filles ! trancha-t-elle.

— Oh, elles t'appartiennent elles aussi maintenant ? » Il secoua la tête d'un air las. « Des rossignols... Tu dépasses les limites du bon goût, ma chère, et j'ai bien peur que tu divertisses beaucoup nos voisins, mais pas de la manière où tu l'entends. Ils riront peut-être de ta gaucherie, mais ça sera derrière ton dos ! » Il posa sa serviette et se leva pour sortir de table.

« Je te défends de dire des choses pareilles et de t'en aller, dit Matilde, la voix grave et venimeuse. Tu as l'effronterie de douter de mon bon goût à moi ? » Elle posa sa fourchette et mit les mains à plat sur la table comme si elle avait voulu la retenir. « Attends un peu... On parle bien de celui qui va tous les dimanches à la messe assis sur le siège du cocher à côté d'Ulysse au lieu de suivre derrière sur sa meilleure monture, pour que toute la congrégation voie qu'il préfère bavarder gaiement avec son vieux nègre plutôt qu'aller à cheval au côté de son fils... Et qui pour le souper se dispense de la présence d'un certain nombre d'invités importants et passionnants pour aller boire son cognac avec son rat des marécages d'oncle, une vieille femme, et une mulâtresse bonne à rien ! »

Elle s'était levée et se penchait en avant, appuyée sur la table, clouant du regard les yeux de son mari. « Le même homme qui croit qu'il peut se faufiler en douce chaque nuit jusqu'aux quartiers pour se payer une négresse, alors que tout Beausonge se rend compte de ses allées et venues, laissant sa femme et ses deux filles personnellement et profondément humiliées ! Ne me parle pas de bon goût, Samuel. J'ai trop hâte d'en lire les leçons dans ton livre. »

Ces dernières phrases firent blêmir Samuel, mais il se ressaisit et se retrancha dans une attitude distante et pleine de dignité. Il en déduisait qu'elle avait sans doute observé ses visites occasionnelles aux quartiers, mais il savait également que de telles escapades n'étaient pas rares pour des hommes de sa position. Ce qui était rare, c'était qu'une femme en parlât tout haut.

Soudain il laissa échapper un sourire, triste et tendu, un sourire de satisfaction. Car d'en parler elle avait au moins abouti à ceci, qu'elle s'était reléguée à tout jamais à une position indigne, et il fallait qu'elle en soit consciente. En taisant ce qu'elle savait, elle aurait au moins gardé intacte la force de sa vertu. Mais maintenant, elle n'avait même plus cette supériorité à lui agiter sous le nez.

Et enfin, elle ne pouvait rien faire contre ses désirs à lui, ou contre son absence de désirs... Elle le savait, et lui aussi.

Son sourire devint plus détendu.

« Tu n'as rien d'autre à répondre à part ce sourire idiot ? lui demanda sa femme.

— Tu ne m'as pas posé de question, ma chère, dit-il doucement. Tes affirmations suffisent et se passent de commentaires. Elles s'en sont toujours passées et s'en passeront toujours. » Il se retourna gracieusement, presque nonchalamment, et la laissa toute seule dans cette salle à manger caverneuse, le visage réfléchi une dizaine de fois dans les miroirs dorés qui l'encerclaient.

La fête des Magnolias étant un des événements les plus importants de l'année, on forçait à la besogne tous les ouvriers qu'on pouvait trouver, et Célisma se retrouva consignée à la cuisine cinq jours avant le bal, sous les ordres de Betzy qui était encore plus irascible que d'habitude. Célisma avait pour tâche de peler, d'émincer, de hacher, de trancher, et de couper selon les directives. Les chandeliers en argent devaient être frottés et rutilants, les plateaux à fruits disposés en pyramide au centre des tables, et il fallait sortir tous les tapis et aller les battre au soleil. Betzy s'activait à préparer des grogs au vin blanc et au sherry, avec des œufs et de la noix muscade, à faire du sabayon, avec des blancs d'œufs et de la crème fouettée, à nettoyer les crevettes, à imprimer le sceau des Weiss sur chaque plaque de beurre, à ouvrir les huîtres et décortiquer les crabes, à broyer des têtes d'écrevisse pour le riz pilaf et le jambalaya, et enfin à rôtir des perdreaux, des bécasses, des cailles et des canards.

Célisma passa deux jours entiers à écaler des noix et des noix pécan, à éplucher des figues et des oranges. Lorsqu'il lui restait un peu de temps, elle devait aller aider Odette à préparer les costumes de Madame et des Jeun' Mam'zelles, reconstitutions minutieuses des robes de la cour anglaise au XVIIIᵉ siècle, nécessitant des milliers de coups d'aiguille, avec de la dentelle à ourler de fil doré.

Elle essayait d'exécuter les ordres de Betzy le plus rapidement possible pour pouvoir aller se réfugier auprès d'Odette, car il n'y avait rien de pire, trouvait-elle, que la chaleur étouffante de la cuisine.

Elles cousaient donc, sous un amas de tissus, noyées dans des jupons et des mètres de soie. Et ainsi Célisma pouvait, quand personne d'autre n'allait et venait dans la pièce, poser à Odette toutes les questions qui la tracassaient depuis plus d'un an.

« Est-ce que les p'tites Mam'zelles ont beaucoup de *beaux* ? »

Elle haussa les épaules. « Assez pour passer l'temps et donner d'l'espoir à Madame.

— Pourtant y a pas tellement d'chevaux de galants attachés d'vant la maison. »

Odette sourit. « Ces deux-là elles sont comme des cannes à sucre rabougries : beaucoup d'bagasse mais pas beaucoup d'jus... Et Madame, y faut qu'elle vérifie l'pedigree d'chaque visiteur, alors les ch'vaux, y rentrent et sortent dare-dare ! Amélie elle choisit son fiancé en s'demandant quel mari y ferait, mais Thérèse, elle est pas plus futée qu'une oie... elle les choisit dès qu'y sont grands avec un rire de crécelle. Rien qu'pour faire enrager sa mère, j'suis sûre. Elle est plus comme son frère, Thérèse. Et Amélie elle ressemble plus à son père... Mais elles ont toutes les deux une tripotée de fiancés qui leur tournent autour. On a l'temps avant d'devoir s'remettre à la couture, mais cette fois ça s'ra un trousseau entier pour l'une ou toutes les deux...

— Est-ce que Pierre plaît aux femmes ? demanda-t-elle, il a un beau visage, non ?

— Elles l'aiment bien, j'suppose, répondit Odette amèrement. Et même p'têt' plus qu'y faudrait, pour elles ou pour lui... » Elle jeta un coup d'œil derrière elle pour vérifier que la porte du couloir était bien fermée, et elle baissa la voix. « Çui-là il en a trop et trop tôt, si tu veux mon avis. A six ans il avait sa prop' carriole et un nèg' pour cirer ses chaussures. Il a son bateau à vapeur pour lui tout seul... » Célisma poussa un petit cri d'exclamation, et elle ajouta : « Oui mon p'tit, et plein de nèg' pour le faire naviguer, aussi ! Il a une loge à l'ô-pér-âââ, comme y dit, et une autre au théâtre. Y s'prend pour le Grand Monsieur, y a pas, mais il en fait pas lourd à Beausonge. A part des bêtises qu' Maît' Sam doit aller réparer.

— Il a le regard rieur, dit Célisma doucement.

— Et j'vois bien qu'y l'pose sur toi, gamine, répliqua Odette en donnant un coup de ciseaux. A ta place, ma p'tite, j'détournerais les yeux chaque fois qu'y m'regarde... Y a rien de bon pour toi, dans c'regard.

— Je sais, répondit Célisma.

— Tu peux êt' contente d'avoir Vieil' Madame entre toi et lui, sinon y prendrait c'qui lui plaît et y ferait comme si ça t'plaisait aussi... Et alors on t'vendrait à Baton Rouge avant qu't'aies le temps d'dire ouf !

— Sauf que j'suppose que Vieil' Madame aurait son mot à dire là-dessus, se rebiffa Célisma avec un brin de fierté, elle aime bien dire qu'elle pourrait pas s'passer d'moi, pas question. »

Odette éclata de rire, son habituel aboiement. « Elle a p'têt' son mot à dire, d'accord, mais ça fera pas l'poids quand l'vent soufflera contre toi. On sait bien quel vent souffle le plus fort dans c'te maison ; et les p'tites fleurs comme toi elles s'font piétiner dans la tempête, quoi qu'on dise. » Elle fronça les sourcils et parla d'une voix encore plus basse. « J'ai vu ça plus d'une fois, mon p'tit, et j'te préviens, Madame a aucun scrupule quand elle veut s'débarrasser de... » Elle s'interrompit et tendit la tête comme si la porte fermée avait eu des oreilles... Elle changea subitement d'attitude ; elle souleva la jupe qu'elle était en train d'ourler et la fit bouffer bruyamment, en déclarant bien distinctement : « C'est bien l'rouge le plus coquin qu'j'aie jamais vu... Avec ça la p'tite Mam'zelle va avoir l'air d'une rose de printemps, ça c'est sûr ! » Et elle n'en dit pas plus long ce jour-là.

Le soir du bal des Magnolias, Célisma était chargée de suspendre les manteaux au fur et à mesure que les filles les lui apportaient du vestibule. Elle était donc assise dans une petite pièce en retrait à l'étage, entourée d'une centaine de paires de bouquets de corsage et de fleurs de boutonnière ; Madame ne voulait pas qu'elle apparaisse là où les invités pourraient la voir... Mais quand les nègres rapportaient les châles et les pèlerines, elle devait tous les pendre en y épinglant une petite fleur de couleur différente. Puis elle tendait la fleur de boutonnière ou le petit bouquet correspondant à la même paire, le nègre la rapportait à l'invité qui devait la porter et la garder pour pouvoir réclamer son manteau à la fin de la soirée.

L'avantage de son poste, c'était qu'on n'aurait sans doute besoin d'elle qu'au début et à la fin de la soirée... Entre-temps, elle était libre d'observer par la fenêtre les couples se promener dans les jardins et autour du lac des cygnes, ou alors de s'aventurer discrètement en haut des escaliers et d'épier les invités, cachée par ces masses de magnolias qui bordaient le palier et la rampe d'escalier... Le *tignon* blanc qu'elle portait sur la tête était presque parfaitement assorti à leur teinte crémeuse.

Elle surplombait un remue-ménage de têtes élégantes, de fines épaules blanches drapées dans des soies et des satins aux couleurs étincelantes, et il y en avait trop à voir en une seule fois... Et ce brouhaha qu'ils faisaient en se saluant, en riant et en plaisantant ! Comme si soudain on avait lâché en liberté dans la maison une centaine de paons et de paonnes qui se faisaient la révérence, jouaient des coudes et s'éloignaient en tanguant légèrement ; ils s'interpellaient au-dessus des tintements de verres et de glaçons, du vacarme des musiciens dans la salle de bal, et des allées et venues des calèches qu'on entendait par les portes ouvertes.

Maît' Sam et Madame se tenaient à l'entrée pour accueillir les gens quand ils arrivaient, saluer leurs préférés et les faire entrer. Ils étaient l'un en face de l'autre, de chaque côté des portes, sans se regarder une seule fois, si bien que les gens en montant les escaliers devaient choisir d'aller d'un côté ou de l'autre et se séparer au milieu en deux vagues soudaines, avant d'affluer dans la salle de bal ou sur la galerie où s'étendaient des tables croulant sous les plats fumants.

Mam'zelle Amélie se tenait légèrement en retrait de sa mère pour embrasser ses amies intimes et s'incliner devant les gentlemen. Mam'zelle Thérèse était juste à côté de sa mère, cachant Pierre, et c'étaient son rire et sa voix stridente que l'on entendait le plus distinctement par-dessus les violons et les flûtes.

Maît' Sam se tenait à côté de sa mère, et Oliva semblait plus belle et plus fringante que jamais. Elle n'attendait pas que les mains se tendent vers elle mais elle s'avançait pour embrasser et accueillir les gens avec une énergie qui trompait sur son âge...

Chaque fois que Caro et Mignon, les nègres domestiques, s'engageaient dans les escaliers avec une cape ou un châle, Célisma devait quitter son massif de magnolias à quatre pattes et filer au vestiaire, puis elle retournait discrètement dans sa cachette pour épier la fête.

A mesure que la soirée avançait, les gens venaient de moins en moins traîner dans le hall en bas des escaliers, retenus qu'ils étaient par le bal et le buffet... Célisma se risqua une fois à descendre à pas de loup pour jeter un coup d'œil dans la salle de bal et contempler les couples qui virevoltaient. Elle aperçut Vieil' Madame danser avec un vieil homme qui avait une petite barbiche ; elle faisait valser ses talons aussi rapidement que la plus jeune fille de la soirée. Mais Célisma s'empressa de remonter à sa place de peur qu'un des invités ne la remarque, et là elle se pencha à la rambarde et tendit le cou pour en voir le plus possible.

De son autre poste d'observation, la fenêtre de l'étage, elle observa Pierre rentrer dans la grotte de la Montagne de Beausonge et s'y asseoir, comme pour attendre quelqu'un. La nuit tombait et Célisma discernait à peine son visage, mais une fois à l'intérieur il s'alluma un cigare et elle put suivre le mouvement de son petit bout de braise.

Au bout de quelques instants apparut une négresse : c'était Polly, de la lingerie, une jeune fille qu'on venait d'acheter à Baton Rouge.

205

A quelques pas de la grotte elle ralentit, regarda autour d'elle puis s'arrêta en faisant froufrouter ses jupes. Puis elle s'accroupit et rentra dans la grotte en se dandinant comme un canard; elle ne pouvait plus la voir, mais Maît' Pierre apparut dans la pénombre, et elle le vit secouer la tête pour la chasser.

Une jeune femme blanche arriva du sentier, une demoiselle mutine et tout enrubannée de volants bleu marine, et celle-ci, Pierre la fit entrer dans l'obscurité de la grotte. Comme après un moment ils n'avaient toujours pas émergé, Célisma retourna sur son observatoire du palier.

De là elle contempla les invités aller et venir comme dans un moulin : des hommes s'étaient regroupés, la tête en avant, leurs chemises blanches et raides toutes bouffantes et froissées, et ils discutaient de politique et de récoltes, avec les éclats de voix de leurs fermes opinions; des femmes chuchotaient et riaient derrière leurs éventails, et de temps à autre interpellaient gaiement une amie pour qu'elle rejoigne leur étroit cercle d'épaules blanches; les nègres passaient en se faufilant dans la foule, invisibles comme des ombres, avec des plateaux de sabayon et de grogs... et Célisma assistait à tout ça.

Juste au moment où elle commençait à se lasser de regarder, Pierre et une jeune fille gagnèrent furtivement la pénombre près de la porte, cachés des regards de la galerie par l'immense horloge. Elle lui parlait à voix basse, tandis qu'il la tenait par les épaules pour l'empêcher de partir. Mais elle refusait manifestement de se laisser toucher, et finalement elle se dégagea de son emprise par un mouvement violent. Célisma l'entendit parler : « J'aurais dû les écouter, elles avaient raison à propos de toi, elles avaient toutes raison ! Tu es perfide, et tu ne mérites même pas qu'on pleure pour toi ! » A ces mots elle se mit pourtant à pleurer en se cachant le visage dans les mains.

A cet instant Maît' Sam traversa le vestibule, les aperçut et s'arrêta. Il jeta un regard glacial à son fils, mais s'adressa à la jeune demoiselle avec beaucoup de gentillesse. « Vivette, ma chère, je vais aller chercher ton manteau et appeler ta voiture. Pierre peut te raccompagner chez toi, si tu veux. »

Elle retira les mains de devant ses yeux et se précipita dans les bras du maître pour y sangloter doucement.

« Va chercher son châle », dit Samuel sèchement; il prit la fleur de l'épaule de la jeune fille et la tendit à Pierre. Celui-ci lança un regard noir à son père mais il se retourna et grimpa les marches quatre à quatre. Célisma fila sans bruit pour le précéder. Elle décrocha le châle et le lui tendit au moment où il entrait. Il s'arrêta, lui lança un regard méfiant, puis il fit demi-tour et redescendit. Célisma attendit — un souffle, deux souffles — puis se glissa derrière lui jusqu'à son poste d'espionnage. Elle vit Maît' Sam les faire sortir, en tapotant gentiment l'épaule de la demoiselle mais sans dire un mot à son fils. Puis il se retourna et s'élança dans les escaliers, regardant droit devant lui et non pas ses pieds comme la plupart des gens qui montaient.

Célisma se figea, incapable de faire le moindre geste. Maît' Sam arriva sur le palier à quelques mètres d'elle. « Célisma, je t'ai vue ! »

Elle se releva légèrement et baissa la tête, toute penaude.

« Tu es restée là toute la soirée ? »

Elle acquiesça en joignant les mains devant elle.

« Madame n'a pas besoin de toi pour le service ?

— Elle aime pas que je sois avec les gens, m'sieur, murmura-t-elle. Elle m'a dit d'rester là-haut avec les châles et tout ça.

— Viens un peu à la lumière que je puisse te voir. »

Elle leva les yeux et sortit de sa cachette, sans détourner le regard lorsqu'il la toisa des pieds à la tête.

« Eh bien, je ne vois pas pourquoi elle ne veut pas te montrer à nos invités, tu es certainement une des plus jolies filles de la maison ! On ne devrait jamais laisser briller la beauté à l'abri des regards... Mais je ne prétends pas comprendre Madame dans ses décisions. »

Célisma se permit un petit sourire.

« Qu'en penses-tu, c'est une fête réussie ?

— Très élégante, m'sieur, dit-elle rapidement, la plus belle que j'aie vue.

— Et tu en as vu beaucoup ?

— Pas tant qu'ça, Maît' Sam.

— Je n'aime pas que tu m'appelles comme ça.

— Non ? Alors quoi, m'sieur ?

— M'sieur est suffisant, je trouve. Tu ne m'appartiens plus, après tout, tu es à ma mère. Je t'ai donnée à elle il y a quelques mois, elle ne t'a pas dit ? »

Célisma fit un large sourire de surprise et de joie. « Non, m'sieur, merci, m'sieur !

— Ça te fait plaisir ?

— Oh oui ! Madame est bonne, m'sieur.

— C'est bien, dit-il doucement, je suis content que ça te plaise Et tu prendras toujours bien soin d'elle ? »

Elle le regarda, et tout son cœur se refléta dans ses yeux. « Jusqu'à ma mort, m'sieur. »

Il ricana gentiment. « On ne pourrait pas en demander plus, alors ! Bon, tu peux rester ici pour regarder, si ça te fait plaisir, mais fais attention de ne pas trop dépasser ; avec cette lumière, le haut de ton *tignon* brille comme de la glace au soleil ! »

Elle lui fit une petite révérence lorsqu'il se retourna et descendit les escaliers. Puis elle fila au vestiaire, rouge de confusion.

Quand Simon Weiss venait la voir, Vieil' Madame faisait tout un raffut pour célébrer son autre fils. Il montait dignement les marches qui menaient à la galerie du pavillon en portant son accordéon, et elle le couvrait d'embrassades et l'assaillait de réprimandes tout à la fois. Cela faisait sourire Célisma de la voir si excitée, presque comme une jeune demoiselle recevant un *beau* qui l'aurait négligée... mais qui était toujours son favori.

Elle envoyait chercher des plats de crevettes grillées, d'huîtres et de poissons-chats à la Grande Maison, chicanait Betzy si les beignets n'étaient pas faits exactement comme il les aimait, et lui renvoyait la fournée jusqu'à ce qu'elle soit pleinement satisfaite.

Samuel les rejoignait, et elle pouvait enfin s'asseoir avec ses deux fils, en buvant plus de café qu'il n'aurait fallu, en se penchant en avant et en leur adressant de grands sourires, pendant que Simon lui rejouait inlassablement les vieilles chansons.

Célisma était fascinée par ce miroir de Maît' Sam. Elle avait déjà vu des jumeaux, mais jamais des Blancs qui étaient en plus deux adultes. Les deux hommes se ressemblaient beaucoup, mais elle pouvait tout de même les différencier au premier coup d'œil... Simon avait les gestes, la voix et l'accent de sa mère ; mais Samuel n'en avait que le visage.

« Il y a des cas de variole à Lafourche, disait Simon. Cerise est très inquiète pour le bébé de Tidings, vraiment. Maintenant ça ne touche plus que les jeunes et les vieux, mais c'est quelque chose qu'il ne faut tout de même pas prendre à la légère. Vous avez entendu ce qui s'est passé en aval de la rivière, du côté de Terrebone ?

— Raconte ! Raconte ! » s'écria Oliva qui lui prit la main, pleine de curiosité.

Samuel rigola : « Même si je faisais venir la moitié de La Nouvelle-Orléans pour lui raconter les derniers potins, elle préférerait quand même savoir ce qui se passe dans les environs ! »

Simon secoua la tête ironiquement pour approuver son frère, et continua : « Vous connaissez la petite-fille du Vieux Guidry ? Celle dont on dit qu'elle ne fait pas le moindre effort pour être décente ? Colette, elle s'appelle.

— Ça ne me dit rien, mais je me souviens très bien du Vieux Guidry. Si elle lui ressemble un brin, elle doit bien se moquer de ce qu'on dit d'elle, répliqua Oliva.

— Elle s'en est moqué, ajouta Simon. Car elle a eu le béguin pour le mari d'Inez Martinez, tu te souviens d'elle ? Et Martinez, y pouvait pas s'empêcher de la voir, sa femme avait beau pleurer et le curé rouspéter. Mais Martinez y s'est fait refiler la variole, et ça a suffi pour qu'il reste au lit chez lui. Inez elle l'a soigné nuit et jour, et elle priait le Bon Dieu de le laisser en vie. Mais lui il était très atteint, y paraît, et personne à Terrebone ne voulait se risquer à approcher leur maison. Mais personne l'a dit à Colette. Elle était allée à La Nouvelle-Orléans, et quand elle est revenue elle voulait que le vieux Martinez vienne lui tenir compagnie... Mais elle attendait et il venait toujours pas, alors elle est carrément allée chez lui pour le chercher !

— Sacré Nom ! s'exclama Oliva en portant la main à la poitrine. Quelle effronterie ! De mon temps...

— En tout cas Inez lui a ouvert la porte. C'est bien que tu sois venue, elle lui a dit, il perd complètement la tête, il crie ton nom, et je voulais qu'il meure heureux. Colette lui a répondu qu'elle savait bien comment le rendre heureux, et elle est rentrée dans la maison avec un grand sourire. Mais quand elle a vu toutes ces plaies blanches sur le corps de Martinez, elle s'est mise à crier et s'est retournée pour partir... Mais Inez, elle l'a fait tomber par terre, elle a attrapé une corde qui lui servait à attacher Martinez à son lit dans ses accès de fièvre, et elle a ligoté Colette sur le lit à côté de lui...

— C'est un meurtre ! dit Samuel perplexe.

— C'est la justice, rétorqua Oliva.

— Pendant quatre jours Martinez s'est pas réveillé, et Colette avait beau jurer, crier et la supplier de la laisser partir, Inez l'a laissée attachée au lit. Elle se contentait de soigner son mari, mais elle les nourrissait tous les deux, sans jamais dormir. Finalement Martinez s'est réveillé juste le temps de voir Colette, et il est mort, heureux. Mais Colette, à ce moment-là, elle a commencé à se sentir mal... Inez a lavé son mari, elle l'a enterré, et ensuite elle a libéré Colette. Mais Colette avait plus la force de s'enfuir, et le lendemain elle était couverte de plaies blanches...

— Est-ce qu'Inez l'a laissée mourir ? demanda Oliva.

— Non, elle l'a soignée aussi. Et elle l'a enterrée juste à côté de son mari, la semaine dernière. »

Oliva avait les yeux grands ouverts, complètement excitée par cette histoire. Elle fit signe à Célisma de s'approcher, sans quitter Samuel du regard. « Est-ce que tu avais déjà entendu de telles manigances, Célisma ? Ou crois-tu que mon fils a inventé cette histoire pour que je m'évanouisse d'horreur ?

— Si c'est l'cas, j'trouve qu'y devrait revenir bientôt avec une aut'histoire, répondit Célisma en souriant. Sinon j'vais pas vous voir aussi joyeuse avant un mois ! »

Oliva prit une mine plus sérieuse. « Je ne suis pas joyeuse ; pourquoi dis-tu une chose pareille, mon enfant ? Un tel malheur ! »

Célisma éclata de rire et toucha légèrement de la main l'épaule de sa maîtresse. « Y a pas à avoir honte de sourire pour une histoire comme ça... Moi aussi j'souris, alors que j'connais personne là-bas. J'suppose que la plupart des femmes sourient en entendant des histoires pareilles, et la plupart des maris, aussi. La seule qui sourit pas, c'est la fille qu'est coincée entre les deux !

— Oui, il y a du vrai, dit Simon. Elle a de la cervelle, celle-là, vous devriez la garder !

— C'est bien notre intention », dit Samuel avec entrain, et il regarda Célisma tendrement...

Comme il la fixait, il ne se rendit pas compte que Vieil' Madame et Simon avaient remarqué son regard puis en avaient échangé un à leur tour. Mais Célisma s'en aperçut et elle baissa brusquement la tête pour cacher sa confusion, tandis que la chaleur commençait à lui monter du cou.

Elle répondit par un sourire aussi timoré que son propre cœur...

En mai, Simon vint chercher Oliva pour l'emmener faire son voyage annuel à La Nouvelle-Orléans et rendre visite à sa fille Emma. Pour la première fois Célisma fut désignée pour accompagner Madame, car comme disait Oliva : « Je ne veux plus laisser ces filles de la ville s'occuper une seule fois de mes affaires ; la dernière fois, la moitié de mes vêtements ont été piqués par l'humidité le temps d'arriver à Beausonge... Il n'y avait pas un seul tissu de protection ! Tu n'as pas besoin de traîner cette énorme malle ici, mon enfant, la plus petite suffira. Une semaine à la ville, c'est le maximum que je puisse supporter. »

Le trajet qui remontait le Bayou Lafourche était d'autant plus excitant que Célisma n'avait encore jamais navigué sur un bateau à vapeur. Le bateau vint s'arrêter spécialement au quai de Beausonge, soufflant et sifflant comme un puissant étalon blanc, et ils montèrent tous les trois à bord en s'accrochant à la rambarde pour résister au tangage provoqué par le propre sillage du bateau. Accrochés à la double cheminée flottaient des fanions, et les grandes roues à aube reflétaient l'eau calme près du quai. Comme un énorme gâteau à la crème, tout blanc et scintillant de lumières, le vapeur les emmena sur la rivière, et ils gagnèrent leurs cabines.

En passant, Célisma jeta un rapide coup d'œil à l'intérieur du grand salon ; des draperies de velours rouge étaient accrochées aux murs, et des palmiers verts ornaient les coins. Le bar était aussi long qu'une galerie de Beausonge, et sur le côté, l'orchestre s'apprêtait déjà à jouer pour les dames et les gentlemen magnifiquement vêtus qui flânaient sur les ponts, se saluaient en inclinant la tête, et contemplaient les plantations qui défilaient et les villes de Labadieville, Paincourtville et Donaldsonville...

Si le bayou était une eau dormante, alors le Mississippi était sa mère plutôt agitée : le cours d'eau le plus large, le plus puissant et le plus boueux que Célisma ait jamais vu. On lui avait bien sûr déjà parlé de la Grande Boueuse, mais elle n'en avait ni vu ni senti la force silencieuse... Le vapeur s'engagea dans le courant du fleuve et vira en direction du sud, cap sur La Nouvelle-Orléans.

Tandis que le fleuve les emportait, elle vit la façon dont l'eau avait rongé la terre et mis à nu les racines des chênes, avec les coups de dents voraces des périodes de crue. Cette terre rouge dénudée parcourue par les racines ressemblait à l'intérieur d'un corps humain qui exposait ses muscles blancs, et cela remplit son cœur d'effroi et de tristesse. A la prochaine crue, pensait-elle, l'eau monterait et recouvrirait tout de boue... avant de tout ronger à nouveau.

Les moteurs fumaient et le vaisseau glissa sur l'eau pendant un jour et une nuit. Le salon ne désemplissait pas de joueurs de poker — des planteurs au chapeau large et aux gestes amples, et des rusés au sang-froid, la voix doucereuse et les yeux vifs. Des dames élégantes longeaient majestueusement les bastingages, et des matrones aux robes sombres garaient leurs jupes de côté en chuchotant à leur mari. Dans la salle de bal dansaient des couples sur la musique des violons, et les hommes d'équipage s'affalaient sur les ponts supérieurs pour boire leur whisky et raconter leurs plaisanteries salaces.

Célisma entendait également, dans les cales du bateau, les chants graves et langoureux des nègres, profonds et étouffés, qu'ils accordaient au rythme du battement des roues tandis qu'ils alimentaient la chaudière et nourrissaient les Blancs.

Lorsque le vapeur s'approcha de La Nouvelle-Orléans, Célisma dut s'écarter de la rambarde, où les Blancs commençaient à affluer afin de voir la ville s'étendre toute blanche et rose sous leurs yeux... Le vent était vif, alourdi par l'odeur douceâtre de la mélasse et le parfum âcre des épices, et l'eau qui bordait les docks était tachetée de brins de coton blanc qui flottaient à la surface des vaguelettes.

Et que de gens entassés sur les routes qui longeaient le fleuve !

« Qu'est-ce que tu en penses, Célisma ? lui demanda Simon qui accompagnait Madame vers le bord pour qu'elle puisse regarder. On dit que Paris n'est pas plus beau...

— Paris, murmura-t-elle, la ville française, j'en ai entendu parler... ça peut pas êt' plus grandiose que La Nouvelle-Orléans !

— Ça sent peut-être un peu meilleur, grimaça Oliva qui tenait un mouchoir devant son nez. J'ai toujours dit que je voulais faire souffler le vent dans ma direction, ma foi...! »

Ils percevaient désormais les odeurs des docks, mélange confus qui provenait de centaines de barges et de balles. Des fruits pourris entassés au soleil, du tabac, du chanvre, des peaux d'animaux, des viandes salées, des tonnelets de porc, des barriques pleines d'aliments marinés, de rhum, de goudron ou de café, et toujours du coton : de gigantesques piles de balles de coton, toutes blanches et étincelantes sous le soleil des quais.

« Et si y pleut ? » demanda Célisma en montrant les marchandises exposées à l'air libre.

Simon haussa les épaules. « Y a des milliers de balles qui arrivent en bateau chaque jour. Alors si quelques centaines sont perdues, c'est pas plus grave que quelques nids d'oiseaux... »

Il arrivait des bateaux de partout, de toutes les tailles, de toutes les formes et de toutes les couleurs : des petits bateaux impertinents qui venaient des plantations et se fourraient dans le chemin de tout le monde, des navires à esclaves qui déversaient des troupes entières de Noirs enchaînés en direction du marché, des bordels flottants avec leurs bannières criardes et leurs volets rouges, des barques de marchands qui allaient et venaient avec leurs cargaisons... Mais les plus splendides de tous étaient les paquebots à vapeur comme celui sur lequel ils avaient voyagé, tout blancs et de carrure imposante, amarrés bord à bord le long des quais de débarquement de Canal Street. D'un côté se trouvaient les navires qui prenaient la mer, toutes voiles repliées, dont les passerelles libéraient des marins portant les uniformes de douze nations différentes. Et de l'autre côté, la partie américaine du Quarter, des bateaux à fond plat ou à quille se serraient comme des mouettes, prêts pour une vente ou un combat, selon ce qui se présenterait en premier.

Simon ouvrit la marche pour descendre du bateau ; Oliva le suivait, puis Célisma qui portait la petite valise de Madame. Un nègre des docks porta la malle jusqu'à une carriole qui les attendait ; ils montèrent dans la voiture et se mirent en route pour les ursulines.

Tout cela ne semblait à Célisma qu'un tohu-bohu de gens qui se précipitaient dans tous les sens. Des Yankees avec de grands sourires et de curieuses barbes se faufilaient dans la foule, à côté des Créoles qui marchaient d'un pas nonchalant. Des Kentuckys se disputaient de part et d'autre d'un cheval attaché devant un café. Dans les étroites ruelles qui reliaient les rues, on vendait des breloques de marins sous des cahutes au toit en tôle ; les bistrots étaient pleins à craquer, si bien que les nouveaux arrivants devaient faire la queue à l'extérieur. Ils passaient ici et là devant un étal d'huîtres, où un homme tendait des coquilles ouvertes pour montrer sa marchandise. Des aveugles jouaient du violon, des enfants dansaient pour quelques piécettes, des Espagnols vendaient des fleurs en criant à tue-tête, et des négresses passaient en se dandinant, les cheveux enveloppés dans des *tignons* de toutes les couleurs, interpellant les clients pour leur vendre ce qu'elles portaient dans un panier sur leur tête.

« Ça me donne mal à la tête, dit soudain Oliva en se penchant vers Simon, ces sempiternels jacassements et ces bousculades. Écoute-les ! Ça jure, ça crie, ça s'appelle, ça ment, ça vole...

— Vous avez déjà habité à La Nouvelle-Orléans, Madame ? se risqua Célisma.

— Mais oui, chère, il y a bien longtemps. Je n'ai jamais beaucoup aimé cette ville et je l'aime encore moins maintenant. » Une charrette passa près de leur carriole dans un bruit de tonnerre : elle se boucha les oreilles en grimaçant. « Je parie qu'ils n'entendent jamais les oiseaux chanter, dans ces rues ! »

Célisma se dit qu'elle avait certainement raison. De chaque côté, des lourds chariots tirés par des mules descendaient la rue dans un bruit infernal. Ils accélérèrent, doublèrent leur carriole et tamponnèrent deux autres voitures, bouchant le virage suivant. Les conducteurs bondirent à terre, criant et lançant des menaces, tandis que d'autres carrioles et chariots arrivaient et restaient bloqués. Quelques-uns réussirent à se faufiler par les côtés en frôlant les étalages de fruits, forçant les gens à s'écarter, puis entrèrent en collision avec d'autres véhicules qui tentaient de se glisser en sens inverse...

Il faisait bien plus chaud à La Nouvelle-Orléans, où les pluies étaient très tardives. Pourtant, l'eau stagnante remplissait les caniveaux et formait des mares, sous les maisons et le long des ruelles boueuses. Les moustiques semblaient également plus tenaces dans la ville, les brises étant trop rares pour les chasser... M'sieur Simon lui expliqua que, dans leurs bureaux, les hommes se construisaient une charpente au-dessus de leur table et de leur chaise, et travaillaient sous des *baires*, ces moustiquaires qu'on n'utilisait à Beausonge que quelques mois par an. Ici, les ménagères devaient se couvrir la tête et les bras de sacs de mousseline pour effectuer leurs tâches, et couvrir les cages d'oiseaux de filets pour que leurs canaris ne soient pas dévorés vifs.

Célisma n'avait jamais dormi sous une *baire*, et ne connaissait d'ailleurs aucun esclave à qui c'était arrivé ; ces insectes ne s'en prenaient pas aux peaux noires autant qu'aux blanches. Tous les soirs il fallait border Madame dans son lit et l'entourer de sa moustiquaire, et Célisma était parfois réveillée par le bourdonnement des moustiques qui tentaient en vain d'atteindre la peau blanche. Faute de mieux, ils pouvaient alors se rabattre sur elle, mais elle se frottait la peau avec un de ses baumes, et ils ne pouvaient pas se nourrir longtemps...

Le couvent des ursulines s'éleva devant eux, gris et imposant dans l'ombre des chênes qui le surplombaient. Au second étage au-dessus de la rue, on voyait les rangées de lucarnes construites en courbes gracieuses sous le toit en cyprès. On aurait pu y loger un village entier, se dit Célisma, et elle essaya de s'imaginer toutes les nonnes alignées à l'intérieur, avec leurs capuchons et leurs guimpes de toile raide.

Sans hésiter, Madame s'approcha de la grille de la porte d'entrée comme si elle avait eu le droit d'être là. De l'autre côté, dans la pénombre, était assise une religieuse sur une simple chaise en bois.

Madame lui dit quelques mots à voix basse. « Attendez », lui dit la nonne. Célisma entendit le froufrou de ses jupes lorsqu'elle se leva et qu'elle ouvrit la porte, laissant entrer un large rayon de lumière dans le jardin intérieur. Elle se sentit soudain contrainte

à un silence grave par la hauteur des murs et leur masse bleu-gris...
un lieu où même le soleil osait à peine s'infiltrer. Elle entendait
un vague murmure provenant de l'intérieur du couvent, des kyriel-
les d'*Ave* et de *Pater* prononcés par des voix invisibles, toutes
féminines.

Puis une autre religieuse vint à eux. Madame s'avança, la prit dans
ses bras et l'embrassa sur les deux joues. Simon prit ensuite gentiment la nonne par les épaules avant de l'embrasser sur les joues
et les mains.

« Emma, tu as l'air en pleine forme ! s'écria Oliva pleine d'enthousiasme. Un peu plus grassouillette qu'à ma dernière visite, je trouve.
Est-ce que les compotes t'ont plu ?

— Tu dois arrêter de m'offrir ces tentations, maman, dit Emma
sur un léger ton de réprimande. Tu sais que je ne peux pas résister,
et après je dois dire une pénitence pour ma faiblesse.

— Eh bien tu vas encore passer deux semaines agenouillée ! » la
taquina Simon ; il lui tendit un panier qui contenait, Célisma le savait,
de nouvelles conserves de fraises que Betzy venait de faire ainsi
qu'une carafe de liqueur de fleurs d'oranger.

« Pauvre de moi ! gémit Emma en se tordant les mains. Allez viens,
il faut que tu me racontes toutes les nouvelles », dit-elle ; elle prit
le bras de sa mère et elles s'engagèrent dans une allée du jardin.

Simon hésita un instant, puis posa le panier sur un petit muret
de briques et fit signe à Célisma de venir s'asseoir sur un banc. Il
s'assit à côté d'elle. « Je ne pourrais pas m'imaginer passer ma vie
ici, dit-il, d'un air absent. Mais ma sœur est ici depuis la guerre,
je suppose qu'elle est heureuse. Elle n'a jamais semblé vouloir autre
chose. Le Bon Dieu appelle ceux qui lui plaisent le plus, non ? »

Elle savait qu'il n'attendait pas vraiment de réponse...

« Tu es très bonne avec ma mère, tu sais ? »

Elle fit un sourire de gratitude.

« Mon frère dit qu'elle dépend entièrement de toi.

— Ça fait plaisir d'entend'ça, m'sieur, dit-elle doucement, rendue
toute timide par la présence de cet homme qui ressemblait tant à
Maît' Sam.

— Il a déjà des soucis plein la tête, c'est aussi bien qu'il n'ait pas
à se préoccuper de maman en plus.

— Elle est gentille avec moi, m'sieur. » Puis, considérant qu'elle
pouvait prendre ce risque, elle ajouta : « Mais Jeun' Madame m'aime
pas beaucoup. »

Il la regarda attentivement, comme s'il la voyait réellement pour
la première fois. « Ça ne m'étonne pas vraiment, dit-il gentiment.
Mais tu ne devrais pas t'en inquiéter, Celly. Elle n'aime pratiquement personne.

— Non, m'sieur. Pourquoi ça ? »

Il détourna les yeux et hésita. « Matilde n'est pas une femme heureuse. Les choses ne se sont pas passées comme elle l'aurait voulu.

Pertes, regrets... Je suppose que de son point de vue la vie est injuste... »

Célisma fit un sourire désabusé. « Y a du vrai dans c'qu'elle dit, alors. » Son sourire s'atténua. « Mais elle s'met en furie plus que toutes les femmes que j'connais !

— Oui, admit-il faiblement, elle est très douée pour ça. »

Emma et Oliva contournaient désormais l'extrémité du muret en briques ; Emma vint se poster devant Célisma et la fixa en souriant : « Alors, voilà donc la fille qui dort au pied du lit de maman ces temps-ci ? »

Oliva tapota tendrement Célisma sur la tête. « C'est une agréable compagne, dit-elle chaleureusement. Des bonnes mains et une bonne tête. Je ne me suis plus du tout sentie seule depuis qu'elle est là. »

Emma sortit quelque chose de sa poche et le fourra dans la main de Célisma. « Il faut donc la récompenser pour sa fidélité, non ? »

Célisma ouvrit sa main et y trouva un petit camée couleur corail, monté sur une broche ciselée, d'une remarquable délicatesse. « Oh, Madame ! dit-elle dans un souffle, regardant alternativement Emma et Oliva. C'est vraiment à moi ?

— Oui, c'est pour que tu le gardes, répondit Emma. D'après ce qu'on m'a dit, tu l'as mérité. »

Madame donna à nouveau une petite tape sur la tête de Célisma, puis s'adressa à Simon : « Viens donc marcher un peu avec Emma et lui parler de Tidings et du bébé ! » Simon se leva pour aller se promener avec elles, tandis que Célisma épinglait sa broche avec précaution dans sa poche la plus profonde. Elle observa l'homme passer de la lumière du soleil à l'ombre tachetée, et trouva qu'il était légèrement plus petit que son frère, chose qu'elle n'avait jamais remarquée auparavant.

Il était prévu que Madame et Simon rendraient visite à Emma cinq jours de suite, une fois après la messe du matin et une fois avant la prière du soir. Ils logeaient dans l'auberge qui se trouvait juste en face des ursulines, où le propriétaire s'était excusé de ne pas les accueillir dans un mobilier aussi raffiné qu'à Beausonge... Mais Madame ne semblait même pas apercevoir les couvre-lits passés et les rideaux usés. Elle restait pendant des heures devant la fenêtre qui donnait sur le couvent, en rêvassant et en observant les religieuses qui déambulaient à l'intérieur.

Une fois, Célisma se permit de lui faire gentiment une remarque : « Qu'est-ce que vous regardez, Madame ? Vous pouvez voir leur visage ? »

Oliva secoua la tête lentement. « J'essaie de trouver un ange, je suppose... » Elle ne se détourna pas de la fenêtre. « J'ai perdu un bébé ici il y a des années. Dans cette ville, tout près d'ici. Je me suis toujours dit que c'était une petite fille.

— C'était un bébé mort-né ?

— Il n'est jamais né. » Elle fit un vague geste de la main. « C'était il y a très longtemps, mais je m'en souviens encore. Et je croirai sans doute la voir planer au-dessus de ces murs ou marcher à côté, si je regarde trop longtemps. Un de mes grands regrets... » Elle sourit et lança un regard à Célisma. « Ça doit sembler un peu fou, non ? La vieille a perdu la tête ! »

Célisma sourit et posa doucement la main sur son épaule. « Y a rien d'fou d'regretter un bébé qu'vous auriez pu tenir dans les bras.

— C'est comme ça. Certaines femmes perdent vraiment la tête. » Elle se leva et épousseta sa jupe. « Tu ne veux pas avoir d'enfants, toi ? »

Elle réfléchit un instant. « Peut-être un jour. Mais c'est pas facile pour une café-au-lait d'espérer une chose pareille. On est un peuple mélangé, nous les nègres, mais on a not'fierté, comme les Blancs. Une femme de couleur voudra jamais s'mettre avec un Noir et avoir des bébés plus noirs qu'elle, ça serait un pas en arrière au lieu d'un en avant. Et y a pas un homme blanc qui voudra bien reconnaître mes fils, et tant que j'suis à Beausonge, j'peux pas aller m'balader partout et chercher un mari là où j'pourrais en trouver. » Elle baissa les mains et se détourna légèrement. « Alors même si j'veux des bébés, j'en aurai p'têt' jamais. Pas la peine de s'faire du mouron là-dessus.

— J'ai parfois l'impression que ton peuple garde la tête baissée, tout autant que l'esclavage tente de vous l'enfoncer sous l'eau, dit Oliva gentiment.

— C'est vrai, reconnut Célisma. Quelquefois on est comme un tas d'crabes dans un panier. Dès qu'on en voit un grimper trop haut, le reste essaie d'l'attraper et d'le ramener en bas. Aucun d'nous arrivera nulle part si les aut' s'en mêlent.

— Enfin..., répliqua Oliva en se tournant à nouveau vers sa fenêtre. Tu es encore jeune. Tu as encore tout le temps de changer d'avis. »

Célisma reprit, sur un ton soudain plus animé : « Madame, rien nous empêche de rester ici plus longtemps, si vous voulez. M'sieur Simon, y peut partir. Nous, on peut rester ici un moment et faire la traversée sans lui... »

Oliva se contenta de sourire. « Une semaine suffit largement. Elle me manque uniquement lorsque je suis avec elle. Le reste du temps je me porte bien. »

Mais au bout de trois jours ils durent cependant modifier leurs projets. Ce fut Simon qui apporta les nouvelles...

« Ils en parlent au saloon, dit-il à sa mère, et bientôt dans la rue, si ce n'est déjà fait. Un bateau est arrivé de Rio de Janeiro avec plusieurs morts ; il y a deux jours le *Northampton* a accosté avec une fournée de paysans irlandais, et ils avaient la maladie à bord. La semaine dernière un gréeur est arrivé de Kingston, et au moins sept membres de l'équipage étaient pris par la fièvre. J'ai bien peur que le *vomito negro* ne soit dans la ville.

— Ce n'est pas simplement la fièvre des mers ? demanda Oliva calmement. Tu sais la vie que mènent les marins. Si c'était la fièvre jaune, les docteurs en sauraient sûrement quelque chose...

— Je crois que si nous attendons, nous ne pourrons plus quitter la ville à temps.

— D'accord, mais je dois d'abord dire au revoir à Emma. Qui sait combien de mois de mai il me reste...

— Très bien, mais nous partirons tout de suite après. »

Le lendemain, cependant, il commença à pleuvoir sérieusement, plus violemment que d'habitude, des heures entières d'averses battantes qui remplissaient les caniveaux jusqu'au niveau des passerelles. La terre était fouettée par les orages, le ciel déchiré par les éclairs. La pluie dura quatre jours, pendant lesquels aucun bateau ne quitta les docks. Et quand enfin elle s'arrêta, la terre fumait sous le soleil brûlant. La chaleur atteignit rapidement un degré insupportable, même la rosée paraissait tiède ; les grosses gouttes tombaient pesamment sur les feuilles et les brins d'herbe, jusqu'à ce qu'avant huit heures elles s'évaporent au soleil... Et de véritables nuées de moustiques déferlèrent.

Le *Picayune* rapporta deux cas de fièvre jaune dans le quartier des docks. Plus bas, un paragraphe reconnaissait discrètement que plusieurs cas avaient été décelés autre part, sans spécifier leur nombre. Mais les docteurs avaient déclaré qu'il n'y avait aucune raison de s'alarmer...

Cette dernière ligne en disait assez long pour inspirer à des centaines de lecteurs perspicaces des plans pour quitter la ville immédiatement. Pendant ce temps, la chaleur devenait accablante et menaçante, pas un seul souffle d'air n'agitait les légers rideaux d'Oliva. Simon passa la matinée aux docks pour organiser la traversée, et il revint avec un visage grave. En l'espace de six heures seulement, la panique avait envahi La Nouvelle-Orléans. On ne voyait pratiquement plus personne dans les rues, les magasins avaient déjà baissé leurs volets, et toutes les routes qui partaient de la ville étaient bloquées par les carrioles en fuite.

Simon fit se hâter Oliva et Célisma et ils se précipitèrent sur les quais, pour y trouver des files d'hommes et de femmes agités qui suppliaient qu'on les embarque le plus vite possible sur n'importe quel bateau qui quittait la ville. Mais comme de coutume pendant la saison chaude, très peu de vapeurs étaient amarrés le long de la levée. La nouvelle arriva que les autres villes en amont et en aval de la rivière avaient déclaré des embargos contre tous les passagers et les cargaisons qui venaient de La Nouvelle-Orléans. A Baton Rouge, on avait posté des sentinelles armées pour tenir à distance le répugnant *vomito negro*, et aucun bateau n'était autorisé à accéder au port de La Nouvelle-Orléans.

Les habitants se ruaient désormais par centaines pour fuir la ville de n'importe quelle manière. Calèches, carrioles, chariots et même charrettes devinrent soudain introuvables. Les plus pauvres devaient faire des kilomètres à pied, les femmes attrapaient leurs enfants d'une main, leurs jupes de l'autre, et filaient derrière leur mari. Ne pas se disputer avec le propriétaire à propos du loyer, tout laisser sur place et simplement partir... Non, nous ne savons pas où aller, mais nous ne pouvons pas rester là... Certains d'entre eux portaient déjà les germes de la mort, et au bout d'un ou deux jours de marche, ils s'effondraient sur place en agonisant.

Simon réussit à louer une calèche avec un cocher plus de dix fois le prix normal, pour aller en amont de la rivière où l'on pourrait faire venir un bateau de Beausonge, de l'autre côté du Mississippi. Quand ils quittèrent la ville, Oliva se plaignit d'avoir mal à la tête. Le temps qu'ils arrivent à Crescent Rose, une plantation où le bateau de Beausonge pouvait accoster, elle avait une légère fièvre. Et lorsqu'ils traversèrent le fleuve en direction de leur propre quai, elle commença à se débattre de douleur, et sa peau était de plus en plus brûlante.

« Elle a la fièvre », murmura Célisma à Simon, tout en essayant d'apaiser sa maîtresse avec un tissu trempé dans l'eau fraîche de la rivière.

« Ça va peut-être passer », dit-il en regardant le quai de Beausonge se rapprocher. Samuel était là et les y attendait.

Daniel porta Madame jusqu'à son lit, où ses deux fils vinrent l'entourer. Célisma s'affaira à rassembler tout ce dont elle avait besoin pour soulager Madame. Et quand elle la regarda attentivement dans les yeux, elle fut soudain saisie de frayeur : les yeux de la vieille femme étaient injectés de sang, le blanc en était devenu jaune, épais et plein de liquide gluant.

« J'ai envoyé chercher un docteur, maman, lui dit Samuel en serrant les mains de sa mère dans les siennes. Tu vas te remettre très rapidement maintenant que tu es à la maison. Tu as toujours dit que la ville était une vraie pestilence, maintenant tu l'as prouvé !

— Emma, dit Oliva d'une voix faible.

— Emma est en sûreté, dit Simon. Elle a déjà traversé ce genre d'épidémies, non ? Dieu ne laissera pas ses sœurs se faire emporter par une telle peste.

— Emma ! répéta Madame avec plus d'énergie.

— Tu veux que je la fasse venir ? demanda Simon en se penchant vers elle. Elle est bien mieux protégée derrière les murs du couvent que partout ailleurs dans la ville, et si elle en sort, elle peut très bien être contaminée, maman. Mais si tu penses que tu as besoin d'elle... »

Célisma s'avança vers le lit avec des serviettes humides et un cataplasme qu'elle venait de confectionner. « Madame, vous vous t'nez tranquille maint'nant, dit-elle d'un ton ferme. Je vais m'occuper d'vous, et de tout c'qu'y vous faut. On veut pas qu'Emma tombe malade à côté d'vous, ça non, et l'docteur y vous dira la mêm'chose quand y sera là. » Elle appliqua les serviettes sur la tête de la vieille femme, et d'une main délicate elle essuya ses yeux chassieux et sa bouche humide. Après plusieurs applications successives Oliva sembla s'apaiser, et sa fièvre cessa d'augmenter. Elle ferma les yeux et sombra dans un profond sommeil.

Samuel fit signe à Simon et à Célisma de s'éloigner du lit. « Pas la peine que tu attendes ici toute la nuit, dit-il à Simon à voix basse. Enfin, sauf si tu y tiens... Mais je sais que Cerise va s'inquiéter dès qu'elle entendra parler de l'épidémie dans la ville. Tu devrais rentrer chez toi maintenant, et revenir demain, une fois que le docteur l'aura vue. Je t'enverrai Tim ou Daniel au cas où elle irait très mal dans la nuit. Célisma..., dit-il en se tournant vers elle, crois-tu pouvoir la soulager un peu ?

— M'sieur, j'm'y connais un peu avec la fièvre. J'vais faire de mon mieux, et l'Bon Dieu fera le reste. »

Il lui serra le bras en signe de reconnaissance. « Tu la connais mieux que n'importe qui. Si elle doit... — il hésita, mais ne quitta pas la jeune fille des yeux — si elle doit mourir, je veux au moins qu'elle soit soulagée. Je ne veux pas qu'elle souffre, ni qu'elle se rende compte de quoi que ce soit... Est-ce que tes herbes peuvent lui calmer l'esprit ? »

Elle hocha doucement la tête. « Elle sentira rien.

— Je peux rester ici, dit Simon, je peux faire envoyer un message à Cerise. »

Samuel secoua la tête. « Ça ne servirait à rien. Il n'y a que Célisma qui puisse s'occuper d'elle en attendant que le docteur arrive. Plus tu restes près d'elle, plus tu risques de rapporter la fièvre chez toi, et il faut que tu penses à Tidings et au bébé. Rentre chez ta femme, et laisse maman entre les mains de Célisma pour l'instant... »

Simon regarda Célisma qui acquiesça d'un signe de tête. Il s'inclina pour la saluer et sortit. Samuel le regarda partir, puis se retourna vers elle. « Tu as peur ? »

Elle esquissa un sourire. « Pas plus que vous, m'sieur. Il faut bien que j'meure un jour. C'est la meilleure manière de servir Madame, vraiment. »

A ces mots, il se pencha vers elle et lui déposa un léger baiser sur le front. « J'ai fait la meilleure affaire de ma vie, le jour où je t'ai ramenée de Rosewood.

— La meilleure affaire d'vot'vie, c'était de m'donner à Madame » dit-elle rapidement sans même réfléchir.

Il sourit. « Tu n'aimais pas être à moi ? »

Elle le fixa droit dans les yeux, et le sourire de l'homme s'effaça. Il baissa les yeux vers sa bouche. « Celly... », commença-t-il, mais elle l'interrompit avec son doigt, délicatement, un simple effleurement de peau sur ses lèvres. Alors il se pencha légèrement et l'embrassa tout doucement sur la bouche, en la touchant à peine ; il la tenait par les épaules pour l'attirer autant que pour la tenir écartée... Il recula et la regarda dans les yeux. Puis il se pencha et l'embrassa à nouveau, et elle sentit alors ses propres lèvres trembler sous celles de l'homme, sans pouvoir les en empêcher.

On entendit soudain quelqu'un appeler de l'extérieur et se rapprocher; le docteur montait les marches de la galerie derrière Tim. Célisma s'arracha de l'étreinte de Samuel et se précipita aussitôt à la porte d'entrée pour conduire le docteur jusqu'au lit de Madame; elle retenait ses jupes, et ne regarda Samuel qu'une seule fois, quand ils furent tous les trois rassemblés autour du lit de la vieille dame endormie.

Samuel l'avait suivie; il se tenait de l'autre côté du lit de sa mère et ne cessait d'observer Célisma.

Célisma n'avait vu qu'une seule fois auparavant quelqu'un mourir de la fièvre jaune. Elle était alors beaucoup plus jeune, dix ans environ, mais elle n'avait jamais oublié Clapper et sa maladie. Il avait une forte fièvre et se débattait comme un chien enragé. Il hurlait pour qu'on lui apporte de l'eau à s'en casser la voix, puis il sombra dans le délire, donnant des coups à ses frères qui tentaient de le retenir. C'était sa mère qui s'en était occupée, et elle avait obligé Célisma à sortir, mais celle-ci avait fait le tour de la maison et épié par la fenêtre : le visage du vieux Clapper était devenu violet comme une prune, et ses veines du cou étaient toutes gonflées. Du sang suintait de ses gencives et de ses lèvres, et quand il crachait dans le bol en fer qu'ils tenaient à côté de lui, c'était également tout noir. Le vomi noir, on l'appelait, et cette nuit-là Clapper avait succombé après des douleurs atroces.

Madame ne souffrirait jamais comme ça, se jura Célisma en silence tandis qu'elle observait le docteur faire de son mieux. Il la força à avaler de l'eau de chaux jusqu'à ce qu'elle la recrache, et lui appuya des tasses sur la peau pour la saigner. Les tasses étaient bordées de lames de rasoir qui coupaient la peau et faisaient couler le sang. Célisma recueillait ce sang presque noir dans une cuvette, jusqu'à ce que le visage d'Oliva devienne blanc et sa respiration trop faible...

Et tout ce temps Samuel resta près d'eux. Matilde était venue une fois avec les Mam'zelles et le jeune Maître, le visage couvert de gaze pour se protéger de la contagion. Ils se tenaient sur le seuil de la chambre de Madame et se parlaient à voix basse avec des yeux effrayés. Simon allait et venait, le plus souvent en compagnie de son frère, et Valsin veillait, sur une chaise aux pieds de la malade. Et tandis qu'elle glissait de l'éveil au sommeil, Madame n'était jamais seule.

Le sommeil était au moins ce que Célisma lui procurait, en plus de tout ce que le docteur pouvait lui faire. Elle avait concocté un sirop puissant à base de racines de belladone et de jus de coqueli-cot, après avoir cueilli les fleurs rouges et les avoir entaillées, comme sa mère lui avait appris. Toutes les deux ou trois heures elle retour-nait à la tige de la plante pour collecter la sève qui en coulait, puis elle la mélangeait à ses racines et y ajoutait un peu de cognac de M'sieur Sam. Le sirop calmait la toux de Madame et la plongeait dans le sommeil ; les rides de douleur disparaissaient alors de son front, et dans la pâle lumière, elle ressemblait de nouveau à une jeune fille...

Quand elle se réveillait, elle gémissait doucement... « Si seulement tu pouvais me réchauffer les pieds, Célisma... je sais que tu as déjà mis une brique brûlante dans mon lit, mais je ne la sens pas. Le froid s'infiltre dans mes jambes... » Elle tremblait, puis s'immobilisait, et Célisma croyait pendant un moment qu'elle avait cessé de respi-rer. Mais non, son vieux cœur battait toujours, même faiblement.

La seconde nuit, elle fit venir ses fils auprès d'elle et leur parla à voix basse tandis qu'ils se penchaient le plus près possible de sa poitrine sifflante. Célisma n'entendait bien sûr presque rien de ce qu'ils disaient, mais elle ne pouvait se leurrer sur la tristesse de leurs murmures. Valsin était affaissé sur sa chaise de veilleur, paraissant plus vieux que jamais.

Le matin du troisième jour, Oliva sombra dans un évanouissement trop profond pour pouvoir revenir à elle. Célisma somnolait sur une chaise juste à côté du lit de Madame et se réveilla dans un brusque sursaut, sentant que quelque chose avait changé. Elle se pencha, et vit que l'âme d'Oliva s'était éteinte... La mort avait été douce et rapide, elle s'était faufilée par-derrière et Madame n'en avait rien su jusqu'à ce que des mains lui surgissent devant les yeux...

Célisma réveilla le docteur, qui à son tour réveilla les deux fils. Ils s'inclinèrent alors au-dessus de son lit pour faire une prière, tan-dis qu'elle restait à l'écart dans un coin de la pièce en pleurant dou-cement. Elle se sentit à cet instant encore plus démunie que le jour où elle avait quitté sa propre mère...

« Je ne pouvais rien faire pour elle, dit le docteur à Samuel et Simon d'un air triste. Peu de gens résistent à cette fièvre jaune, et encore moins à cet âge. Mais elle a peu souffert, pour ça au moins elle a obtenu la grâce divine. »

Ils prièrent de nouveau pour que Dieu bénisse l'âme d'Oliva Doucet-Weiss lorsqu'ils la déposèrent dans la terre du cimetière familial de Beausonge, pour dormir une dernière fois au côté de Joseph. Samuel et Simon se tenaient l'un à côté de l'autre avec Val-sin, chacun évoquait Oliva et les souvenirs qu'il avait d'elle, tendait de temps en temps le bras pour toucher l'épaule de l'un ou de l'autre, comme pour essayer de se tenir debout. Emma avait réussi à fuir la ville dévastée, et elle restait toute droite comme un grand fan-

221

tôme gris dans son habit, le visage caché, décomposé par le chagrin. Matilde, Cerise et les trois petits-enfants d'Oliva étaient également là et faisaient défiler les grains de leur chapelet dans leurs doigts, le visage voilé de noir.

Les esclaves chantèrent une dernière chanson pour le repos de la femme qu'ils connaissaient tous sous le nom de Vieil' Madame.

> *J'vais boire l'eau qui guérit*
> *J'vais boire l'eau qui guérit*
> *J'vais boire pour plus avoir*
> *Jamais soif!*
> *Le Seigneur Dieu m'entend!*

Puis Célisma s'avança au bord de la tombe et regarda le cercueil qui contenait sa maîtresse. Le reste des esclaves s'écartèrent par respect, ils savaient qu'elle avait été la dernière à poser les mains sur Vieil' Madame.

En relevant la tête pour regarder le bayou au-delà du cimetière, elle remarqua que c'était un jour ensoleillé, le genre de matinée que Madame aimait le plus... Elle sentait l'obscur tanin de l'eau, l'odeur lourde et marécageuse des racines et des feuilles qui absorbaient le soleil et la boue, et elle savait que Madame pouvait encore les sentir, qu'elle sentirait et entendrait l'eau pour l'éternité. Elle commença à chanter tout doucement, puis Odette, Betzy, Clara et quelques autres se joignirent à elle.

> *Fé dodo Minette,*
> *Trois piti cochos de lait,*
> *Fé dodo mo piti bébé*
> *Jiske l'âge de quinze ans,*
> *Quand quinze ans aura passé,*
> *Minette va se marier.*

Les dernières notes furent également chantèes par toute la famille, avec les voix des deux frères qui s'élevaient au-dessus des autres, puissantes et unies.

Puis Samuel s'avança vers la tombe, et Célisma retint son souffle, la gorge nouée de chagrin pour cet homme.

« C'est un moment douloureux, commença Samuel, et les esclaves murmurèrent leur acquiescement derrière lui, mais c'est aussi un moment heureux. Nous savons tous que ma mère, la première maîtresse, est aujourd'hui libérée de ses liens terrestres, pour se mettre dans les mains de Dieu. »

Ulysse soupira. « Oui, Maît', Il t'entend. »

— Et tandis qu'elle chemine vers sa récompense, je voudrais maintenant parler de quelqu'un d'autre qui mérite également une récompense. »

Odette jeta un regard furtif à Célisma en levant des sourcils interrogateurs, mais Célisma se retourna vers Samuel pour écouter la suite.

« Célisma a travaillé nuit et jour pour prendre soin de ma mère lorsqu'elle en avait le plus besoin. Sans se reposer et sans se préoccuper de sa propre santé, elle l'a assistée dans ses dernières heures comme elle l'aurait fait pour sa propre mère. Elle mérite donc une récompense. Et comme je lui suis reconnaissant pour tout ce qu'elle a fait, je lui donne la plus haute récompense qu'un maître puisse offrir. A partir d'aujourd'hui, Célisma est une femme de couleur libre... Je l'affranchis devant vous tous comme témoins. »

La rumeur plaintive des esclaves se transforma en un grand cri de surprise et de joie, tandis qu'ils se pressaient autour de Célisma pour lui taper dans le dos et lui secouer les mains. Elle ne voyait plus Samuel au milieu de toutes ces épaules et de ces visages rayonnants, mais elle aperçut très distinctement Matilde — son visage était figé dans un sourire tranchant de colère. Emma hocha la tête d'un air triste et fit un signe de croix. Pierre lui adressa un large sourire de mépris. Seules Amélie et Thérèse eurent l'air réellement étonnées et contentes pour elle, lui retournant son sourire timide.

Puis Samuel se tourna vers elle et la regarda ; elle baissa la tête, le visage ruisselant de larmes. Avant même qu'elle puisse exprimer sa gratitude, Odette l'attrapa dans une généreuse étreinte et la souleva presque du sol. « T'as la *bonne chance*, ma fille, c'est c'que j'ai toujours dit !

— J'suis libre ? demanda Célisma à Samuel, vraiment et pour toujours ? »

Matilde s'approcha de son mari et lui prit le bras.

« C'était la volonté de ma mère, dit-il d'un ton résolu, et elle m'a dit sur son lit de mort que c'était son intention. Je dois respecter ses dernières volontés.

— Merci, m'sieur », bredouilla-t-elle, s'apprêtant à en dire plus. Mais avant qu'elle puisse continuer, Matilde entraîna Samuel, et le reste de la famille les suivit dans la Grande Maison.

Les esclaves défilèrent un par un devant la tombe en levant leur chapeau et en faisant une révérence, jusqu'à ce qu'il ne reste plus que Simon, Valsin et Célisma pour voir Tim et Daniel saisir leur pelle...

« Tu ne le savais pas ? » lui demanda alors Simon.

Elle secoua la tête, muette d'émotion.

« Lui il l'avait prévu depuis longtemps, à mon avis, dit Valsin. Où est-ce que tu vas aller, maintenant ? »

Elle poussa un profond soupir, soudain envahie par l'inquiétude. « J'ai aucun endroit où aller, vraiment. Aucun à part ici, j'suppose. J'peux p'têt' travailler contre un salaire. M'sieur Sam m'le dira.

— Tu n'as besoin de demander des instructions à personne, même pas à lui, répliqua Simon. Mais il te faut des projets, ça c'est sûr. La loi dit que tu dois quitter l'État dans l'année qui suit ta libération. »

Elle resta bouche bée. C'était donc pour ça que Matilde était satisfaite de sa liberté... « Mais où j'vais aller ? »

Valsin haussa les épaules. « La loi dit seulement que tu dois partir, chère. Tu ne sais pas ça ? » En la voyant si désespérée, il ajouta : « Ce n'est peut-être pas un marché très juste, non, mais beaucoup l'accepteraient quand même. »

Elle s'effondra sur une souche de cyprès à côté de la tombe, la tête dans les mains. Il n'y avait pas que le chagrin... Célisma avait brusquement l'impression qu'elle avait disparu dans le néant en même temps qu'Oliva Weiss. Si elle n'était pas la bonne de Vieil' Madame, alors qui était-elle ?

Emma sortit de la maison et traversa le parc pour venir les rejoindre. « Que vas-tu faire maintenant, Célisma ? » demanda-t-elle.

En voyant le visage doux et paisible de la bonne sœur, Célisma sentit sa volonté s'effriter... Mais elle refoula ses sanglots. « J'sais pas !

— Tu n'as pas de famille ?

— Maman... Mais elle peut pas m'garder, elle peut déjà à peine s'en tirer toute seule... J'peux pas retourner à Rosewood. »

Emma releva les yeux vers Simon. « Voilà peut-être un des pires péchés que nous leur ayons infligés, dit-elle calmement. Avec leur liberté nous leur avons pris leur famille... » Elle posa la main sur l'épaule de Célisma. « C'est au Bon Dieu que tu dois demander de l'aide. Et s'Il le veut, viens me voir, je ferai ce que je peux.

— Merci », répondit Célisma en baissant la tête.

Simon lui toucha aussi doucement l'épaule, d'une manière un peu gauche, et lui dit : « Tout ce que voulait maman, c'était ton bonheur, chère. » Puis ils la quittèrent, tandis que Daniel et Tim recouvraient Madame pour son repos éternel.

Célisma finit par relever la tête et regarder autour d'elle... Elle perçut dans le feuillage humide un très léger mouvement, quelque chose de rouge qui brillait et frémissait. Elle tourna lentement la tête pour ne pas le faire fuir. Elle vit tout d'abord que c'était une fleur, puis elle s'aperçut que c'était un attrape-mouches.

La fleur, qui ne faisait pas plus de trois centimètres de diamètre, s'élevait au bout d'une tige mince et dénudée. Elle était rouge et avait la forme d'une étoile de mer avec beaucoup de branches, qui convergeaient toutes au milieu vers une petite cosse ronde et couverte de pleins de doigts minuscules, qui remuaient tous. Et sur chaque petit doigt reposait une gouttelette d'un sirop apparemment gluant et luisant. On aurait dit comme la broche d'une femme géante, pensa Célisma, quelque chose que Madame Matilde aurait pu porter pour une de ses fêtes...

Au milieu de la cosse, une fourmi était prise au piège et se débattait... Elle relevait ses pattes l'une après l'autre pour tenter de se libérer de cette goutte de sirop cristalline. Mais plus elle se démenait, plus le sirop visqueux dégoulinait autour d'elle et la submergeait. La fleur commença à se refermer lentement, implacablement, malgré les contorsions de la fourmi. L'insecte fut finalement enterré vivant dans la cosse qui s'était resserrée tel un poing écarlate...

Célisma regarda autour d'elle et découvrit plus d'une vingtaine de ces attrape-mouches dans les taillis. La plupart étaient fermés, en cours de digestion. Elle en trouva un ouvert et lui donna des petits coups avec une brindille ; mais il ne se passa rien. La plante savait qu'elle ne pouvait pas manger ce bâton et ne se laissait pas duper.

Elle se retourna de nouveau vers la tombe qui allait rapidement être comblée et nivelée par les coups de pelle soigneux de Daniel. En trois mois elle serait aplatie et recouverte de verdure. Et dans un an, seuls l'ange de marbre sculpté et la pierre tombale signaleraient la dernière demeure de Madame...

Et c'était normal, pensa Célisma, normal comme la pluie. Chaque chose avait sa place, même la mort. Et aucun malheur n'était assez grand pour empêcher l'herbe de pousser, la rivière de couler et la vie de se prolonger... Je suis libre, se rappela-t-elle alors, libre comme l'eau et comme l'air ! J'ai perdu la seule personne qui me protégeait et je n'ai pas d'endroit où aller, mais je suis libre. Qu'est-ce que la vie va m'apporter maintenant ?

Célisma ne tarda pas à découvrir les limites qu'avait sa liberté, ici à Beausonge. Odette lui révéla que Madame s'était juré de la faire partir avant la fin du mois. « J'l'ai jamais vue aussi hargneuse, ça non, et c'coup-ci personne peut la calmer ! Si tu disparais pas, tu m'entends, y va t'arriver des ennuis.

— J'l'ai jamais contrariée, protesta Célisma. J'sais pas pourquoi elle m'en veut comme ça.

— Elle dit qu'tu files des mauvaises idées aux nègres, avec ta mine fière maintenant qu't'es affranchie. Elle veut pas t'voir, non, mêm'pas dans les quartiers.

— Et M'sieur Sam dit quoi ? »

Odette se contenta de hausser les épaules. « Qu'est-ce que tu veux qu'y dise, lui ? Y parlent pas, ceux-là ; lui y fait c'qu'y veut, elle elle fait c'qu'elle veut, et y font pas grand-chose ensemble, pour sûr. P'têt' que tu peux lui demander, p'têt' qu'il a une idée, mais y faut surtout pas qu'elle te voie... »

Célisma resta trois nuits à attendre dans le pavillon après la mort de Madame, à attendre que M'sieur Sam vienne la voir pour lui dire quoi faire et où aller. Et comme il ne venait pas, elle avait décidé de s'asseoir dans la pénombre de la galerie pour guetter ses pas, en laissant les rayons de la lune caresser ses pieds nus... Finalement, la cinquième nuit, elle reconnut le son de ses bottes qui crissaient sur l'allée de gravier.

Il arriva à la lumière de la lampe et s'arrêta au milieu des escaliers de la galerie. « Tu es toute seule ?

— Oui, m'sieur.

— Tu veux de la compagnie ? »

Quelle question étrange... Comme si le monde avait basculé telle une tortue sur sa carapace, et qu'elle avait désormais le droit de lui refuser l'entrée dans son pavillon à lui, simplement parce qu'elle était assise dans l'ombre sur les marches. « Faites comme y vous plaît, m'sieur », dit-elle doucement.

Il monta sur la galerie, s'assit à côté d'elle et suivit son regard en direction des grandes raies du clair de lune, des rangées de chênes verts et de la pelouse tachetée. « Quels sont tes projets, Célisma ? demanda-t-il en s'installant comme s'il avait l'intention de rester là un certain temps...

— J'ai pas d'projets. J'ai pas d'endroit où aller, en fait.

— Tu es désormais libre d'aller là où ton envie te conduit...

— J'ai pas envie d'partir, m'sieur. J'pensais que j'pourrais travailler pour vous comme employée, si vous avez besoin d'moi. Et si vous voulez pas d'moi, j'ai pas d'aut' projets.

— Tu ne peux pas rester ici, je suppose que tu le sais. »

Elle détourna tristement les yeux. « C'est c'qu'on m'a dit. »

Il réfléchit un instant sans rien dire.

Elle rassembla tout son courage. « Qu'est-ce que j'dois faire, m'sieur ? Vous m'avez affranchie, vous d'vez m'le dire. »

Il rit amèrement. « Moi, je dois te le dire ? Tu crois que je n'ai pas assez de soucis comme ça ? Non, Célisma, plus personne ne peut te dire ce que tu dois faire. Je pensais que tu aurais voulu quitter définitivement cet endroit.

— Et aller où ? J'ai pas d'famille ; j'sais rien faire pour gagner d'l'argent...

— Tu pourrais te faire engager dans le nord, j'en suis sûr. Tu sais écrire et compter, non ? »

Elle hésita. Elle savait qu'un tel aveu était dangereux, mais maintenant elle était libre... « Oui », répondit-elle, soulagée de pouvoir enfin le révéler..

Il médita un long moment. Lorsqu'enfin il se tourna vers elle, elle décela un faible espoir dans ses yeux. « Je pense avoir une ou deux idées. Peut-être un plan qui pourrait marcher. »

Elle cessa de le regarder dans les yeux, pour mieux écouter ses paroles.

« Je pensais peut-être construire une sorte d'auberge plus loin vers le quai, pour profiter du passage des bateaux. Un endroit confortable et sûr où des visiteurs pourraient payer pour passer la nuit et prendre un repas. Il n'y a rien d'autre à deux jours de voyage en aval comme en amont du bayou, et il y a de plus en plus de gens qui voyagent sans arrêt... et trop d'invités à héberger à Beausonge, même si Matilde les accueille volontiers. J'ai besoin de quelqu'un pour diriger les domestiques, accueillir les visiteurs et veiller à leur confort. »

Elle retint son souffle et se tourna vers lui.

« Ça pourrait être une offre intéressante. Tu pourrais en être capable, Célisma ? »

Les images qui se formaient dans sa tête étaient si fortes qu'elle dut fermer les yeux. Debout sur la galerie d'une belle maison, parler aux gens et les inviter à l'intérieur, leur servir un repas puis leur offrir un lieu de repos propre et tranquille... Elle avait déjà entendu parler de femmes de couleur libres qui faisaient ce genre de choses, qui montaient une petite affaire de couture ou qui confectionnaient des chapeaux fantaisie pour les dames blanches, mais être maîtresse de maison pour les Blancs, c'était la perspective la plus grandiose qui lui ait jamais traversé l'esprit. Elle en était littéralement éblouie, et lorsqu'elle ouvrit les yeux elle ne vit rien d'autre que le visage de l'homme...

« Au début on ne prendrait que cinq ou six clients à la fois, pour voir comment ça marche, peut-être avec juste quatre chambres. Et quand on commencera à être connus, on agrandira peut-être l'affaire. Mais au moins ça te donnerait un endroit et quelque chose à faire, et ça rentabiliserait ce petit bout de terrain au bord du bayou qui est trop sableux pour la culture. Et puis ça aiderait à payer les taxes maintenant que les prix du sucre diminuent.

— Vous m'donneriez un salaire pour ça ? » Elle leva sur lui des yeux scintillants d'espoir.

« Bien sûr. Et tu habiterais sur place, pour diriger les esclaves. Il te faudra une cuisinière, une femme de chambre, une bonne pour le service, et sans doute aussi un gars costaud pour porter les malles et t'aider par-ci, par-là. Tu crois pouvoir les mettre au pas ?

— Oui, m'sieur, mais... »

Il attendit en contemplant le visage de la jeune fille, dont le clair de lune faisait légèrement luire les pommettes et le menton.

« Madame l'autorisera jamais. » Elle baissa la tête et la lumière disparut de son visage...

Il lui toucha doucement la main. « Madame n'aura pas son mot à dire, Célisma. C'est toujours moi le maître à Beausonge, quoi que Madame puisse en penser. Tu as mérité d'avoir ta place ici, c'est ce que voulait ma mère, et c'est bien le minimum que je puisse faire.

— Mais on m'a dit que j'devais partir... Que j'devais quitter l'État d'Louisiane pour toujours !

— C'est la loi, c'est vrai, mais c'est une mauvaise loi. Et il y a toujours moyen de la contourner. J'ai des relations, un ou deux juges... tant que tu restes sur mes terres et que tu ne fais pas d'histoires avec mes autres esclaves, je pense qu'on peut s'en tirer. Qu'est-ce que tu en dis ? »

227

Célisma fut soudain submergée à la fois par tout le malheur et tout l'espoir de ces derniers jours, elle sentait son ventre trembler et sa bouche se dissoudre de chagrin et de joie. Elle descendit quelques marches de la galerie, s'agenouilla aux pieds de l'homme et enlaça ses genoux en sanglotant.

Il tendit la main et la posa doucement sur sa tête ; puis il lui caressa le visage, le cou, et l'attira finalement dans ses bras. Et lorsqu'il l'embrassa, elle se sentit se libérer et s'épanouir jusque dans ses recoins les plus cachés... Elle lui ouvrit ses lèvres, sentant le goût salé de ses propres larmes et sa saveur à lui, si étrangère. Elle pressa contre lui toute la longueur de ses jambes et de son corps, dans le but de lui prouver toute sa gratitude. L'homme la serra encore plus près et elle sentit une chaleur intense se dégager de lui... elle se laissa entraîner dans l'obscurité, ne désirant plus qu'une seule chose : être encore plus proche de lui.

Quand dans le bayou la lumière commençait à décliner, le chant des criquets était le premier signe de la fin du jour. Puis les grenouilles se mettaient à coasser en chœur, le long des différents affluents et ruisseaux ; ces chants se mélangeaient et s'intensifiaient jusqu'à ce qu'à la nuit noire, la terre elle-même semble vibrer aux sons nocturnes...

Tous les habitants du bayou avaient appris à écouter le chant des grenouilles, car il indiquait les dangers, les changements du temps, l'augmentation et le déclin de la vie du marais en toute saison. La saison des amours, des naissances, des morts ou de l'hibernation dans l'attente du prochain cycle, tout pouvait être décelé dans le chœur des grenouilles.

Seul le mâle faisait des vocalises pour attirer la femelle ; chaque espèce avait un chant différent, et chaque animal une manière distincte et spécifique de le chanter. Dans ces eaux il y avait toujours, tout au long de l'année, l'une ou l'autre grenouille qui coassait, mais le chœur atteignait son apogée au printemps et en été, c'est-à-dire de mars à août à Lafourche, et les grenouilles chantaient alors même en plein jour. Pendant les mois chauds, toutes les créatures du marécage entendaient donc le bourdonnement grave de la grenouille-cueilleuse, le *kwonk-kwonk* tonitruant du crapaud vert, le *brill-brill-brill* strident du crapaud gris, et le cliquettement de la grenouille-sauterelle, tels des galets qui s'entrechoquaient au fond de l'eau.

Plus de vingt espèces batraciennes différentes constituaient en effet ce chœur du bayou, du mugissement rauque de la grenouille géante qui résonnait à un kilomètre à la ronde, au petit couinement de la grenouille des prés, en passant par les grognements de la grenouille-cochon. Le dernier à se réveiller en ces nuits estivales était un nain, le crapaud des chênes, avec un sifflement aigu qui ressemblait au gazouillement d'un poussin.

Les grenouilles signalaient toute intrusion humaine dans le bayou, mais tous les animaux n'y prenaient pas garde... Ou certains y faisaient attention, mais cédaient à des besoins plus urgents que ceux que le danger pouvait causer.

Daniel savait tout ça. Il montra à Célisma les traces d'un dindon dans la bordure boueuse de la clairière, et elle s'accroupit aussitôt, surprise d'en voir si près de leur grande pension blanche à deux étages. Le bruit et l'agitation qui régnaient dans la maison depuis déjà trois ans auraient pourtant dû faire fuir même l'animal le plus stupide...

Daniel mit les mains devant sa bouche et poussa un long cri, grave et plaintif. Elle attendit, s'installa avec précaution sur ses genoux et réajusta ses hauts-de-chausses. Elle avait fini par s'accoutumer aux pantalons, qui étaient certainement plus pratiques pour aller à la cueillette des herbes et pour s'aventurer dans les ronces afin d'attraper les baies les plus mûres...

Daniel releva lentement son mousquet sur son genou et amorça le silex. Elle commença : « Ah, ce vieux dindon... », mais il lui fit un bref signe de se taire.

« Pas facile de l'faire venir, c'vieux dindon..., murmura Daniel, si doucement qu'elle put à peine l'entendre alors qu'elle était accroupie tout près de lui. Y en a pas beaucoup qui peuv' faire le bon cri... Ces oiseaux y-z-ont des oreilles de chat, la dinde elle pousse un cri, p'têt' deux, et elle se tait... Y faut ê' silencieux comme la mort une fois qu'on a appelé... Le cri résonne dans l'bayou, un dindon l'entend et y laisse tout'ses dindes pour aller voir c'que lui veut cette dinde-là... Et y la trouve, y s'pavane, déploie sa queue, et il la saute... » Il porta ses mains devant sa bouche et refit le cri, l'appel d'une dinde en chaleur...

Le silence n'était dérangé que par les criquets et le chœur des grenouilles. Au loin un geai bleu lança un croassement criard, mais ce n'était pas un signal de danger. Daniel posa un doigt sur ses lèvres, les yeux fixés sur les taillis devant lui.

Célisma commençait à avoir des fourmis dans la jambe gauche et elle la déplia, en faisant attention à ne pas faire craquer les broussailles qui l'entouraient. Elle était sur le point de dire à Daniel de rentrer à la maison pour empiler le bois, quand elle aperçut quelque chose bouger derrière l'épaule de l'homme, et elle se rassit. Entre deux chênes, un dindon gros et robuste était en train de racler la terre. Il leva la tête et commença sa parade... si lentement qu'elle n'arrivait même pas à le voir bouger. Daniel releva son mousquet devant sa poitrine. Le dindon s'arrêta et regarda tout autour de lui.

Célisma ressentit tout à coup un besoin incontrôlable d'éternuer...
Elle tenta de l'étouffer mais n'y parvint qu'à moitié ; elle laissa échapper un petit son étranglé, presque imperceptible. Mais le dindon s'enfonça dans les buissons et disparut.

Daniel la regarda avec des gros yeux de désespoir... Il reposa son mousquet et refit son cri de dinde. Ils attendirent à nouveau, pendant une heure qui leur sembla une éternité, et un autre dindon apparut enfin. Celui-ci était encore plus gros et se pavanait encore plus fièrement que le premier ; il déploya ses plumes et piétina le sol dans un mouvement ralenti, puis passa tout près de là où Daniel le guettait, le fusil devant les yeux. Une brève détonation, et le dindon s'écroula dans les feuilles.

Daniel se leva en bondissant, courut pour aller voir le dindon et brandit son gros corps emplumé. « Çui-là va pouvoir nourrir les gens pendant quat'jours, mam'zelle Celly ! »

Elle sourit, se releva et étendit ses jambes l'une après l'autre. Entre les cannes à pêche, les paniers à crabes, les plates-bandes de légumes qu'elle avait plantées derrière la maison, et l'œil perçant de Daniel pour viser au mousquet, nourrir tous les gens qui passaient à BonRêve ne lui posait aucun problème !

BonRêve, c'est ainsi que M'sieur Sam avait baptisé la pension qui se trouvait à l'extrême limite des terres de Beausonge. Et des beaux rêves, ça elle en avait, maintenant qu'elle ne devait plus se ronger les sangs pour savoir ce que le lendemain lui apporterait... Ce qu'elle avait appris durant les trois ans où elle avait déjà été la maîtresse de BonRêve, c'était que chaque jour apportait effectivement quelque chose de nouveau, mais rien qu'à la fin de la journée elle n'ait su apprendre à maîtriser...

Elle laissa à Daniel le soin de vider l'oiseau et de le porter à la cuisine, et retourna à la maison. A une certaine distance elle s'arrêta et contempla BonRêve, observant la chaleur frémir autour des avant-toits blancs.

C'était une maison à deux niveaux, haute et étroite ; il y avait quatre chambres à l'étage, et le rez-de-chaussée, entouré d'une large et spacieuse galerie, comprenait une vaste salle à manger et un hall de réception. C'était là qu'elle accueillait les gens qui débarquaient des quais, et là que Daniel apportait leurs bagages jusqu'à ce qu'elle les conduise à leur chambre. Derrière, reliée à la maison par un étroit passage, se trouvait la cuisine où travaillait Sally Red, la petite sœur de Betzy, pour recouvrir la table de plats dont la réputation parviendrait aux voyageurs affamés sur tout le bayou. Également derrière la maison, au bout du même passage, Célisma dormait dans une petite chambre dont la fenêtre donnait sur la rivière. Elle ne comprenait qu'un lit en fer, une armoire et une cuvette, mais à vingt ans, c'était la première chambre qu'elle avait pour elle toute seule. Rien que de rentrer chaque soir et de fermer la porte derrière elle lui donnait le cœur léger, malgré le labeur qu'elle avait dû endurer pendant les longues heures chaudes de la journée.

Elle entendit un petit bruissement dans les herbes derrière elle, et elle bondit de côté sans regarder ni réfléchir. Elle se retourna et ne vit qu'un petit écureuil roux qui escalada le chêne à toute vitesse, encore plus effrayé qu'elle.

Elle attendit un moment, le temps que son cœur se calme. Cela faisait trois ans que c'était comme ça, qu'elle sursautait au moindre mouvement un peu brusque. Il n'y avait là rien d'étonnant...

Elle se rappela le premier avertissement que lui avait transmis Odette, à peine un mois après la mort d'Oliva.

Samuel avait engagé des menuisiers pour construire la charpente de ce qui allait devenir BonRêve, et elle était là presque toute la journée, à nettoyer les pinceaux, à déterrer des fleurs du bayou et à les replanter méticuleusement en bordure du sentier qui menait au quai, à labourer la terre pour démarrer un potager, à ramasser des coquilles d'huîtres pour décorer les marches de la galerie... Il y avait tant de travail, pour faire de la maison blanche au bord de l'eau l'objet d'admiration de tous les regards qui passeraient sur la rivière...

Au début, cela avait été difficile de dire à Daniel, à Tim et aux autres ce qu'elle voulait; elle n'avait jamais donné d'ordres dans sa vie. Mais elle découvrit vite qu'ils attendaient d'elle des instructions précises, et tant qu'elle commençait ses ordres par : « Je crois que... » ou : « Ça serait peut-être bien que... », ils se soumettaient de bon cœur à ses commandes.

Chaque jour elle filait ainsi sur le chantier, pour observer la maison grandir et guetter Samuel. Il venait tôt et repartait tard, et de temps en temps il l'entraînait à l'ombre des cyprès ou lui caressait la taille ou la joue quand personne ne pouvait les voir. De toute sa vie elle n'avait jamais travaillé aussi dur et n'avait jamais été aussi heureuse... Et elle ne retournait au pavillon que pour y passer la nuit, pour retourner voir, dès qu'elle ouvrait les yeux le matin, la pension qui se construisait à vue d'œil.

Mais un soir Odette est venue l'avertir; elle l'avait attendue au crépuscule sur le chemin du pavillon...

« Tu crois p'têt' que BonRêve c'est assez loin pour que Madame sait pas que t'es là-bas, chère ? Non, t'es pas idiote à ce point... BonRêve est p'têt' pas loin d'la mer, mais pas assez loin d'ici en tout cas. Elle sait très bien où Maît' Sam passe ses journées, et où y passe ses nuits, même chose, et c'te femme dormira pas tant qu'elle t'aura pas fait partir d'une manière ou d'une aut'.

— M'sieur Sam passe ses nuits nulle part. Pas avec moi en tout cas. »

Odette avait souri gentiment. « Chère, ça intéresse personne d'aut' que Madame, là où Maît' Sam va ou va pas. Même s'il n'est pas avec toi, il est ailleurs, et c'est à toi qu'Madame en veut pour ces absendes. J'te garantis, cette femme est en furie...

— Est-ce qu'elle s'met en colère contre lui ?

— Presque chaque fois qu'elle le voit. Avant elle était irritable,

231

mais maintenant, plus elle vieillit, plus elle devient folle, à mon avis. Pas étonnant qu'son mari aille se divertir. Mais elle lui répète qu'elle tolère pas d'croiser une mulâtresse sur son chemin, et elle braille qu'jamais une mulâtresse accueillera des visiteurs à Beausonge ou sur n'importe quelle dépendance de Beausonge. »

Célisma avait froncé les sourcils et crispé le menton. « Enfin, j'suppose que c'est à M'sieur Sam de décider, d'toute façon. »

Odette avait secoué la tête, désespérée par l'ignorance de Célisma. « Tu crois p'têt' que cet homme sait tout et voit tout ? Tu crois qu'c'est possible ? Tant qu'il la renvoie pas, c'est elle la maîtresse ici, et elle fait c'qu'elle veut. Prends garde à toi, c'est tout c'que j'voulais t'dire, chère. J'voudrais pas qu'tu sois libérée et enterrée la même année... »

Célisma n'avait pas oublié l'avertissement d'Odette, mais comme les jours s'étaient écoulés sans qu'elle voie ni entende parler de Matilde, elle commençait à croire que M'sieur Sam avait dû apaiser la colère de sa femme d'une manière ou d'une autre. Or, un soir, en retournant au pavillon, elle s'était penchée pour aplatir un pli au pied du couvre-lit...

Mais sous sa main le pli se crispa et se contracta subitement, et le bout d'un croc surgit de sous la couverture et faillit se planter dans sa paume... Elle retint son souffle, bondit à l'autre bout de la pièce, et prise de panique, contempla cette grosse bosse vivante se dérouler, se déplacer sous la couverture et se laisser tomber du lit sur le plancher en cyprès. Et là elle découvrit un mocassin noir qui faisait presque deux fois la longueur de son bras...

Au contact du sol le serpent se lova de nouveau et la fixa, sa bouche blanche grande ouverte et comme enragée. Elle recula lentement jusqu'à ce qu'elle sente son dos buter contre le mur, qu'elle longea alors pour s'éloigner du reptile, en essayant de faire le moins de bruit possible avec ses pieds nus.

Le serpent s'approcha d'elle d'un seul coup, la tête légèrement relevée et défiante. Célisma sentit la panique s'emparer de ses jambes et de son estomac, frissonner dans son cou, et elle se figea, sachant très bien que si le serpent décidait de l'attaquer une nouvelle fois, elle n'avait aucune chance de survivre. Elle se rappela soudain quelque chose que sa mère lui avait dit un jour : le mocassin noir était un serpent agressif qui pouvait se mettre dans la tête de mordre quelqu'un sans aucune raison, contrairement au mocassin à tête cuivrée ou au serpent à sonnettes, qui essayaient plutôt de se protéger des êtres humains s'ils le pouvaient...

Rester immobile ne garantissait donc en rien sa sécurité. Horrifiée elle fixait le serpent qui en retour la regardait droit dans les yeux, tous les deux figés en cet instant par la fascination que chaque espèce avait pour l'autre... et à cette seconde précise, elle bondit par-dessus le serpent, faisant voler ses jambes nues à près d'un mètre au-dessus de sa tête, atterrit sur le lit, et là, debout sur le matelas, elle se mit à sauter en l'air et à rebondir frénétiquement.

Le serpent cessa immédiatement de la regarder et fila par la porte de la chambre. Célisma étouffait toujours le hurlement qu'elle avait dans la gorge ; elle savait alors qu'aucun cri ne lui apporterait l'aide dont elle avait besoin, qu'aucune âme ne pouvait lui assurer la protection nécessaire. Elle ne pouvait compter que sur elle-même. Et puis ce cri parviendrait à des oreilles qui n'attendaient rien d'autre que cette satisfaction...

Célisma attendit un long moment puis descendit du lit avec précaution. Elle fixa la porte de la chambre et s'en approcha lentement, puis elle se pencha par l'ouverture pour vérifier ce qu'il y avait de l'autre côté, de chaque côté du couloir obscur. Elle aperçut la queue du mocassin qui glissait dans les escaliers puis sortait sur la galerie. Elle le suivit tout doucement, en gardant ses distances, et elle observa finalement le serpent se faufiler sous la porte de la galerie et disparaître dans l'herbe.

Elle resta à la porte et regarda la Grande Maison au loin, resplendissante de lumières. Elle n'avait aucun doute sur la manière dont le mocassin était arrivé sous son couvre-lit, et elle était également persuadée que, sa mission ayant échoué, il pourrait bien en venir un suivant, ou n'importe quel autre danger que rien encore ne lui laissait prévoir...

Célisma fit une grimace dans le noir. Je suis ici, se dit-elle sous l'effet de la colère, et j'y resterai. Qu'elle fasse ce qu'elle veut, elle ne me reprendra plus par surprise.

La nuit suivante, à la faible lueur de la lune, Célisma se mit en route vers le marécage à la recherche d'un bouclier plus efficace. Cachée derrière la pile de bois de BonRêve, elle modela une petite poupée avec de la boue du marais, des aiguilles, des cheveux, et les os minuscules d'un caméléon vert. Puis de son sac à herbes rouge elle sortit son gri-gri le plus puissant, le « cruel » qu'elle tenait de sa mère.

Elle le leva à la lumière de la lune et l'examina attentivement pour repérer d'éventuels signes de décomposition. C'était l'os d'un chat noir, qui avait été bouilli puis passé dans la bouche d'une femme qui avait le mauvais œil, puis sa propre mère l'avait porté sur son cœur et l'avait donné à Célisma avec maintes recommandations.

« L'utilise jamais à la légère, chère, lui avait-elle dit. Y faut pas t'amuser avec ça sauf si tu tiens vraiment à aller jusqu'au bout. L'os cruel peut tuer, aussi sûrement qu'un fusil, ou y peut empêcher un meurtre, si c'est c'que tu veux, mais y faut payer l'prix pour ça, et ça, c'est toi qui l'payes. » Ses paroles l'avaient presque hypnotisée, comme une psalmodie qu'elle aurait rêvée, mais Célisma pouvait encore les entendre distinctement.

Elle acheva l'effigie de boue et d'os, plaça soigneusement les cheveux, prit un petit morceau de dentelle de sa poche et le noua autour de la taille et du cou de la poupée... Il provenait d'un jupon de Matilde, elle l'avait trouvé la veille devant la cabane de la lingerie.

Célisma retira l'os de chat de sa bouche, puis prononça une litanie à l'intention de l'effigie, tout en la recouvrant d'herbes et de poudre de piment jusqu'à ce qu'elle sente le pouvoir s'y déposer et attendre. Elle répéta les paroles de l'hymne catholique que sa mère lui avait apprise : « Ne te leurre pas, mon enfant ; on ne peut pas tromper Dieu, car en vérité tout ce que l'homme sème portera ses fruits, amen. »

Et maintenant, murmura-t-elle tout doucement dans l'obscurité, elle est prévenue. Si elle me fait un nouvel affront, elle verra que je lui renverrai ses pierres... Des années plus tard, elle était toujours attentive et vigilante. Mais elle ne parla jamais à Samuel du mocassin qui l'avait attendue ce soir-là, et ne lui demanda pas non plus son aide. Elle ne faisait qu'observer et patienter, convaincue qu'un jour son heure viendrait.

Elle avait dit à Odette que Samuel ne venait pas la rejoindre la nuit, mais elle avait menti — pour la première fois — à cette femme... Ce mensonge lui était resté en travers de la gorge, refusant de sortir, tant elle aurait voulu communiquer sa joie... Mais elle ne voulait pas que les esclaves commencent à parler de leur maître et qu'ils mettent son bonheur en danger, uniquement parce qu'elle voulait partager le sien.

Il ne venait pas très souvent... Au début, les yeux de l'homme semblaient lui demander sa permission quand il la voyait dans la journée. Elle avait appris à reconnaître ce regard signifiant qu'il désirait être avec elle, et même à l'anticiper. Alors elle lui souriait et regardait ailleurs, mais il savait que de toute façon il était le bienvenu.

Tandis que s'achevait la période de construction et que BonRêve était sur le point d'être terminé, cela devint un jeu entre eux deux, et elle l'invitait d'un sourire avant même qu'il l'interroge des yeux. Et ces nuits où il venait la voir, leur désir devenait immense.

Il s'introduisait dans sa chambre aussi discrètement que si une centaine de Matildes écoutaient ses pas, et s'approchait de son lit, une grande silhouette dans le clair de lune, tandis que la brise apportait un parfum d'anis et susurrait dans la mousse qui pendait aux cyprès. Parfois elle se retournait sur son lit et ouvrait les bras sans dire un mot, ne laissant échapper que quelques gémissements de plaisir pour montrer qu'elle était réveillée et qu'elle l'attendait. D'autres fois elle faisait exprès de faire le mort, et il jouait à la réveiller de ses caresses, jusqu'à ce qu'elle ressuscite et se colle à son corps comme un chat qu'on réveille, en s'étirant et en ronronnant.

Une fois, et elle s'en souviendrait toujours avec une bouffée de plaisir, il était arrivé d'une manière brutale, lui avait bâillonné la bouche avec la main comme un cambrioleur, et l'avait prise sans faire de bruit, sauf les souffles rauques de désir qui s'échappaient de sa gorge. Cette fois-là, il l'avait fait taire lorsqu'elle avait essayé de prononcer son nom, en pressant ses lèvres contre les siennes comme pour revendiquer un nouveau territoire, et ils avaient laissé leur passion les entraîner dans des régions obscures qu'ils n'avaient encore jamais visitées. Puis il s'était éclipsé aussi silencieusement qu'il était venu, et elle était demeurée seule dans son petit lit, encore palpitante de désir et souriant dans la nuit, pouvant à peine croire que cet homme semble un étranger tout en lui étant si cher et si familier à la fois...

La population des bords des bayous et de La Nouvelle-Orléans sembla doubler, voire tripler entre 1835 et 1845. En observant l'animation des ports situés sur le fleuve et les files de bateaux qui attendaient de pouvoir accoster, on aurait pu croire que toute l'Amérique descendait dans le Delta. Les prix des céréales et des terres grimpèrent en flèche, et chaque mois débarquaient des milliers d'esclaves dans ce qui était le coffre-fort de l'Amérique. Des gens venant de tous les autres États avaient des affaires « dans les environs de La Nouvelle-Orléans » pour voir à quoi pouvait ressembler la prospérité.

Mais la culture du sucre demandait une véritable armée de travailleurs et presque une ligne de crédit bancaire pour rester viable. Les prix commencèrent inévitablement à baisser, ce qui enclencha le processus de démantèlement.

Le prix des esclaves augmenta d'une manière alarmante, car le trafic d'esclaves avait déjà été interdit dans de nombreux États côtiers. Et tandis que les Noirs prenaient de la valeur, le débat sur leur propriété commença à s'envenimer. Le livre d'Harriet Beecher-Stowe, La case de l'Oncle Tom, *eut un succès retentissant, et la pièce fut jouée à New York devant un très large public, avec des sièges réservés aux « nègres respectables ». Dans le Middle West, Sojourner Truth discourait sur les vices de « l'institution particulière » des États du Sud, tandis que Jefferson Davis, après avoir démissionné de sa place de sénateur pour protester contre le Compromis de 1850, fut nommé ministre de la Guerre.*

Ce vieux trappeur de Valsin Doucet mourut dans son lit, à plus de soixante-quinze ans, et fut enterré dans le bayou sous les vastes branches d'un cyprès.

La liberté offrit à Célisma tout le temps de se promener, et elle commença à élargir son horizon au-delà des limites de Beausonge. Malgré le danger que cela représentait d'être sur la route, elle alla certains soirs jusqu'à Rosewood pour aller frapper à la case de sa mère.

Mais elle était désormais une femme de couleur libre, et dans ce qui avait été sa propre maison, sa mère la traitait comme une invitée. Elle avait du mal à lui parler de Samuel, de sa crainte de Matilde, et surtout de lui demander conseil à propos de tout ce qui lui tenait à cœur.

Une fois elle s'était hasardée : « J'ai essayé c'vieil os de chat qu'tu m'as donné, m'man, j'l'ai fait avec d'la terre et des cheveux... »

Sa mère la fixa avec insistance. « T'as envoyé l'mauvais œil à sa femme ? »

Célisma la regarda étonnée. Les nouvelles traversaient donc le bayou aussi vite que la brise... Elle hocha la tête pitoyablement. « J'sais pas pourquoi j'ai fait ça. Y a pas d'raison. Si j'espère quelque chose, j'ferais mieux d'prier Dieu...

— Fais ça aussi. Mais l'mauvais sort marchera pas tant qu'tu le souhaites pas, ma fille. Qu'est-ce que tu voulais qu'y fasse ? La tuer raide morte ? »

Célisma tressaillit, le visage rempli d'horreur. « Non, m'man ! J'voulais juste qu'elle m'laisse tranquille !

— Oui, mais quand on commence, après ça suit son cours... on peut plus dire c'que ça va faire maintenant... »

Célisma observa la cabane exiguë autour d'elle, les coins plongés dans l'ombre, et l'unique bougie qui coulait et fumait sur la table bancale. « J'crois pas à toute cette magie », dit-elle fermement.

Sa mère ricana. « Bien sûr que t'y crois. Si t'y as touché, c'est qu't'y crois !

— C'qui doit arriver arrivera. Et c'est pas la magie qui l'fait arriver. Dieu laisse les hommes faire c'qu'y veulent. »

Sa mère haussa les épaules. « P'têt'. P'têt' le dieu des Blancs, p'têt' le dieu des Noirs, p'têt' le même mais qu'on prie pas d'la même manière... Tu veux qu'j'te dise, ma fille, ça suit son chemin. Et si t'es plus d'accord, t'en occupe plus. »

Célisma ne put jamais savoir si c'était l'effet du pouvoir de son effigie ou simplement de la grâce de Dieu, mais au bout de quelques semaines, la nouvelle lui vint de la Grande Maison que Madame faisait ses bagages. De même que Mam'zelle Amélie, Mam'zelle Thérèse et Maître Pierre. Pierre entrait dans une des plus grandes maisons de courtage de La Nouvelle-Orléans, et les jeunes Mam'zelles devaient au cours d'une double cérémonie à la cathédrale Saint-Louis épouser les deux fils d'Armand Gaspeau, un planteur du voisinage. Matilde devait naturellement superviser tous les détails de ces deux événements...

« Elle part combien d'temps ? demanda Célisma à Odette.

— Vu comme les malles sont chargées, j'suppose qu'elle est partie pour y rester tout'la saison. Maît' Sam va aller au mariage, bien sûr, mais elle, ensuite elle restera.

— Bizarre que les deux Mam'zelles font pas leur noce à Beausonge, dit Célisma sans réfléchir.

— Y a rien d'bizarre à ça, sourit sèchement Odette. Elle peut toujours s'imaginer qu'BonRêve est rien d'aut' qu'un cauchemar, elle peut toujours faire semblant d'pas l'voir si elle décide de l'chasser d'son esprit, mais les aut'gens, elle peut pas les empêcher d'le voir, hein ? Elle dit qu'c'est la honte d'la famille, c'te pension là-bas, prend'de l'argent aux visiteurs pour qu'y s'sentent à l'aise ! Et y a pas un seul maît' dans tout Lafourche qui fait pareil, elle dit, et qu'elle veut pas qu'des gens distingués voient c'te chose de près. Alors les jeunes Mam'zelles elles vont s'marier à La Nouvelle-Orléans, là où elle peut garder la tête haute. » Odette ouvrit tout rond ses yeux ridés, comme un éléphant sage. « Et c'est pas étonnant qu'Maît' Sam revienne ici tout d'suite après, ma p'tite, il a rien à faire à La Nouvelle Orléans. »

Célisma lui lança un bref regard d'avertissement

« Quoi ? Tu crois qu'j'vais pas en parler ? Les grands discours changent rien à c'que tu fais, ma fille, si tu crois qu'tu peux t'laver complètement avec la langue comme un chat ! Les gens sont pas aveugles, ni les Blancs ni les Noirs.

— C'est mes oignons, répliqua Célisma froidement. T'as rien à dire là-dessus, ni à moi ni à personne.

— C'est p'têt' tes oignons, ouais, et j'sais qu'c'est pas d'ta faute si tu sais pas quoi décider, répondit Odette gentiment. Mais maintenant tu dois faire un choix. T'es libre, ma p'tite, et c'est quelque chose de plus précieux qu'tout l'or du monde. T'as l'choix et t'as une âme pour choisir.

— J'ai toujours eu une âme, trancha Célisma.

— C'est vrai, chère, sourit Odette, mais maint'nant, grâce à Dieu, cette âme a son mot à dire, en plus. »

Célisma poussa un soupir et se frotta les yeux. « Alors Dieu pourrait p'têt' me montrer comment empêcher un cœur de désirer quelque chose, si c'est pas bien d'le faire.

— C'est pas comme ça qu'Y fait, l'Bon Dieu. Y peut pas t'faire sortir du placard des malheurs, mais c'est pas pour ça qu't'es obligée d'lécher tous les pots ! »

Célisma laissa tomber sa tête et dit tout doucement : « M'sieur a personne d'aut'que moi, il est tout seul.

— Ça c'est vrai, approuva Odette. Maintenant qu'son oncle est mort, y lui reste plus beaucoup d'famille. Plus d'mère ni d'père, et presque plus d'femme et enfants... Un frère qu'y voit d'temps en temps... Tu t'es jamais demandé pourquoi ? »

Célisma crispa la mâchoire d'un air obstiné.

« Ah, t'auras beau écumer comme de la confiture, ma p'tite, tu changeras pas la vérité ! C'est lui qui fait fuir tout'la famille qu'il a, et c'est toi qui sers de bâton...

— Cet homme a déjà la cinquantaine, coupa Célisma. J'suppose qu'y sait c'que sa raison lui dit.

— C'est pas sa raison qu'il écoute », gloussa Odette, et elle s'éloigna en se dandinant sur le sentier qui menait à Beausonge.

Célisma l'observa jusqu'à ce qu'elle disparaisse derrière le haut mur de pierres et la rangée de chênes qui dissimulaient BonRêve des regards de la Grande Maison. Elle désira soudain être n'importe où ailleurs qu'à Beausonge, là où M'sieur Sam ne pourrait plus la réclamer comme sa propriété, et où elle n'aurait plus à être ni consentante ni complice...

Les mois s'écoulèrent aussi calmement que les eaux du bayou, et Célisma eut rapidement tant à faire à BonRêve qu'elle n'appréhendait plus le retour de Matilde. Les saisons passaient, Madame ne revenait pas à Beausonge, et elle n'eut aucun mal à oublier la Grande Maison là-bas derrière elle, presque un mirage lorsqu'elle regardait en direction du soleil en plissant les yeux.

Elle oublia aussi quasiment l'existence de la petite figurine d'argile qu'elle avait enterrée dans le marécage. Plusieurs fois elle avait voulu aller la chercher afin de la détruire, mais elle s'était dit que ce n'était finalement qu'une vieille légende d'esclaves, pas plus véridique que les feux follets ou les loups-garous, et elle n'y pensa plus.

Des gens allaient et venaient, et avec le temps Célisma se rendit compte que diriger des esclaves n'était pas si difficile que ça. Son plus grand problème était de gérer les sentiments qu'elle avait à leur égard. Elle pouvait assigner une corvée à Daniel et envoyer Sally Red à la tâche le cœur tranquille, mais la torture commençait dès qu'elle devait s'éloigner et les laisser travailler sans les surveiller constamment.

Elle se surprenait à faire un détour par le champ pour voir si Daniel plantait bien des rangées de maïs comme il fallait, et à se faufiler dans la cuisine pour jeter un œil sur la seconde fournée de sablés au beurre, jusqu'à ce que Sally Red se mette à pousser des cris furieux en menaçant d'aller se fourrer au lit avec une bouillotte sur la tête si Célisma s'approchait du fourneau encore une seule fois dans la journée.

Mais en soi le pouvoir de commander lui posait peu de problèmes ; c'était l'idée qu'elle avait d'elle-même qui s'était modifiée. Avant la liberté, il lui importait peu d'utiliser son temps de telle ou telle manière. Si elle laissait des traces de saleté dans la maison et qu'elle devait ensuite les nettoyer, cela lui était indifférent. Même à ses yeux son temps n'avait aucune valeur. Mais désormais son temps lui appartenait et elle refusait d'en gaspiller la moindre petite parcelle ; et si les esclaves pouvaient l'aider à l'économiser, alors elle ravalait sa grimace de malaise et les mettait au travail.

Elle découvrit vite que leur aide lui permettait de faire bien plus de choses que simplement ramasser les billets verts que lui tendaient les gens qui avaient mangé et dormi là. Elle demanda à Samuel de lui prêter Daniel et Tim pour construire un moulin à écorces dans une des dépendances, car on lui avait dit que le tanin était très recherché, et peu d'hommes pouvaient découper le bois de chêne aussi vite que Daniel.

En avril et en mai, quand les chênes s'écorçaient facilement, elle envoyait l'homme dans un bosquet où il décortiquait et fendait des monceaux d'écorces qui remplissaient les meules en une seule journée. Lorsque l'écorce était broyée et mélangée à la bonne eau du bayou, cela formait un épais tanin que les trappeurs cajuns utilisaient pour traiter leurs peaux. Le grand magasin de Thibodaux lui achetait toute sa production, et elle fourrait les billets dans un petit sac de flanelle qu'elle cachait dans son armoire. De l'argent pour la liberté, avait-elle décrété, et elle n'y touchait jamais...

Puis à l'automne elle empruntait à Samuel une meute de chiens pour chasser les ours. La graisse d'ours était une chose que les pilotes de bateaux à vapeur réclamaient souvent, et ils juraient que c'était de plus en plus dur de s'en procurer. Les chasseurs soutenaient qu'il n'y avait rien de mieux pour entretenir leurs mousquets, et pourtant très peu se décidaient à abattre les ours engraissés durant l'été, alors qu'un seul animal rapportait plus que dix balles de coton.

Célisma chargeait donc Daniel d'aller pister les ours, et elle ressentait parfois un vif désir de partir avec lui et les chiens, de marcher des heures dans le bayou, de chasser tout ce qu'ils trouvaient, de passer la nuit allongé sur la mousse moelleuse à côté d'un feu qui éloignerait les bêtes sauvages, d'écouter le ululement du hibou au-dessus de leur tête tandis qu'ils sombreraient dans leurs rêves. Des rêves sauvages, pensait-elle, comme la nature autour d'eux... Puis elle se souvenait de son lit propre et confortable, et de Samuel qui parfois l'y attendait, et elle chassait tout instinct trappeur de son esprit. Après tout, se disait-elle fermement, elle était désormais maîtresse de maison : il fallait être convenable...

Les premiers mois de printemps arrivèrent, et les lilas parasols commençaient à fleurir. Célisma planta des soucis, des amarantes, des sabots de Vénus et des immortelles tout le long du sentier qui menait à BonRêve. Les rosiers sauvages qui partaient de la porte se propageaient sur la rambarde tout autour de la galerie, et tandis que les premières fleurs apparaissaient dans le bayou, Célisma sentit en elle une légère agitation accompagner ces floraisons. Les potions fortifiantes qu'elle se préparait habituellement en cette saison n'accomplirent pas les miracles escomptés. Elle se sentait à la fois paresseuse et insouciante, avec une étrange pulsion qui l'entraînait souvent vers la rivière, uniquement pour se tenir là et contempler le lent flot des eaux, se demandant toute confuse ce qui la poussait à venir ainsi.

En entendant un bruissement d'ailes elle leva les yeux et aperçut deux geais bleus mâles qui zigzaguaient dans l'air, l'un tentant désespérément de fuir l'autre. Elle suivit leur duel des yeux, et devina qu'une petite femelle était cachée dans le feuillage non loin de là, immobile, qui regardait aussi. Un des mâles finit par éliminer l'autre puis, l'air fier, regagna le nid qu'il venait de défendre... ou d'envahir.

Sur la levée, un poulain galopait à une allure folle, et un troupeau d'oies avec quelques oisons à la traîne dut filer en se dandinant aussi vite que possible pour s'écarter de son chemin. Deux veaux faisaient des cabrioles si niaisement que Célisma riait en les observant. Elle était remplie d'une sorte d'allégresse printanière, et elle se rappela ce que les vieux disaient, que le bayou accordait un don spécial de fertilité à tous ceux qui le touchaient. Elle savait que c'était l'eau, bien plus que la saison, qui était la source de son bonheur ainsi que de toute cette vie autour d'elle...

Un jour, alors qu'elle revenait d'une de ces promenades rêveuses au bord de la rivière, elle remonta le chemin de derrière, qui menait du champ de maïs à la cuisine, et tomba nez à nez avec Pierre ; c'était la première fois qu'elle le voyait depuis près de trois ans...

Elle lui adressa un sourire hésitant, en se demandant rapidement où Daniel pouvait bien être, et si Sally Red était à portée de voix. « Bonjour, m'sieur », se risqua-t-elle, en espérant qu'il la laisserait passer sans faire de commentaires.

Mais il l'arrêta sur le sentier en lui barrant le passage. « Eh bien, regardez-moi cette fille, toute grandie et qui fait la fière. Tu dois penser que maintenant tu tiens le monde par la queue, n'est-ce pas, Miss Celly ? lui dit-il d'une voix sombre et sarcastique. On s'est fait sa place au soleil et on en veut toujours plus ! Mais on se fait un bon paquet d'ennemis, en même temps, Maîtresse, ajouta-t-il en accentuant bien fort le dernier mot. Je viens te dire une chose. A moins que tu espères tromper tout le monde avec tes grands airs, tu peux te mettre dans la tête que BonRêve va devenir plus un cauchemar que tous les petits rêves que tu t'imagines... Je viens te dire que ma mère arrivera par le prochain vapeur qui vient de La Nouvelle-Orléans, et que tu as intérêt à t'embarquer dessus et à quitter Beausonge pour de bon ! »

Elle baissa brusquement la tête et tenta de le contourner en faisant un écart dans la plate-bande de concombres. Mais il l'empoigna par le bras, elle trébucha dans la terre molle et tomba presque sur lui ; il la repoussa comme une malpropre.

« S'il vous plaît, m'sieur, murmura-t-elle en essayant de maîtriser sa voix.

— *Je vous en prie*, tu veux dire ? C'est pas comme ça que tu parles maintenant quand tu veux quelque chose ? C'est pas comme ça que tu embobines mon père ? »

Quand Pierre prononça le nom de son père, le cœur de Célisma se pétrifia comme par peur d'un danger ; elle s'écarta de l'homme, croisa les bras et se planta fermement devant lui. « Qu'est-ce que vous m'voulez, m'sieur ? Dites-le-moi et partez.

— Tiens, tu donnes des ordres aux Blancs aussi, maintenant ? Je vois que tu aimes ça, donner des ordres. Ça te suffit pas d'exploiter ta bande de nègres jour et nuit ! » Il sourit, d'un air méchant et vicieux. « Surtout la nuit, je parie... »

A ces mots, Célisma comprit qu'elle devait absolument regagner la protection de la maison, bien plus que lui renvoyer ses injures au visage... mais la maison serait-elle seulement à l'abri de Pierre ? Il n'y avait aucun endroit sur les terres de Beausonge où elle puisse aller en étant sûre qu'il ne la suivrait pas... Et à cet instant elle regretta vivement de ne pas être une négresse horrible, une esclave qui s'exténuerait dans les champs, invisible à ses yeux et à ceux de n'importe qui dans la plantation.

Elle essaya à nouveau de forcer le passage, et cette fois elle se baissa subitement lorsqu'il tendit le bras et elle se déroba prestement, mais il parvint à la saisir par l'épaule et à la faire pivoter vers lui. « Tu restes là et tu écoutes, mulâtresse, jusqu'à ce que je te dise de partir ! Je m'en fiche de ce que mon père te raconte, moi j'exige que tu quittes Beausonge, tu m'entends ? Il y a une loi exprès pour les souillons comme toi, alors tu vas quitter ces terres et disparaître de la vue de ma mère une fois pour toutes !

— Et sinon ? » Elle gardait la tête haute, le dos droit et inébranlable. En pensée elle mesura la distance qui la séparait de la maison, et jusqu'où pourrait porter un hurlement à pleine gorge. Mais y aurait-il des oreilles pour l'entendre et des jambes pour courir à son secours ?

Elle ressentit alors une étrange palpitation juste sous son cœur, un léger mouvement comme si une petite créature tentait de s'échapper, ou de s'enfoncer en elle pour s'y réfugier. Et elle comprit à ce moment-là pourquoi ses remontants étaient moins bien passés que d'habitude...

« Sinon tu regretteras d'avoir posé les yeux sur Beausonge, ma cocotte, et d'avoir posé tes yeux de traînée sur mon père. Tu croyais peut-être qu'on allait tranquillement le laisser t'installer ici pour que tout Lafourche puisse le voir ? Tu croyais peut-être que ma mère allait tolérer qu'une concubine fasse définitivement son nid dans son propre jardin ? Elle lui a donné toutes les chances de se rattraper... Mais maintenant c'est moi qui vais le faire à sa place.

— M'sieur, je crois qu'vous feriez mieux d'en parler à vot'père, pas à moi.

— J'en parlerai à qui je veux, femme ! » Pierre criait désormais, enragé au-delà de tout contrôle.

Pour la première fois elle eut vraiment peur de lui. Elle se tourna pour s'enfuir mais il l'attrapa par-derrière, lui saisit le cou et la taille et la tira d'un seul coup. « Bon Dieu ! jura-t-il, tu vas rester là et m'écouter ! Même si c'était Jésus en personne qui t'avait affranchie, et malgré le tas de clés que tu portes à la taille, tu n'es rien d'autre qu'une putain café au lait ! » Il lui déchira son tablier et arracha sa ceinture avec le trousseau de clés bringuebalantes des dépendances de BonRêve. Elle hurla alors de toutes ses forces, en se protégeant la poitrine, le ventre et le visage avec ses bras et ses mains, hurla de plus belle tout en se débattant pour se libérer de son étreinte...

Elle entendit derrière elle un bruit de bagarre, et la voix de Samuel trancha soudain sa terreur. Elle l'entendit crier : « Laisse-la tranquille ! », sentit les bras de Pierre relâcher leur emprise, pivota et vit Samuel et Pierre se battre dans la plate-bande de piments. Elle avait trébuché et s'était effondrée dans les légumes, mais elle se releva lentement, fixant le visage courroucé et incrédule de Samuel.

« Comment peux-tu oser ! criait-il à son fils, avec mon argent plein tes poches et ton cheval qui dort dans mon écurie ! C'est moi qui te procure tous tes plaisirs, et tu oses faire ça ?

— Comment j'ose ? riposta Pierre. Et toi, comment oses-tu m'apprendre à me comporter convenablement ? Ma mère pleure de honte toute la nuit, mes sœurs peuvent à peine ramener leurs maris dans leur propre maison, aucun d'entre nous n'échappe aux regards moqueurs dans les fêtes, et toi tu élèves ta putain sur un piédestal ! Tu l'installes ici dans son petit palais blanc comme une espèce de courtisane, sous notre nez, et tu te plains de mes manières ?

— Célisma, va dans la maison, lui dit Samuel sans la regarder.

— Oui, Maîtresse, va te mettre à genoux devant ton lit immaculé de petite vierge et prie pour ton âme. Car tu vas avoir besoin de l'indulgence de Dieu dans les prochains jours », lui lança Pierre d'un ton tranchant de mépris tandis qu'elle s'enfuyait.

A ces mots elle s'arrêta tout net et se retourna, les yeux foudroyants et les poings serrés. « Je lui demanderai d'être indulgent avec vous aussi, cher ami, car cette putain à qui vous jetez la pierre maintenant, vous l'avez convoitée plus d'une fois ! »

Samuel fronça les sourcils, sans poser un seul regard sur Célisma. « Disparais, dit-il froidement à Pierre. Et que je ne te revoie plus une seule fois à BonRêve. Je ne vais pas rester dans ce potager à justifier mes actes. Et si j'apprends que tu as encore maltraité cette femme, je te chasse de Beausonge avec tout ton barda comme si tu n'avais jamais été mon fils... Et tu verras ce que deviendront tes bonnes manières quand tu vivras avec un salaire de courtier ! C'est compris ? »

Pierre pâlit et fit une moue de dédain ; et en rejoignant son cheval d'une allure arrogante, il lança à son père : « Pas la peine de te déranger, je ne reviendrai pas. Non seulement tu es un vieil imbécile, mais en plus tu as complètement perdu la raison. Tu ferais mieux d'aller prier avec ta poulette, papa. Prie pour avoir une longue vie... Parce que quand tu ne seras plus là pour défendre son honneur — et il cracha littéralement ce dernier mot —, il sera à vendre en moins de temps qu'il ne lui faut pour défaire ses jupes. Et elle aussi, probablement... » Il enfourcha sa monture et partit au galop.

Célisma observa Samuel se ressaisir et apaiser sa fureur, aussi posément qu'il aurait boutonné sa veste. Puis il la prit par le bras et la conduisit dans la maison ; elle sentait les muscles de son bras trembler sous l'effort pour se contrôler.

« Je suis désolé, lui dit-il d'une voix triste. Je ne pensais pas qu'il oserait s'approcher de toi encore une fois. Tu es une femme libre.

— Je serai jamais libre tant qu'je reste sur tes terres, murmura-t-elle.

— C'est ta maison.

— Avec quelle permission ? Tu dis qu'c'est ma maison, mais pour eux j'suis là clandestinement. Pour eux j'serai jamais rien d'aut' qu'une voleuse.

— Je suis désolé ! s'écria-t-il brusquement. Je sais ce que ça fait de ne se sentir nulle part chez soi. J'ai eu cette impression-là presque toute ma vie... Ma jeunesse m'a suffisamment appris qu'il ne fallait pas faire confiance à l'amour, et maintenant c'est moi qui te fais la même odieuse leçon ! » Il leva les mains et les regarda, la bouche grimaçant par dégoût de lui-même. « J'ai encore de la corne d'avoir travaillé pour quelque chose qui n'était pas à moi... quelque part où je n'étais pas chez moi. Beausonge m'appartient, au moins. Ici j'ai travaillé dur pour obtenir quelque chose que je peux garder. J'ai appris que c'était ce qu'il fallait que je fasse — que je maîtrise ma vie si je voulais la garder — et je voulais que mon fils n'ait jamais à faire cette expérience. Mais ce n'est pas mon fils à moi... » Il regarda au loin, les yeux humides de chagrin. « Il ne l'a jamais été. »

Elle lui prit les mains et l'attira vers la maison, en lui chuchotant des paroles de réconfort, sachant très bien qu'il n'y prêtait pas attention.

Une fois à l'abri sur la galerie, il la prit dans ses bras, la serra près de lui et déposa ses lèvres sur son cou. « Ça ira mieux, promit-il. Il faut juste être patients.

— J'ai plus beaucoup d'temps », dit-elle faiblement, enfouie contre sa poitrine.

Il s'écarta et l'observa d'un air intrigué.

« J'attends un enfant, murmura-t-elle, la bouche tout près de la sienne.

— Oh ! mon Dieu... », gémit-il doucement.

Elle poursuivit d'un ton résolu. « Alors il faut maintenant que j'te demande c'que j't'aurais pas demandé avant... Est-ce qu'y va naître sur ses prop'terres ? Ou alors est-ce qu'y va rester sous la coupe de Madame et dépendre de ses caprices ? » Elle scruta ses yeux pour essayer d'y déceler la joie qu'elle avait espérée... « J'veux pas qu'y porte ton nom, ajouta-t-elle en détournant le regard, mais j'veux qu'un jour il ait quelque chose à lui... » Elle essaya de lui faire son plus beau sourire, mais elle dut faire un effort pour le maintenir sur son visage. « C'est c'que veulent toutes les mères, cher. Et j'peux pas souhaiter moins pour... ton enfant. »

Il la garda un long moment dans ses bras sans dire un mot. Puis il lui demanda enfin : « Quand est-ce qu'il doit naître ?

— J'ai pas encore calculé... P'têt' à la saison du broyage. » Elle explora à nouveau ses yeux et lui sourit. Pourvu qu'il soit heureux ! Son cœur lui faisait mal à force d'espérer...

« Enfin... Il fallait s'y attendre, je suppose. »

Elle se raidit légèrement. « Moi j'suis contente, cher. Cet événement t'réjouit pas un peu ?

— Si, dit-il en souriant tristement. Mais tu dois me laisser le temps de lui faire un peu de place dans ma tête.

— Dans ton cœur, plutôt, répondit-elle.

— Oui, et ailleurs. » Il la repoussa délicatement, se dirigea vers la balustrade de la galerie et scruta les eaux au-delà du quai, comme s'il avait pu y apercevoir le passé et l'avenir en même temps... « Tu sais, il y a peut-être un moyen. »

Elle se rapprocha, se tint derrière lui et lui massa le cou comme il l'aimait. Il ondulait sous ses mains en soupirant, il s'abandonnait à ses paumes comme pour y puiser du réconfort.

« Le prix du coton baisse, tu sais, et celui du sucre ne va pas tarder. Sur la rivière les nouvelles ne sont pas bonnes ; même ceux qui disent que Dieu en personne offre du sucre de Louisiane à ses invités, ils sont inquiets.

— Toi aussi t'es inquiet ? » demanda-t-elle. Il lui parlait rarement de ses affaires. Tout ce qu'elle avait appris, c'était en écoutant attentivement. Elle aurait surtout désiré qu'il la prenne dans ses bras et qu'il lui parle de l'enfant, mais elle écouta patiemment.

« Un peu. Si les prix tombent on pourra tenir plus longtemps que la plupart, mais personne ne peut tenir éternellement... Les taxes peuvent ronger une plantation encore plus vite qu'un nuage de sauterelles. Tu sais, j'y avais déjà songé avant, Celly, mais maintenant c'est peut-être une idée qu'on pourrait envisager... Que dirais-tu d'acheter BonRêve ? »

Elle éclata de rire, sans retirer ses mains. « J'dirais qu'ça serait très bien, et pendant qu'j'y suis j'pourrais aussi m'acheter la lune et voilà ! J'ai autant de chances de posséder l'une que l'autre...

— Non, je suis sérieux, dit-il en la tirant pour la faire passer devant lui et la prendre entre ses bras. Ça permettrait au moins de sauver quelque chose des percepteurs d'impôts, ça ferait baisser les taxes de Beausonge, et...

— Et ça fera grogner Madame comme un chien enragé ! dit-elle. Pierre a dit qu'elle revenait bientôt, et elle va encore s'mett'en colère. Alors me parle pas d'acheter BonRêve, c'est d'la folie... Aucune mulâtresse aura jamais rien, en tout cas pas un bel endroit comme ici. Mais j'te remercie beaucoup pour ton sourire !

— Ce n'est pas aussi fou que tu le penses », dit-il, de plus en plus enthousiasmé par ce projet... Elle voyait bien qu'il était complètement convaincu et qu'il ne s'arrêterait plus. « Les gens de couleur libres ont la possibilité légale de posséder des terres s'ils peuvent en acheter. Mais naturellement, un homme blanc n'a pas le droit de céder du terrain à sa maîtresse noire, c'est contre la loi.

— Encore une loi... Et d'où elle sort, celle-là ?

— C'est pour protéger l'épouse blanche, bien sûr. Toute une ribambelle de femmes ont dû se rassembler et tirer quelques politiciens par la manche pour la faire voter, parce que la plupart de ces politiciens ont eux-mêmes une petite... » Il s'interrompit et la regarda avec curiosité. « Est-ce que tu t'es déjà demandé pourquoi je m'étais mis avec toi, Celly ? »

Elle baissa les yeux. « Beaucoup d'gentlemen ont une maîtresse, j'suppose...

— C'est vrai. Et la plupart ont de bonnes raisons. Tu vois, la majorité des hommes blancs du Sud ont tété un sein noir pendant que leur mère gardait sa fraîcheur dans son boudoir tout vitré. Alors bien sûr quand ces hommes atteignent l'âge d'apprécier certains plaisirs, ils ne peuvent pas s'empêcher de penser chaque fois aux filles noires plutôt qu'à leur femme blanche et maniaque...

— Et c'est pour ça qu't'es avec moi ?

— Nan..., sourit-il. Il se trouve que c'est toi que je préfère... Mais ça ne veut pas dire que j'ai le droit de te faire don de BonRêve comme ça. Par contre c'est sûr que tu peux l'acheter... Tiens, il paraît qu'il y a une mulâtresse un peu plus bas qui a une cinquantaine d'hectares et une douzaine d'esclaves pour les cultiver, elle a sa récolte de coton comme ses voisins !

— Une femme de couleur qui possède des esclaves ?

— Tu as le droit de posséder tout ce que tu veux, maintenant que tu es libre. Le seul problème est de te faire le transfert de propriété. Je vendrai la maison à Simon, et dans un certain temps, il te la revendra. Et dès que BonRêve ne sera plus à mon nom, ils baisseront les impôts sur Beausonge, et toi tu seras en sécurité avec l'enfant... Bien sûr il faudra que tu paies tes taxes aussi, mais au moins tu auras un endroit à toi, quoi qu'il m'arrive.

— Comment j'vais faire pour payer les taxes ?

— En travaillant dur, bien sûr, répondit-il, comme tout le monde... Je te vendrai des esclaves, aussi. Les prix n'arrêtent pas de grimper pour les bons ouvriers, et les taxes sur les esclaves augmentent aussi. Il y a cinq ans on payait mille deux cents dollars pour un ouvrier agricole, et le même ouvrier me coûterait mille huit cents dollars aujourd'hui. En plus j'en ai plein dont le travail ne vaut pas la moitié de ce que le percepteur me déclare... En ce moment il y a une véritable folie des esclaves et tout le monde pense qu'ils vont encore augmenter.

— J'coûtais autant d'argent ? murmura-t-elle.

— Pas tout à fait autant. Les femmes ont moins de valeur. Quand je t'ai donnée à ma mère tu devais valoir... à peu près mille dollars. Mais il va certainement y avoir une crise, j'en suis sûr. Et quand elle arrivera, on en verra, des terres et des esclaves mis aux enchères... Alors si tu possèdes BonRêve, tu ne cours aucun risque. Et l'enfant non plus.

— Et tout sera à lui ?

— Oui, tôt ou tard. A toi et à lui... Rien qu'à vous et au fisc, comme chaque millimètre de terrain dans cet État. »

Elle fronça les sourcils, soudain effrayée par ses paroles. C'était une chose d'être installée ici à BonRêve, à l'abri des regards, en évitant d'aller parader sous le nez de Matilde. Mais c'était tout autre chose de posséder un morceau des terres de Mme Weiss contre sa volonté... Ça dépassait ce qu'elle pouvait concevoir, et pourtant elle pressentait qu'une lueur de joie pourrait peut-être se présenter au bout de cet obscur tunnel d'inquiétudes...

« Celly, je pensais que tu serais béate comme une huître à marée haute ! Tu t'imagines ? Tu serais plus que libre, tu n'aurais aucun souci à te faire...

— Bien sûr que si, j'aurais du souci à me faire, dit-elle doucement, si ta proposition marche. On sera jamais en sécurité ici, l'bébé et moi. Mais on a nulle part où aller et rien d'autre à faire... Comme disait maman, autant essayer d'voler jusqu'au soleil, mon p'tit, et si tu l'loupes, tu peux pas t'empêcher d'attraper la lune... J'ai quand même quelque chose à t'demander, si tu veux qu'j'sois satisfaite avec ton plan. » Elle lui enlaça le cou de ses bras. « Tu veux qu'je sois vraiment heureuse, m'sieur ? » C'est toujours ainsi qu'elle l'appelait quand elle voulait le taquiner...

« Si ça ne me pose pas trop de problèmes », sourit-il.

Alors elle se pelotonna contre sa poitrine et lui révéla ce qui lui rendrait le cœur léger.

BonRêve ne tarda pas à être réputé dans tout le bayou comme étant un refuge pour les voyageurs où les lits étaient toujours propres et la nourriture une des meilleures dans les environs de Lafourche. Au début Célisma laissait Sally Red préparer ses propres recettes comme bon lui semblait, mais elle se rendit vite compte qu'elle-même pouvait aussi mettre la main à la pâte... Le bayou regorgeait d'herbes et de racines qui pouvaient donner un nouveau piquant à n'importe quel plat, et toutes celles qu'elle ne pouvait pas cueillir, elle les faisait pousser dans le pré derrière la maison.

Même pour les plats les plus simples, pas un seul œuf n'atterrissait sur la table de Célisma sans être parfumé à l'estragon, et pas une crevette toute recourbée, rose et succulente, sans son tapis de feuilles de baies.

Le bruit courait que certaines personnes qui allaient à La Nouvelle-Orléans et qui avaient des amis dans les Grandes Maisons préféraient parfois s'arrêter à BonRêve... le repas y valait largement ses quelques dollars, disaient-ils.

Lorsque son ventre commença à gonfler, Célisma fit de son mieux pour dissimuler ses espérances. Elle porta son tablier plus ample et plus haut, et adopta finalement la blouse informe que portait Sally, si bien qu'on ne pouvait presque plus voir son estomac. Mais au fur et à mesure que les mois s'écoulaient, cela devint de plus en plus difficile de mentir sur sa condition... Elle dut bientôt renoncer à accueillir les gens à l'entrée, et charger Cassie, la bonne, de faire le service à table.

Si Sally Red et les autres avaient remarqué son gros ventre, ils n'en parlaient jamais devant elle. Puis il vint un temps où elle devait passer une demi-heure chaque matin à se bander l'estomac pour l'aplatir le plus possible, et malgré ça elle se sentait toujours mal à l'aise lorsque des yeux blancs se posaient sur elle.

En fin de compte, lui demanda un jour Samuel, ne souhaitait-elle pas retourner chez sa mère pour la fin de sa grossesse ?

Elle rit amèrement. « J'vois d'ici maman et les gros yeux qu'elle ferait. Elle oserait mêm'pas regarder mon visage ou mon ventre. Non, j'préfère rester ici, du moins si j'peux encore me débrouiller. »

Puis elle le regarda attentivement. « Sauf si tu veux que j'parte, cher. »

Elle avait remarqué qu'il était toujours attiré par elle, même avec son ventre qui grossissait entre eux deux. Mais impossible de savoir ce qui traversait la tête de cet homme-là. « J'ai pas honte, ajouta-t-elle.

— La plupart des femmes auraient honte, avança-t-il prudemment, sans mari pour reconnaître l'enfant.

— Un mari garantit pas cont'la honte, répliqua-t-elle. J'connais plein d'femmes qu'ont eu des bébés qui ressemblaient absolument pas à l'homme qui leur donnait son nom. J'trouve que c'est une plus grande honte que la mienne. J'suis libre, non ? Et mon enfant sera libre. Si j'me marie avec un homme, y devra être libre, et un homme comme ça c'est difficile à trouver dans la région. Alors j'reste dans ma chambre et j'surveille Sally Red pour qu'elle dise pas quelque chose qu'y faut pas, et j'attends. Ça s'ra plus très long, j'espère. »

Et cette année-là, lorsqu'arriva l'époque du broyage, Célisma disparut totalement de la circulation. Elle quittait rarement sa chambre sauf pour aller se promener au bord de la rivière en début de soirée et revenir. Le bébé poussait vers le bas, toujours plus bas, et elle se sentait si reliée à la terre qu'elle arrivait à peine à se tenir debout et à soulever les pieds.

Puis le soir vint où elle ne put plus marcher du tout, où elle eut l'impression qu'elle ne pourrait plus jamais marcher, soudain prise de violentes douleurs ; elle envoya Sally Red courir chercher Odette. La femme noire arriva en se dandinant et en portant Minou, la vieille chatte tigrée de Thérèse.

« Quoi d'neuf ? » héla Célisma pleine de reconnaissance lorsqu'elle l'aperçut, retenant son souffle entre chaque douleur.

Odette lui fit sa réponse habituelle. « Oh, les Blancs sont toujours en tête, chère. Pourquoi t'es pas debout en train d'marcher ?

— Qu'est-ce que c'est qu'cette idiotie ? » demanda Sally Red indignée en montrant la chatte. Elle avait finalement été admise dans la chambre d'accouchement de Célisma, et ne voulait rien céder de ce nouveau privilège.

Mais Odette se contenta de s'approcher du fauteuil à bascule et de tendre la chatte à Célisma. « T'as d'jà vu une chatte avoir ses chatons ? demanda Odette en s'adressant uniquement à la jeune femme qui se tordait de douleur. Quand elle accouche elle crie pas, elle ronronne, chère, alors p'têt' si tu la tiens un p'tit moment ça t'aidera à moins souffrir. »

Sally Red ronchonna d'un air moqueur, mais Célisma prit la chatte sur son ventre en la remerciant, et lorsque l'animal commença à ronronner elle se sentit un instant réconfortée. Mais la douleur reprit et elle se plia en deux, perdant toute foi en la magie d'Odette...

« Y faut qu'tu marches, lui dit Odette d'un ton autoritaire. Sally Red, va préparer les langes pour le bébé. Mets l'eau à bouillir, ça va pas tarder, j'crois.

— Le premier vient jamais aussi vite, grommela Sally Red.

— J'en ai vu qui sont arrivés avant qu'l'eau bouille ! » rétorqua Odette. Elle tira Célisma de son fauteuil. « Là, mon p'tit, appuie-toi sur moi et marche jusqu'à c'qu'y vienne. Y faut qu'tu marches jusqu'à ce que t'en peux plus.

— Trop fatiguée..., gémit Célisma.

— Attends un peu, tu vas bientôt être encore plus fatiguée ! suggéra Sally Red.

— Va faire chauffer l'eau ! » beugla Odette, penchée sous le poids de Célisma qui se tenait à son bras.

Célisma essaya donc de marcher et de se tenir debout, mais elle était incapable de rester droite. Chaque fois qu'elle essayait, la douleur la faisait aussitôt se contorsionner, tandis que ses jambes tentaient de la maintenir.

Les heures s'écoulèrent lentement. Sally Red s'endormit sur une chaise près de la fenêtre. Odette marchait de long en large avec Célisma et ne la laissait se reposer que de temps en temps, lorsqu'elle suppliait pitoyablement en pleurant et même en jurant qu'on la laisse toute seule. Au milieu de la nuit, Célisma était plus pâle que jamais, et son visage était tiré à l'extrême de la fatigue. Elle trébuchait, elle ne pouvait même plus poser un pied devant l'autre. Elle avait des haut-le-cœur et vomissait sans arrêt, ne rendant finalement plus que de la bile, mais son estomac ne semblait pas cesser de se soulever... Odette la força à avaler une potion d'herbes qu'elle but avidement, mais qu'elle rendit aussitôt.

« C'est exactement comme Sukie, vous vous souvenez d'Sukie, c'te p'tite qui travaillait pour Maît' Roberge ? Elle vomissait comme un chien pendant ses douleurs, fit remarquer Sally Red.

— Ça veut rien dire, dit Odette calmement à Célisma. C'est just'la douleur qui t'fait alléger ta charge. »

Et lorsque Célisma fut incapable de faire un pas de plus, Odette la fit s'allonger ; elle retenait son souffle et se mordait les lèvres sous l'effet des douleurs qui venaient désormais par vagues.

« J'ai vu ça au moins cent fois, exposa Sally Red d'un ton solennel à Célisma. Possible que l'bébé est trop gros pour ton ventre et qu'y pourra pas sortir du tout.

— Écoute pas ses histoires stupides, elle y connaît rien en accouchements, chuchota Odette à Célisma. Une fois qu'on aura sorti ton beau bébé, j'lui filerai une bonne correction. »

Célisma parvint alors à faire un rictus, presque un sourire, en s'imaginant Sally Red et Odette se crêper le chignon dans les plates-bandes.

Une heure plus tard Odette força Célisma à s'agenouiller sur le lit pour aider le bébé à glisser de l'utérus. Célisma s'effondra, et Odette cria à Sally Red de venir l'aider. Entre les deux femmes elle semblait presque sans vie, trop exténuée pour pouvoir en faire plus que se convulser en projetant la tête en arrière, la bouche déformée par des hurlements éraillés. Les draps étaient déjà tachés de sang et trempés par les eaux, mais toujours aucune tête ne pointait. Soudain Célisma fut prise de spasmes et de hoquets encore plus violents qu'elle tenta désespérément de contenir, les yeux fermés, sanglotant.

Sally Red la soutint plus fermement sous les bras tandis qu'Odette maintenait son dos qui flanchait, et Célisma hurlait chaque fois qu'elles la touchaient quelque part. Soudain il y eut dans la pièce une forte odeur de sang, et Odette extirpa quelque chose de sous le corps de Célisma, quelque chose de sombre et de flétri...

« T'as un beau p'tit homme ! » chanta-t-elle d'un air triomphant, en faisant résonner sa voix dans la chambre comme une trompette discordante. Elle se pencha sur lui et souffla sur sa bouche minuscule. Célisma entendit alors un cri perçant et indigné, le cri de colère qu'un garçon qui vient de naître lance au monde froid dans lequel on le pousse...

« Regarde ! Regarde ! jubila Sally Red, il est blanc comme le jour ! »

Mais Célisma s'était écroulée dans les bras d'Odette et n'avait même pas la force d'ouvrir les yeux pour regarder son enfant.

Le bébé lavé et emmailloté reposait sur sa poitrine, et Célisma avait avalé une tasse de lait chaud avec du miel et des herbes pour arrêter les saignements. Elle somnolait à moitié, et ne réagissait même pas quand Odette lui caressait le front de sa main fraîche.

« Pas une trace de fièvre, encore heureux ! J'ai vu des femmes mett'plus longtemps, mais j'en avais jamais vu travailler aussi dur, mon p'tit. Ton garçon est un vrai miracle, moi j'dis, avec tout l'mal qu'on a eu pour le faire sortir.

— C'est l'matin ? demanda Célisma à grand-peine.

— Presque.

— Où est Sally Red ?

— J'ai renvoyé cette tête de linotte à ses fourneaux. Elle prépare un bon bouillon d'bœuf bien fort pour quand tu s'ras prête à en manger. Au moins ça elle peut l'faire correctement. »

Célisma fit un faible sourire. « J'l'écoutais pas...

— Tant mieux, lui dit Odette chaleureusement. Ton beau p'tit bébé l'écoutait pas non plus. Comment tu vas l'appeler ?

— J'vais p'têt' attendre l'avis d'son papa pour ça. »

Odette sourit tristement. « L'attends pas, mon p'tit. L'gamin a besoin au moins d'un nom à lui, d'toute façon. »

Quelqu'un frappa à la porte, si doucement qu'on aurait à peine pu l'entendre si on n'avait pas fait attention. Odette sourit de nouveau, cette fois encore plus tristement. « J'y vais, chère, j'te laisse seule. Tu m'fais appeler si t'as besoin, promis ? »

Elle se dirigea vers la porte et fit entrer Samuel en lui faisant une petite révérence tandis qu'elle sortait et refermait la porte derrière elle. Pendant un moment Samuel se contenta de rester immobile dans la chambre et de regarder Célisma sans dire un mot. Elle n'arrivait pas à définir son expression, mais elle vit qu'il regardait à peine le bébé. Elle lui tendit une main, ce qui lui prit toute la force qu'elle avait gardée pour cet instant.

Il s'approcha d'elle, se pencha et lui caressa doucement la joue avec sa paume. Et pour la première fois il sembla prêter attention au bébé blotti dans le creux de ses bras.

« Il t'a donné beaucoup de mal ? demanda-t-il tendrement.

— Certainement plus qu'il n'aurait dû », sourit-elle.

Avec précaution Samuel replia alors un coin des langes du bébé et contempla son visage pendant un long moment. Le nourrisson émit un léger miaulement tout en gardant les yeux fermés. « Il est si clair, finit par dire Samuel. Mais j'aurais dû m'en douter, je suppose.

— P'têt' qu'y foncera, dit-elle. Et p'têt' pas, difficile à dire pour l'instant.

— Comment veux-tu l'appeler ?

— J'pensais te l'demander. »

Samuel la regarda, les yeux pleins de confusion. Et elle se rendit compte à quel point cet homme se contenait et se refrénait... Si timoré en amour, comme s'il prévoyait la douleur qui suivra chaque plaisir qu'il obtient... S'il aime vraiment, en tout cas. Probablement qu'il m'aime bien, mais qu'il sera jamais réellement amoureux de moi... Il se le permettra jamais. Il aime peut-être personne... Et à cet instant elle ressentit pour lui une pitié profonde. L'enfant sera peut-être quelque chose qu'avec le temps il apprendra à aimer, et qui lui enlèvera sa tristesse...

Il ne sait vraiment pas quoi faire, remarqua-t-elle, et il faut que je l'aide tout de suite.

« Trouve-lui un nom, dit-elle fermement, avec toute la force qu'elle arrivait à rassembler. C'est toi qui dois l'faire.

— Quelque chose de la Bible, peut-être ? » L'hésitation lui faisait plisser le front.

« Non.

— Quelque chose de ta propre famille ? »

Elle secoua la tête et baissa encore plus la couverture du bébé afin que son père voie les frêles veines bleues qui couraient sous la peau couleur crème.

« Bon... J'ai toujours aimé le prénom Alex. C'est un nom qui sonne bien. Ça ne fait pas vraiment créole ni américain, ça ne fait rien de particulier. Et ça lui donnera la possibilité de décider lui-même ce qu'il veut être quand il aura l'âge de choisir.

251

— J'pensais qu'tu dirais Andrew... », suggéra-t-elle calmement.

Il la regarda d'un air étonné, puis détourna les yeux. « Tu es au courant, alors.

— Juste c'qu'Odette m'en a dit. T'avais un fils qu'est mort dans l'bayou. Y s'est coupé les jambes dans un piège, elle m'a dit. C'était M'sieur Simon qui l'avait emmené là-bas. »

Il resta silencieux pendant un long moment, comme plongé dans ses souvenirs. « Bon. Maintenant tu comprends un peu mieux Matilde, alors.

— Non, cher, j'la comprends pas. J'comprends pourquoi elle a d'la peine, d'accord, et pourquoi elle veut pas lâcher son aut'fils, mais c'est pas une raison pour être si furieuse tout l'temps. Les femmes font des bébés, les femmes perdent des bébés, et elles continuent quand même à aimer et à vivre. Pourquoi tu parles jamais d'lui ?

— Je suppose que je ne pouvais pas... On n'en a jamais parlé... » Il se passa rapidement la main sur les cheveux, et sa voix s'éraila. « Je n'avais pas prononcé son nom depuis qu'on l'a enterré. Matilde ne voulait plus l'entendre.

— Eh bien, dit Célisma gentiment, ici tu dis c'que tu veux, cher. Personne est vraiment mort si y vit encore dans ton cœur. Tu veux appeler c'bout d'chou comme lui ? »

Samuel secoua la tête. « Alex serait bien, je crois. Est-ce que ça te va ?

— Est-ce que ça lui va ? » Elle souleva le bébé et observa son visage. « J'crois qu'oui. Alex... On peut faire un essai. »

A un mois, le bébé dormait déjà toute la nuit d'une seule traite. Célisma savait qu'elle avait de la chance, pourtant elle l'aurait volontiers relevé plusieurs fois avant l'aurore rien que pour passer un moment avec lui...

C'était un garçon calme et doux, mais il ne cessait de remuer les yeux, comme s'il avait vu les choses avec une lucidité précoce. Et Sally Red avait beau lui répéter sans arrêt que ses grimaces n'étaient que des problèmes de gaz, elle savait bien secrètement qu'il travaillait à l'élaboration d'un sourire. Elle savait aussi que dès qu'il y parviendrait, il lui échapperait à tout jamais.

Un soir, quand elle rentra de la cuisine et alla jeter un coup d'œil sur lui avant de verrouiller toutes les portes, elle trouva Matilde au beau milieu de la pièce, penchée au-dessus du berceau.

Célisma fut instantanément pétrifiée de terreur, et son estomac se transforma en un boulet d'angoisse et d'impuissance...

Matilde se tourna calmement vers elle. « Croyais-tu que je n'en saurais rien ? » demanda-t-elle sans préambule. « Tu croyais que tu pourrais cacher ton petit bâtard dans les champs de cannes comme Moïse au milieu des joncs ? » Elle se tourna à nouveau vers le berceau et tira doucement la couverture de la poitrine d'Alex. « Il a l'air blanc, c'est bien ce qu'on m'avait dit. Plus blanc que toi. »

Célisma remarqua que dans son autre main Matilde tenait quelque chose qui brilla un court instant à la lumière de la lampe. Un objet en verre... Elle retint son souffle, n'osant faire un seul geste. De là où elle se trouvait elle pouvait voir l'intérieur du berceau : Alex observait quelque chose par la fenêtre et ne faisait même pas attention au regard insistant de Matilde. Sa minuscule poitrine blanche et marbrée semblait si frêle...

« C'est bizarre, quand même..., disait Matilde, la voix basse, sur un ton presque confidentiel. Il ne ressemble absolument pas à Samuel. »

Célisma retrouva finalement sa voix. « Rien d'bizarre, s'empressa-t-elle de dire. C'est pas l'enfant d'Maît' Sam. »

Matilde s'écarta alors du berceau et se mit à fixer Célisma, les deux mains derrière le dos. « Pas son enfant ?... Ce n'est pas ce qu'on m'a dit. »

Célisma s'approcha légèrement du berceau, mais Matilde l'arrêta en tendant les mains en avant. Elle tenait un bocal en verre, et quelque chose de noir bougeait à l'intérieur.

La sueur commença à perler sur le front de Célisma, mais elle fit un effort pour détourner les yeux du bocal et dit tout doucement : « Je sais c'qu'y disent, mais c'est faux. Vous pouvez vérifier vous-même, Madame, cet enfant est pas d'lui.

— De qui alors ? »

Célisma haussa les épaules avec un air d'incertitude, mais sa voix ne trembla pas. « J'sais pas exactement, Madame. Les gentlemen blancs, y vont et y viennent, vous savez... »

Matilde lui fit un petit sourire méchant, une main sur le couvercle du bocal. Elle avait des yeux hystériques. « Petite putain ! Tu mens, sale mulâtresse ! »

Célisma secoua la tête. « C'est vrai ! C'est pas l'fils de Maît, Sam. »

Matilde se tourna tranquillement, examina encore une fois le nourrisson, et commença à dévisser lentement le couvercle du bocal. « Alors mon grand, dit-elle gentiment à Alex, qu'est-ce que c'est que ces histoires que ta maman raconte, hein ? Est-ce que tu as déjà entendu parler de bêtises pareilles dans ta courte vie ? »

Célisma fit un pas vers le berceau mais se figea une fois de plus au moment où Matilde ouvrit le bocal au-dessus de la poitrine nue d'Alex, et l'inclina légèrement vers le bas. On pouvait maintenant voir clairement ce qu'il contenait...

L'étrange masse noire remua, se déforma, et reçut à cet instant un rayon de lumière qui montra distinctement les araignées à

Célisma. Plus d'une centaine, estima-t-elle rapidement, qui se grimpaient les unes sur les autres pour atteindre la sortie... Plus d'une centaine de veuves noires qui brillaient à la lumière.

« Ça fait un bon moment que je nourris ces mignonnes, dit Matilde, en pensant qu'un jour ou l'autre elles pourraient s'avérer utiles. » Elle tenait le bocal de telle sorte que les araignées glissèrent légèrement vers l'ouverture, et leurs pattes noires articulées tentaient frénétiquement d'escalader le rebord pour atteindre l'air et la liberté... « Ça ne devrait prendre qu'une seule piqûre, il est si petit... Tu sais, les très jeunes et les très vieux sont les plus vulnérables au poison, je trouve. La plupart des adultes peuvent survivre à la piqûre d'une veuve, bien que la douleur soit extrêmement violente, il paraît. Mais une piqûre doit probablement suffire à tuer un bébé. Alors une nuée de piqûres, tu penses bien, c'est certainement fatal...

— S'il vous plaît, Madame, murmura Célisma, un petit sifflement de panique dans l'obscurité, laissez-moi l'emmener loin d'ici... Il a rien à voir avec vous, j'vous jure ! C'est juste un p'tit négrillon qu'a pas d'nom. On sera partis avant l'aube, si vous m'laissez l'emmener...

— Oh, mais maintenant c'est trop tard pour ça ! dit Matilde calmement. Ça fait déjà bien longtemps que tu aurais dû partir... Si tu pars maintenant, mon mari peut très bien essayer de te retrouver, et même de te rejoindre. Car naturellement, il croit sans doute que c'est son enfant, non ? C'est ce que tu lui as dit, n'est-ce pas ? »

Célisma secoua la tête, toujours sans détacher les yeux du bocal. « Y croit qu'l'enfant est d'lui, c'est vrai M'dame. Mais j'lui ai menti. Vous pouvez voir la vérité mais pas lui. L'bébé lui ressemble pas du tout...

— Franchement, je me contrefiche de ce qu'il croit ou pas. Mais je ne laisserai aucun bâtard libre survivre et essayer de revendiquer Beausonge. J'ai une responsabilité envers mes propres enfants. Envers mon fils à moi. » Elle se retourna et dit à Alex d'une voix douce et charmeuse : « Tu peux certainement comprendre les soucis d'une mère, n'est-ce pas, mon grand ?

— J'vous en prie, Madame, dit Célisma en retenant son souffle, y fera pas d'histoires ! J'vais dire la vérité à M'sieur... J'lui dirai qu'le bébé est pas d'lui.

— Comme je te l'ai dit, petite putain, je me moque de ce qu'il pense. » Elle pencha encore plus le bocal jusqu'à ce que trois araignées ne soient plus qu'à quelques centimètres de tomber dans le berceau... « Si tu t'en vas, il saura que c'est moi qui t'ai chassée. Non, Célisma, ça m'est complètement égal que tu restes ou que tu partes. Et désormais je me moque bien de ce qu'il fait, tant qu'il tient ses responsabilités. Mais si tu veux que ton bébé reste en vie, il faudra que tu jures qu'il ne fera rien pour s'approprier ce qui revient de droit à moi et à mes enfants.

— J'le jure, j'le jure ! gémit Célisma.

— Ça ne suffit pas, coupa Matilde, tu vas le jurer par écrit. »

Célisma baissa la tête, vaincue. Mais elle la releva soudain et sans hésitation elle déclara : « D'accord, mais refermez le bocal. »

Matilde se retourna et posa le bocal sur la table sans remettre le couvercle. Les araignées s'affalèrent les unes sur les autres dans une masse confuse, et tentèrent de remonter les parois lisses du bocal en donnant des coups de pattes vers l'ouverture... Elle ouvrit la Bible qui se trouvait près du lit de Célisma, celle-là même qu'on lui avait donnée le jour de son arrivée à Beausonge.

« Je suis sûre que tu n'as même jamais regardé les images », dit Matilde en arrachant la page de garde toute blanche. Puis elle se tourna vers le petit bureau dans le coin et y attrapa l'encrier et la plume ; elle se pencha sur la feuille et écrivit pendant un moment. Célisma ferma les yeux très fort pour se blinder, puis les rouvrit à la hâte, pour surveiller Alex et le bocal ouvert qui se trouvait toujours près de sa tête.

« Fais ta marque », dit Matilde en tendant la feuille à Célisma.

Célisma aspira un grand coup ; il lui fallait désormais rassembler ses esprits... « Qu'est-ce qu'est écrit ?

— Ça dit purement et simplement que tu jures que ce bébé est un enfant naturel de père inconnu.

— C'est tout c'qu'est écrit ? »

Matilde fondit vers la table et saisit le bocal. « S'il est écrit que tu es une sale petite menteuse et que tu promets d'aller donner ton bébé à manger aux alligators avant l'aube, tu le signeras quand même, à mon avis. Mais oui, c'est tout ce qu'il y a d'écrit. »

Célisma jeta un œil sur la feuille, vit qu'il y était effectivement écrit ce que Matilde affirmait, et elle ajouta avec un tremblement dans la voix : « Enfin, j'suis obligée d'vous croire sur parole, Madame.

— C'est vrai », sourit Matilde.

Célisma prit la plume et traça un grand « X » sous les quelques lignes écrites, et rendit le papier à Matilde avec toute la réticence qu'elle pouvait feindre.

Matilde examina la feuille, la plia et la fourra dans son corsage. « Je garderai ça en lieu sûr, tu peux être tranquille, dit-elle en attrapant le bocal et en le refermant, et ces petites bêtes aussi, au cas où tu changes d'avis. » Elle se tourna une dernière fois vers Alex qui levait les yeux en gazouillant. Elle rit doucement puis quitta la pièce en un clin d'œil.

A la seconde où Matilde referma la porte, Célisma arracha Alex de son berceau et le serra contre elle de toutes ses forces. Puis elle sortit de la pièce et jeta un œil dehors : Matilde n'était plus là. Elle se faufila jusqu'au vestibule et sortit dans le jardin par la porte de service. Plus loin sur le sentier, elle aperçut Madame marcher tranquillement en direction de Beausonge, en faisant balancer sa lanterne sur le côté. Lorsqu'elle disparut de sa vue, Célisma se dirigea vers les bois avec Alex dans les bras.

Il lui fallut un certain temps, mais elle finit par retrouver la bûche où elle avait caché la petite effigie d'argile et d'os qu'elle avait confectionnée plusieurs années auparavant... Elle était bien à l'abri dans le creux du tronc d'un gommier, et le ruban de dentelle était toujours noué autour du cou et de la taille. Elle déposa Alex dans l'herbe sur son châle, en l'emmaillotant soigneusement pour ne pas qu'il roule ; il s'endormit aussitôt.

Elle emporta l'effigie au bord du bayou et s'accroupit à un endroit où l'eau tourbillonnait. Puis elle retrouva dans sa mémoire les vieilles litanies que sa mère lui avait apprises et les prononça à voix haute ; elle se mit à asperger d'eau la petite poupée, en lui envoyant des vaguelettes de plus en plus fortes sur le corps et la tête, jusqu'à ce qu'elle soit toute trempée, puis ramollie, et qu'enfin elle commence à se dissoudre dans les éclaboussures qui la submergeaient. Lorsque l'argile et les os furent presque démantibulés, elle sortit l'effigie de l'eau, la brandit dans le clair de lune et récita la fin de l'incantation. Sa voix était si forte et si terrible, dans le bayou obscur, qu'elle réduisait au silence les criquets et les grenouilles...

Mais désormais peu lui importait qu'on l'entende ou qu'on la voie.

Il fut un temps où les jaguars proliféraient dans le bayou, aux côtés des loups roux, ces petits-cousins des loups gris. Cependant, lorsque le gouvernement espagnol en offrit des primes élevées, ces deux magnifiques prédateurs gagnèrent le Mexique et l'Amérique centrale. En 1850, pourtant, les chasseurs pouvaient toujours apercevoir de temps à autre un loup roux se faufiler à travers le marais aussi silencieusement que de la fumée, et sa fourrure était encore très prisée parmi les trappeurs.

L'ibis écarlate et le flamant, eux aussi, s'installèrent dans le bayou au milieu du siècle dernier, atterrissant par milliers tandis qu'ils migraient vers le sud, le golfe et les perchoirs d'Amérique latine. Mais au fur et à mesure que l'homme empiéta sur les marécages, ils cessèrent également de faire escale dans le delta pendant leur vol. De la même manière, la spatule rosée, le milan à queue de pie, la grue crieuse, le pigeon voyageur et le pic-vert à bec d'ivoire disparurent également du bayou. Et privées de leurs traditionnelles terres d'hiver, certaines de ces espèces ne tardèrent pas à s'éteindre.

Les oiseaux qui ont survécu étaient des espèces qui n'attiraient pas particulièrement le regard humain par leur couleur ou leur plumage. Ceux qui ont prospéré étaient ceux qui, comme les enfants bagarreurs des rues, ont su s'adapter aux changements de peuplement et de conditions, et les faire leurs.

L'oiseau s'approcha du nid en traînant péniblement ses larges ailes. Même à ses yeux, le nid ressemblait à une construction grossière et bâclée, à un abri peu solide et mal entretenu. Mais on ne pouvait rien y faire. Il nagea en direction de l'arbre penché sur lequel se trouvait le nid, avançant alors plus prestement dans l'eau, et observant en même temps la rive éloignée. Il s'arrêta à l'endroit où le tronc de l'arbre pénétrait dans l'eau et releva sa longue gueule de reptile. Ses griffes puissantes et ses pattes palmées s'agrippèrent au tronc d'arbre, et l'oiseau parcourut plus de deux mètres pour rejoindre les trois œufs qui formaient une masse bosselée sur le lit de feuilles. Tous sains et saufs. Laids et sans défense, mais indemnes.

Lui, Hesh, avait peu de traits attirants. C'était un oiseau-serpent — ou anhinga — une des espèces d'oiseaux les plus répandues dans le bayou. Il vivait parmi les hérons et les aigrettes mais ne leur ressemblait en rien. De son bec effilé à l'extrémité de sa longue queue à rayures foncées, son corps long de tout juste un mètre n'était pratiquement qu'un cou avec des ailes noires. Son cou était constitué d'un si grand nombre de vertèbres qu'il pouvait littéralement en faire un nœud sans aucune difficulté. Son bec était un poignard long de cinq centimètres, et sa tête était à peine plus large que son cou. Au total, son bec, sa gueule et son cou faisaient plus d'un tiers de sa longueur.

Il aurait normalement dû être de retour pour retrouver sa compagne, et pour la soulager en la relayant dans l'épuisant travail d'incubation de leurs œufs. Mais quelques jours après la ponte, elle s'était fait surprendre par un alligator alors qu'elle chassait dans les eaux peu profondes.

Maintenant qu'il était à peu près sec, il se mit à grimper maladroitement jusqu'au nid et s'installa sur les œufs. Seul, cela lui prendrait presque deux fois plus longtemps pour faire éclore cette couvée, mais il était déterminé à le faire. Il était également décidé à nourrir les oisillons jusqu'à ce qu'ils puissent quitter le nid et chasser eux-mêmes.

Il couva jusqu'en fin d'après-midi, mais ne parvenait pas à rester tranquille. Il se tournait et se retournait nerveusement, agitait sa queue, et tortillait son cou à la manière des serpents, en arrangeant les brindilles et les bouts de feuilles autant par ennui que par souci de propreté.

Tandis que les ombres s'allongeaient, il devint de plus en plus nerveux et finit par se lever. Il escalada la branche et s'immobilisa. Puis,

257

dans un mouvement extrêmement souple, il baissa sa gueule jusqu'à ce que son bec glisse le long de sa poitrine, jusqu'à ce qu'il dépasse la branche et sa propre queue. Puis, ses pattes lâchèrent prise. Comme un invertébré, il glissa dans la rivière sans faire plus de bruit ou de rides sur la surface qu'un poignard qui transperce de l'eau.

Il se déplaçait dans l'eau à la vitesse de l'éclair, ses pattes palmées le propulsant comme des pistons. Il localisa sa proie rapidement : un banc de perches rôdait autour d'un vieux tronc de cyprès immergé. Hesh s'approcha d'elles et projeta son cou si loin en arrière que sa gueule se trouva pratiquement au niveau de ses épaules. Les poissons se dispersèrent. Mais il avait sélectionné sa victime : il manœuvra de manière à l'éloigner des troncs d'arbres qui la protégeaient et, ensuite, avec une précision et une vitesse incroyables — ressemblant fort à un serpent fondant sur sa proie — il lança sa tête en avant dans un mouvement foudroyant. Son bec empala complètement le poisson et le maintint fermement.

La perche se débattait frénétiquement, mais à chaque contorsion, Hesh ne faisait qu'enfoncer son bec davantage. Lorsque les secousses diminuèrent, l'oiseau attrapa le flanc du poisson à l'aide des dents pointues de son bec, puis remonta à la surface.

Il n'était resté sous l'eau que six minutes, bien qu'il eût pu y demeurer beaucoup plus longtemps. Il se dirigea alors vers un banc de sable tout proche ; là il lança le poisson dans l'air, l'attrapa adroitement par la tête et l'avala ensuite entièrement. Le corps du poisson glissa dans sa gorge, comme s'il avait nagé tout seul en direction de son ventre.

L'oiseau-serpent secoua sa gueule, lissa les plumes de sa gorge et de ses ailes, et prit le chemin du retour. Soudain, il aperçut le museau et les yeux menaçants d'un alligator qui fendait rapidement l'eau dans sa direction.

Hesh s'enfonça dans l'eau pour ne laisser que ses yeux et ses narines à la surface. Sans laisser de sillage pouvant trahir sa présence, il nagea tel un mocassin d'eau jusqu'à un tupelo qui s'était renversé dans l'eau.

L'alligator se dirigea vers le point où le sillon et le poisson étaient apparus pour la dernière fois. Mais l'oiseau n'était plus là. Aucun sillage n'était visible derrière ce qui semblait être un serpent en train de s'enfuir à la nage. L'alligator fit plusieurs fois le tour de l'endroit, pendant que l'oiseau-serpent grimpait sur le tronc incliné du tupelo. Finalement, à contrecœur, l'alligator renonça à sa poursuite et se laissa mollement dériver vers la rive opposée, tournant son museau de part et d'autre pour tenter de flairer la proie disparue.

Une fois l'alligator parti, Hesh déploya ses ailes et sa queue ; il s'ébroua et attendit que ses palpitations cessent. Il n'aurait pas pu voler en étant si trempé ou si effrayé... Le soleil était en train de se coucher lorsqu'il battit vigoureusement des ailes à plusieurs reprises, sautilla d'une patte mouillée sur l'autre, et s'élança dans les airs.

Il dut battre rapidement des ailes pour s'élever au-dessus des arbres ; il nageait en effet beaucoup mieux qu'il ne volait. Finalement il se laissa porter par le vent et put glisser dans l'air au-dessus du bayou, en surveillant de ses yeux perçants les mouvements au-dessous de lui. Il vit la biche se réveiller et commencer à brouter, les aigrettes et les hérons retourner à leur perchoir pour la nuit. Il aperçut les rats musqués et les loutres sortir paisiblement pour se nourrir de tubercules le long des rives du bayou. Les lapins de marécage, les écureuils volants, les ratons laveurs, les sconses et les hiboux, tous commençaient à bouger, se préparant pour la recherche de nourriture et pour la chasse.

Il recherchait surtout une autre colonie de son espèce, un groupe auquel il aurait pu se joindre pour trouver sa pitance. S'il trouvait une colonie, il pourrait également rencontrer une femelle sans compagnon et désireuse d'adopter ses œufs, de partager le travail quotidien de l'incubation, et de s'occuper tendrement des oisillons. Il avait déjà vu cela se produire, lors de la disparition d'un parent, alors que la saison de couvaison était déjà bien avancée. Mais, dans le rayon de vingt kilomètres qu'il parcourut ce jour-là, il ne trouva aucune colonie.

C'est seulement lorsque la lumière du crépuscule s'assombrit vraiment qu'il vola comme une flèche vers l'endroit du bayou où sa nichée l'attendait. Il plongea dans l'eau au bout d'une centaine de mètres, préférant y parvenir en nageant qu'en volant...

Après s'être séché une fois de plus, il s'installa sur les œufs ; et, bercé par le concert de coassements des grenouilles et de grésillements des grillons tout autour de lui, il finit par sombrer dans un sommeil agité.

Chaque année à la belle saison, Madame Matilde emmenait sa famille à La Nouvelle-Orléans, puis sur Isle Dernier. Ile située le plus au sud au large du Teche, Isle Dernier, la « dernière île », comme l'appelaient les gens riches qui affluaient dans la station balnéaire, était une oasis de fraîcheur dans l'été brûlant du bayou. C'était également un endroit où au moins le *vomito negro* ne se donnait pas la peine de venir... Quelque chose dans l'eau salée tenait la fièvre à distance, disaient-ils, et les planteurs de toute la région de Lafourche faisaient ainsi leur pèlerinage d'abord à la ville puis sur Isle Dernier, afin de voir et d'être vu.

Et en 1856, Matilde annonça que pour la première fois Samuel l'accompagnerait pendant au moins une partie de leurs vacances.

Célisma apprit la nouvelle bien avant que Samuel vienne la lui avouer, Sally Red ayant su par Betzy que l'on faisait également les valises du Maître...

Ce soir-là Samuel vint voir Célisma mettre Alex au lit, un événement auquel il assistait rarement. Le garçon avait maintenant cinq ans, et il était clair qu'il aurait le nez fin et le teint clair de son père, même si ses cheveux devaient s'assombrir par la suite. Il était vif et curieux, bien qu'un peu timide avec les gens qu'il ne connaissait pas. Célisma appréciait surtout la douceur de son fils, un trait qui, d'après elle, lui venait de son père, qui depuis si longtemps avait dû le cacher derrière toute une façade... Lorsqu'il vit Samuel approcher, Alex courut à la porte en riant et en tapant des mains.

« Il reconnaît son papa, dit Célisma en souriant. Personne d'autre n'est aussi bien accueilli ! »

Samuel sortit de sa poche le morceau de caramel qu'il apportait toujours pour Alex. « Personne d'autre ne le gâte autant que moi, dit-il avec un sourire désabusé. Je suis sûr que s'il voyait un alligator avec un caramel entre les dents, il l'applaudirait. »

Il prit l'enfant un moment sur ses genoux, en le faisant sauter et en le soulevant en l'air pour le peser comme à l'accoutumée, provoquant des cris de jubilation chez Alex. Célisma riait, remplie d'une joie secrète en voyant le visage de Samuel qui se détendait et rayonnait quand il était avec l'enfant. Elle finit par le reprendre des bras de son père et le remettre au lit, puis elle emmena Samuel hors de la chambre et à la lumière.

Il ne perdit pas un instant. « Matilde s'est mis dans la tête, dit-il d'un ton bourru, que je devais l'accompagner en vacances cette année.

— Pourquoi cette année plus que l'année dernière ? »

Il haussa les épaules. « Elle dit que maintenant que les filles sont parties et ne veulent plus l'accompagner, elle ne peut pas y aller toute seule.

— Elles y sont pourtant allées toutes les années précédentes.

— Maintenant il faut qu'elles s'occupent de leur propre famille. C'est trop demander que leur mari les laisse partir plus de deux mois sans leur poser de question. Même si elles en avaient envie...

— Bon, elle s'est mis ça dans la tête, alors, mais qu'est-ce qu'il y a dans ta tête à toi, cher ? »

Il fronça les sourcils. « Je n'ai pas très envie d'y aller, bien entendu, Célisma. Tu t'en doutes, je n'ai pas besoin de le dire. Mais si je refuse catégoriquement, elle me le fera payer tout le reste de l'année...

— Tu as le sentiment de lui devoir quelque chose. » Ce n'était pas une question.

Il soupira. « Je l'ai toujours senti... » Il fit une moue amère. « Et elle aussi. Mais écoute, c'est peut-être plus facile de céder simplement à ses désirs cette fois-ci au lieu de s'affronter jusqu'à l'état de siège. Et récemment, ajouta-t-il, elle s'est montrée exceptionnellement docile. Je ne veux pas qu'elle redevienne invivable. »

C'était vrai, il fallait le reconnaître. Si elle n'avait pas su que Beausonge et BonRêve avaient une limite commune, elle n'aurait jamais senti la présence de Matilde. L'épouse ne s'était pas manifestée depuis la nuit de cette horrible confrontation... Elle pensait sans doute avoir obtenu ce qu'elle voulait. Et désormais, comme si elle avait voulu rendre Célisma et son enfant invisibles, elle avait cessé ses bravades et ses menaces. Pourtant Célisma fut envahie par une forte inquiétude à l'idée de le voir partir ; elle voulut lui demander de rester, mais n'osa pas.

« Tu t'en vas combien de temps ? demanda-t-elle timidement.

— Pas plus qu'il ne faut... A mon avis elle s'ennuiera au bout d'une semaine ou deux, et je ne pourrai de toute façon pas rester plus longtemps, quoi qu'elle dise. Disons trois semaines. Vous pouvez certainement vous débrouiller sans moi pendant trois semaines, Alex et toi. » Il sourit tendrement pour la réconforter.

Elle lui retourna son sourire, et à la lueur de la lampe elle remarqua soudain avec stupéfaction à quel point il avait vieilli depuis la première fois qu'elle l'avait aimé... La teinte argentée prédominait désormais dans ses cheveux, alors qu'elle se rappelait encore les premiers cheveux blancs qu'elle lui avait trouvés et la grimace qu'il avait faite... Et ses épaules, qui étaient autrefois si solides et si fortes qu'elles semblaient porter tout Beausonge et même une partie du monde avec, ces mêmes épaules maintenant s'affaissaient et se courbaient, comme si elles cherchaient à s'abriter quelque part dans sa poitrine.

Je suis plus forte que lui, comprit-elle subitement. Et ça fait déjà un moment... Il le faut, donc je le suis.

« Certainement, cher, dit-elle calmement, Alex et moi on pourra très bien s'débrouiller. C'est l'époque où les gens remontent tout doucement la rivière. Et ils vont surtout là où la brise éloigne les bestioles. Tu pars quand alors ? »

Il se leva, marcha vers la fenêtre et contempla l'obscurité de la rivière. « Elle veut partir demain. »

Elle se retourna rapidement sur son siège. « Et si j'me mets à pleurer et à t'supplier d'pas partir ? »

Il se tourna vers elle en souriant. « Je sais très bien que tu ne ferais pas ça, Celly, tu ne le fais jamais. Je te fais confiance. »

Elle alla vers lui, le prit dans ses bras et l'attira doucement jusqu'à son petit lit dans la pénombre, un refuge où il ne se rendait plus que très rarement... « Oui. Tout le monde fait confiance à Celly. »

Isle Dernier s'étendait d'est en ouest et paraissait être, lorsqu'on l'apercevait du Bayou Teche, l'ultime bout de terre que la Louisiane avait dû céder et courageusement lâcher au large, pour protéger le continent des grandes vagues qui déferlaient du Golfe. C'était la dernière île d'un archipel qui comprenait Grande Terre, Grande Isle et la Chênière Caminada, toutes groupées à l'ouest du Mississippi. Derrière Isle Dernier se trouvait une jolie baie, large d'une quinzaine de kilomètres, aussi claire et calme qu'un lac à l'intérieur des terres. Et devant s'étendait l'immensité du Golfe avec ses vagues gigantesques qui pilonnaient la côte... D'un côté régnait la paix, de l'autre se déchaînait la guerre des éléments.

En été 1854 fut érigé un hôtel élégant sur trois étages, bientôt suivi par plus d'une trentaine de somptueuses demeures particulières. Elles n'étaient occupées que durant les mois d'été, lorsque les planteurs descendaient le fleuve pour fuir la chaleur et les moustiques de la région des bayous.

La plage d'Isle Dernier, qui faisait plus de trente kilomètres de long et qui était lisse comme un miroir blanc, grouillait de visiteurs chaque soir de la saison estivale. De vieux messieurs flânaient d'un air digne au côté de leur femme soigneusement coiffée et vêtue ; des jeunes hommes en chemise de flanelle rouge et en pantalon de coutil, et des jeunes femmes en costumes de bain bouffants verts, rouges et gris, s'amusaient dans l'eau ou parcouraient la plage sur des chevaux fougueux. Sur la promenade passaient des calèches à toute allure, toutes plus gaiement décorées les unes que les autres.

L'hôtel Saint-Charles, qui n'était cependant pas aussi luxueux que son frère de La Nouvelle-Orléans, parvenait quand même à régaler ses clients de festins d'huîtres, de soupe à la tortue et de poissons de toutes sortes.

Isle Dernier s'accrochait à quelques coutumes bizarres, la plus critiquée étant le fait que le Saint-Charles limitait les danses à deux soirs par semaine. De plus, les hommes devaient payer la somme d'un dollar chaque fois qu'ils conduisaient une dame sur la piste.

« Mais que peut-on faire d'autre ? s'expliquait un galant. Tout le gibier de la ville est là ! Et les *belles* de Terrebone et Pointe Coupée... On ne peut pas trouver plus ravissant dans toute la Louisiane ! Rien que de les voir remuer les jambes ça vaut bien un dollar ! »

Cet été 1856, Matilde avait réservé à un nouvel hôtel, le Muggah, qui se trouvait à la pointe ouest de l'île, face au Golfe.

« Le Saint-Charles devient un peu dépassé, dit-elle d'un ton résolu, et ça leur fera du bien de comprendre qu'ils ne sont pas le seul coquillage sur la plage. Les Hébert et les Dupuy seront sur l'île en même temps que nous, Samuel, alors peut-être qu'on devrait emmener Odette et Tilly avec nous, tu ne crois pas ? Je crois savoir que le service au Muggah ne vaut pas ce qu'offre le Saint-Charles, mais les chambres sont plus grandes et l'atmosphère plus comme j'aime.

« — C'est-à-dire ? » Il releva les yeux de ses papiers en dissimulant mal son ennui.

Elle leva les sourcils et le fixa pendant un moment. « Je n'aime pas bien ce ton, Samuel, dit-elle calmement, et je te serai reconnaissante de me parler autrement. Le Saint-Charles loge des gens comme les Swanbecks, ces parvenus qui ont racheté cette vieille plantation magnifique sur le Teche et qui l'ont ruinée, tout simplement ruinée avec leurs falbalas du nord. Je n'ai pas la moindre envie de passer la saison à côté de ces raseurs vulgaires... Et à la réflexion, je crois qu'on aura besoin d'Ulysse et peut-être même de Profit, alors dis-leur qu'ils viennent avec nous. » Sur ce, elle tourna les talons et quitta la pièce, comme si ses paroles avaient fait l'effet d'une porte claquée.

En quelques jours le cortège Weiss se mit en route ; ils naviguèrent jusqu'à La Nouvelle-Orléans : là ils empruntèrent le chemin de fer Morgan pour le Bayou Bœuf, où ils embarquèrent sur un vapeur qui descendait la rivière Atchafalaya et s'engageait dans le Golfe jusqu'au dock d'Isle Dernier.

En ce mois d'août l'Isle Dernier était littéralement bondée : l'été était chaud et humide, et le sucre avait donc été récolté très tôt cette année. Toutes les plantations travaillaient au ralenti, et beaucoup de ceux qui n'auraient pas dû être libres étaient tout de même descendus dans le sud pour savourer les dernières brises avant d'entamer le broyage.

Mais la semaine où Samuel et Matilde arrivèrent, les brises étaient presque agaçantes ; le vent devenait de plus en plus fort et insistant, envoyait du sable dans les yeux des baigneurs et énervait les chevaux.

Le 8 août, le vent s'était levé au point que les eaux de la baie Caillou avaient envahi toute la côte nord de l'île ; d'énormes rouleaux aux arêtes tranchantes arrivaient du Golfe... Au dîner toutes les conversations s'animèrent à propos d'une éventuelle tempête en mer. Et ça serait extrêmement excitant d'y assister, disaient quelques jeunes hommes à leur dame, depuis le plus haut balcon du Saint-Charles.

Au crépuscule, le coucher de soleil sur le Golfe fut baigné d'une couleur dramatique, et le balcon du Saint-Charles se remplit d'une foule de personnes qui s'entassèrent devant la balustrade. Des vagues de plus en plus hautes et rapides déferlaient dans une variété de formes, comme si elles avaient voulu rivaliser pour un concours de beauté et de puissance...

« On dirait qu'elles nous parlent, s'étonna une jeune femme, avec la voix grondante de Dieu.

— En tout cas, impossible de se baigner avec elles, rétorqua son compagnon avec dégoût. J'suis un bon nageur, et pourtant j'ai eu de la peine à revenir sur la terre ferme. Je conseille à personne d'y aller avant qu'elles soient calmées, ça c'est sûr ! »

Il y avait un bal ce soir-là au Saint-Charles, et Samuel insista pour qu'ils y assistent, car l'un des violonistes devait être un vieil Allemand réputé pour la sensibilité avec laquelle il jouait de cet instrument. Lorsque le bal démarra aux environs de minuit, la mer était grosse et agitée. Et les danseurs apprirent que le bateau *Star*, qui était ce soir-là attendu du Bayou Bœuf pour sa traversée régulière de passagers, n'était pas arrivé.

« Il s'est certainement trouvé un mouillage moins risqué », dit Samuel à Matilde en observant la mer d'un air inquiet. Ils étaient assis sur la galerie à écouter les dernières valses que l'on jouait... Ils avaient bu un peu de vin, et il se sentit en cet instant particulièrement tendre envers sa femme.

« Tu crois que ça va empirer ? lui demanda-t-elle en suivant son regard en direction des vagues.

— Si ça empire, il n'y aura pas moyen de quitter l'île tant que le *Star* n'arrive pas, répondit-il. Mais peut-être qu'il essaiera d'accoster à l'aube.

— En tout cas, M. McAllister m'a dit que le Muggah avait déjà résisté à plusieurs tempêtes. Il dit qu'il peut résister même à une tornade, alors si le bateau n'arrive pas, au moins on sera en sécurité là-bas. J'ai bien fait d'insister pour aller au Muggah à la place du Saint-Charles... Ces planchers tombent en pourriture sous nos pieds, on les entend craquer quand on danse ! »

La journée de dimanche commença avec une aurore grise et une pluie battante. Le vent continuait à s'intensifier, et toujours pas de *Star* en vue. Ce matin-là Samuel sortit se promener en s'arc-boutant contre la bourrasque, et il aperçut des morceaux de bois d'anciennes épaves perchés dans des cyprès morts aux endroits les plus élevés de l'île — qui ne dépassaient pas le niveau de la mer de plus de deux mètres. Isle Dernier avait manifestement déjà essuyé d'autres tempêtes...

Au milieu de la matinée, la nouvelle se répandit qu'on avait repéré le *Star*. Une foule énorme s'était rassemblée sur la plage pour observer et attendre l'embarcation qui tentait de s'approcher de l'île en louvoyant, mais le vent la poussa sur la rive nord. Et là elle s'échoua sous les yeux de la foule. Il n'y avait désormais plus aucune issue.

Samuel ramena Matilde en toute hâte dans leurs chambres de l'hôtel Muggah ; ils rassemblèrent Odette, Ulysse et les autres autour d'eux. « La tempête s'annonce très violente, leur dit Samuel d'un ton solennel, et il n'y a aucun moyen de quitter l'île. Il faut qu'on s'y prépare le mieux possible. » Il leur dit d'aller chercher toutes les malles et tous les matelas, de les regrouper dans cette chambre-ci et de les empiler devant les fenêtres. A sa grande surprise, sa femme ne gémissait pas et ne pestait pas contre son destin, non, elle se contentait de retenir de l'épaule les matelas au côté d'Odette, et d'appeler Ulysse pour l'aider à traîner et à caler une malle.

Dehors, le vent mugissait férocement, et comme par de grands coups de fouet il faisait tourbillonner l'eau et le sable dans l'air jusqu'à tout obscurcir ; ils entendaient de temps en temps un appel ou un cri, les beuglements désespérés du bétail qu'on avait parqué à l'abri juste sous leur galerie, et les craquements lugubres des murs de l'hôtel. Soudain il y eut une rafale particulièrement violente, le toit se souleva d'une seule pièce et leur chambre se pencha dangereusement en avant de presque deux mètres. Ils se hâtèrent de prendre les matelas et de les tirer sur leurs têtes pour se protéger, et Samuel agrippa le bras de Matilde qui était entraînée dans le vent. Il la tira près de lui sous un matelas, et cria aux autres de tenir bon...

« Est-ce que l'eau va nous atteindre ? » lui hurla Matilde, les yeux écarquillés et blême de terreur.

En guise de réponse, une grande vague surgit de la galerie et s'engouffra dans la pièce béante, les gifla en plein visage et les souleva du sol ; Matilde poussa un hurlement en même temps que les autres, et Samuel leur cria de se tenir les uns les autres, de s'accrocher à tout ce qui tenait.

« Je ne peux plus te sauver, ajouta-t-il en s'adressant à Matilde par-dessus le tumulte, nous sommes entre les mains de Dieu... »

Elle lui enroula brusquement les bras autour du cou, et la force de son étreinte l'empêcha presque de respirer. Dans la pièce il entendait les cris des esclaves, Odette appeler Ulysse pour qu'il saisisse une poutre, le fracas et les tourbillons de l'eau et du bois ; il comprit que la mort planait tout autour de lui, qu'elle les emporterait tous en quelques secondes...

« Dis une prière de pénitence ! lui cria Matilde à l'oreille, demande à Dieu de te pardonner, Samuel, sinon tu mourras avec le péché sur la conscience ! »

Avant même qu'il puisse parler, le côté de la chambre qui faisait face à la mer s'affaissa sur eux et l'eau s'engouffra avec fureur. Il fut retourné dans tous les sens et avala de grandes gorgées d'eau de mer qui l'étranglaient ; il aperçut Matilde emportée dans un tourbillon d'eau profonde, à peine visible parmi les épaves et les débris, puis Odette qui passa dans le courant, et à cet instant il pensa à Célisma, à ce visage si fort et si tranquille devant lui, et aucune prière de pénitence ne lui vint à l'esprit. Il faudra que Dieu nous comprenne, se dit-il, qu'Il comprenne ce qu'elle m'a apporté... Ce fut sa dernière pensée avant que les eaux ne se referment sur lui.

L'ouragan qui frappa Isle Dernier vint également gronder sur le bayou, coucher les champs de cannes, détruire le coton et inonder La Nouvelle-Orléans jusqu'aux premiers étages. Les nouvelles du Golfe mirent du temps à arriver, le mauvais temps ayant bloqué à quai la plupart des bateaux du continent durant plusieurs jours. Quand les premiers bateaux de secours arrivèrent enfin sur Isle Dernier, ils trouvèrent moins de deux cents survivants, à peine un tiers des gens qui séjournaient sur l'île... La liste des disparus fut envoyée d'urgence à La Nouvelle-Orléans, et de là les nouvelles parvinrent dans le bayou.

Célisma était en train de baigner Alex dans son baquet en cuivre, quand Daniel arriva et resta planté à la porte de la cuisine. Lorsqu'elle vit son visage, elle sortit immédiatement son fils de l'eau et le serra contre elle alors qu'il était ruisselant ; il poussa un petit cri de surprise puis se tut et observa de ses grands yeux ronds sa mère et Daniel, qui restaient immobiles en se fixant dans les yeux.

« Tu as des nouvelles ? » finit-elle par demander d'une petite voix.

Il acquiesça puis baissa la tête, en faisant tourner son chapeau dans ses grandes mains noires.

Elle frissonna, un long tremblement qui la tenailla dans le bas du dos, si violent qu'il lui crépita dans la tête. Alex poussa une petite plainte et s'écarta en fourrant son pouce dans la bouche. « Il est parti », dit-elle d'un ton neutre et définitif, sans l'interroger. Elle n'avait pas besoin de lui demander... Et subitement elle ressentit sa perte aussi vivement que si elle l'avait vu de ses propres yeux avaler la dernière gorgée d'eau salée qui l'avait étouffé, comme si elle l'avait laissé glisser de ses bras protecteurs sans rien faire...

Sans dire un mot Daniel s'avança et tendit les mains vers Alex, et elle lui remit son enfant dans les bras. Libérée elle porta ses mains au visage, s'écroula par terre, et se balança en gémissant.

Était-il possible que le mauvais œil soit tombé sur lui, que Dieu l'ait emporté pour la punir, elle ? Seigneur Jésus, gémit-elle, celui qui est puni le plus sévèrement, c'est mon fils, qui ne connaîtra jamais son père, qui n'apprendra peut-être jamais à équilibrer sa gentillesse avec de la force...

« Partis tous les deux », dit Daniel, la voix gonflée de chagrin. Il se baissa par terre à côté d'elle et s'assit avec Alex sur les genoux, puis il lui posa gauchement un bras autour des épaules tandis qu'elle épanchait sa douleur... une lamentation aussi morne que les vents de la tempête.

Il ne fallut pas beaucoup de temps aux enfants de Beausonge pour quitter le deuil et se rappeler leurs droits. Samuel et Matilde furent enterrés au côté d'Oliva, suivis par un cortège de funérailles qui avait attiré des calèches d'aussi loin que Baton Rouge. Célisma se tenait sur le bord de la foule, les yeux secs, avec Alex dans les bras. Elle était habillée en noir, et resta parmi les esclaves lorsqu'Ulysse, Odette et les autres furent portés en terre. Les corps de Profit et Tilly n'avaient pas été retrouvés, mais elle savait qu'on offrait tout de même du réconfort à leur âme, avec les murmures de tous ceux qui se tenaient là en baissant la tête.

Au bout de quelques jours on la pria de venir voir les jeunes Madames et Pierre dans le salon de la Grande Maison. Elle confia Alex à Sally Red, et, drapée dans une écharpe en soie que Samuel lui avait rapportée de La Nouvelle-Orléans longtemps auparavant, elle monta l'escalier principal de Beausonge pour la première fois depuis plus de dix ans.

Pierre l'attendait dans le grand vestibule, le visage sec et menaçant. « Qui t'a permis d'entrer par la porte principale ? demanda-t-il.

— C'est vous, répondit-elle calmement, en m'invitant à venir ici.

— Ce n'est pas une réunion d'amis », dit-il en la faisant rentrer dans la fraîcheur de la galerie.

Et ça, elle en était certaine. Les deux demoiselles l'attendaient, assises dans les grands fauteuils en osier où naguère se tenaient Samuel et Matilde. A cette vue elle faillit chanceler, tant Samuel lui revint fortement à l'esprit. Mais elle se ressaisit. Derrière elles se tenait l'avocat de la famille, M. Desobry ; l'homme ne lui rendit pas son salut, mais se contenta de hocher la tête pour montrer qu'il l'avait vue.

« Entre, Celly, lui dit Thérèse d'un ton neutre. Nous devons régler des affaires qui te concernent, et nous avons trouvé préférable d'en parler directement avec toi, plutôt que de te les faire savoir par M. Desobry. » Elle lui présenta une petite chaise sur le côté.

Célisma prit tout son temps pour arranger sa jupe et son châle une fois assise. Quand elle releva la tête, elle regarda droit en direction d'Amélie et fit un sourire. La femme lui rendit spontanément son sourire, mais elle croisa le regard de sa sœur et son sourire s'effaça.

Pierre ne s'assit pas mais resta debout devant les trois femmes, les mains jointes derrière le dos comme pour faire un discours. « Comme tu le sais, Célisma, commença-t-il solennellement, nous ne nous sommes jamais mis d'accord à propos de ton statut ici à Beausonge, et en vérité ta présence ici est contraire à la loi de Louisiane. Et pendant longtemps on t'a fait savoir que plus personne ici ne voulait de toi après ton émancipation.

— Si, votre père », dit-elle d'un ton ferme. Il s'ensuivit un long silence durant lequel les trois enfants Weiss la regardèrent dans les yeux pour essayer de la jauger...

« Enfin, loin de moi l'idée de dire du mal des morts, mais il y a beaucoup de choses que voulait mon père et que je pouvais difficilement tolérer... Quoi qu'il en soit, poursuivit Pierre, j'ai la responsabilité de faire de cet endroit ce que mes deux parents voulaient, et à cette fin je vais devoir consolider nos biens pour mieux les gérer et vendre Beausonge dans un proche avenir. Et je vais également vendre BonRêve, donc il va falloir que tu te trouves un autre endroit. Disons, d'ici la fin du mois. Dans l'immédiat, je décide de fermer la pension aux clients pendant la période de deuil convenue. »

Célisma faillit pousser un cri de surprise, mais elle s'efforça de contenir sa réaction. Elle attendit, le temps que ses pensées se calment comme de l'eau qu'on a agitée. Puis d'une voix subtile et cristalline elle commença : « Ça m'fait d'la peine de voir Beausonge passer aux mains d'un étranger. Ça pourrait pas être le vœu d'vot'père s'il était là pour dire son avis. Mais enfin, c'est pas mon problème. Par contre, vous pouvez pas vendre BonRêve, et j'y resterai, comme M'sieur Sam me l'a promis. Car BonRêve vous appartient pas. »

Tandis que Pierre commençait à bafouiller de surprise, M. Desobry l'interrompit d'une voix délibérément traînante, insinuante et mielleuse comme un serpent dans la vase. « Qu'est-ce que tu veux dire au juste par là, Celly ? À qui donc appartiendrait BonRêve ?

— BonRêve appartient à Alex Weiss. C'est c'que m'a promis M'sieur Sam avant même la naissance de mon fils. »

Le visage d'Amélie se décomposa et elle se mit à sangloter doucement, en se cachant la bouche avec la main.

« Tu as signé un papier qui affirme que ton bâtard n'a aucune parenté avec nous, rétorqua Pierre. Ma mère m'a dit...

— Votre mère s'est trompée. J'lui ai dit c'qu'elle voulait entendre, mais c'était pas vrai à l'époque et c'est pas vrai maintenant. Et j'ai jamais rien signé.

— Il y a ta marque !

— Je ne fais pas de marque, répliqua-t-elle calmement. Je signe mon nom. Alex Weiss est le fils de Samuel, tout comme vous.

— Comment oses-tu dire un tel mensonge ? coupa Pierre d'une voix glaciale. Et te servir du nom de mon père ! Rien que des mensonges ! Tu ne peux pas prouver que ton mouchard a le même sang que nous ! Une centaine d'hommes qui ont tous dormi sous ton toit auraient pu être son père !

— Peut-être nous éloignons-nous du sujet de la discussion », dit M. Desobry doucement, la main posée sur l'épaule de Thérèse. Celle-ci avait lancé à Célisma un regard froid et provocant dès qu'elle avait pris la parole. Ses yeux fulminaient mais elle n'avait pas parlé, sauf une fois pour faire taire sa sœur.

« Le problème dont il est question, continua l'avocat d'une voix doucereuse, n'est pas la parenté d'un enfant mais la propriété de certaines terres et dépendances, non ? Peux-tu produire un acte légal, Célisma, qui prouve que ta... descendance a des droits sur BonRêve ?

— Non m'sieur, dit-elle rapidement, mais M'sieur Sam m'a dit qu'il avait fait c'qu'y fallait. Il a vendu BonRêve à M'sieur Simon, et M'sieur Simon m'l'a vendu. Tout ça c'est sûrement avec ses autres papiers...

— Il n'y a aucun document de la sorte, répliqua M. Desobry tranquillement. Tu t'es peut-être trompée en ce qui concerne les intentions de M. Weiss.

— Non m'sieur. Il a donné BonRêve à mon fils, il l'a donné à Alex pour toujours. »

Pierre ricana amèrement. « *Pour toujours* n'existe pas, Celly, même toi tu devrais savoir ça.

— Alors si je comprends bien, dit Thérèse qui prit la parole pour la seconde fois, cette mulâtresse soutient que son fils est... — et là elle fit une grimace de mépris — mon demi-frère. Elle soutient aussi que cet enfant aurait un droit quelconque sur les propriétés de mon père. Mais elle n'a aucune preuve ni pour l'un ni pour l'autre. » Elle leva les yeux et regarda alternativement l'avocat et son frère. « Ce sont bien les faits ?

— C'est à peu près ça », approuva M. Desobry pour la rassurer.

Thérèse se leva subitement et rassembla ses jupes autour d'elle. « Alors je ne vois aucune raison de continuer cette conversation. Celly, je suppose que tu as bien compris mon frère. Tu es priée de quitter nos terres avant la fin du mois. » Elle tendit le bras, saisit la main d'Amélie et la tira de sa chaise comme pour partir.

« J'peux prouver c'que j'dis, dit Célisma qui ne bougeait pas de son siège.

— Comment pourrais-tu prouver un tel tissu de mensonges ? demanda Thérèse froidement. Je ne le croirais pas même si Jésus en personne jurait que c'est vrai.

— Est-ce que vous croiriez le percepteur ? demanda Célisma. J'ai des reçus qui prouvent que j'paie les taxes sur BonRêve depuis déjà pas mal d'années. Ils sont à mon nom. M'sieur Sam prenait les bénéfices, payait pour moi et donnait l'reste à M'sieur Simon pour acheter BonRêve. »

Thérèse se figea, puis s'effondra sur son siège, le dos aussi raide que la colonne en marbre qui se trouvait derrière elle. Elle leva des yeux suppliants en direction de M. Desobry.

« Payer les impôts d'une propriété ne prouve pas qu'on la possède, Célisma, c'est ce que tu croyais ? demanda l'avocat d'une voix tranquille. Je peux payer les impôts pour autant de terrains que je veux le long de cette rivière, ça ne me donne pas le droit d'en revendiquer la possession. Même si j'étais assez stupide pour payer les impôts de quelqu'un d'autre pendant un ou deux ans, ça ne me donnerait toujours pas l'acte de propriété ! Si tu ne détiens aucun acte, j'ai bien peur qu'avec tes quittances tu ne puisses rien prouver d'autre que tes efforts... Et c'était peut-être très honnête de ta part de prendre sur les bénéfices de BonRêve pour payer une partie des impôts...

— Je paie la totalité des impôts, tous les ans !

— Peut-être, mais tu les payais avec les bénéfices d'une propriété qui ne t'appartenait pas. Ces bénéfices appartenaient de droit au domaine Weiss et à ses héritiers, ceux de Samuel ou ceux de Simon. Dans un sens, tu peux t'estimer heureuse qu'ils ne te demandent pas de rendre compte de tous les bénéfices que tu as faits ces dernières années. Puisque tu n'es qu'une employée qui travaille en échange d'un salaire, ils auraient tout à fait le droit de faire au moins ça. Les impôts n'ont certainement pas consommé tous les bénéfices de BonRêve, si ? »

Elle secoua la tête avec de grands yeux incrédules. « J'devais acheter BonRêve, y disait.

— C'est toi qui le dis ! Mais qu'est-ce que tu faisais des recettes qui restaient après les dépenses ? Qu'est-ce que tu faisais de l'argent qui appartenait à M. Pierre et Mlles Thérèse et Amélie ?

— C'est M'sieur Sam qui s'occupait d'ça, dit-elle doucement. Y m'donnait les sous pour acheter l'nécessaire à BonRêve et pour payer les impôts. Moi j'signais les papiers et j'payais, comme y m'avait dit... Et il a donné BonRêve à son fils.

— Si tu dis ça encore une fois, cria Pierre, je fais appeler le shérif pour qu'il t'arrête pour vol dans l'heure qui suit ! »

Célisma serra ses poings devant elle et ferma les yeux très fort.

« Il n'est pas nécessaire de faire de vilaines menaces, dit M. Desobry calmement. Célisma est une femme libre, et je suis certain qu'elle comprend quels sont ses droits et ses devoirs dans cette situation. Malheureusement, nous n'avons aucune preuve de ce que BonRêve appartienne à son fils. Elle ne peut même pas prouver que son fils a le droit de posséder quelque chose.

— Que voulez-vous dire ? demanda Thérèse dont les yeux brillèrent tout à coup.

— Je veux dire que son fils ne peut pas posséder quelque chose légalement si c'est un esclave.

— Mon fils est libre ! s'écria Célisma.

— C'est ce que tu dis, poursuivit M. Desobry, mais nous n'en avons pas la preuve, hein ? Si le père de ton fils est un esclave, alors il peut très bien être un esclave lui aussi, d'après le lieu et la date où il a été engendré, et indépendamment de ton émancipation. Il peut très bien avoir été engendré par...

— Daniel, lança Pierre. Par Daniel, Tim ou n'importe lequel de ces nègres qui travaillaient pour elle à BonRêve !

— Alex est blanc ! »

M. Desobry haussa les épaules. « Ça fait longtemps que les tribunaux ont renoncé à essayer de prouver la parenté par la couleur de la peau, Célisma. Comme tu le sais, ça peut être un véritable embrouillamini, avec les mutations et tout ça... Un certain nombre d'enfants de parents de couleur se retrouvent avec une peau claire, et des bébés à la peau sombre atterrissent dans les berceaux des Blancs, assez souvent pour qu'il soit impossible de tenir compte de ça. Non — et en disant cela il mit ses doigts en forme de clocher —, les tribunaux ne reconnaissent qu'un seul fait. Qui sont le père et la mère de l'enfant. Pour la mère c'est assez facile à dire en général, mais pour le père, c'est une autre paire de manches. Maintenant si la mère et le père sont libres et peuvent le prouver, alors le bébé est libre aussi, quelle que soit la couleur de sa peau. Si la mère est libre mais pas le père, l'enfant peut être libre tout comme il peut être un esclave comme son père, ça dépend, même s'il est aussi blanc que l'aigrette des rivières. Parce que comme tu le sais, la législation de la Louisiane vient d'interdire l'émancipation cette année. »

En voyant le regard atterré qu'elle lui adressait, il ajouta : « Oui, madame ; votre propre liberté pourrait être en péril, vu le vent qui souffle de nos jours, particulièrement du fait que vous n'avez pas quitté l'État comme la loi l'exige... On a déjà vu des esclaves affranchis être refaits esclaves parce qu'ils n'étaient pas partis, sans parler de leur progéniture née dans la période où ils violaient la loi. Mais retournons à nos moutons. As-tu une preuve quelconque de ce que tu soutiens, Célisma ? »

Une fois encore elle secoua lentement la tête.

« Tu ne peux donc pas espérer que M. Weiss et ses sœurs acceptent une telle hypothèse uniquement sur ta parole. Et aucun tribunal ne l'acceptera non plus, d'ailleurs. Et tant que tu ne peux pas prouver la liberté de ton fils, il n'aura pas le droit d'être propriétaire. Et j'ajouterai même, sans avoir peur de me contredire, tant que tu ne te plies pas au délai que M. Pierre t'a laissé pour quitter BonRêve... Non, disons même avant cela. Disons que tu dois être partie dans une semaine, Célisma. Parce que si tu refuses de partir sans faire d'histoires, je me verrai contraint de conseiller à M. Pierre de récupérer également le reste de ses biens, si nécessaire par la force. »

Célisma leva la tête et fixa l'homme, effrayée.

Elle remarqua que Pierre et Thérèse souriaient désormais sans chercher à cacher leur satisfaction. Seule Amélie se détournait, incapable de la regarder dans les yeux.

« Et ces biens incluraient naturellement ton fils, puisqu'il a probablement été engendré par un esclave appartenant à Beausonge, durant la période où ta propre émancipation était compromise. »

Pendant le bref silence qui suivit, où même les respirations étaient suspendues, Célisma crut qu'elle allait tomber de sa chaise, s'écrouler par terre et se fracasser le crâne sur les froides dalles de marbre, pour ne plus jamais se relever, ne plus jamais ouvrir les yeux sur un tel désespoir... mais elle dit d'une voix rauque : « J'le tuerai avant. »

Pierre avait désormais adopté le ton calme de l'avocat, mais sans un soupçon de gentillesse. « Dans ce cas le shérif t'arrêterait pour meurtre, en plus du vol. » Il s'appuya contre la colonne de marbre. « Je crois que nous avons réglé toutes les questions qui nous concernaient, Célisma. Nul doute que tu as réussi à amasser un beau petit pécule sur le dos de mon père ces dernières années, et ça te suffira pour t'installer autre part ; on ne te le prendra pas si tu fermes Bon-Rêve et si tu t'en vas d'ici une semaine. C'est toujours ça que tu pourras garder de nos biens... Quant à l'autre bien auquel M. Desobry a fait allusion — Alex, tu dis qu'il s'appelle ? — il faudra que j'y réfléchisse. Un esclave mâle, même enfant, ça va chercher dans des bons prix à Natchez de nos jours... Bien sûr il est trop blanc pour les champs, ça le tuerait probablement, mais il n'est pas trop blanc pour servir de domestique. Il a quel âge, cinq ans à peu près ? Trop tard pour l'allaiter à un téton noir, mais je suppose que si on le met dans les quartiers il finira bien par avoir la peau foncée. Nous nous en tiendrons là, Célisma. » A ces mots il tendit un bras vers chacune de ses sœurs et il quitta la galerie avec elles.

Célisma se releva lentement. Quand elle atteignit la porte, la voix douce de M. Desobry lui parvint de l'ombre derrière elle. « Tu es une femme intelligente, Célisma, sinon tu ne serais pas arrivée aussi loin. Tu t'en tires sans doute bien mieux que n'importe qui. Tu t'en tireras avec un bon fils et ta liberté, si tu ne fais pas de bêtise. Plein d'autres filles qui ont fait la même chose que toi reçoivent le fouet, ou pire... »

Elle se retourna et le regarda, les yeux remplis de peur. « Que Dieu voie ce que vous faites, dit-elle.

— Mais Il le voit, répondit M. Desobry après un bref silence. Et je pense que tu as de bonnes raisons de Le remercier.

— Le remercier pour quoi, avec tous ces problèmes ?

— Remercie-Le, dit l'avocat, d'avoir jugé bon d'emporter Madame Matilde en même temps que Maître Samuel, ma chère. Autrement tu ne te retrouverais pas simplement au purgatoire, mais en enfer... »

Célisma passa une journée entière plongée dans le chagrin et la peur, à se promener avec Alex de long en large au bord de la rivière, à pleurer en méditant sur son sort. Mais au bout d'un jour et d'une nuit, elle ne trouva plus rien en elle que de la fermeté ; son angoisse s'était tue, sa tristesse avait fait place à de la colère...

Elle pensa alors aux nombreuses filles de couleur, certaines noires et d'autres plus claires, qui étaient la maîtresse d'un homme blanc. La plupart du temps, elles obtenaient dans l'affaire quelque chose qui pouvait les consoler. La fille récupérait souvent des robes, parfois quelques babioles ou même une petite parcelle de terrain dans le marais. Et également quelque chose pour ses enfants. On lui donnait tout ça, même si à côté elle avait aussi un mari noir et des enfants de lui... Le mari noir ne pouvait bien sûr pas faire grand-chose contre l'amant blanc, car c'est le même homme blanc qui l'avait châtré, lui, et qui castrait sa propre femme blanche en l'enfermant dans ses salons luxueux, à respirer le parfum des magnolias, de la moisissure et de l'orgueil...

Le seul qui prenait du plaisir sans en faire les frais, c'était finalement l'homme blanc.

Mais Samuel avait été différent, elle en était consciente malgré la colère qui lui emplissait le cœur... Dieu sait qu'il n'était pas parfait, peut-être même pas amoureux, après tout. Mais en tout cas c'était un homme qui avait besoin d'amour. Un homme qui tenait sûrement ses promesses, se murmura-t-elle dans un petit souffle d'espoir.

Au début elle ne trouva aucun endroit où aller et personne qui aurait pu éventuellement l'aider. Mais elle savait qu'il y avait une solution quelconque, et qu'il lui fallait la découvrir. Car si de toute sa vie elle n'avait retenu qu'une seule leçon, c'était bien celle-ci : qu'elle remontait à la surface tôt ou tard, et que tout ce qu'il lui arrivait, aussi terrible que cela puisse paraître, finissait toujours pour le mieux. Elle faisait sauter Alex sur ses genoux et lui présenta une motte de terre lorsqu'il commença à s'agiter : il lui semblait qu'en aucun cas il ne fallait troubler le silence du bayou. Il alla aussitôt s'asseoir au bord de l'eau et se mit à construire des maisons de boue, en se racontant à voix basse une histoire qu'elle n'arrivait pas à entendre.

Soudain elle regretta de ne pas avoir choisi son nom elle-même... Il grandissait maintenant si vite, il s'élançait et s'amincissait à vue d'œil. Il avait une sorte d'œil secret, ce garçon, et on aurait dit qu'il voyait les mondes intérieurs encore plus clairement que le monde réel. Elle aurait dû lui donner un nom de rivière, pensa-t-elle, un nom qui n'est rattaché à rien, insaisissable comme l'eau. Quand une femme accouche d'un enfant, elle perd ses eaux, elle le laisse s'écouler, et le voilà en liberté... Alors il doit être libre !

Tandis que les ombres s'allongeaient, elle restait assise et immobile, à contempler la rivière qui grossissait et refluait en tourbillonnant. Et dans le courant elle aperçut une chose étrange : une boule de fourmis rouges roulait à la surface de l'eau, et elles étaient si serrées qu'on aurait dit une seule créature vivante. Elle voyait qu'au centre les fourmis laborieuses portaient les petites chrysalides blanches de leurs enfants, l'avenir aveugle et sans défense de l'essaim entier... La boule de fourmis roulait et se retournait constamment, de telle sorte qu'une couche de fourmis ne restait jamais sous l'eau très longtemps. De cette manière elles parvenaient toutes sur l'autre rive saines et sauves, sans qu'une seule fourmi ait été sacrifiée. Le primordial étant que les bébés traversent la rivière sans mal et qu'ils puissent vivre de l'autre côté en toute sécurité...

En demandant de l'aide aux autres et en admettant leur faiblesse, pensa-t-elle émerveillée, elles trouvaient une force dans leur nombre ; de même qu'un bras qui ne peut pas porter un fardeau tout seul a le réflexe d'appeler un autre bras pour soulever le poids.

Malgré la nuit qui arrivait, elle savait désormais exactement ce qu'elle devait faire et savait aussi qu'il n'y avait pas une minute à perdre. Elle reprit Alex dans ses bras, l'emmitoufla dans son châle et se mit en route le long du bayou avec une vigueur dans le pas qu'elle n'avait plus ressentie depuis deux jours.

Deux jours plus tard, de retour à BonRêve, elle s'assit à sa table et rédigea soigneusement une note demandant une nouvelle audience à M. Pierre et aux demoiselles, en présence de M. Desobry ; elle y apposa sa plus belle signature. Puis elle attendit. Le soir même Betzy vint frapper à sa porte, les yeux ronds et étonnés, pour lui dire que M. Pierre l'attendait pour le lendemain après-midi.

Célisma la remercia puis s'allongea sur son lit, en tirant Alex à côté d'elle. Elle entendit à nouveau quelqu'un frapper à la porte, plus doucement cette fois-ci. Sally Red pointa la tête à travers la porte et balaya la pièce d'un regard étonné. « Tu fais pas tes bagages ?

— Pas encore », répondit Célisma calmement.

Le visage de Sally Red se décomposa. « J'ai appris les nouvelles, pas la peine d'essayer d'me rassurer, chère. Y paraît qu'on va tous êt'vendus, moi et Tim et Daniel et nous tous, qu'y dit Maît'Pierre. » Elle se recouvrit la tête avec son tablier et commença à pleurnicher. « Si seulement j'étais partie avec Odette et Ulysse ! Plutôt mourir qu'êt'aux enchères à Baton Rouge !

— Arrête de pleurer, lui dit Célisma fermement. C'est pas Maît'Pierre qui décide c'qu'y s'passe à BonRêve, en tout cas pas encore. J'te dirai quand tu pourras pleurer. »

Sally Red baissa son tablier et fixa sur Célisma des yeux stupéfaits. En voyant son visage si sévère elle recula pour quitter la chambre, en s'essuyant les mains sur son tablier et en secouant la tête, incrédule. « Le jour où t'es arrivée, murmura-t-elle, j'ai dit à Odette, c'te p'tite elle va faire souffler l'vent d'son côté. Oui m'dame, c'est c'que j'y ai dit. » Elle referma tout doucement la porte derrière elle.

Le lendemain après-midi, Célisma monta une fois de plus les marches principales de la Grande Maison. Mais cette fois-ci elle ne venait pas seule. Derrière elle, les épaules courbées par le vieil âge et les cheveux tout gris, marchait Simon Weiss. Ensemble ils arrivèrent sur la galerie et firent face à Pierre et M. Desobry.

« Je ne t'attendais pas, mon oncle », dit Pierre courtoisement en l'invitant à s'asseoir sur un fauteuil. Mais il ignora complètement Célisma. « Désirais-tu discuter certains détails de la succession du domaine de mon père ?

— En fait, déclara M. Desobry, il serait peut-être préférable qu'on en finisse tout d'abord avec la visite de Célisma, et nous pourrions ensuite parler en toute liberté avec M. Weiss de ses affaires... Soyez assuré, monsieur, qu'il n'y aura pas de vente de Beausonge sans votre consultation.

— Ce n'est pas pour la vente de Beausonge que je suis venu, dit Simon tranquillement, mais pour la vente de BonRêve. »

Pierre lança un regard furtif à son avocat. « Et en quoi ce lopin te concerne-t-il, mon oncle ?

— Il ne me concerne pas du tout. Mais c'est Célisma qu'il concerne, et je suis venu pour elle. »

A ces mots Pierre se laissa tomber dans le grand fauteuil en osier, en tâtonnant derrière lui pour le maintenir.

Simon Weiss plongea la main dans la poche de sa veste et en retira une feuille qu'il déplia avec précaution et qu'il posa sur ses genoux ; puis d'une autre poche, il sortit ses lunettes, identiques à celles que portait Samuel juste avant sa mort. Il s'éclaircit la gorge, releva la lettre et dit : « Célisma a dû vous dire que mon frère avait l'intention de léguer BonRêve à son fils. »

Derrière Pierre se fit entendre un froufrou de taffetas, et Thérèse et Amélie vinrent se poster derrière leur frère. Thérèse s'avança et posa une main sur le dossier de son fauteuil.

« Je vous avais dit de ne pas vous tracasser pour ça, dit Pierre d'une voix grave.

— Apparemment il va falloir qu'on se tracasse », répliqua Thérèse qui ne quittait pas des yeux la lettre que Simon tenait sur ses genoux. Les deux femmes s'assirent calmement en étendant leurs jupes d'un geste expert.

Simon les salua cordialement de la tête. « J'ai ici une lettre de mon frère qui prouve les droits de Célisma, dit Simon d'un ton simple et formel ! Et je me doutais que vous voudriez la voir, puisque vous désirez certainement accomplir les volontés de votre père.

— Et quel fait est-ce que cette lettre prouve ? demanda l'avocat prudemment.

— En fait, répondit Simon, qui rajusta ses lunettes pour commencer à lire, elle élucide les deux réclamations de Célisma. ''Je te transfère légalement BonRêve afin que tu le revendes par la suite à Célisma, en son nom, il a écrit, et maintenant que mon fils est né, je veux que la maison soit également à son nom.'' » Simon leva les yeux. « Il continue en mentionnant le nom d'Alex et en disant qu'il veut lui assurer la possession de BonRêve. » Il ne fit pas attention à Pierre qui tendait la main, et donna la lettre à l'avocat. « Vous pouvez voir vous-même que l'intention de Samuel était très claire, monsieur. »

Le visage de Pierre était blême, mais il ne disait rien. M. Desobry lut la lettre soigneusement, prenant le temps de la lire plusieurs fois. « Eh bien, son intention paraît très claire, mais on ne peut pas toujours mener ses projets à bien. Nous n'avons toujours pas d'acte.

— J'ai l'acte, dit Simon tranquillement. Il m'a vendu BonRêve il y a plus de cinq ans.

— Mais tu ne l'as tout de même pas vendu à cette fille, mon oncle, fit Pierre rapidement. Et nous t'en garantissons un joli prix... La maison devrait légitimement rester avec Beausonge, elle fait partie des terres et du domaine de mon père, et peu importe le nom qui est inscrit sur l'acte. »

Simon reprit la lettre à M. Desobry et la tourna et retourna dans sa main. « Et naturellement nous devons vous croire sur parole que c'est bien la signature de votre frère, ajouta M. Desobry.

— Fais-moi voir ça », dit Pierre qui lui prit la lettre des mains. Simon lui tendit prudemment la lettre en mettant bien en évidence la signature.

« Ça pourrait être ta propre signature, aussi bien que celle de mon père, dit-il.

— C'est vrai, nous avons presque la même écriture, dit Simon doucement. Mais pourquoi aurais-je fait un faux document ? Je ne veux pas de BonRêve. »

Célisma sentit une douleur la reprendre à la gorge, une douleur qui allait sûrement la faire périr étranglée si elle ne se calmait pas...

« Non, je crois que si je jurais devant n'importe quel tribunal, on me croirait. Et en plus il y a l'autre fait que prouve la lettre, dit finalement Simon. Alex a les mêmes droits sur BonRêve que ses frères et sœurs. En tant que fils de son père, je veux dire. »

Pierre se raidit. Thérèse secoua la tête vers Amélie qui se contenta de détourner les yeux.

Célisma leva les yeux juste à temps pour apercevoir l'avocat et Pierre échanger un regard grave.

« En fait, dans cette situation, Alex a les mêmes droits d'héritage sur l'intégralité de Beausonge, au même titre que ses demi-sœurs et son demi-frère. Ce sera au juge de décider, je suppose, quels peuvent être précisément ces droits, mais il est certain que cette lettre l'habilitera à revendiquer sa part sur tout le domaine de son père, au moins dans une certaine mesure. » Simon s'enfonça dans son fauteuil et croisa les mains sur sa poitrine. « Ce sera intéressant rien que pour voir comment le tribunal traitera cette requête. Car elle est légitime, n'est-ce pas, monsieur ? »

L'avocat ouvrit la bouche un instant puis la referma. Finalement il répondit : « On pourrait le penser...

— Oui, reprit Simon, c'est ce qu'on pourrait penser. Et bien sûr, une fois que BonRêve lui appartiendra, il pourrait poursuivre son procès pour revendiquer également une portion de Beausonge, non ? »

M. Desobry ne prêta pas attention à Pierre qui restait bouche bée. « Oui, c'est exact.

— C'est monstrueux ! s'exclama Pierre qui se leva et lança un regard noir à Simon. Tu ne vas quand même pas léguer BonRêve à cette pauvre fille et à son bâtard !

— C'est déjà fait, dit Simon, comme mon frère le souhaitait. »

Simon regarda Pierre sans ciller, déplia la lettre sur ses genoux et se mit à lire à voix haute. « Célisma m'a comblé d'un fils magnifique, et je dois dire qu'il me plaît bien plus que Pierre. Je me suis toujours demandé si Matilde ne m'avait pas trompé, car chaque fois que je regarde cet homme qu'elle soutient être mon fils, je ne peux manquer de m'étonner : il me ressemble tellement peu en tout, mon cher frère... Tu te rappelles qu'à sa naissance elle m'avait dit qu'il n'était pas à moi. Parfois je me suis demandé si après tout ce n'était pas la vérité. Il n'y a qu'à toi que je pouvais dire ça, car tu comprends à quel point ces ressemblances du sang sont importantes et inéluctables. Nos vies ont beau être complètement différentes, nous serons toujours les deux moitiés d'un même tout. Et nos vies ont beau être pareilles, Pierre et moi ne serons jamais père et fils comme je l'aurais souhaité... Et ce nouvel enfant me procurera peut-être la fierté paternelle que l'autre ne m'a jamais donnée. Célisma m'a demandé de garder le secret par peur des représailles et je lui obéirai mais, pour assurer son avenir, j'ai décidé de lui léguer BonRêve avec ton aide.

— Il y a toujours le problème de la loi, coupa M. Desobry. Quels que soient ses autres droits, elle a quand même violé la loi qui exigeait son départ. »

Simon ne leva pas la tête et continua sa lecture. « J'ai parlé au juge Beauregard qui m'a assuré que tant qu'elle était propriétaire et qu'elle était sur la liste des contribuables, ils ne pouvaient pas la forcer à quitter l'État. Je lui ai confié une copie de l'acte, au cas où mes intentions seraient contestées. Et si un membre de ma famille essayait de faire barrage à ma volonté, j'aimerais que toi, mon frère, tu me serves d'exécuteur en retirant au mécontent la portion d'héritage qui devait lui revenir, et en la donnant à mon fils Alex. »

Pierre, le visage livide, pivota sur ses talons et sortit de la pièce en claquant la porte, avec Thérèse qui pleurait derrière lui. Amélie se leva lentement, avec raideur, comme si elle avait brusquement vieilli. Elle inclina brièvement la tête vers Célisma en lui adressant un léger sourire. « Je te souhaite bonne chance, dit-elle doucement. Grand-mère disait toujours du bien de toi. » Sur ces mots elle quitta la pièce d'une démarche légère et gracieuse, la tête penchée d'un côté comme pour écouter la mélodie ténue d'un instrument lointain.

Célisma se remit debout et fut prise d'une lassitude comme jamais elle n'en avait ressenti depuis la naissance d'Alex. Elle salua sèchement l'avocat d'un signe de la tête et se tourna pour partir. Lorsque Simon et elle atteignirent la porte, M. Desobry l'interpella : « Madame, avez-vous toujours l'intention de poursuivre votre action pour le domaine de Beausonge ?

— Je veux simplement qu'on me laisse tranquille à BonRêve avec mon fils, répondit-elle d'une voix faible. Dites-le-leur.

— Et si je puis me permettre, monsieur, demanda alors l'avocat à Simon, quel intérêt avez-vous personnellement dans toutes ces procédures ? »

277

Simon sourit. « Le même intérêt que vous, monsieur, je suis sûr : la vérité. Et puis que mon frère repose en paix, en sachant que ceux qu'il aimait ne seront pas abandonnés. »

Célisma garda son sang-froid jusqu'à ce qu'ils arrivent au bout de l'allée et qu'ils soient abrités des regards de Beausonge par la longue rangée de chênes verts. Alors elle fondit en larmes, prit les mains de Simon dans les siennes, se pencha dessus et les embrassa en murmurant des remerciements. Embarrassé, Simon retira gentiment ses mains. « Tu as été bonne avec ma mère, Célisma, et bonne pour mon frère. Et tu mérites toute la bonté qu'on puisse te donner en retour.

— Comment j'peux vous remercier ?

— Eh bien, dit-il en souriant, tu pourrais peut-être venir nous voir avec le garçon de temps en temps. On a rarement eu l'occasion de voir la famille de Samuel, tu sais... grâce à leur mère. » Il baissa la tête. « Et elle avait peut-être de bonnes raisons.

— Il y a pas de raison assez bonne pour séparer les familles », répliqua-t-elle.

Il leva les yeux et la regarda. « Eh bien, si c'est ce que tu penses, moi je vais bientôt emmener mes enfants à La Nouvelle-Orléans pour rendre visite à Emma, ça me ferait plaisir d'avoir Alex dans l'expédition. Si tu veux bien me le confier... »

Elle sourit. « C'est c'que son père aurait voulu.

— Ça c'est vrai... peut-être que celui-ci va enfin pouvoir faire la connaissance d'oncle Simon, hein ? Et aussi de ses cousins !

— J'ai jamais été *en famille*, moi, dit-elle, j'en ai jamais vraiment eu, à part Samuel. Et maintenant Alex.

— Justement, inutile que lui aussi connaisse un tel vide... »

Elle passa son bras dans le sien. « Ah... c'est bien, la famille. »

Alors avec elle il reprit le chemin de BonRêve qu'on apercevait au loin. « La famille, c'est tout, chère... Même un vieil homme comme moi sait au moins ça ! »

Les grosses ruches qui se trouvaient devant BonRêve étaient pleines de cire et de miel, et tous les printemps la cabane à tanin produisait à foison ; et le potager derrière la maison poussait si bien que Sally Red aurait pu nourrir la moitié du bayou avec ses récoltes... Chaque fois que Célisma cherchait Alex du regard et ne le trouvait pas, elle savait qu'en suivant ses traces de pas jusqu'au jardin, elle le trouverait au milieu des concombres ou à l'ombre des plants de haricots, en train de bricoler dans la terre tiède et de se murmurer ses projets de petit garçon.

Il se savait libre d'aller partout où il voulait sur le domaine de BonRêve, et il traquait les bêtes sauvages partout où elles pouvaient voler, nager ou grimper. Elle avait appris à marcher autour du petit lit en faisant bien attention, car il pouvait garder dans des bocaux ou des sacs de farine tout un tas de bestioles volantes et rampantes, qui devaient attendre d'être soigneusement dessinées dans un cahier, numérotées et nommées avant de retrouver leur liberté. De même devait-elle balayer en évitant les poignées entières de plumes d'oiseaux qu'il fallait examiner et consigner avant de pouvoir s'en débarrasser...

Il n'avait cependant pas le droit d'aller jouer dans le coin des herbes aromatiques, qui faisaient bien plus que relever les soupers que l'on servait à BonRêve. Les herbes de Célisma et leur faculté de guérir ou d'apaiser la douleur lui rapportaient une certaine renommée à Lafourche, ainsi que quelques sous en plus. Tous les dimanches après la messe, elle disparaissait pendant une heure... Personne ne la voyait se diriger vers le petit muret de pierres, compter vingt pas et déterrer la boîte en fer où elle avait transféré ses économies quand le sac de flanelle rouge était devenu trop petit. Même Alex ne connaissait pas l'existence de cette nouvelle cachette, et elle souriait en pensant à ce que ce tas de pièces et de billets, de plus en plus gros, pourrait faire pour son avenir.

Une fois que sa propriété fut établie avec certitude, Célisma commença à l'examiner de plus près, pour voir de quoi on pourrait encore tirer profit. Au bout d'un an, elle avait déjà une petite parcelle plantée de cannes un peu en retrait de la rivière ; Daniel n'avait pu défricher qu'un peu plus d'un hectare, mais la petite récolte qu'ils avaient faite cette première année puis apportée à la sucrerie de Simon avait rajouté une autre pile dans sa petite boîte en fer.

Célisma conduisait toujours le chariot elle-même au moulin, car c'était là-bas qu'elle se sentait le plus proche de Samuel... Les grandes roues noires et les broyeurs en perpétuel mouvement lui paraissaient des objets d'une beauté et d'une puissance incomparables. Elle savourait cette poussière dorée, attirée par le parfum qui se déversait par l'ouverture des portes. L'odeur aigre-douce du jus en ébullition et celle de la chaux et du soufre, qui chassait la première, lui semblaient encore plus exquises que le jasmin... elle se rappelait la fierté que Samuel tirait de cette odeur, et quand elle aspirait par le nez et la bouche, elle avait l'impression de s'emplir de son souvenir.

Et naturellement elle pensait à lui chaque fois qu'elle voyait son fils grimper quatre à quatre les marches de BonRêve.

En 1860, quand Alex eut presque dix ans, une équipe d'ouvriers irlandais s'installa sur le bayou non loin de BonRêve, pour travailler à l'élargissement de la rivière afin que les bateaux puissent y naviguer plus facilement. Les propriétaires des plantations souhaitaient vivement cette amélioration, certes, mais ils ne voulaient pas risquer d'envoyer leurs esclaves à cette tâche si dangereuse. Entre les alligators, les serpents et la fièvre, on pouvait perdre dix esclaves par semaine dans les marais... Et les Irlandais ? Peut-être étaient-ils protégés par le whisky qui coulait dans leurs veines ; et s'ils mouraient, un Irlandais de moins n'était pas une tragédie aux yeux du monde... Ils n'avaient que leur propre vie à perdre.

Cette année-là les ouvriers irlandais devinrent une vision familière sur les routes et les chemins du Bayou Lafourche, tandis que les levées s'étendaient sur les rives les plus perdues au fond du delta.

Ce fut au printemps que Célisma aperçut la première équipe qui campait sur le rivage tout près de BonRêve. Avec la chemise grande ouverte qui montrait leur peau tannée, ils charriaient de la terre vers les berges et montaient des rangées de tentes au milieu des peupliers.

« Ah, ces *Iriches*, comme elle les appelait pour répondre aux questions d'Alex, ils partiront quand ils auront transporté toute la terre là où ils veulent, cher.

— Est-ce que je peux aller voir ? » demanda-t-il, alors que ses grandes jambes trépignaient d'envie de descendre la route.

Elle réfléchit un instant. « Apporte-leur un pichet de citronnade, d'accord ? Et dis-leur que s'ils en ont assez de leur popote, on sert du poisson-chat tout frais ce soir à BonRêve. »

Il sourit, en garçon qui estimait la réussite d'une journée au nombre de chaises qui le soir entouraient la table du dîner, et il courut dire à Sally Red de lui remplir un pichet.

Elle observa par la fenêtre Alex qui détalait sur la route de la levée en tirant sa charrette où il transportait la limonade, une louche et des tasses en fer. Il reviendrait sûrement des piécettes plein la poche, celui-là, et sans doute un ou deux mots nouveaux qu'un piocheur irlandais lui aurait appris !

Deux nouvelles têtes partagèrent le repas de BonRêve ce soir-là, et deux autres arrivèrent peu après. Sally Red se démenait dans la cuisine, tout en épiant les nouveaux venus par les portes battantes. « Ah les *Iriches*, ces gars y savent raconter les blagues ! gloussait-elle toute seule en voyant les assiettes aller et venir. Et d'ces yeux bleus ! » Et elle roulait ses yeux noirs et ridés de façon suggestive, en se dandinant vers son fourneau.

Un homme en particulier, celui qui surnommait Alex « Keskidi » à cause de son habitude de toujours demander : « Qu'est-ce que tu dis ?» dévorait son assiette encore plus vite que les autres. Célisma le regardait et se disait avec amertume qu'elle ne ferait même pas un dollar de bénéfice avec ce Tom Kerry, vu l'entrain avec lequel il mangeait.

Et il buvait avec autant d'entrain une fois le dîner débarrassé... Il s'était assis avec son compagnon sur la galerie, et levait son verre autant de fois qu'elle voulait bien le remplir.

« Ces *Iriches* doivent sûrement gagner un bon paquet à creuser les levées », souffla-t-elle à Sally Red quand elle retourna à la cuisine pour y chercher une deuxième bouteille de vin d'oranger. Elle ouvrit la main et lui montra une poignée entière de pièces d'argent.

« Pas d'femmes, pas d'jeux, y-z-ont rien d'aut'pour le dépenser, dit Sally Red en hochant la tête d'un air sage. Demande au Bon Dieu d'ralentir un peu leurs pelles ! »

Célisma retourna sur la galerie obscure où étaient assis les deux hommes, et resta en retrait du cercle de lumière que faisait la lampe à pétrole. Ils se racontaient des histoires sur leur patron, ponctuant leurs récits de rires saccadés : le rire de Tom s'élevait au-dessus de celui de ses camarades, et elle se rapprocha pour l'écouter.

« Alors j'ai dit au vieux Maloney qu'il avait qu'à prendre l'alligator et moi j'prendrais la dame, pardieu, et y m'a plus jamais dit un mot ! » Il se retourna en entendant le pas de Célisma, qui pourtant était arrivée sans faire de bruit. « Ah, la voilà, notre bonne hôtesse avec une nouvelle bouteille de son excellent élixir magique ! » Il leva son verre et lui fit signe de s'approcher. « Venez donc, jeune fille, et remplissez nos verres ! »

Célisma apparut à la lumière de la lampe et adressa à Tom son plus grand sourire. Elle lui versa du vin d'oranger en faisant une gracieuse révérence. Le col et les poignets de sa chemise était tout bruns, et ses épaules étaient presque aussi larges que celles de Daniel. Il avait les cheveux roux, aussi ébouriffés que s'ils étaient constamment dans un courant d'air. Et un des plus petits nez qu'elle ait jamais vus, remarqua-t-elle, en se demandant comment un homme si costaud pouvait prendre son souffle à travers un passage si étroit. Et des yeux si bleus... Tout à coup elle se rendit compte que cela faisait un moment qu'elle l'observait, et il s'en était aperçu.

« Peut-on savoir votre prénom, jeune fille ? demanda-t-il.

— J'm'appelle Célisma, dit-elle doucement.

— Et vous êtes la maîtresse de cette belle maison ? » Les yeux de Tom quittèrent son visage pour se poser lentement sur son cou, sa poitrine, sa taille, avant de remonter.

« Oui m'sieur, répondit-elle. M'sieur Sam y m'a affranchie y a longtemps, et y m'a donné BonRêve.

— Eh bien ! dit Tom après un moment, tu as dû lui rendre de bons services pour avoir une telle récompense. »

Elle sourit. « Il était très gentil... Mais ça fait plus d'cinq ans qu'il est plus là.

— Et tu es restée seule pendant tout ce temps ? demanda Tom. Une jolie fille comme toi ? »

Elle fronça les sourcils, alarmée par sa propre confusion. « Pas toute seule m'sieur. Y faut s'occuper de toute une maisonnée, et des gens qui viennent dormir. » Elle posa la bouteille sur la table et commença à partir. « Pas l'temps d'êt'seule, vraiment, j'ai bien trop à faire. »

Quand elle quitta la galerie elle entendit le compagnon de Tom lui dire quelque chose à voix basse, et Tom répondre par un petit rire amer. Elle plissa le front et en entrant dans la cuisine, elle appela Sally Red : Si ces *gentilshommes* désirent autre chose, tu leur apporteras, chère », sans faire attention au grognement que Sally Red lui répondit.

Il était très tard quand Célisma retrouva enfin son lit, après avoir vérifié chaque serrure et chaque porte comme à l'accoutumée. Alex dormait paisiblement dans un petit coin séparé de la chambre, et Sally Red avait déjà fermé la cuisine et recouvert les braises depuis longtemps.

La lune était si haute qu'elle semblait extrêmement distante, et incapable de prodiguer sa lumière au monde... Même les grenouilles étaient silencieuses ; à cette heure-ci même elles rentraient leurs yeux globuleux pour se reposer.

Mais étrangement Célisma n'arrivait pas à dormir. Elle pensait à Samuel, à la manière dont il venait la rejoindre dans ce lit... Cela lui parut si lointain qu'elle eut l'impression d'être une vieille femme privée d'amour depuis déjà des éternités. Elle se tournait et se retournait nerveusement sous sa fine couverture, méditant le passé et les choix qu'elle avait faits. Et il lui sembla, cette nuit-là, qu'elle avait fait des choix qui ne pouvaient qu'ensevelir son cœur sous la tristesse. Qu'elle resterait solitaire pour le restant de ses jours... Elle avait l'impression que sa vie s'étendait devant elle, aussi longue et large que le Mississippi, et qu'elle n'avait personne à côté de qui nager.

Elle entendit un léger bruit dehors près de la porte, et elle se raidit. Il arrivait que ses pensionnaires se lèvent en pleine nuit et marchent dans la maison, et elle avait appris à distinguer quelle porte s'ouvrait en fonction du bruit que cela faisait. Mais le son venait de l'extérieur de la maison. Elle jeta un coup d'œil au verrou de sa porte : fermé à double tour, comme toujours...

Mais elle entendit un frappement presque silencieux sur sa porte. Elle se leva et mit sa robe de chambre sur ses épaules ; elle regarda son fils endormi, et referma la porte de la cloison qui les séparait. Quelqu'un était peut-être tombé malade. Ou manquait de quelque chose ? Il était rare qu'on la dérange à une heure pareille...

Elle entrouvrit la porte et jeta un œil par la fente. Tom Kerry se tenait dans l'obscurité et lui souriait gentiment.

Elle allait parler puis se retint. Pas besoin de parler... Elle savait pourquoi il était là sans devoir le lui demander. Presque involontairement son bras ouvrit la porte en grand pour le laisser entrer ; il s'avança à l'intérieur, et elle referma la porte derrière lui. Il restait là sans dire un mot et la regardait, dégageant une douce chaleur qui semblait s'infiltrer sous sa robe de chambre comme un rayon de soleil. Et sans dire un mot elle alla dans ses bras, l'attira vers son propre corps et l'enveloppa encore plus. Il avait la même taille que Samuel et elle s'y adaptait si parfaitement... Elle sentit les bras musclés de l'homme attiser une certaine force dans les siens. Lorsqu'ensemble ils trouvèrent le lit, elle ne se demanda pas pourquoi il était venu ni pourquoi elle l'accueillait, elle se contentait d'écouter le martèlement brûlant de son cœur qui la poussait à faire courir ses mains sur lui, à glisser son corps sous le sien, à onduler tant et plus jusqu'à ce qu'elle ne puisse plus distinguer leurs deux chairs...

Et pendant un éclair de froide lucidité elle pensa : depuis que j'ai quinze ans, je sais tout ce qu'un homme peut me faire s'il en a envie, chaque fois qu'il grimpe sur moi, je remets ma vie entre ses mains.. Il peut me casser le bras entre ses doigts ou me briser le cou d'un mouvement des mains. Et c'est la même chose pour toutes les femmes, noires ou blanches... Toutes nous ressentons le goût amer de la gratitude quand il ne nous fait pas mal, et qu'il nous apporte même un peu de plaisir. Mais on prend constamment garde à ses moindres changements d'humeur.

Cependant les mouvements qu'il faisait finirent par chasser toutes ces pensées de son esprit, et avec lui elle s'éleva dans la cadence, en silence, le louant avec son corps, et tout ça sans échanger une seule parole.

Jamais elle ne regretta cette nuit de désir ardent avec sa satisfaction silencieuse. Jamais elle ne comprit pourquoi cet homme-là plutôt qu'un autre, parmi tous ceux qui étaient passés sous son toit, mais elle savait qu'elle garderait toute sa vie la dette de cette unique nuit et de cet unique homme. A peine un mois s'était écoulé depuis que l'équipe de Tom Kerry était partie plus haut sur le bayou, quand elle se rendit compte qu'elle attendait un enfant.

A quarante ans elle portait la vie une nouvelle fois, certainement la dernière... avec la semence d'un homme qu'elle ne connaissait quasiment pas. Une partie de son esprit s'horrifiait de ce besoin fougueux qu'elle avait eu. Mais une autre souriait tendrement à ce souvenir, en sachant que, d'une certaine manière, il était venu quand elle le désirait le plus, et qu'il était reparti sans laisser de regrets ni de confusion. Il ne saura jamais, se dit-elle résolument, c'est inutile. Cet enfant aura une sorte de naissance virginale, et aucun homme ne pourra intervenir dans son éducation...

Il devint cependant de plus en plus difficile d'ignorer la venue de la petite dans les mois qui suivirent, alors qu'elle grossissait aux yeux de tous. Car c'était une fille, Célisma en était certaine. Tellement différente d'Alex, et pas seulement à cause de son ventre plus vieux. Ce bébé serait une fille et aurait probablement les cheveux roux de son père... la seule chose visible qu'elle pourrait jamais hériter de lui.

Quand Célisma fut si ronde sous son tablier que même la blouse la plus ample ne pouvait plus rien cacher, Daniel vint lui faire sa demande. Ce qui ne l'étonna guère...

« Mam'zelle Celly, j'viens vous dire que'qu'chose », commença-t-il d'un air apparemment décidé, la tête haute et la mâchoire en avant.

Elle s'appuya contre la porte et attendit. C'était sur la galerie qu'il l'avait surprise, là où la fraîcheur de l'ombre lui procurait une sensation de bien-être. Elle avait idée qu'il l'avait surveillée pendant un moment, pour attendre l'instant où elle serait toute seule et tranquille.

« Z'êt'encore enceinte, on dirait. » Il ne la quittait pas des yeux.

Elle sentit secrètement grandir en elle du respect à son égard. Devant elle se tenait quelqu'un qui lui appartenait, mais aussi un homme résolu quant au chemin qu'il avait choisi. « On dirait, répondit-elle calmement.

— Bon, j'suis venu vous dire que'qu'chose, et y faut qu'j'le dise. Vous pourrez m'refouler si vous voulez, mais laissez-moi au moins parler avant.

— J'te laisse parler », dit-elle. Elle laissa tomber une main le long de son corps et se mit à tortiller distraitement les franges de son tablier. Elle avait un pressentiment de ce qui allait venir, mais elle voulait tout de même l'entendre s'exprimer.

Il se racla la gorge et se balança légèrement sur ses talons. Maintenant qu'elle lui avait donné la permission de parler, son courage semblait s'être évanoui sous la force et la franchise du regard qui le fixait... « Eh ben, commença-t-il, c'est pas bon d'êt'seule pour une femme. Surtout avec un garçon et un aut'bébé qu'arrive.

— J'suis restée seule presque toute ma vie, dit-elle doucement. Tu le sais bien, Daniel.

— Je sais, mam'zelle Celly, mais ça m'fait d'la peine de voir qu'ça continue. Vous méritez mieux... » Ses mains tordirent son vieux chapeau usé, et il accéléra son débit. « Je sais qu'j'suis pas un cordon bleu, mais j'suis capable d'm'occuper d'vous et d'BonRêve et d'tous ceux qu'en ont besoin. J'voulais vous proposer d'm'avoir comme mari, mam'zelle Celly. J'veux vous épouser et donner un nom à c't'enfant.

— Ton nom ?

— Oui, mam'zelle, et si vous m'affranchissez, j'prendrai soin d'vous et d'vot'famille comme si c'était la mienne, jusqu'à ma mort. » Maintenant qu'il avait parlé, il parut gagner en stature devant elle... « Les mauvaises langues pourront pas vous embêter, mam'zelle Celly, tant que j'serai là pour les tenir tranquilles. Et personne viendra plus vous faire d'histoires. Vous m'donnez la liberté, et j'm'engage à rester avec vous et vot'famille pour toujours.

— Mais, dit-elle sans le brusquer, tu es déjà à moi, Daniel. Tu m'appartiens comme BonRêve m'appartient. Et si y a des mauvaises langues, elles continueront à jaser, que tu m'épouses ou pas. » Elle s'interrompit un instant et regarda au loin pour lui laisser le temps de se ressaisir. « C'est plus pour ta liberté ou pour l'enfant, Daniel ? »

Il haussa les épaules et le cou, une véritable montagne qui se soulevait. « J'suis déjà presque libre, à vrai dire. J'travaille dur et vous l'savez, mam'zelle Celly. Mais si j'veux pas travailler, je sais qu'vous allez pas m'fouetter. Si j'me roule par terre et que j'refuse de bouger, vous allez pas m'envoyer aux enchères à Baton Rouge. Vous m'demandez d'faire que'qu'chose, mais vous m'donnez pas d'ordre. Plus personne m'a donné d'ordre depuis Maît'Sam, et même lui y demandait autant qu'y commandait. Alors non, mam'zelle Celly, c'est pas ma liberté. C'est pour l'enfant. » Et là il se reprit subitement. « Et bien sûr pour vous. Ça serait bien d'êt'libre, c'est vrai, mais ça serait encore mieux d'êt'vot'mari. »

Elle sourit gentiment. « Ça fait plaisir de l'entendre, Daniel et je te remercie de ta proposition.

— Vous y réfléchirez ? »

Elle hésita, puis décida que le plus rapide serait le moins douloureux pour lui. « J'vais t'dire une chose. J'réfléchirai à ton émancipation, Daniel. Ça m'donnera assez à penser pour l'instant. Mais j'réfléchirai pas au mariage. J'te remercie, mais j'peux être la femme d'aucun homme.

— Pourquoi ? »

Elle haussa les épaules à son tour, mais plus légèrement : « J'ai pas envie. Et pas besoin. Et cet enfant a pas besoin non plus. Le monde a des soucis plus importants que l'bébé d'mam'zelle Célisma, j'suppose. Alors on parlera plus de mariage. J'penserai au reste et j'te dirai quand j'aurai décidé. » Elle se leva et noua lâchement son tablier, sans se soucier, pour une fois, que son ventre tende la toile de manière si visible. Et lorsqu'elle le vit faire une moue en baissant les yeux, elle ne put s'empêcher de sourire et de lui donner une petite tape sur l'épaule en quittant la pièce.

Manon naquit à la fin de l'été, quand le bayou tout entier semblait offrir ses fruits par brassées. C'était un petit bébé, même dès le premier jour, avec des yeux bleus qui suivaient vaguement Célisma avant même de pouvoir fixer distinctement... Ces yeux si bleus étaient opaques, au regard presque glacial, et n'avaient rien de la chaleur que Célisma avait vue dans ceux de son père.

Mais c'était une fille magnifique, encore plus claire de peau et plus fine qu'Alex. Couchée dans son berceau, tranquille et attentive, elle souriait dès que son frère se penchait sur elle en agitant une petite poignée de fleurs.

« Regarde, maman ! disait-il, elle aime le parfum des fleurs ! » Et il se mettait à rire tout en chatouillant légèrement la joue du nourrisson avec la petite touffe blanche et douce.

« Si tu la fais pleurer, il faudra encore que tu la prennes dans tes bras, lui dit Célisma derrière son dos.

— Elle pleure jamais, elle pète, c'est tout ! » rigola-t-il. Manon rit aussi, comme si elle approuvait.

« Alex, si c'est le premier mot qu'elle sait dire, tu auras des ennuis ! » gloussa Célisma. Elle était une fois de plus remplie d'émerveillement à la vue de ses deux enfants — si vigoureux, si intelligents et si beaux. Alex parlait maintenant avec une voix douce et traînante, en partie venant d'elle et en partie des mots et des expressions qu'il avait appris avec oncle Simon et ses nombreux cousins. Deux fois par semaine il allait jouer autour de leurs cabanes dans le bayou, et il braillait avec eux dans tout le marais, si bien qu'elle avait parfois du mal à distinguer sa voix de celle des autres...

Il retrouvait ses cousins dans la vieille école, où ils se penchaient sur leurs livres de lecture ; puis, les jours de lourde chaleur, ils partaient à cheval sur leurs poneys ou s'occupaient à leurs jeux bruyants. Ils lui indiquaient chaque nid d'oiseau, lui apprenaient leurs différents cris, et lui montraient comment attacher des morceaux de viande à une ficelle, les suspendre au bout d'un petit bâton et attendre patiemment sur la berge des heures durant pour attraper des écrevisses. Ils l'aidaient à harnacher les énormes sauterelles noires qu'ils appelaient les « chevaux du diable » et à les atteler à une boîte d'allumettes, pour organiser des courses à l'intérieur d'un cercle qu'ils traçaient dans la boue du bayou. Ensemble ils ramassaient des bouts de bois qui flottaient, cueillaient des fleurs et des mûres, partaient à la recherche d'œufs de cailles, faisaient des glissades sur les levées, et passaient en courant devant la galerie ombragée où Célisma était assise, son raccommodage sur les genoux en train d'écouter Cerise et Simon lui parler des jours anciens...

Et à plus d'un titre, les gens qui étaient rassemblés autour de sa table pour le dîner devinrent également des sortes de parents éloignés. Chaque soir à table, Alex écoutait des visiteurs qui venaient de La Nouvelle-Orléans, du Teche, de Plaquemine et de Baton Rouge, et même d'aussi loin que Natchez, qui discutaient de politique ou qui lançaient des plaisanteries, tout en avalant le poulet et les délicieuses galettes de Sally Red.

En ce temps-là, les disputes tournaient la plupart du temps autour de l'esclavage et des droits des États, et Célisma se disait que s'il lui fallait entendre encore un seul discours sur la cause du Sud, elle allait cracher dans la soupe...

Un soir où M. Kane, de Natchez, était de passage, il pérorait sur la véritable raison des « impolitesses » que se faisaient le Nord et le Sud tant et si bien qu'il réussit à échauffer tous les hommes qui se trouvaient assis à table.

« Tenez, Lincoln lui-même est pour le droit des États, finit-il par dire, et il l'a répété assez souvent, ou alors on a la mémoire courte. Un des esprits les plus brillants d'Amérique, si vous voulez mon avis.

— Quand est-ce qu'il a dit une chose pareille ? demanda un homme indigné, qui venait de Géorgie. Je n'ai jamais entendu cette personne dire quelque chose de cohérent à ce sujet... Une espèce de singe efflanqué, vulgaire et inconscient. Tu as vu des portraits de lui ? Pardieu, un vrai monstre !

— C'était juste après la guerre avec le Mexique, il me semble, mais je me souviens très bien de ses paroles. Il a dit qu'un peuple, n'importe lequel, qui en a la conviction et la possibilité, a le droit de se soulever, de renverser le gouvernement existant et d'en former un nouveau qui lui convient mieux. Si ça n'a pas l'air d'être le meilleur argument pour la cause du Sud, je ne sais pas ce qu'il vous faut !

— Lincoln a dit ça ?

— Parfaitement. Un des meilleurs cerveaux de la politique actuelle, je vous dis.

— Ces hostilités, si elles se produisent...

— Il n'y aura pas de guerre, trancha sa femme.

— Tu as peut-être raison, ma chérie, mais s'il y en a une, ce ne sera pas pour libérer les esclaves. Tout ça c'est des belles paroles pour les âmes sensibles, mais les hostilités ont un enjeu économique, c'est clair et net. Non, si cette guerre a lieu, ce sera parce que le Nord ne veut pas perdre notre riche pays, notre tabac, notre sucre, notre coton... Mais rallier des soldats yankees autour d'un étendard cousu de billets verts serait impossible, alors votre M. Lincoln, si rusé, a lancé à grands coups de trompe un appel pour libérer nos frères noirs aveuglés.

— Vous voulez dire que toute cette bataille n'est que du vent ? C'est ce que vous essayez de nous faire croire ? Ma foi ça tient à peine debout...

— Pas que du vent, mais juste un écho différent. Je dois dire que personne au monde n'aime autant que moi les gens de couleur quand ils méritent d'être aimés. Je vénère le souvenir de ma nounou noire, et un de mes amis d'enfance les plus chers est un négro modeste et rieur... Je me réjouis de voir ces travailleurs si joyeux dans nos champs. Mais je sais très bien, tout comme vous, qu'en aucun cas, ils ne peuvent égaler un Blanc quel qu'il soit. Lisez la Bible de nos pères, cher ami.

— C'est vrai, tout ça est dans le Grand Livre.

— Oui, monsieur, et n'importe qui peut le lire. L'homme noir sera un coupeur de bois et un porteur d'eau. Et regardez dans l'histoire : à toutes les époques et sous tous les climats, les Noirs sont une race

287

inférieure et ignorante, incapable de se gouverner et de s'élever. Nous on sait tout ça, dans le Sud. On sait comment régler nos problèmes, et on les réglera, Bon Dieu !

— Mais vous dites que ce ne sont pas les nègres qui sont l'enjeu de ce conflit...

— Je dis que c'est une façade pour masquer le réel enjeu, qui est économique. M. Lincoln pensait que les gens avaient le droit de se défaire d'un gouvernement, quand il faisait lui-même partie de ces gens qui réclamaient la liberté. Mais maintenant il essaie d'empêcher le Sud de faire exactement ce qu'il proclamait comme légitime il y a quelques années.

— Vous parlez de protéger notre coton, mais vous avez vu comment ils s'y prennent dans le Nord ? Ils ont des machines qui font le travail de cinquante ouvriers. Nous on n'a pas des machines comme ça, on ne peut pas investir dans des machines vu que notre capital est immobilisé dans les esclaves. Tenez, la Louisiane n'a pas une seule filature de coton, monsieur ! lui répliqua son voisin. On envoie tout à Liverpool, Boston ou New York, et on le récupère sous forme de nankin, de toile à voile ou de tissu de coton. Et qu'est-ce qu'on fait quand ils bloquent la marchandise, hein ?

— On n'a pas besoin de machines et de manufactures dans le Sud ! On n'a pas besoin de travailler dans les usines ni dans les magasins pour survivre. Tant qu'on a le coton, les gens se battront pour en faire de la toile... Il y a déjà assez d'endroits où on peut faire du nankin, monsieur, mais pas beaucoup d'endroits où on est fichu de faire pousser du coton comme chez nous ! »

Ces discussions revinrent sans cesse pendant des mois, et juste au moment où Célisma commençait à désespérer d'entendre les gens parler d'autre chose, les autorités prirent une décision que même elle perçut comme trop inquiétante pour qu'on la passe sous silence... En cette année 1861, la Louisiane déclara sa sécession de l'Union.

« Et pourquoi pas ? se sont-ils alors écriés à table. On peut très bien suivre l'exemple de la Caroline du Sud ! Leur récolte de coton a atteint un million de tonnes cette année, c'est le moment rêvé pour se prononcer en faveur de la Confédération. Le sucre monte, remarquez bien, et on ferait mieux de partir pendant qu'on peut encore en garder un tas pour nous ! »

Tout le monde ne voulait pas la guerre, et ceux qui venaient à Bon-Rêve ne désiraient pas tous rejoindre la Confédération. Un soir à table, un client de Pennsylvanie fit une suggestion : « Pourquoi pas un système de travail libre ? C'est ce qu'ils font là-bas à l'ouest, et il paraît que ça marche...

— Non, monsieur, lui rétorqua un client de Terrebone, ici nos Noirs sont différents.

— Comment ça ?

— Voyons, ils sont trop paresseux. Ils se fichent d'avoir de l'argent de poche !

— Eh bien, vous avez dit que vous aviez le meilleur maréchal-ferrant que vous ayez jamais vu. Il est certainement assez intelligent pour vouloir essayer de s'en tirer...

— Même, ça ne marchera pas. Il faut que vous compreniez, monsieur, que le sucre n'est pas une culture qui est née dans cet État ; c'est une culture artificielle, vous voyez. A Cuba, vous le mettez dans la terre et ça pousse tout seul. Ici il faut le dorloter, le labourer et le sarcler, le protéger des gelées et le broyer avant qu'il soit mûr pour avoir le temps de faire du bon sucre. En ce qui me concerne je ne suis pas partisan de la discipline sévère, mais les Noirs en ont besoin de temps en temps. Pendant le broyage on travaille nuit et jour pour rentrer la récolte, et on a besoin d'une main-d'œuvre fiable. On doit pouvoir savoir qu'on peut obtenir seize heures de travail d'un homme quand c'est nécessaire, alors que vous dans le Nord vous devriez...

— Payer le kilo de sucre quatre *cents* de moins que le prix actuel.

— Que voulez-vous dire, monsieur ? demanda l'homme de Terrebone effaré.

— Ce que vous savez déjà certainement, répondit l'homme de Pennsylvanie, que la Louisiane ne produit qu'un quart du sucre qu'on consomme aux États-Unis, et que tout le reste vient de Cuba, avec un prix fortement gonflé, si bien que dans tout le pays on paie quatre *cents* de plus par kilo pour que vous puissiez cultiver ce que votre sol n'aurait jamais dû faire pousser. Et maintenant vous voudriez qu'on soutienne l'esclavage pour qu'en plus vous puissiez faire des bénéfices ! »

La femme de l'homme de Terrebone prit alors calmement la parole, au grand embarras de son mari. « Je crois que l'esclavage est un fléau, dit-elle, parce qu'on leur prend leur volonté en les écrasant avec nos ordres, et eux, en échange, ils nous donnent une si mauvaise conscience en nous écrasant de plaisirs. On croit qu'on se fait aimer d'eux, mais c'est nous qui finissons par les aimer. Un peuple ne peut tolérer la brutalité qu'un certain temps. Ce sont eux qui nous envahissent, on est emportés par une marée noire qui nous inonde.

— Madame, lui dit son mari, vous ne comprenez absolument rien à l'aspect politique de la situation. »

Les événements tourbillonnaient autour d'eux, mais BonRêve semblait flotter dans une sorte de bassin d'eaux calmes, à l'écart des rapides de la guerre et de la sécession, sauf par les gens qui en rapportaient un peu à table chaque soir. La Ceinture du Coton va partir en bloc, disaient-ils, en prenant les États sucriers avec eux. Dans le sillage de la Caroline du Sud, les États rejoignaient la Confédération l'un après l'autre : le Mississippi, la Floride, l'Alabama puis la Géorgie.

« Et l'Alabama ne s'est pas seulement retiré ! Il a déclaré la guerre à tout le reste des États-Unis !

— Mon Dieu, murmura un homme au milieu d'un silence admiratif, comment pourrait-on refuser de se mettre dans son camp ! »

Deux mois plus tard les Yankees bombardèrent Fort Sumter. Le président Jefferson Davis, le chef de l'Union confédérée, déclara la guerre aux États-Unis, et M. Lincoln mobilisa une armée de soixante-quinze mille hommes pour étouffer cette insurrection.

« Ils appellent toujours pas ça la guerre ! grommela Sally Red en apprenant les nouvelles.

— Y feraient mieux d'app'ler ça l'enfer, et pis c'est tout, dit Daniel, c'est tout c'que c'est, maintenant qu'leurs troupes vont débarquer dans l'bayou. Et les soldats d'Linconne y seront même pas foutus d'attraper un lapin là-dedans, encore moins les soldats confédérés. A mon avis on va y avoir droit, maintenant. »

Célisma arriva dans la cuisine au milieu de leur conversation. « Ils ont pris La Nouvelle-Orléans, chers, leur annonça-t-elle, m'sieur Donald vint d'venir nous le dire. La marine yankee est carrément arrivée en pleine ville et l'a prise en un clin d'œil, et les troupes yankees bivouaquent sur les marches de Saint-Louis !

— Oh Nom-de-Dieu-Tout-Puissant ! s'exclama Sally Red.

— Eh ben ça y est », dit Daniel en secouant la tête.

Mais pendant longtemps BonRêve sembla encore pouvoir échapper aux atrocités de la guerre. L'horrible général Butler avait pris La Nouvelle-Orléans, d'accord, mais les échauffourées parvenaient rarement aussi loin que Lafourche. Les histoires de La Nouvelle-Orléans se propageaient, en revanche, et en les entendant, Célisma se félicitait des nombreux kilomètres de bayou qui séparaient sa famille du chaos.

Les gens racontaient l'épisode des navires de Farragut qui avaient remonté le Mississippi et dépassé les forteresses qui constituaient l'ultime défense de la ville, tandis que des hommes s'étaient précipités pour escalader les levées et tenter d'apercevoir les Yankees qui remontaient le fleuve à toute allure. Au même moment, tous les membres du gouvernement battaient en retraite et fuyaient la ville, avec ce qui restait de l'armée confédérée. Les femmes cousirent leurs bijoux à l'intérieur de leurs jupons et prirent la route sur tout ce qui pouvait rouler. Tous les bateaux à vapeur qui étaient à quai furent saisis, chargés avec tout le matériel militaire qui restait dans la ville, puis envoyés en amont de la rivière pour échapper aux Yankees. Dans sa retraite, l'armée brûla des milliers de balles de coton qui étaient encore sur les docks et dans les entrepôts.

« Tout ce coton qui flambait, c'était quelque chose à voir, raconta un client à la table de Célisma, j'ai jamais rien vu de pareil. Ils ont entassé les charrettes, les chariots et tout ce qui roule par-dessus les balles et ils ont tout brûlé sur un terrain vague. Des nègres couraient autour, cisaillaient les balles et y mettaient le feu. Ou alors ils les faisaient rouler tout enflammées dans le fleuve.

— Et le sucre ?

— Brûlé aussi, ils l'ont balancé sur le feu avec la mélasse et tout le reste. Et les planteurs restaient tout autour en regardant le travail de toute une année s'envoler en fumée. Et avec toutes ces balles enflammées qui flottaient, le Mississippi n'était plus qu'une rivière de feu ! »

Les marchands, qui s'imaginaient que les Yankees allaient piller leurs magasins sur-le-champ, ouvrirent leurs portes aux habitants et les invitèrent à prendre ce qu'ils voulaient. Les gens amenaient leur charrette juste devant les portes et repartaient avec des sacs de café, des barriques de sucre, d'énormes caisses de haricots et de pommes de terre, de la semoule de maïs, des conserves de fruits, des jambons et du beurre. Des centaines de femmes et d'enfants partaient se réfugier en dehors de la ville, certains nu-tête et dans les tenues les plus hétéroclites ; des filles de douze ou quatorze ans restaient toutes seules, blanches et noires mélangées ; de nombreux esclaves portaient les paquets de leur propriétaire ; et enfin des femmes blanches s'asseyaient simplement par terre et sanglotaient en se tordant les mains de désespoir.

Farragut commença à bombarder sans répit Fort Jackson sur le Mississippi, pour pouvoir se frayer un passage et remonter la rivière. Il réussit finalement à faire céder le blocus, et ses bateaux remontèrent le fleuve en passant le long des levées où s'alignaient des haies d'hommes et de femmes, noirs et blancs, et des esclaves qui semblaient à la fois effrayés et joyeux. Et quand les cloches de La Nouvelle-Orléans retentirent, la ville comprit qu'elle était enfin prise... Le général Benjamin Butler fut désigné pour organiser l'occupation.

« Butler la Brute », c'était ainsi que les gens appelaient leur envahisseur qui terrorisa La Nouvelle-Orléans pendant plus de sept mois, allant même jusqu'à pendre un homme qui avait baissé le drapeau fédéraliste. Les troupes yankees défilaient dans les rues, et Butler exigeait la soumission inconditionnelle de la ville entière.

Son décret le plus odieux était baptisé « l'Ordre féminin ». Butler en avait assez d'entendre ses officiers unionistes se plaindre que les femmes de la ville refusaient de leur montrer du respect. Elles portaient les couleurs confédérées, tiraient leurs jupes de côté lorsqu'elles passaient à côté d'un uniforme yankee, et elles se levaient toutes en bloc pour quitter les restaurants et les églises dès qu'un officier yankee y pénétrait.

Butler décréta donc que toute femme qui manifesterait du mépris en parole, en geste ou en attitude à l'égard d'un officier ou d'un soldat des États-Unis devrait être traitée « comme une femme de la ville qui *exerce le métier* ».

« Et c'est quoi, la pénalité pour ça, m'sieur ? demanda Célisma à l'un de ses clients quand elle apprit cette nouvelle.

— Eh bien, si on l'arrête elle devra passer la nuit en prison, puis passer devant le juge et payer cinq dollars. Comme n'importe quelle fille de joie ! Ah Nom de Dieu, la Brute dépasse les bornes ! »

Il s'ensuivit une violente réaction dans la ville, et lorsque le président Jefferson Davis apprit l'insulte qui était faite aux femmes de La Nouvelle-Orléans, il mit aussitôt la tête du général Butler à prix.

Mais les femmes de La Nouvelle-Orléans menèrent leur propre vengeance. Un grand nombre d'entre elles se procurèrent une copie du portrait du général et la placèrent dans le fond de leur pot de chambre... Quand Butler eut vent de ces efforts conjugués pour l'humilier, il fit fouiller méticuleusement toutes les maisons de la ville une par une, afin de confisquer tous les pots de chambre qui s'y trouvaient. A ce qu'on disait, il était si furieux qu'il prit un marteau et qu'il les brisa lui-même en mille morceaux...

Pendant ce temps, c'était par la débauche que La Nouvelle-Orléans réagissait à l'invasion. Les maisons closes prospéraient, notamment dans les rues Saint-Charles et Saint-John, dans Gravier Street, Basin Street, Chartres Street, Royal Street et Canal Street. Les hommes rapportaient en toute sérénité qu'il n'y avait pas un seul pâté de maisons dans la ville qui n'abritât une maison grouillante de femmes. Et les prix étaient bas : de quinze *cents* pour une négresse, jusqu'à dix dollars pour les femmes blanches les plus raffinées dans le French Quarter, mais ces dernières venaient toujours avec une bouteille de champagne français.

Célisma se rendit compte que les prix baissaient partout et pas seulement à La Nouvelle-Orléans. Et les gens faisaient de moins en moins escale à BonRêve, car les Yankees contrôlaient désormais tout le Delta jusqu'à la mer.

Et pourtant, si on ne savait pas où regarder, pensait Célisma, jamais on n'aurait pu deviner que c'était la guerre. La ville de Lafourche était sous l'autorité yankee, bien sûr, de même que Thibodaux, Houma, Labadieville, Paincourtville et tous les autres villages de la région. Cependant les bâtiments étaient toujours debout et les églises toujours intactes, même si aucune nouvelle construction ne s'élevait.

A deux reprises les rebelles tentèrent dans le bayou de reprendre de force leurs terres à l'envahisseur. Ils bâtirent une fortification en boue et en paille sur le Bayou Grand Caillou, installèrent quelques canons et essayèrent d'empêcher les bateaux de l'Union de remonter la rivière. Mais après une brève bataille, le fort fut détruit et les rebelles capturés. Célisma apprit qu'on les avait envoyés au Nord pour les forcer à se battre contre les leurs, au sein de l'armée de l'Union.

Une autre fois, un groupe de planteurs de Houma tendirent une embuscade à une troupe de soldats yankees qui se dirigeaient vers Grand Caillou : ils les abattirent, puis les enterrèrent sur la place du tribunal de Houma. Quand l'armée de l'Union apprit ça, elle fit donner la chasse aux planteurs qui durent fuir la ville pour se réfugier dans les marais, elle brûla leurs maisons et s'empara de leurs domaines. Puis elle obligea la population de Houma à déterrer les corps yankees et à leur organiser des funérailles décentes...

Les ressources devinrent de plus en plus maigres, et Célisma employait toute son énergie pour réussir à se débrouiller avec les moyens du bord, en remerciant le Bon Dieu de ce que les hivers soient si courts à Lafourche et les graines si rapides à germer. Elle tressait des feuilles de palmier pour en faire des chapeaux qu'elle échangeait contre des aiguilles, du fil et des boutons. Le cuir était quasiment impossible à trouver, quel qu'en soit le prix, alors elle avait chargé Daniel de tanner des peaux d'écureuil qu'elle négociait contre du sel. Elle confectionnait du laudanum avec son carré de pavots : elle cueillait les têtes bulbeuses et bien mûres, elle les perçait délicatement avec une de ses précieuses aiguilles et elle recueillait la gomme d'opium qu'elle troquait ensuite contre des balles et de la poudre.

Mais le plus dur à accepter était la pénurie de café. A soixante dollars la livre, elle se jurait qu'elle boirait de la boue du bayou plutôt que de payer un prix pareil. Sally Red essaya de le remplacer par des graines d'okra cuites, du sucre grillé, du maïs torréfié puis des pois secs, mais les résultats furent peu convaincants.

« D'ici la fin d'la guerre, maugréa Célisma, je vais devoir me mettre à boire !

— T'as qu'à commencer avec ça, alors », lui dit Sally Red avec une grimace, en lui passant une tasse de liqueur d'anis et de patate grillée qu'elle était en train de boire. « C'est assez fort pour tuer un cheval ! »

Le moment qu'ils redoutaient le plus finit par arriver : un jour les soldats yankees apparurent sur la route de la levée en direction de Beausonge. Quand Célisma aperçut l'énorme nuage de poussière et l'armée d'uniformes bleus qui défilaient, elle tira les ruches plus près de la maison et les cacha sous les rosiers grimpants. Les troupes approchaient avec un bruit de tonnerre, et s'arrêtèrent finalement au bord de la rivière. Un officier arriva sur une monture squelettique, mit pied à terre et monta à grands pas les marches de BonRêve. Célisma l'attendait, vêtue de son tablier, et Sally Red se tenait derrière elle, avec une mine si sévère qu'elle aurait pu effrayer son cheval...

« M'dame, fit l'officier en ôtant son képi, lieutenant Williamson de l'escadron Perkins du régiment de cavalerie du Massachusetts. Etes-vous la maîtresse de cette maison ?

— C'est moi, dit Célisma en le jaugeant prudemment du regard.

— Alors vous êtes bien la mulâtresse qui possède cette pension ?

— Elle s'appelle BonRêve, répondit-elle en relevant le menton. Et je détiens l'acte de propriété.

— Oui, m'dame, on a entendu parler de votre situation. Combien d'esclaves possédez-vous ? »

Célisma jeta un regard furtif à Sally Red qui s'était réfugiée derrière elle dès les premiers mots de l'officier. Manon et Alex étaient cachés dans le grenier sous le toit, avec l'ordre de se taire, et la menace d'être capturés ou pire, s'ils tentaient de regarder quoi que ce soit. Daniel était à la chasse aux crabes plus bas sur la rivière, Dieu merci, et les autres se cachaient derrière la maison. « Je ne possède pas d'esclaves, dit-elle posément, mes gens sont payés pour travailler.

— Ce n'est pas l'information qu'on a eue, contesta l'officier.

— Alors vous avez eu une fausse information, répliqua Célisma sur le ton le plus grave et le plus insistant qu'elle pouvait prendre. On fait just'marcher c'te maison pour les voyageurs, m'sieur, et on essaie d's'en sortir en période difficile. On veut bien partager c'qu'on a avec vos hommes, mais vous êt'priés d'partir après.

— Toi, la fille là-bas, appela l'officier en détachant son regard de Célisma et en montrant Sally Red du doigt. T'es une esclave affranchie ?

— Oui m'sieur, ronchonna Sally Red, j'suis libre...

— T'as intérêt », dit-il d'un ton ferme. Il réfléchit un instant. « La grosse maison là-bas derrière, reprit-il en faisant un geste en direction de Beausonge, c'est la propriété Weiss ?

— Oui, m'sieur, répondit Célisma. Mais Maît' Weiss ça fait déjà plus d'cinq ans qu'il est mort. Madame aussi, elle est morte. Y a juste Maît' Pierre qu'est p'têt' là pour vous recevoir.

— Oh, il est sûrement là, dit-il d'un ton autoritaire. Et il nous attend certainement. Vous avez déjà signé le serment de loyauté ?

— Vous êtes le premier à passer », lui dit Célisma.

L'officier se redressa fièrement. « M'dame, je suis autorisé à épargner cette maison à deux conditions. Premièrement vous devez fournir toute la nourriture que vous pouvez à ces troupes, deuxièmement vous devez signer un serment de loyauté envers le gouvernement fédéral des États-Unis d'Amérique. Vous êtes d'accord ? »

Célisma regarda l'homme en fronçant les sourcils, mais elle hocha la tête sans hésiter. « Je signe. » Elle se tourna vers Sally Red. « Va chercher tout c'qu'on peut leur donner, chère, dépêche-toi.

— Pas la peine de se presser, dit le lieutenant Williamson. Nous avons prévu de rester un moment. J'ai l'ordre de réquisitionner la moitié de vos réserves, m'dame, et avec votre permission j'enverrai mes hommes les chercher. » Il sortit un papier de sa poche intérieure et le lui présenta. « Vous devez signer ça. »

Elle baissa la tête pour lire la feuille, et quand elle la releva il lui tendait un stylo avec insistance. « C'est écrit quoi ? demanda-t-elle.

— Vous ne savez pas lire ? » demanda-t-il perplexe en reprenant son stylo.

Elle secoua la tête.

« Eh ben, Nom de Dieu, dit-il brusquement contrarié. Mon rapport dit que si.

— J'aimerais bien, m'sieur... »

Il l'observa d'un air suspect. « Comment vous faites marcher cette maison alors ? »

Elle haussa les épaules. « On s'débrouille. Pas besoin d'lire et écrire si on sait compter, m'sieur. » Elle lui fit un sourire. « Mais j'veux bien signer si vous voulez. »

A contrecœur il lui reprit son papier des mains. « Inutile de signer si vous ne savez même pas ce que c'est... De toute façon, j'ai des ordres. On ne touche pas à cette maison. Mais si on apprend que vous avez aidé ou collaboré avec les autres, on reviendra, c'est compris ?

— Oui, m'sieur, dit-elle humblement. On sera pas complices à BonRêve. »

Il remit son képi sur la tête, remonta sur son cheval et quitta le porche en faisant claquer ses rênes. Dès qu'il s'éloigna en direction du groupe d'hommes, Célisma se précipita sur les ruches et renversa deux d'entre elles, laissant échapper les essaims d'abeilles qui se dispersèrent dans l'air. Les insectes furieux et agressifs s'élevèrent en deux nuages noirs qui se rejoignirent au-dessus de sa tête, tandis qu'elle se dépêchait de regagner le porche, son tablier relevé par-dessus son *tignon*.

Elle resta là, à regarder d'un air de défi l'officier qui commandait à six hommes de le suivre pour revenir vers BonRêve. Elle se glissa dans la maison et les observa s'approcher par la fenêtre. Les deux premiers commencèrent alors à se donner des claques et à jurer en l'air, et l'officier les rappela. Il cria à distance : « Vous croyez peut-être que vous êtes la première à avoir des abeilles dans le Sud ? Espèce d'imbécile ! Il nous suffit d'attendre, et pour ça on est bien mieux placés que vous ! »

A ces mots, l'officier et ses hommes vinrent se poster juste devant la nuée d'abeilles et observèrent la maison et ses fenêtres, comme s'ils avaient pu apercevoir les regards hostiles que Célisma et Sally Red leur lançaient de l'intérieur. Quand la grosse horloge du vestibule indiqua qu'un quart d'heure s'était déjà écoulé, Célisma vit l'officier mener ses hommes pour faire une nouvelle approche, et cette fois ils traversèrent l'essaim d'abeilles à toute vitesse, bondirent sur le porche et enfoncèrent la porte.

Elle restait de pierre au pied de la rampe d'escalier, mais ils ne firent pas attention à elle ; ils la dépassèrent à toute allure, se faufilèrent derrière Sally Red qui s'agitait devant eux comme un poulet effarouché, traversèrent la cuisine et entrèrent dans l'office. Puis ils repartirent, leurs sacs militaires remplis de farine, de semoule, de haricots et de viande salée.

« T'as pas grand-chose, sœurette, lui dit l'un d'eux en repassant devant elle pour redescendre les escaliers. Mais on t'en a laissé la moitié de toute façon.

— Merci, m'sieur », dit-elle froidement, en les regardant retourner à cheval vers la ribambelle d'uniformes bleus qui s'étendait désormais le long de la levée.

Elle les observa presque toute la journée, tandis que les troupes défilaient le long de la rivière en paradant avec force bruit. A un moment, une unité de soldats noirs passa juste devant la galerie en chantant l'air de l'*Hymne de guerre de la République* :

> *Fini l'sarclage du coton,*
> *Fini l'sarclage du maïs,*
> *On est des soldats yankees d'couleur,*
> *Des vrais et pour toujours,*
> *Et quand l'Maît' nous entendra crier,*
> *Y croira qu'c'est la trompette de Gabriel,*
> *Et nous on défilera !*

Au crépuscule, les troupes s'étaient placées en cercle tout autour de Beausonge, avec des canons et des cavaliers postés en attente, baïonnette au bras. Ils ne paraissaient pas particulièrement pressés, comme si le sort de la grande maison dorée avait déjà été décidé...

Célisma prit Manon dans ses bras et Alex à côté d'elle, et avec les autres elle rampa jusqu'à la bordure des champs de cannes, d'où ils pouvaient apercevoir la galerie principale de Beausonge tout en étant dissimulés par les grandes herbes ondoyantes. Daniel se contenta de dire : « Y en a tellement ! On dirait une armée d'anges ! » puis il garda le silence.

De leur poste d'observation, ils virent trois officiers s'avancer à cheval jusqu'au grand escalier de Beausonge et lancer un appel.

« Où sont tout le monde ? demanda Sally Red en frissonnant. On dirait une maison fantôme.

— Y-z-ont tous déguerpi c'matin, dit Daniel, j'les ai entendus partir. Y-z-ont vu les soldats d'Linconne et y-z-ont pris la fuite.

— Ils vont revenir ? demanda Célisma étonnée.

— Non, m'dame, répondit Daniel. Y sont libres, qu'y disent. Y reviendront jamais. »

Elle regarda tout autour d'elle, d'un air à la fois terrifié et admiratif. Cela faisait déjà plus d'un mois que les esclaves avaient commencé à quitter Beausonge : ils disparaissaient par petits groupes, lui avait dit Sally Red, devenant de plus en plus téméraires. La plupart des nègres qui travaillaient à l'intérieur étaient partis, et il restait seulement une vingtaine d'ouvriers agricoles dans les quartiers. La canne était délaissée et poussait de plus en plus, mais elle ne tarderait pas à geler et à pourrir en terre s'il n'y avait plus d'ouvriers pour la couper.

Une silhouette sortit sur la galerie. C'était Maître Pierre.

« Qu'est-ce qu'il a ? demanda Sally Red.

— Un fusil, dit Célisma. Sacré Nom, quel idiot ! »

Et alors qu'ils regardaient la scène horrifiés, Pierre fit face aux officiers et aux troupes, en criant quelque chose qu'ils n'entendaient pas et en faisant de grands gestes avec les bras. Il leva son mousquet et un coup de feu explosa, les chevaux ruèrent et hennirent, et lorsque la confusion se dissipa, Pierre gisait immobile sur la galerie... Un officier s'approcha de lui, dit quelque chose à ses camarades, et ils le traînèrent à l'intérieur de la maison.

« Il est mort ! murmura Sally Red, y-z-ont tué Maît' Pierre ! »

Puis les soldats s'avancèrent, et ils les virent sortir avec des boisseaux de sel, de riz et de farine, de la vaisselle, la grande horloge de l'entrée, des rideaux, des fauteuils recouverts de velours, et tout ce qu'ils pouvaient arrimer à leurs chariots et sangler à leurs selles. Ils ramenèrent les mules et les chevaux de la grange, attachèrent les carrioles et les chariots et les ajoutèrent à leur convoi. La lune était déjà haute lorsqu'ils cessèrent enfin de piller Beausonge et qu'ils s'éloignèrent de ses grandes colonnes comme pour le regarder une dernière fois.

Quatre hommes transportèrent un corps enveloppé dans un drap, et Célisma les vit emmener Pierre au fond du parc, où se trouvait le cimetière familial.

Puis une flamme vacilla à une des fenêtres de l'étage, une deuxième dans le salon de Beausonge, une troisième sur la galerie...

« Et voilà », dit Daniel, qui n'avait pas prononcé un mot depuis des heures.

Et ils contemplèrent Beausonge embrasé dans une lumière éblouissante, tandis que les flammes jaillissaient de plus en plus haut, léchaient les chênes de chaque côté et sautaient de pilier en pilier.

Célisma n'aurait jamais cru que tout ça aurait pu se passer si vite. Elle avait dû s'assoupir, assise au milieu des cannes avec Alex et Manon profondément endormis contre ses jambes, et l'aube pointait déjà lorsqu'elle se réveilla. Beausonge n'était plus qu'un tas de poutres calcinées, fumantes et sifflantes, et des résidus noirs de cendres encore chaudes.

En rentrant, Célisma mit les enfants au lit et s'allongea sur sa couverture, laissant son épuisement prendre le dessus. Elle ne se releva pas avant une bonne douzaine d'heures.

Peu à peu le bayou s'installa dans l'occupation ; il n'y avait pas grand-chose d'autre à faire. Tout le long de la rivière défilaient des foules d'esclaves, domestiques et ouvriers pour une fois tous ensemble, qui erraient sur la route de la levée, s'asseyaient dans la poussière et marchaient, marchaient... mais vers où, Célisma n'en avait aucune idée. Et cette année-là, quand arriva l'époque du broyage, peu de champs furent moissonnés, car tous les esclaves qui n'étaient pas encore partis prirent alors la route en criant des hourras de jubilation, et ils abandonnèrent les récoltes à la pourriture.

Ce fut en octobre que Daniel vint voir Célisma et lui dit : « Maît' Linconne m'a libéré, mam'zelle Celly. Alors j'vais prend'congé, j'suppose.

— Oh Daniel ! Mais ta place est ici ! s'écria-t-elle en tenant Manon contre sa poitrine. On peut pas s'en tirer sans toi ! »

Il la fixa longuement. « Ben, dit-il finalement, j'crois qu'j'peux pas faire autrement. Y a rien pour moi ici. »

Elle reposa Manon dans son berceau, en remarquant distraitement comme l'enfant se mettait à l'aise aussitôt, tournait la tête et dirigeait ses mains vers tout ce qui pouvait la satisfaire. « Y a une maison, dit Célisma, et des gens qui font une famille. C'est rien, ça ? Y a un lit et une assiette avec ton nom dessus, c'est rien, ça aussi ? On a fait BonRêve ensemble, toi et moi, et j'peux pas tenir la maison sans toi... J'te libère officiellement, et j'le fais de bon cœur. J'aurais dû l'faire plus tôt, je sais, mais j'imagine que tu t'sentais déjà libre, et j'te considérais plus comme un esclave. Maintenant t'es plus un esclave, j'signe tous les papiers qu'tu veux et j't'affranchis aujourd'hui, mais j't'en prie, nous abandonne pas ! »

Daniel posa ses deux énormes mains maladroites sur sa tête, comme pour s'empêcher de se balancer. « Vous avez aucun papier à signer, mam'zelle Celly. J'suis plus à vous et c'est plus vous qui devez m'émanciper. J'suis un homme comme n'importe qui. Et y recrutent des hommes en c'moment, pour se battre avec les Yankees. Y disent qu'y-z-ont besoin d'nous pour s'occuper des chevaux et des mules et tout ça, et pour creuser les tranchées. P'têt' mêm' pour combattre les maît' confédérés, aussi. Y nous payent et nous logent !

— Moi aussi j'peux t'payer, rétorqua-t-elle. Tu restes ici avec moi et tu m'aides à tenir BonRêve, et j'te payerai bien. Avec un salaire et la tarte à la rhubarbe de Sally Red, t'es un homme comblé, vraiment.

— Avec quoi vous voulez m'payer ? En c'moment y a plus assez d'gens qui s'arrêtent pour remplir les chambres, et les dollars s'font aussi rares que des cheveux sur une coquille d'œuf, en plus.

— On a assez pour nourrir un brave homme à sa faim et l'payer c'qu'y vaut. Qu'est-ce qu'y t'faut pour que tu restes ? »

Daniel laissa tomber les bras et se mit à arpenter la pièce sur toute sa longueur. Lorsqu'il passa devant le berceau, Manon poussa un cri aigu et leva les mains pour qu'on la prenne. Il avait toujours réussi à la faire rire. Il s'arrêta et lui caressa le dessus de la tête pour lisser ses boucles sombres et soyeuses. « J'sais pas. Y disent qu'on est tous libres, qu'on est plus obligés d'aller ou d'rester là où on veut pas. Mais j'ai pas d'endroit où aller. Et qu'est-ce que vous allez faire si les clients viennent plus du tout ?

— Dans ce cas il nous reste toujours un toit, un jardin et le bayou pour survivre, répondit Célisma avec ferveur. Personne mourra d'faim à BonRêve. Mais y paraît qu'y crèvent tous de faim à Vicksburg et à Natchez. » Elle regarda ses nouvelles chaussures, celles qu'elle lui avait achetées juste avant l'occupation. « Et y en a beaucoup qui doivent marcher pieds nus, aussi. J'veux replanter d'la canne, en tout cas autant qu'on pourra. Même un demi-hectare, ça sera mieux que rien, et les prix vont bien remonter un jour ou l'autre. Qu'est-ce qu'y t'faut pour que tu restes ? »

Il se redressa et regarda le bayou par la fenêtre.

Elle suivit son regard; sous les chênes l'eau était noire et s'écoulait dans un mouvement presque imperceptible, comme si le monde n'était pas en train de s'effriter de chaque côté, comme si elle avait encore des millions de jours devant elle...

« Daniel, dit-elle alors gentiment, j'ai besoin d'toi. Alex aussi. » Elle posa un sourire sur ses paroles. « Même cette *'tite chou* a besoin d'toi, ajouta-t-elle en regardant Manon, sauf qu'elle le sait pas encore. »

Il se retourna vers elle en faisant la moue. « Vous avez assez besoin d'moi pour m'épouser ? »

Elle laissa tomber ses épaules et son sourire s'effaça. « J'veux épouser personne, Daniel, j't'e l'ai déjà dit. Si j'ai pas eu besoin d'me marier jusqu'ici, j'vois pas pourquoi j'devrais maintenant. J't'offre un toit, un salaire, et une place fixe alors que personne d'autre veut d'toi. Mais si c'est pas assez, alors il faut qu'tu fasses c'qui t'semble bon... »

Il poussa un gros soupir. « Vous avez raison, mam'zelle Celly, c'est c'qu'y faut qu'je fasse. » A ces mots il passa devant elle et quitta la pièce.

Elle resta à la fenêtre et l'observa descendre les marches de Bon-Rêve, balancer sur son épaule un petit balluchon et marcher vers la rivière. Quand il arriva aux chênes verts et sur la route qui longeait la rivière, il s'arrêta un instant et regarda d'un côté, puis de l'autre. Finalement il se tourna vers l'amont et se mit en route en direction de La Nouvelle-Orléans. Elle le suivit des yeux jusqu'à ce qu'il disparaisse dans les ombres du bayou... Pas une fois il ne se retourna pour regarder BonRêve.

Daniel manqua à Célisma bien plus qu'à n'importe quelle autre période... Les clients étaient désormais moins nombreux et plus espacés, et les nouvelles des combats ne leur parvenaient que par bribes et par on-dit, parfois par le vieux Simon et sa famille, d'autres fois par les bateaux qui accostaient de temps en temps pour faire provision d'eau et de légumes frais.

Le temps et l'argent, elle le comprenait peu à peu, agissaient comme le sable et l'herbe qui poussait dessus, en bordure du marécage. Tout ce qui s'y trouvait s'enfonçait et finissait par disparaître. Pas assez vite pour qu'on puisse le voir bouger, mais au bout d'un moment, pourtant, il n'y avait plus rien. Le temps engloutissait pour toujours toutes les choses qu'elle laissait derrière elle, puis même les souvenirs de ces choses, et ne lui laissait pour se tenir debout que l'étroite langue de terre du présent et du passé tout proche.

Célisma arrivait à collecter une partie de l'argent dont elle avait besoin en vendant ses herbes et ses potions aux passagères des rares vapeurs qui s'arrêtaient encore, et en récoltait un peu plus en vendant la mousse des chênes verts qu'elle ramassait, nettoyait et peignait pour faire des couvertures et des selles. Sans Daniel, elle n'avait ni canne ni tanin à vendre, mais ses abeilles lui remplissaient toujours les ruches de miel, comme si elles avaient su que le monde avait besoin d'un peu de douceur... Mais il y avait si peu de gens qui voyageaient en ces temps de guerre et de chaos, qu'elle ne savait jamais si elle pourrait réunir assez d'argent pour payer les impôts de BonRêve...

Chaque fois qu'elle le pouvait, elle vendait ce que son potager produisait ; elle avait appris que la laitue se vendait presque un dollar et demi la pièce à La Nouvelle-Orléans, et plus de douze dollars la corbeille de haricots verts. Mais ici on n'était pas à La Nouvelle-Orléans, et les gens pouvaient s'en passer ou les cultiver eux-mêmes.

Cependant Célisma trouvait la vie délicieuse. Peut-être même encore plus que dans les périodes faciles. Elle avait l'impression que c'était maintenant qu'elle mangeait son pain blanc. Car on recevait des deux en ce monde — le délicat pain blanc que l'on savourait, et le pain noir et sec que l'on mangeait dans un silence soumis ou avec de chaudes larmes — mais une chose était certaine, on devait manger ce qu'on nous envoyait.

Et à mesure que s'écoulaient les interminables journées de guerre, elle s'adapta, se débrouilla, et réussit finalement à se passer de tout ce que naguère elle prenait pour acquis. Les lampes restaient éteintes à BonRêve, car l'huile était trop précieuse et difficile à trouver, même en économisant assez de dollars pour en acheter. Alex portait un pantalon qui avait été rapiécé des dizaines de fois, et elle dut finalement lui en confectionner un nouveau avec les vieux torchons à vaisselle de Sally Red, avec une ficelle en guise de ceinture. Ces écornifleurs de Yankees revinrent pour prendre l'attelage de mules, mais ils laissèrent les poulets. Puis les Confédérés, ceux qui rôdaient encore et se cachaient dans les replis des marais, ont débarqué comme un essaim de sauterelles affamées et sont repartis avec les poulets.

« J'commence à en avoir marre du poisson-chat, déclara Sally Red un soir au dîner. Y va m'pousser des moustaches si j'en mange un d'plus cette semaine !

— Moi aussi, soupira Alex. Mais les crabes rentrent pas dans le panier, y a rien à faire. Si seulement j'avais juste un vieux cou de poulet ou un peu de graisse de porc... » Alex avait pour mission d'aller à la pêche tous les jours, et il lui fallait s'enfoncer de plus en plus loin dans le bayou pour remplir les assiettes chaque soir.

« Estimez-vous heureux d'avoir de la viande, rétorqua Célisma. Il y a beaucoup de gens qui aimeraient bien avoir ce que vous avez.

— Eh ben y peuv' venir le prendre », grogna Sally Red en repoussant son assiette.

Célisma la regarda, impuissante. Sally Red était déjà insolente et capricieuse, mais maintenant qu'elle touchait même un maigre salaire, son amour-propre était devenu insupportable. Je lui donnerais volontiers un picayune, pensa Célisma, pour aller suivre Daniel à l'autre bout de la terre et revenir. Mais elle savait qu'elle ne pouvait pas tenir BonRêve toute seule, certainement pas avec le grand jardin, les compotes, les conserves, les herbes, et puis Manon dont il fallait s'occuper.

Manon tendit le bras et donna des grands coups de cuiller sur la table, sa manière préférée d'attirer l'attention quand elle trouvait qu'il y avait trop d'agitation à table. « Non ! » cria-t-elle avec un sourire qui remontait jusqu'à ses petites oreilles roses. « En'hââ ! En'hââ ! »

« Elle dit "mama" ? demanda Sally Red.

— Non, elle dit *"enhore, encore"* », dit Alex fermement. Puis il se pencha vers elle et fit glisser la moitié de son poisson dans son assiette.

Célisma les observait, émerveillée, en se demandant d'où pouvaient venir ces deux créatures si splendides et ce qu'elle avait fait pour les mériter. Alex avait douze ans et demi maintenant, c'était un grand garçon trapu avec la mâchoire et les mains de son père. Manon émergeait tout juste de son camouflage de bébé, mais elle avait déjà dans les yeux une lueur qui révélait une maturité précoce pour ses deux ans...

Elle se rappela avec un frisson qui lui serra la gorge la dernière fois où des uniformes yankees avaient fait leur apparition sur l'allée de BonRêve. Ils venaient du bas de la rivière et lui étaient tombés dessus avant même qu'elle ait eu le temps de s'en apercevoir et d'envoyer Alex et Manon se cacher comme à l'accoutumée.

Cette fois-là Alex se tenait dans la plate-bande de haricots et il fut le premier qu'ils virent en arrivant du sous-bois.

« Ce garçon est assez grand pour porter un fusil, avait entendu Célisma de la bouche d'un des soldats.

— Nan, avait dit un autre, moi j'en ai un encore plus vieux à la maison, et il pourrait pas tenir un mousquet même si on le lui attachait au bras.

— Quel âge as-tu, p'tit gars ? » avait braillé un sergent à Alex. Et avec la fierté fanfaronne d'un garçon de douze ans il avait répondu : « Presque treize ans, m'sieur ! » Et il avait souri.

Elle l'observait de la fenêtre de la cuisine, et elle était presque morte sur le coup... Depuis ce jour-là elle guettait soigneusement dans toutes les directions pour voir si des soldats arrivaient. Alex avait l'ordre formel d'aller se cacher s'il les voyait approcher. Il devait disparaître si on le voyait, et rester muet si on le questionnait.

« Et s'ils te demandent ton âge, lui avait-elle dit d'un ton posé, alors il faut que tu mentes.

« — Mais c'est mal, tu nous as dit ! avait-il murmuré, presque paralysé par le visage sévère de sa mère.

— Tous les autres mensonges sont des péchés. Mais celui-là il faut le dire, et le dire bien. T'as que dix ans, s'ils te demandent. Grand pour ton âge...

— Ils prennent des garçons comme moi ?

— Seulement s'ils les attrapent, avait-elle dit. Et ils devront me tuer avant de t'attraper. S'ils arrivent, enfuis-toi dans le marais, j'arriverai bien à t'retrouver. Reste pas sur le chemin, hein ? Descends au vieux tilleul, et reste caché jusqu'à c'que j'vienne te chercher. »

Célisma voulait qu'il prenne son avertissement au sérieux, cependant elle ne pouvait vraiment pas concevoir qu'ils enrôlent un garçon d'un si jeune âge. Ils ne pouvaient sûrement pas le recruter, essayait-elle de se raisonner, pas avant plusieurs années, et d'ici là, la guerre serait terminée... Des gens disaient même que ça commençait à s'essouffler.

Elle était si absorbée à surveiller les uniformes yankees qu'elle s'alarmait aussitôt que la moindre personne un peu inconnue s'approchait de la maison. Et le jour où elle aperçut un trio de rebelles crasseux et dépenaillés rôder dans le jardin de BonRêve, arrachant des épis de maïs et cueillant les tomates mûres, elle n'hésita pas un instant. Elle sortit comme une tornade par la porte de derrière, agita son tablier comme pour chasser des gros poulets qui piétinaient ses plates-bandes, et leur cria : « Hé ! vous là-bas ! Y faut qu'on mange, nous aussi ! »

Elle avait déjà vu Alex sortir par la porte de devant et filer en direction du marais, ce qui n'avait fait qu'exalter son courage. Elle descendit vers eux à grandes enjambées. « Si vous demandez poliment, je serai ravie d'vous servir à manger, mais venir chiper en plein jour comme des ratons laveurs...

— Si elle croit que j'vais m'laisser emmerder par une mulâtresse, grommela l'un d'eux à ses compagnons avec un grand sourire. C'est pas passqu'on s'est fait écraser qu'on va devoir lui lécher l'cul, non ?

— Tu ferais mieux de rentrer chez toi, lui dit un autre d'un ton bourru. On est pas d'humeur à s'faire envoyer sur les roses. »

Elle les observa un instant en retenant sa colère. Le bruit courait le long de la rivière que les Yankees avaient gagné. Bien sûr, ils avaient gagné depuis si longtemps, ici à Lafourche, que victoire et défaite ne voulaient plus rien dire depuis belle lurette. Ce qui importait le plus, c'était le moment où le coton et le sucre remonteraient, comment on ferait pour le récolter, et sur quels marchés on pourrait encore les vendre...

A la vérité, les Confédérés avaient pillé le Delta presque autant que les Yankees. Ils formaient des grandes bandes de vagabonds, et arrivaient toujours affamés et encore plus irritables que ces armées qui tenaient la victoire. Elle se rendit soudain compte qu'elle

302

se trouvait devant les derniers spécimens d'une race en voie d'extinction... Mais Alex étant probablement très bien caché, elle avait tout intérêt à essayer de sauver ses légumes.

« Attendez, sortez vos godillots de cette plate-bande, vous êtes en train d'piétiner mes radis. Allez, suivez-moi à l'intérieur, et j'vous donnerai c'qui m'reste...

— J'en ai assez d'bouffer les restes des gens ! cria un homme à ses camarades. Pas toi, Wallace ? J'en ai assez de m'battre pour ces nègres, d'revenir et d'les entendre décider c'qu'y vont donner aux Blancs. Hé... » L'homme s'interrompit et se retourna pour fixer Célisma. « Tu serais pas celle dont on parle, qu'a ses propres nègres ? »

Elle se redressa d'un air digne, tout en observant ses tomates disparaître dans un des sacs à dos. Puis en un clin d'œil deux gros poivrons suivirent le même chemin. « J'suis Célisma, m'sieur. J'suis la propriétaire officielle de cette maison. BonRêve est à moi. Mais ça fait déjà longtemps qu'j'ai émancipé mes esclaves.

— T'as eu un garçon avec un riche planteur, y paraît », lui dit le même homme en souriant. Mais il n'y avait aucune gaieté dans ce sourire.

Elle ne répondit rien, sentant l'angoisse lui remonter le long du dos.

« Ouais, j'ai entendu c't'histoire moi aussi, dit son camarade. P'têt'ben qu'on devrait prendre le garçon avec nous. Y pourrait porter nos sacs et chaparder pour nous. Il est où, mégère ?

— Il est parti à l'école, répliqua-t-elle aussitôt. Son papa l'envoie à La Nouvelle-Orléans. »

Les trois hommes se regardèrent puis regardèrent à nouveau Célisma pour essayer de la sonder. « Ah tiens ? lança l'un d'eux qui scrutait l'arrière de BonRêve comme pour tenter de voir à travers les murs. Ça veut dire que t'es toute seule ici, rien que toi et cette vieille baraque ?

— J'ai mes gens », dit-elle, et elle se retourna pour appeler Sally Red. La grosse et vieille femme apparut à la porte de service, la mine renfrognée.

Un des hommes éclata de rire. « J'vois ça, sœurette ! Elle m'a l'air d'être la meilleure cuisinière de la région ! dit-il aux autres, en faisant des grands gestes pour imiter l'énorme ventre de Sally Red. Moi j'dis qu'on devrait profiter de l'hospitalité gracieuse de cette dame, les gars, continua-t-il. On dort une nuit ou deux dans des draps propres, et on s'bourre de gâteaux et de sauce blanche, pour une fois.

— A mon avis, dit son camarade d'un air grave, on se ferait repérer au bout de quelques heures. On ferait mieux de bivouaquer dans les bois.

— Oh ! merde ! J'en ai marre de dormir dans la boue ! On n'a qu'à bien monter la garde, et on passe au moins une nuit ici à bien manger et bien dormir. » Il leva des yeux agressifs vers Célisma. « Tu seras ravie comme une palourde de nous inviter, pas vrai ? »

Elle lui répondit par un regard noir. Mais elle savait qu'elle n'avait pas le choix. La troupe de garde yankee était à plus de quatre heures de marche en aval de la rivière. Si elle procurait à ces vagabonds de quoi manger et qu'elle les couchait, ils partiraient sans doute d'eux-mêmes dès l'aube. « Vous êtes le bienvenu, m'sieur », dit-elle. Sans faire attention à leur bouche béante de stupéfaction, elle se tourna vers Sally Red et lui dit calmement : « Prépare à dîner pour nos invités, chère, moi j'vais descendre à la rivière pour voir si j'peux pas attraper quelques crabes.

— Tâche de nous trouver une bonne platée d'crabes femelles ! lui cria un des hommes tandis qu'elle s'éloignait. C'est les meilleurs dans c'te foutue région. »

Célisma retroussa ses jupes et enfila ses bottes de pêche, en fourrant quelques biscuits froids et du fromage dans ses poches. Elle recoucha Manon dans son berceau et lui fourra une tétine en sucre dans la main. Ça la ferait patienter jusqu'à ce que Sally Red puisse s'occuper d'elle. Et en l'espace d'un éclair elle était dehors et se dirigeait vers la rivière. Elle savait que si elle ne retrouvait pas Alex, il ne tarderait sans doute pas à essayer de revenir à la maison et il tomberait tout droit dans les bras de ces vauriens...

Il restait encore quelques heures avant la nuit. Merci au Bon Dieu, soupira-t-elle, car il aurait été bien plus difficile de retrouver la trace d'Alex dans la pénombre du crépuscule. Déjà elle devait suivre attentivement la piste qui était recouverte d'herbes et de plantes rampantes. Elle perdit même son chemin une fois : cela faisait des mois qu'elle ne s'était pas aventurée aussi profondément dans le marais ; mais elle retrouva le sentier, les yeux vissés par terre, et se dirigea vers le tilleul en se frayant un chemin à travers la broussaille.

Elle n'osait pas l'appeler tout fort, de peur que l'un des hommes l'ait suivie. Ou qu'ils l'entendent de la maison en se demandant pourquoi elle crie, si elle ne fait que pêcher le crabe. Elle fit une rapide prière pour que les nasses à crabes aient un petit quelque chose qu'elle pourrait ramasser sur le chemin du retour, juste un petit bleu-noir ou autre chose qui puisse satisfaire les hommes. Mais pas trop, bien sûr, juste quelque chose pour donner du goût au gombo.

Le vieux tilleul était juste un peu plus loin ; elle apercevait ses grandes branches qui dépassaient de la masse des palmiers nains et des petits peupliers. Il y avait une source quelque part par là, crut-elle se rappeler, où elle avait bu déjà plusieurs fois auparavant... Elle avait tellement soif, réalisa-t-elle soudain, la peur lui donnait toujours soif... La voilà, juste au bord du sentier.

Elle s'agenouilla aussitôt et se pencha pour mettre ses deux mains en coupe dans le filet d'eau, qui formait par terre une petite mare avant de s'écouler sur le sol humide en direction de la rivière. Brusquement quelque chose bougea dans l'obscurité ; elle chancela, perdit l'équilibre et bascula du côté de l'eau. Le mocassin, qui était discrètement enroulé à son poste de guet près de la source, surgit brusquement et la toucha à la joue ; elle sentit ses crocs s'enfoncer profondément dans son visage, et la première chose qui lui traversa l'esprit, c'était que le serpent avait par chance manqué son œil... Ce qu'elle pensa tout de suite après, tandis qu'elle s'écartait et que d'un bond elle se relevait, c'était qu'elle n'avait plus aucune raison de rester calme et qu'elle était certainement trop éloignée de Bon-Rêve pour être entendue... et elle hurla, une lamentation longue et stridente. Elle recula du serpent et de la source en vacillant ; même en criant elle avait l'impression que sa joue explosait dans son crâne, que le poison la submergeait, comme une vague brûlante à l'extérieur et glacée à l'intérieur. Alex arriva en un instant et pencha son visage horrifié au-dessus de celui de sa mère, tandis qu'elle l'entendait l'appeler, une voix très lointaine...

« Attention au serpent, cher ! » s'écria Célisma, et elle entendit sa propre voix résonner à l'intérieur de sa tête. Elle était maintenant si enflée qu'elle ne voyait plus du tout d'un œil et que l'autre se fermait de plus en plus. Elle essaya de faire un geste en direction de la source : « Mocassin... vers l'eau ! dit-elle à bout de souffle.

— Maman ! Maman ! criait Alex, et avec ce qui lui restait de force elle lui fit signe de se taire.

— Retourne pas à BonRêve jusqu'à ce qu'ils partent, murmura-t-elle. Des Confédérés vont s'cacher là une nuit, peut-être deux. Faufile-toi par la porte de la cuisine, explique à Sally Red et après va chez ton oncle ! » Puis elle dut s'arrêter, envahie par un grand bruit qui affluait d'elle ne savait où. De dehors ? De son propre corps ? La douleur était vive, elle s'en rendait compte, mais elle ne la ressentait pas comme elle se l'était imaginée. Pas comme un coup de poignard dans le ventre ou une brûlure sur la peau, mais une douleur qui lui crispait l'estomac et lui contractait chaque muscle, même sa peau semblait se raidir... en revanche son esprit en était épargné.

Alex pleurnichait, elle le savait même si elle ne pouvait pas le voir. Elle ne pouvait désormais plus rien voir. Il arracha son couteau de son étui — elle entendit l'osier craquer — puis elle sentit vaguement une entaille dans sa chair et comprit qu'il était en train de la couper au visage, elle arrivait à sentir le sang couler de ses yeux et de son nez, le long de son cou, mais c'était tout ce qu'elle pouvait percevoir...

Célisma entendit un chant d'oiseau dans le bayou, et sans savoir pourquoi elle se laissa séduire et s'envola dans les airs avec lui, au-dessus des peupliers, plus haut encore que le tilleul... elle se convulsait de joie à la vue d'une beauté si pure, l'eau qui scintillait tout en bas, le monde qui se courbait délicatement... et sans se retourner une seule fois, elle quitta cet endroit merveilleux.

Troisième Partie

1877-1927

Elles descendent par le Yellowstone, le Milk, la rivière Blanche et la Cheyenne ;
Par le Cannonball, la Musselshell, le James et la Sioux ;
Par la Judith, la Grande, l'Osage et la Platte,
Le Sconse, la rivière Salée, la rivière Noire et le Minnesota ;
Par l'Allegheny, le Monongahela, le Kanawa et le Muskingum ;
Par le Miami, la Wabbash, la Licking et la rivière Verte,
Puis par le Cumberland, le Kentucky et le Tennessee ;
Par l'Ouachita, le Wichita, la rivière Rouge et le Yazoo...
Le long du Missouri — cinq mille kilomètres du haut des Rocheuses ;
Le long de l'Ohio — deux mille kilomètres depuis les monts Allegheny ;
Le long de l'Arkansas — deux mille kilomètres depuis la Grande Fourche ;
Le long de la rivière Rouge — mille cinq cents kilomètres à travers le Texas ;
Et enfin dans la Grande Vallée — quatre mille kilomètres depuis le plateau du
                                              Minnesota,
Absorbant chaque anse, chaque ruisseau et chaque source,
Emportant dans leur flot toutes les rivières sur les deux tiers du continent,
Les eaux du Mississippi se déversent dans le Golfe .

> Pare LORENTZ, *Le fleuve*,
> film de l'époque du New Deal
> sur la prévention des inondations.

A la fin de la guerre civile, la Louisiane n'était plus qu'une terre dévastée et ravagée : les plantations avaient été saccagées, les fermes ruinées, et les champs laissés en friche. Tous les chemins de fer avaient été détruits, les deux tiers du bétail volés, un quart des hommes tués ou estropiés, et trois cent mille esclaves, valant deux milliards de dollars d'avant-guerre, erraient dans les campagnes sans aucune ressource.

La Reconstruction fut précoce dans le bayou, provoquant de fréquentes émeutes raciales et attirant les carpetbaggers, *ces profiteurs nordistes qui affluèrent à La Nouvelle-Orléans comme des mouches affamées. La même année, les esclaves furent émancipés par le Treizième Amendement. Les chevaliers du Camélia Blanc associèrent leur violence à celle du déjà puissant Ku Klux Klan, et lors de leurs infâmes expéditions nocturnes, en 1873, tout un village nègre fut massacré à Colfax, en Louisiane.*

Entre les carpetbaggers, *les* scalawags, *ces Sudistes soutenant le parti républicain, et les « satrapes », généraux fédéraux chargés de gouverner le Sud conformément aux lois de la Reconstruction, les intrigues politiciennes se multipliaient. Comme Warmouth, gouverneur de Louisiane, l'avait déclaré avec frustration : « Bon Dieu, pourquoi est-ce qu'en Louisiane le découragement est une manière de vivre et la corruption à la mode ! »*

Au beau milieu de l'effondrement des prix et de la ruine des récoltes, Rockefeller fonda la firme Standard Oil et commença à racheter les terres du bayou. Le Robert E. Lee et le Natchez, deux des bateaux à vapeur les plus rapides, firent une course de presque deux mille kilomètres de La Nouvelle-Orléans jusqu'à Saint-Louis, acclamés par des milliers de gens groupés sur les berges. Le premier pont en acier fut construit à Saint-Louis et permit la jonction entre les deux rives, chose qu'on avait toujours crue impossible... En 1877, les dernières troupes fédérales se retirèrent de La Nouvelle-Orléans, le plan de Reconstruction fut officiellement déclaré achevé, et la Queen City entama sa convalescence avec la première — et la plus prospère — « pieuvre dorée » de la nation entière : la loterie...

On était au mois de septembre, période pendant laquelle les marées descendaient très bas dans le fleuve et refluaient loin dans le delta. Un crabe femelle, appelé « Sook », avançait péniblement, passablement irrité, vers une eau plus saumâtre.

Cette mauvaise humeur lui était coutumière en cette saison, car elle approchait du moment où elle allait muer ; sa dure carapace entourait son corps comme deux murs rigides, et pesait comme une ancre sur ses pattes articulées. Sook avait deux ans, et elle avait déjà mué plus de quinze fois. Lorsqu'elle n'était encore qu'un jeune crabe bleu, elle muait une fois par semaine : à l'époque elle était vorace et grandissait rapidement. Maintenant, elle ne muait plus qu'à quelques reprises dans l'année... Mais ce processus ne lui avait jamais plu.

Sook déplaça rapidement son corps long de six centimètres jusqu'à la rive, cherchant une protection parmi les touffes de roseaux qu'elle traversait. Sous sa carapace, elle sentait la douce enveloppe qui poussait autour de ses organes, ce manteau qui contiendrait à peine l'intérieur de son corps lorsqu'elle serait en train de muer et qu'elle ressemblerait à un crabe à carapace molle... Pendant cette courte période de mue, elle était très vulnérable à tout prédateur — que ce soit une poule d'eau, une aiguille de mer carnivore, ou même un crabe cannibale. Mais pour l'instant, ses pinces écartaient le danger.

Sook filait dans la rivière, attrapant de petites crevettes et des morceaux de poissons décomposés que rejetait l'écume, jusqu'à ce qu'elle arrive à un coude du bayou qu'elle reconnut immédiatement. À cet endroit, des bouquets de roseaux poussaient, serrés les uns contre les autres, à quelques mètres du bord. Cet endroit semblait idéal pour muer : c'était un refuge parfait pour se cacher pendant les vingt-quatre heures nécessaires, le temps que la nouvelle carapace durcisse sur son corps. Elle aperçut de nombreuses femelles qui avaient profité de cet abri et qui, nichées dans l'épais rideau de roseaux, attendaient leur mue.

Mais Sook leur tourna le dos et continua à descendre la rivière. Lors de sa dernière mue, elle s'était cachée là et s'en était tirée de justesse avec ses pinces intactes... en fait, les roseaux n'avaient absolument pas protégé les crabes. Des pêcheurs avaient noué des joncs ensemble pour en faire des bouquets ressemblant à des cachettes sûres, et avaient capturé dans leurs filets des centaines de crabes en train de muer.

Un peu plus bas, elle se nicha bien profondément dans une touffe d'herbes marécageuses, située non loin de la rive dans l'eau qui clapotait doucement, et elle attendit. Une demi-journée plus tard, elle fit éclater la structure de sa vieille carapace depuis le centre jusqu'au bord arrondi. Puis elle en sortit à reculons, telle une pâte molle sortant d'un tube... Elle attendit encore un moment ; elle avait faim, mais savait qu'elle ne pouvait pas s'aventurer en terrain découvert pour aller se nourrir. Elle sentit une agitation grandir en elle et remplacer sa mauvaise humeur... Elle avait trouvé l'isolement, mais n'était pourtant pas en sécurité.

Elle se mit à gonfler dès qu'elle fut débarrassée de sa carapace rigide. Ce processus faisait partie de la mue et la rendait extrêmement irritable et désireuse d'attraper tout ce qui flottait devant elle. En effet, en l'espace de quelques heures, ses organes internes devaient s'étirer et doubler de volume... Mais cette fois-ci, elle sentit un certain calme naître en elle, et elle attendit, soufflant et haletant, après l'inconfort du gonflement.

Un autre crabe, une femelle, fit soudain irruption dans son champ de vision : elle nageait en direction de son refuge. Sook se fit toute petite dans sa cachette, essayant de se tapir dans le camouflage des herbes. Mais l'intruse la sentit, s'approcha et fondit sur elle en un éclair ; elle lui attrapa une pince molle entre ses pinces puissantes et fora un trou dans le museau de Sook, avec une férocité due autant à la faim qu'à la colère de celle dont on a foulé impunément le territoire...

Sook inspira profondément par ses branchies filtrantes de couleur orange, et plongea dans la boue, tentant désespérément d'échapper aux fers de l'autre crabe. Mais ses propres pinces n'avaient pas suffisamment durci pour lui servir de défense ; elle se mit à faire des bulles comme une folle et essaya de se recouvrir de vase et de tout ce qu'elle trouvait, mais la femelle arracha sa pince molle d'un coup vif et entra dans la terre pour la couper en deux. A cet instant, un crabe mâle à longues pinces, une cuirasse complète et intacte, sortit promptement des eaux profondes et avança rapidement vers l'assaillante. Il était presque deux fois plus gros, et deux fois plus agressif qu'elle... Il arriva, prêt à se battre, en faisant cliqueter ses pinces : c'était un grand crabe bleu armé de deux pinces, l'une petite et l'autre géante. Sans hésiter il attrapa la femelle par une patte qu'il lui arracha d'un coup sec, comme si elle n'était qu'une vulgaire crevette.

La femelle se retourna pour se battre, vit qu'elle n'avait aucune chance de gagner et s'enfuit en pédalant à reculons dans l'eau tranquille. Le crabe s'approcha vaillamment de Sook, recouvrit son corps mou et gonflé, puis se retourna afin de faire face au large fleuve et s'enfonça dans les roseaux. Il la berça doucement dans ses pinces redoutables, l'une géante et l'autre plus petite la maintenant fermement. Il la protégea ainsi pendant de longues heures...

Sook pouvait désormais se détendre et laisser ses pinces grandir repliées sous son corps, s'abandonnant totalement à l'étreinte du mâle. Il la tint ainsi serrée contre lui pendant onze heures. Puis après ce préambule prolongé, il lui injecta, dans la poche sous son abdomen, assez de sperme pour la fécondation de plusieurs millions d'œufs qu'elle ferait éclore plusieurs mois plus tard.

Sook sentit sa carapace se durcir après la douzaine d'heures passées entre ses pinces, et put enfin se dégager. Il la relâcha délicatement et quitta les roseaux avant elle, pour prévenir l'attaque d'éventuels prédateurs... Maintenant elle avait les pinces suffisamment dures pour pouvoir se défendre ; elle les fit claquer brutalement pour tester son énergie.

Une nouvelle saison de mue venait de s'achever, et une nouvelle période de fécondation venait de commencer... D'ici quelques mois, elle s'enfouirait profondément dans la boue du bayou pour hiberner et permettre à son éponge, sa masse d'œufs, de se développer correctement.

Mais pour l'instant, elle ne regardait même plus le crabe qui lui avait sauvé la vie : elle aperçut une petite crevette rose dans le courant et s'approcha pour l'arracher à un brochet.

La maison à deux étages du 717 de la rue d'Orléans était située à côté du théâtre d'Orléans, et il était évidemment impossible que les femmes mariées fassent semblant de ne pas la voir. Mais aucune de ces femmes n'y avait jamais mis les pieds. La plupart d'entre elles détournaient en effet le regard lorsqu'elles descendaient de leur fiacre en compagnie de leur mari : c'était là qu'avaient lieu les bals des quarteronnes.

Au rez-de-chaussée, les gentlemen, riches et élégants, pouvaient s'adonner à leurs jeux de hasard favoris. Quelquefois, lorsqu'ils étaient vraiment malchanceux, leurs pertes signifiaient qu'ils ne seraient pas de nouveau accueillis au premier étage, même s'ils pouvaient payer les deux dollars d'entrée.

Les danseurs avaient investi tout le premier, où se trouvait une salle de bal au parquet de bois épais, entourée de petites loges pour les spectateurs... C'était la plus grande salle de danse de toute La Nouvelle-Orléans. Les murs étaient ornés de boiseries, avec de gros chandeliers miroitant sous la lumière ; un balcon en fer forgé donnait sur la rue d'Orléans et, sur le côté, s'étendait un petit jardin où l'on pouvait descendre par un escalier en colimaçon. C'était là, disait-on, que se trouvaient les plus belles femmes du monde, ou, comme les nommaient les Créoles, les *Sirènes*. Les Blanches les appelaient les « femmes-serpents », mais elles ne pouvaient pas faire grand-chose contre ces fêtes privées, qui comptaient parmi les scandales les plus attrayants de la ville.

Manon d'Irlandais se tenait légèrement à l'écart des autres beautés, une coupe de champagne à la main. Entre deux danses, tout le long de l'escalier, des femmes venaient respirer l'air frais en prenant des poses élaborées.

Mais Manon se tenait bien droite et alerte. D'un mouvement léger des épaules, elle ajusta son corsage de manière que son décolleté soit plus plongeant. Elle savait qu'il sortirait pour la chercher, et que ce qu'elle ferait ou dirait pendant la prochaine demi-heure déciderait de son sort...

Comme par l'effet de sa volonté, il apparut en haut des marches, survola du regard les toilettes des femmes, puis s'arrêta lorsqu'il la vit. Il descendit l'escalier avec une grâce étudiée ; elle lui sourit, la tête haute, ses cils voilant ses yeux.

Il apportait deux verres d'absinthe.

« Mademoiselle Manon, lui dit-il, je vois qu'on vous a déjà servie. »

Le sourire de Manon ne faiblit pas, c'était un sourire triomphateur qui exprimait, de manière implicite, une soumission voluptueuse... Elle étendit la main au-dessus de la balustrade et laissa tomber sa coupe. Elle n'eut pas besoin de la suivre du regard pour la voir se briser sur les briques de la cour : elle avait auparavant vérifié que personne ne se trouvait en bas. M. Booth sourit en entendant les cris aigus des femmes qui se tenaient en dessous d'eux. Il offrit à Manon le verre d'absinthe.

« Maintenant, susurra-t-elle, maintenant, j'ai vraiment été servie. » Elle prit son bras, l'éloigna du balcon et ils se dirigèrent vers la salle de bal d'où des flots de musique s'échappaient, pour éviter que l'on associât Manon au verre brisé... car seules les quarteronnes les plus raffinées étaient invitées régulièrement. Elle ne pouvait se permettre d'être renvoyée par les vieilles mulâtresses qui organisaient les bals avec goût et discrétion, sans compter les épouses blanches qui n'attendaient qu'un prétexte pour faire fermer définitivement les portes du 717, rue d'Orléans.

Elle souleva ses lourdes jupes de dentelle d'une main, et confia de l'autre son verre à M. Booth, pour ne pas avoir à lui lâcher le bras.

« Manon d'Irlandais, murmura-t-il tout en la regardant, un très joli nom, mademoiselle, dans ce jardin de très jolis noms. Cela veut dire que vous êtes irlandaise, n'est-ce pas ?

— D'origine irlandaise, pour être plus précise, corrigea-t-elle. Merci, monsieur, je suis contente qu'il vous plaise.

— Il me plaît effectivement. Mais ce n'est pas votre vrai nom, je suppose... »

Elle détourna son regard et sourit. Ah ! Ces Américains, leur effronterie l'enivrait et la faisait tellement vibrer qu'elle se moquait que des mères mulâtres la regardent d'un œil si foudroyant. « Bien sûr que c'est le mien, lui répondit-elle d'un ton sarcastique. Après tout, c'est moi qui l'ai choisi.

— Du côté de votre mère ?

— Non, de papa.

— J'aimerais beaucoup rencontrer votre mère », lui dit M. Booth alors qu'ils s'arrêtaient juste devant la salle de bal et que l'orchestre entamait les premiers accords d'une valse. « Où est-elle assise ? » Il jeta un rapide coup d'œil sur les rangées de mères ambitieuses, telles des volailles apprêtées, qui examinaient minutieusement les danseurs.

Manon virevolta dans ses bras avec un frou-frou de dentelle. « Elle n'est pas là, lui dit-elle gaiement, venez, allons danser ! »

Alors qu'il la faisait tournoyer tout autour de la pièce, elle surveillait les mères en robe de soirée, un éventail à la main et des rangées de perles au cou. Comme des grandes dames, pensa-t-elle, des *grosses* dames plutôt, des fleurs sombres qui attendaient que les plus belles abeilles viennent butiner le miel de leurs filles...

La plupart des belles quarteronnes qui l'entouraient exécutaient les pas de danse d'une manière plus assurée que leurs riches partenaires blancs. Et pourquoi pas ? Elles avaient été élevées dans un seul but : séduire et plaire à un homme. Elles avaient été envoyées dans des écoles ou des couvents pour apprendre à lire et à écrire, à connaître les rudiments de la couture, à avoir quelques notions de chant et de poésie, beaucoup de grâce et de maintien. Ensuite, auprès de leur mère, elles s'étaient exercées à parler d'une douce voix de colombe, et à parfaire leurs bonnes manières... raffinement exquis, ces femmes étaient les perles de leur caste. Elles apportaient encore l'assurance ou bien l'apparence d'être vierge et Manon le savait. Tout leur espoir futur reposait sur cela : personne à La Nouvelle-Orléans ne voulait de marchandise défraîchie.

Quelques mères pointilleuses examinaient attentivement Manon et M. Booth qui dansaient devant leurs yeux, mais elle détourna la tête, son sourire brillant de mille éclats. Son partenaire, sous l'emprise du plaisir, ne remarqua pas les regards tournés vers eux. Si elle était très prudente, peut-être ne se rendraient-elles jamais compte qu'elle était probablement la seule jeune fille sans mère de toutes les danseuses. Elle n'avait ni chaperon ni même personne pour la protéger. Mais elle se jura que ça ne la détournerait pas du succès... Après tout, elle avait assez d'expérience pour s'occuper de cette affaire elle-même.

Une présentation dans les règles avait généralement lieu après plusieurs danses. Maman acceptait le salut de l'homme — même les mulâtresses les plus noires avaient droit au respect du nom de leur fille : « Oui, monsieur », elle avait déjà vu Monsieur à la cathédrale, « oui, certainement », elle connaissait son oncle, ah oui, elle donnait la permission à sa fille de faire une promenade avec Monsieur dans le jardin et de boire une sangria dans la fraîcheur de la cour ombragée...

Lorsque le couple s'éloignait, les femmes se concertaient, comparant leurs observations sur la famille et les perspectives d'avenir du jeune homme. Si les choses se passaient bien, le galant et la maman entamaient une conversation discrète, le prétendant promettait une somme d'argent, quelques milliers de dollars, ou au minimum certaines garanties, non ? Il devait s'occuper de sa fille au moins un certain temps. Il n'était pas nécessaire qu'il soit riche, mais ça ne pouvait qu'aider les choses et si la fille le trouvait à son goût, alors l'affaire pouvait se négocier. Tout cela pourrait être rediscuté, une fois qu'elle serait devenue sa *placée*.

La valse se termina. Manon savait qu'elle devait proposer un *dénouement*, sinon Monsieur en trouverait un autre. « Peut-être, dit-elle un peu essoufflée, fait-il plus frais dans le jardin, loin des lumières. » Elle le regarda fixement de ses yeux bleus qu'elle pouvait adoucir ou refroidir selon son caprice.

« Oui, répondit-il, à voix basse; oui, nous devrions prendre l'air dans les jardins, sous le clair de lune... »

Dès qu'ils eurent dépassé les rangées de danseurs et de chaperons, Manon se détendit et regarda l'homme avec plus de plaisir. Elle s'était sentie attirée par lui, à la minute où il l'avait enlacée lors de la première danse... Grand, avec des bras puissants, il portait le pantalon près du corps à la manière américaine. Il avait les cheveux et la peau plus foncés qu'elle, mais ses yeux étaient plus clairs, presque de la couleur du ciel au-dessus du Golfe, alors que les siens étaient irisés de gris. Il était venu avec M. Auburd, un habitué des bals de quarteronnes, elle en avait déduit qu'il devait être assez riche...

Mais il fallait en être sûre. Ils passèrent devant une servante qui portait un plateau de petits fours, en choisirent deux chacun, et descendirent contempler les roses jaunes sur les treillis. « Donc, votre mère n'est pas là, mademoiselle ? » M. Booth avala les deux canapés en une seule bouchée, et s'essuya rapidement le bord des lèvres avec un mouchoir blanc.

Ah! il s'en était donc rendu compte. Elle baissa la tête, grignotant son petit four : « Maman est morte quand j'étais toute jeune, monsieur. A vrai dire, aucun parent ne m'accompagne ce soir.

— N'est-ce pas plutôt inhabituel ? Je veux dire que pour une fille comme... » Il s'arrêta puis entama une nouvelle phrase... « J'aurais pensé qu'il était désagréable d'être seule.

— Mais je ne suis pas seule. » Elle le regarda, souriante. « J'ai beaucoup d'amis, monsieur, et plus d'un serait heureux de m'escorter jusqu'à ma voiture.

— Hum... je vois. Et si un homme désirait vous revoir, où devrait-il se rendre ? »

Elle hésita, se passa la langue sur les lèvres pour les humecter

315

et retirer quelques miettes de pain. Prudence Manon, lui conseillait sa raison, mais son cœur battait la chamade. « Monsieur désire-t-il me rencontrer à nouveau ? » Elle s'appuya contre le mur du jardin, sentant encore la chaleur du soleil dans ses briques.

« Plus que jamais », s'empressa de répondre M. Booth, tout en se rapprochant d'elle.

Il lui effleura la taille, puis, comme elle ne bougeait pas, il l'enlaça. « Vous êtes la créature la plus belle, la plus séduisante... »

Elle repensa rapidement à ce qu'elle savait de lui : les mères avaient raconté qu'il était marié à la fille d'un planteur de Donaldsville, possédait une plantation là-bas pour sa femme et ses deux fils ainsi qu'une autre maison dans le Quarter pour y passer l'hiver. Une loge à l'opéra, une affaire d'exportation en pleine expansion, avec un bureau en ville et un autre sur les quais. Il entretenait de bonnes relations avec le gouverneur, n'avait pas dépassé quarante ans et devait gagner facilement plus de vingt mille dollars par an. Le fait qu'il soit marié était préférable : il n'exigerait pas trop de son temps... Mais lui, pouvait-il se l'offrir ? Pensait-il qu'elle en valait la peine ?

Ses mains l'intriguaient. Elles étaient fines et gracieuses, bien que très puissantes.

« Monsieur, lui dit-elle sagement en se détachant un peu de lui, le fait que ma mère ne soit pas là ne veut pas dire qu'elle ne me surveille pas. » Elle leva les yeux pour vérifier qu'il avait bien saisi le sens de sa phrase.

Il ne la comprit pas. « Et si elle nous regardait, que voudrait-elle pour une si charmante fille ?

— La question est plutôt : que désire Monsieur ?

— Appelez-moi David », lui dit-il en lui prenant le poignet. Il le massa gentiment entre trois doigts. « David Booth, nouveau venu au pays du charme. »

Elle rit doucement de plaisir. « Un nouveau venu, ou bien un converti ? Car je vous ai déjà vu au bal des quarteronnes...

— Mais moi, je ne vous ai jamais vue, sinon je vous aurais faite mienne tout de suite. »

Elle releva le menton : « Le souhaitez-vous maintenant ? » Elle retint sa respiration...

Il frôla ses lèvres avec les siennes, et elle sentit une chaleur douce monter en elle. « Certainement, plus que jamais », murmura-t-il.

Elle s'écarta pour le dévisager avec ce qu'elle espérait être un détachement serein. « Il y a une petite maison, Saint Philippe Street, blanche avec un toit bleu. Vous serez le bienvenu à cet endroit demain après-midi pour déjeuner. Disons entre deux et quatre heures ?

— J'y serai, répondit David en la fixant du regard. Mais ce soir ? »

Elle libéra délicatement son poignet. « Ce soir est fait pour danser. Danserez-vous une dernière valse avant de me raccompagner jusqu'à ma voiture ? » Elle le mena hors du jardin, vers l'escalier, et jusque dans la salle sous le regard vigilant des mamans mulâtres.

316

La petite maison blanche au toit bleu de Saint Philippe Street faisait partie d'une longue rangée de maisons peu avenantes, et la plupart d'entre elles appartenaient à des commerçants de Canal Street qui étaient toujours prompts à encaisser les loyers... Celle que Manon partageait avec son frère, Alex, était cependant l'une des plus mignonnes, avec un petit jardin sur le devant et le côté. Il s'y épanouissait des palmiers bien entretenus et des bougainvillées aux cascades criardes de rose et de mauve. Les rideaux de dentelle aux fenêtres laissaient entrevoir une élégance discrète, ce qui la distinguait de toutes les autres habitations de la rue.

Manon fit la surprise à Alex de se lever aussi tôt que lui ce matin-là, et de l'accueillir à la table de la cuisine avec une tasse de café noir et une assiette de beignets chauds.

« Est-ce un jour de fête ? » lui demanda-t-il avec étonnement, en s'asseyant sur sa chaise préférée et en la scrutant par-dessus ses lunettes. « Une messe au milieu de la semaine ? Ou alors rentres-tu tout juste de ta soirée ?

— Très amusant », dit-elle avec une petite grimace, tout en prenant une bouchée poudreuse de pâtisserie, sans essuyer la moustache blanche. « Je voulais te parler avant que tu n'ailles au travail. »

Il prit un air contrit et elle cala ses coudes sur la table. Cela faisait longtemps maintenant que Manon avait compris une chose à propos d'Alex : il était peut-être son seul parent de sexe masculin et de dix ans son aîné, mais il était tellement naïf sur les choses de la vie qu'il n'était finalement qu'un enfant. A vingt-sept ans, il ne trouvait aucun intérêt dans le mariage, aucune passion pour quoi que ce soit, excepté pour ses inventions minières et ses oiseaux. Elle n'avait qu'à plisser le menton et faire des petits yeux pour qu'il cède à tous ses caprices. Elle l'aimait plus qu'elle n'aurait voulu en témoigner, mais il fallait bien que quelqu'un s'occupe des détails de leur vie...

Après la mort de sa mère, elle avait dû quitter le couvent où son oncle l'avait placée et aller vivre avec Alex. Son frère était depuis si longtemps célibataire qu'il se moquait de manger à midi ou à minuit, que sa veste s'effiloche aux extrémités, ou que ses cheveux lui descendent dans la nuque. Elle ne tarda pas à ranger ses caisses de livres, ses outils scientifiques et ses journaux poussiéreux. Elle fit de la maison un foyer confortable et élégant. Mais elle ne put rien faire pour ses habits ou ses coupes de cheveux.

Du moment qu'elle ne touchait pas à sa planche de travail ou à ses dessins d'oiseaux, il était heureux. Du moment qu'il payait le loyer et ne lui faisait que quelques réflexions sur son décolleté ou l'heure tardive à laquelle elle rentrait, elle était satisfaite. Mais elle savait qu'ils ne pouvaient pas — qu'*elle* ne pouvait pas — continuer ainsi toute la vie.

« En fait, je suis content que tu te sois levée ce matin, lui dit-il, moi aussi j'ai à te parler.

— Commence », dit-elle gentiment. Il valait mieux qu'il exprime ce qu'il avait sur le cœur avant qu'elle ne le chagrine...

« Eh bien, maintenant que les fédéraux se sont retirés, Ned McIlhenny va ouvrir un nouveau chantier sur Avery Island, et reconstruire correctement la mine de sel. Les troupes nordistes ont presque tout brûlé. Il faudra des capitaux, mais sa famille en a. Il pense que j'ai de bonnes idées.

— Effectivement.

— Il veut que je m'embarque avec lui. »

Il hocha la tête d'un air réjoui : « Ça veut dire que nous pouvons quitter cette ville étouffante et repartir dans le bayou. Trouver un endroit sur le Teche, peut-être à La Nouvelle-Ibéria ou sur l'île même. Ned a dit qu'il allait y faire construire des maisons convenables, et il cherche des hommes honnêtes. Tu sais, je crois que ce gisement de sel a plus de cent cinquante kilomètres de long, c'est peut-être le plus gros du monde ; ça sera la plus grande montagne de tout le bayou avant qu'on ait fini de creuser. Hé, on pourrait même...

— Alors, on dirait que tu veux aller au Teche ? » Les yeux grands ouverts, elle plaça son beignet sur la table.

« Ce n'est pas franchement possible de vivre ici et travailler à cent cinquante kilomètres au sud. Oh, je sais que tu aimes La Nouvelle-Orléans, mais Ibéria est une très jolie petite ville, et si tu ne l'aimes pas, il y a l'île Jefferson, c'est un peu plus petit mais...

— Un instant, cher. Je ne vais pas partir de La Nouvelle-Orléans, coupa-t-elle d'une voix un peu aiguë et déterminée.

— Je ne peux pas entretenir deux maisons, Manon, même si Ned m'achète mes nouveaux brevets, ça ne suffira pas pour te garder ici en dentelles et chaussons de danse. De toute façon, tu ne peux pas vivre seule.

— Je ne serai pas seule. Je voulais t'en parler. » Elle eut un sourire radieux, espérant que son optimisme serait contagieux.

Il enleva ses lunettes et commença à les nettoyer délicatement, en la regardant du coin de l'œil. « Si tu veux reparler de cette idée ridicule de prendre des pensionnaires, tu peux économiser ta salive. Une honnête femme ne peut faire une telle chose, je te l'ai déjà expliqué, Manon. Sans mari, c'est impossible. Ça existait du temps de maman, dans certaines circonstances, pendant l'invasion de l'Union, mais tu ne peux pas le faire dans cette ville... en tout cas pas en tant que femme de couleur. »

Elle montra son impatience d'un signe de la tête, et deux petites

318

boucles de ses cheveux noirs tombèrent sur ses joues. Elle les rajusta derrière les oreilles. « Un gentleman vient me voir cet après-midi, dit-elle calmement. M. David Booth.

— Qui est-ce ? Un autre homme qui veut investir ? Manon, je te l'ai déjà dit, il ne nous reste pas assez d'argent de la vente de Bon-Rêve pour payer les impôts d'une autre propriété, encore moins pour en acheter une. Avant de mourir, notre oncle nous a mis en garde, il faut penser à tout ce que maman a supporté pour que nous en arrivions là. Tu as une bonne éducation... »

Elle émit un petit grognement indélicat. « J'ai beaucoup plus appris depuis que j'ai quitté les nonnes et leurs livres poussiéreux, que durant tout mon séjour aux ursulines.

— Au moins, tu as eu ta chance, même si tu l'as gâchée. Combien d'hommes de couleur libres ont la chance de faire le travail que moi je fais ? J'ai un bon emploi dans les mines du delta, et j'ai bien l'intention d'en avoir encore un meilleur avec McIlhenny. Le gisement de sel pourrait bien être une des plus grandes richesses de cet État, sans parler des migrations d'oiseaux que je pourrai étudier là-bas. Nous ne sommes pas riches Manon, et nous ne le serons jamais, fais-toi à cette idée. Les biens de maman nous ont soutenus financièrement pendant quinze ans, mais ça ne durera pas indéfiniment. Surtout si tu les éparpilles au gré de tes lubies d'investissements. La dernière, qu'est-ce que c'était déjà ? Un club géant, perdu à Pont-chartrain ? Ce navire nous a coûté cher avant de couler sans laisser de trace ! Peut-être vaut-il mieux que je reste ici cet après-midi pour dire à ce monsieur que nous ne ferons plus aucune spéculation.

— Non, tu ne seras pas là, mon frère », lui dit-elle doucement.

A cet instant, elle fronça les sourcils, et remarqua combien il ressemblait à sa mère, une ressemblance qu'elle partageait également.

« Ce gentleman n'est pas un courtier ? » lui demanda-t-il.

Elle secoua la tête.

« Tu n'essaies pas de me dire que tu penses encore devenir une *placée* ? » Sa voix n'était devenue qu'un murmure.

Elle lui sourit tristement.

« Ce n'est donc pas un gentleman. »

Elle rejeta son commentaire d'un mouvement d'épaules et prit une gorgée de café : « Mais si, c'est un gentleman, petit frère, ça montre à quel point tu es ignorant. Certains hommes parmi les plus riches et les mieux respectés de toute la Louisiane entretiennent une maîtresse à quelques rues de leur demeure. Tu ne vas pas me dire que tu ne l'as jamais remarqué ?

— Toute La Nouvelle-Orléans est au courant, mais ça ne veut pas dire que je laisserai ma sœur vivre dans une de ces rues...

— Et que comptes-tu faire ? Il me semble que la guerre est finie, mon ami, et nous ne sommes plus des esclaves. Tout comme toi, j'ai l'intention de profiter de la chance qui nous est offerte. M. Booth est un gentleman. Il jouit d'une opinion favorable, et je lui ferai un bon accueil, ici même, cet après-midi. Si nous arrivons à un certain accord, tu n'auras plus à t'inquiéter pour moi. » Elle but sa tasse de café et la reposa sur la table, puis balaya de la main les quelques miettes qui se trouvaient sur la nappe.

Alex fit la moue. « Je m'inquiéterai toujours pour ton sort, Manon. Je me suis toujours fait du souci à ton sujet depuis la mort de maman... »

Elle tendit la main, prit la sienne et la berça doucement. « Et qu'est-ce que ça t'apporte, mon cœur ? Rien. Arrête donc de t'inquiéter et laisse-moi faire ce que j'entends. J'ai plus de dix-sept ans maintenant, et je dois voler de mes propres ailes. C'est ce qu'a fait maman, et elle n'était pas si malheureuse que ça.

— La situation était différente à cette époque. »

Elle éclata de rire... « Pas si différente que ça, hélas ! Les hommes sont toujours des hommes et les femmes les aiment encore, n'est-ce pas ?

— Pourquoi pas simplement te marier ? Trouve-toi un homme de couleur libre. Épouse-le et élève ses enfants avec fierté. Tu es très belle, tu as de l'esprit et du charme, tu n'aurais donc que l'embarras du choix...

— Je ne veux pas d'un homme de couleur.

— Pourquoi veux-tu renier ton origine ? Tu es une négresse, Manon, même si tu pourrais passer pour blanche dans les villes au nord d'Atlanta. Le sang de ta mère coule dans tes veines et coulera plus tard dans celles de tes enfants ! Pourquoi cherches-tu à te faire du mal ? Ce monsieur te prend pour maîtresse et te garde dans une maison sinistre sur Orleans Street. Tu auras une cuisinière et probablement une ou deux bonnes, mais tu devras mériter chaque sou qu'il te donnera. Tu devras rester belle, garder la taille mince, entretenir une vie de couple sans accrocs comme lui l'aime, apprendre à discuter de ses centres d'intérêt, avoir un perpétuel sourire aux lèvres. Lui seras-tu fidèle ? Bien sûr, toi tu le seras, mais pas lui ! Tu pourras utiliser son nom, tes enfants aussi, et l'appeler ton mari. Mais il y en aura toujours d'autres qu'il placera au-dessus de toi : sa femme et ses enfants légitimes... Et que se passera-t-il quand il te quittera ?

— Beaucoup d'hommes sont fidèles jusqu'à leur mort, dit-elle, une pointe de vexation transparaissant dans sa voix grave.

— J'ai entendu dire que quelques-uns l'étaient. Mais la plupart remplacent leur *placée* vieillissante par une toute jeune, qui aura de meilleures dispositions à leur égard dès que l'ancienne ne les satisfait plus. »

Le visage de Manon pâlissait de colère. Elle fronça les sourcils. « S'il me quitte, alors je prendrai peut-être un homme de couleur. Mais seulement à ce moment-là. Lui sera content de m'avoir, à n'importe quelle condition, car je lui apporterai des enfants plus blancs que nous. Des enfants qui seront envoyés dans le Nord ou à Paris pour leur éducation. Et puis, je lui apporterai des biens immobiliers et financiers.

— Tu lui donneras des rejetons de Blancs. »

Elle se leva d'un bond et lâcha sa main : « Crois-moi, si les termes ne me plaisent pas, l'affaire ne se fera pas. Mais si elle se conclut, tout sera pour le mieux, tu pourras t'occuper de tes oiseaux et de ton sel le cœur léger. » Elle fit volte-face et sortit de la pièce, ne désirant plus être témoin de la déception qu'il ressentait. Elle refusait d'écouter l'écho de doute que la tristesse de son frère déclenchait en elle...

L'après-midi, elle reçut M. Booth dans sa plus belle robe de jour : ses cheveux noirs étaient coiffés de telle façon qu'ils encadraient délicatement ses yeux et son menton. Le corsage soyeux et légèrement desserré suggérait une certaine langueur, et la dentelle de sa jupe donnait à la robe une transparence sensuelle. Elle avait eu quatre heures pour se préparer, mais elle n'avait pas eu le temps de combler son estomac vide...

L'enquête préalable avait apporté la réponse souhaitée : elle savait maintenant qu'il avait les moyens de se l'offrir. Il restait cependant un point à éclaircir.

Il apporta une grande boîte, joliment décorée avec un ruban : « Je l'ai vu dans Bourbon Street, expliqua-t-il en retirant son chapeau qu'il posa sur la chaise recouverte de tapisserie. Je ne pouvais l'imaginer sur une autre femme de La Nouvelle-Orléans, maintenant que j'ai vu vos yeux de si près. »

Elle ouvrit le paquet et en sortit un chapeau orné de grosses fleurs la vue des roses bleues qui l'encerclaient la fit intérieurement sourire. Il avait des goûts américains, c'était certain ! Mais elle l'approcha de sa joue afin qu'il puisse voir combien elles avivaient la couleur de ses yeux. « C'est très joli, monsieur, c'est charmant. Mais je ne peux accepter un tel présent... Vous devez le rapporter et rendre d'autres yeux heureux.

— Jamais », dit-il en lui reprenant le chapeau des mains et en le posant près du sien. Il l'attira à lui. « Et vous devez vous défaire de cette habitude, mademoiselle. »

Elle releva la tête avec effronterie : « De quelle habitude, s'il vous plaît ?

— De me dire non. Je ne veux plus entendre ce mot dans votre bouche. »

Lorsqu'il la toucha, elle fut parcourue d'un long frisson. Elle s'écarta de lui en riant gaiement et se mit à marcher en rond dans la pièce : « Alors il vous faudra devenir complètement sourd dans le quart d'heure qui va suivre, car je le répéterai certainement ! »

Elle le fit asseoir sur le sofa et lui servit du café ainsi que d'épaisses tranches de gâteau au chocolat et de grosses parts de tarte aux pommes. Somme toute de la nourriture américaine. Elle s'était doutée qu'il les préférerait à des pâtisseries légères ou à de petits sandwiches au cresson. Elle se félicitait de le voir manger les deux desserts avec gourmandise. Ils plaisantèrent ensuite de ceci et cela et elle fit attention à ce que la conversation reste impersonnelle. Quand il posa son assiette et sa tasse, elle sut qu'un moment de silence s'imposait ; elle baissa alors les yeux et attendit.

« Depuis combien de temps votre mère vous a-t-elle quittée ? lui demanda-t-il.

— J'étais encore dans mon berceau. Je m'en souviens à peine maintenant.

— Et vous êtes seule au monde ?

— Non, lui répondit-elle doucement, j'ai un frère et beaucoup d'autres parents.

— Je dois donc discuter de notre affaire avec votre frère ? »

Elle leva les yeux. Le moment était venu. Elle avait les mains fermement croisées : « Vous devriez parler franchement, monsieur. Vous verrez que je ferai de même. »

Pour toute réponse, il l'enlaça avec douceur, attirant irrésistiblement son visage vers le sien. Une fois sa bouche tout près de la sienne, il murmura : « Je suis marié.. Le saviez-vous ?

— Bien sûr », dit-elle doucement. Elle sentait le cœur de l'homme palpiter contre le sien.

« Et pourtant, je me sens attiré vers vous au-delà de toute raison. Je ne vous affirmerai pas que je ne m'entends pas avec ma femme. Ce n'est pas qu'elle est froide envers moi ou qu'elle ne partage pas ma couche, car, en fait, elle me rend assez heureux. Dieu m'est témoin, je ne suis pas homme à être facilement satisfait, pourtant, elle essaie. Mais en dépit de tous ses efforts, je suis allé délibérément au bal des quarteronnes, à la recherche de quelque chose de plus. Et je l'ai trouvé ! » De son doigt, il dessina les contours de son visage, ses joues, son menton, puis descendit le long du cou : « Je veux que vous soyez ma maîtresse, Manon. Je sais que ça se fait régulièrement, mais c'est la première fois pour moi. » Il respira longuement comme s'il allait plonger dans une eau froide et sombre. « Acceptez-vous ? »

Ses paupières se fermèrent presque complètement. « Quels seront nos accords, monsieur ? »

Il l'embrassa alors longuement. Elle laissa sa langue suivre délicatement la sienne pendant un moment, puis se retira légèrement. Il frémit et la serra ensuite plus fermement. « Voudriez-vous rester dans cette maison ? »

Elle réfléchit un instant : « Certainement, ce serait agréable.

— Je paierai le loyer, je vous procurerai de l'aide, je m'occuperai de vous...

— Non, soupira-t-elle en s'appuyant contre lui, sa poitrine écrasée contre son torse. J'aimerais savoir que quelque chose m'appartient ici. Tout comme vous aimeriez être sûr que quelque chose est à vous dans cet endroit.

— Très bien, je vous achèterai la maison, si c'est ce que vous désirez.

— Oui, David. Ça me plairait plus. »

Il l'embrassa de nouveau, cette fois-ci plus intensément, et elle sentit le désir de cet homme monter en elle. Elle entortillait autour de ses doigts les cheveux courts de sa nuque, et elle leva les bras pour se rapprocher encore plus Elle ne devait pas non plus oublier ce qu'elle voulait !

« Peut-être pourrions-nous consommer cet accord ? murmura-t-il.

— Mais nous n'avons pas encore discuté de tous les termes, soupira-t-elle.

— Que voulez-vous de plus ?

— Ce que toute femme espère, monsieur. » Ses lèvres mordillaient les siennes : « La sécurité.

— Supposons, dit-il lentement, supposons que je dépose cinq mille dollars sur un compte à votre nom aujourd'hui même, et que je promette de faire la même chose chaque année que nous passerons ensemble Vous sentiriez-vous plus en sécurité ?

— Un peu plus. » Elle sourit et l'embrassa à maintes reprises.

« Et peut-être pourrions-nous discuter d'autres arrangements à un autre moment ? »

Sans quitter son sourire, elle lui répondit : « Je vois que vous ne connaissez pas nos coutumes. Dans les histoires de cœur, nous ne mélangeons jamais l'amour et les affaires. Une chose à la fois, n'est-ce pas ? Après tout, David, une fois que je serai à vous, je ne serai qu'à vous. Il vaut mieux nous occuper de tous les détails maintenant. » Elle l'embrassa encore, sa langue et ses lèvres n'étaient que promesses d'avenir.

« Vous êtes si raisonnable. Plus raisonnable que votre âge ne le laisse présumer. Quel âge avez-vous ?

— Dix-huit ans.

— Mon Dieu, gémit-il.

— Cela vous gêne-t-il ?

— Évidemment, lui dit-il, ses lèvres tout près des siennes.

— Que cela ne vous dérange pas, mon ami, lui dit-elle, je n'ai jamais été très jeune... Je n'en avais pas les moyens. J'étais prédestinée à devenir ce que je suis. Si ma mère était encore avec nous aujourd'hui, elle m'approuverait. Depuis l'enfance, on m'a élevée dans ce but : être la maîtresse idéale pour un homme comme vous. »

Il l'embrassa à nouveau : « Et je vous ai trouvée.

— Oui, nous nous sommes trouvés. Partez maintenant, murmura-t-elle, faites ce qu'il y a à faire, et je serai vraiment à vous. Dans une semaine à dater d'aujourd'hui, je vous serai entièrement dévouée. Jusque-là, je vous attendrai avec impatience. » Elle s'écarta lentement de lui, reprenant ses forces, pour une séparation qui risquait en effet d'être difficile.

Il lui sourit. « C'est donc comme ça que se passent ces arrangements ? Même dans la capitale du péché, on place les affaires avant l'amour ?

— Le plaisir est toujours le plus important, mon ami, mais il s'en trouve renforcé lorsque les affaires s'occupent de le sécuriser. » Elle prit son visage dans ses mains et susurra : « Mais je peux désormais vous dire que je n'ai jamais souhaité que le temps passe plus vite. »

En attendant Manon commença les préparatifs pour sa nouvelle vie. C'était comme si son mariage avait été arrangé. La rumeur de sa bonne fortune se répandit rapidement chez les quarteronnes, et ses amies organisèrent des petites soirées pour annoncer ses « fiançailles » et lui offrir des cadeaux de circonstance : du linge de maison, divers vins, et de la vaisselle. Elle convoqua joyeusement plusieurs cuisiniers, et finit par choisir une femme aussi sombre que la nuit et aussi silencieuse qu'une étoile. Alex se résigna tristement à cette décision, mais à part quelques remarques précises, il ne souffla mot de sa déception, il partit sur la côte en lui présentant tous ses vœux de bonheur. Manon pleura amèrement cette nuit-là, mais, dès le lendemain, elle se remit activement au rangement de la maison.

Une semaine plus tard, l'acte de propriété de la maison et cinq mille dollars furent déposés à la banque en son nom. Elle accueillit donc David, une fois encore, dans son boudoir. Quand il entra, il la prit dans ses bras. Sa grande taille, ses larges épaules, la puissance de son corps l'effrayaient et la sécurisaient comme jamais auparavant.

Pourtant, sans trop d'hésitation, elle se blottit tout contre lui et se noya dans ses bras, reposant sa tête sur sa forte épaule. Alors qu'elle passait le bras autour de sa taille, elle se sentit liée à cet homme de façon étrange, comme si elle avait attendu ce moment toute sa vie et pouvait enfin savourer ce délice en toute quiétude.

Les cheveux de Manon étaient contre la joue de l'homme et ses mains sur ses hanches ; elle sentit son corps épouser le sien, comme si elle avait connu depuis longtemps cette position. La chaleur de la peau de David émanait à travers la veste ; son odeur comblait ses sens.

Il prit le menton de Manon dans la main, releva son visage et pressa ses lèvres contre les siennes. Ce fut un baiser électrique et pourtant bizarre, longtemps désiré mais déjà si familier.

Puis, il se détacha et elle s'écarta de lui en le regardant droit dans les yeux. Soudain, la peur céda la place à de la timidité : « Vous êtes enfin là, lui murmura-t-elle.

— Je ne pouvais pas m'en passer », dit-il. Sa voix était basse et empreinte de désir.

« Venez voir comme j'ai tout arrangé pour votre confort. » Elle l'emmena, souriante et tremblante comme une jeune mariée, dans la chambre en haut de l'escalier. Le cuivre du lit avait été lustré et des fougères l'encadraient. Des pétales odorants de magnolias flottaient dans des vases de cristal ; des bougies brûlaient aux quatre coins de la chambre, en dépit de la chaleur étouffante et du soleil qui brillait au-dehors.

Le lit était un nid de draps blancs immaculés. Une veste, qu'elle espérait être à sa taille, et des oreillers reposaient au bas du lit.

Tout en riant, il l'attira à lui et elle sentit une certaine timidité chez lui aussi : « Êtes-vous sûre de ne jamais l'avoir fait ? lui demanda-t-il, la regardant de façon taquine, ou alors avez-vous suivi les leçons de la parfaite maîtresse au couvent ? »

Elle fut intérieurement choquée par son manque de respect, mais elle ne put s'empêcher de rire des images qu'il devait lui attribuer. Maintenant qu'ils étaient dans la chambre, elle oubliait tout ce qu'elle avait prévu. Pendant un court instant, elle fut submergée de doutes. Était-ce une erreur ? Était-ce lui l'erreur ? En fin de compte, peut-être aurait-elle dû accompagner son frère à Jefferson... ?

D'une main, il défit lentement les lacets de son corsage, découvrant son buste, et abaissa lentement sa bouche jusqu'à sa poitrine. Puis de ses lèvres, il dégagea le tissu et caressa amoureusement ses seins, l'un après l'autre.

Elle observa la façon dont il la regardait, sentit ses seins enfler, et tous ses doutes la quittèrent immédiatement. « Je vous aime », lui dit-elle, en le pensant réellement.

Il s'écarta et la regarda d'un air surpris : elle devina chez lui l'hésitation qu'elle n'avait plus elle-même. Il n'avait fallu que quelques jours pour qu'elle tombe amoureuse, non seulement de ce qu'il représentait, mais aussi de son visage, de son corps, de son esprit et de son courage. Elle aimait sa façon de prendre des risques sans trop penser aux conséquences. Elle était amoureuse de sa démarche, de son odeur...

« Cela fait-il également partie de vos coutumes ? lui demanda-t-il doucement. Ce ne sont pas des mots à dire à la légère.

— Je le sais, lui dit-elle, lui prenant la main et le guidant vers le lit. Je n'ai jamais dit ces mots de ma vie. »

Il se pencha et lui embrassa le cou ; elle pouvait sentir ses propres battements de cœur dans sa poitrine et son ventre. Elle lui baisa le front, le menton, les yeux ainsi que les oreilles pendant que les mains de l'homme parcouraient son corps et la déshabillaient avec précaution.

Sa pensée s'emballait au rythme de ses palpitations. Elle ne pouvait pas dire depuis combien de temps elle l'aimait, elle était consternée, choquée même, de ressentir un tel abandon en si peu de temps.

Elle n'arrivait pas à dire à quel moment l'admiration qu'elle avait pour lui s'était transformée en un sentiment plus élevé, plus fort. Elle ne pouvait réfléchir de façon rationnelle, ni deviner à quel moment précis elle avait ressenti de l'amour pour cet homme ; elle savait seulement qu'elle avait été conquise et que ce sentiment était nouveau et dangereux.

Cependant, lorsqu'il allongea son corps nu sur elle, elle comprit qu'elle n'avait jamais voulu un autre homme de sa vie. Tout à coup, elle voulut le sentir en elle, ne plus respirer jusqu'à ce qu'il la tienne fermement ; son propre corps ne pouvait rester immobile sous lui. Il avait les bras secs et puissants, la peau aussi douce que la sienne mais l'on pouvait deviner chacun de ses muscles sous l'épiderme. Lorsqu'il entra doucement en elle, elle ressentit un plaisir exquis à la limite de la douleur. Les mouvements de l'homme lui faisaient tout oublier, tout le monde, sa propre pensée se brouillait ; elle s'accrocha à lui, l'esprit vide, étonnée de son abandon.

Dès que ce fut fini, et qu'ils reposèrent tous deux enlacés, encore humides d'une satisfaction silencieuse, elle sut qu'elle n'aurait jamais dû lui dire qu'elle l'aimait. Lui, il ne ressentait pas la même chose, en tout cas, pas encore.

Elle se promit qu'un jour, très bientôt, M. David Booth l'aimerait et le lui dirait : dès qu'il prononcerait ces mots, sa vie à elle lui serait entièrement dévouée.

Dans les mois qui suivirent, Manon découvrit la vie luxueuse. La cuisinière et la bonne subvenaient facilement à ses besoins, elle était toutefois trop raisonnable pour se laisser aller... Elle se levait tôt le matin et parcourait la ville pour garder la taille mince, et chercher des friandises qu'il apprécierait. Quand il rentrait, il trouvait tout à son goût : sa nourriture préférée et des vins servis avec raffinement. Les serviteurs étaient congédiés aussitôt après le repas, et tous deux conversaient de ses affaires, s'échangeaient les potins politiques de La Nouvelle-Orléans. Le sourire de Manon était toujours chaleureux. Ils passaient des heures à faire l'amour, sans autre pensée que de se rendre mutuellement heureux.

En effet, elle souriait souvent intérieurement : Mme Booth aurait probablement beaucoup à apprendre d'elle sur la manière de satisfaire un homme.

En son absence, elle était scrupuleusement et joyeusement fidèle. Et pourquoi pas ? se disait-elle. Elle possédait tout ce qu'elle désirait, et avait presque toute la compagnie dont elle avait besoin. Si elle se sentait seule, elle n'avait qu'à aller rendre visite à l'une de ses nombreuses amies qui habitaient la rue, et qui menaient une vie semblable à la sienne, avec un protecteur aussi prospère que le sien.

Monsieur ne voyait pas d'objection à la laisser aller au bal des quarteronnes, du moment qu'elle s'asseyait sur le côté et ne faisait que regarder les danseurs. Il lui offrit une superbe loge à l'opéra, un des endroits les plus en vue et où les quarteronnes et les mulâtres étaient ouvertement accueillis. Comme peu de femmes blanches daignaient s'asseoir dans les loges du haut, celles-ci avaient été réservées aux femmes de couleur. Là, elles pouvaient arborer des bijoux et des toilettes décolletées, savamment osées, ce que peu de femmes blanches se permettaient. Et tout en haut, juste sous le plafond, se trouvaient tous les Noirs.

Manon trouvait amusant de voir les différentes touches colorées qui formaient l'audience du théâtre d'Orléans : en haut, les Noirs, ensuite les métis puis les Blancs tout en bas. Quelquefois, les deux « familles » d'un Orléanais respecté pouvaient être aperçues à quelques mètres l'une de l'autre : les Blancs à l'orchestre, les quarteronnes au paradis. Manon s'habillait toujours de façon impeccable à chacune de ses sorties en public, mais à l'opéra elle atteignait des sommets de raffinement... Elle portait toujours en pendentif le gros saphir qu'il lui avait offert le premier mois de leur liaison, il lui avait dit que la couleur de la pierre s'harmonisait si bien avec ses yeux qu'il n'aurait pas voulu le voir suspendu à un autre cou que le sien...

Pourtant, David ne parlait jamais d'amour. Il venait la voir deux, peut-être trois soirs par semaine, partant toujours avant dix heures, jamais à jour fixe et toujours sans la prévenir. Il pouvait être à une réunion politique, et passer alors un peu plus tard. Ou bien, elle l'attendait pour dîner, et il arrivait plusieurs heures en avance ou en retard. Il était difficile pour Manon de lui préparer un repas aussi bon qu'elle le souhaitait puisqu'il était imprévisible, mais jamais elle ne lui fit de reproches. Elle voulait qu'il pense à elle en termes de plaisir et laissait à sa femme le soin de lui rappeler ses obligations.

Manon ne s'occupait pas de l'autre vie de David, ni de ses affaires ; qu'elles soient bonnes ou mauvaises peu lui importait, sauf peut-être du fait qu'elles affectaient son humeur. Mais David possédait un défaut qui l'inquiétait beaucoup, une certaine irascibilité qu'il partageait avec un grand nombre d'hommes de La Nouvelle-Orléans cette année-là, et avec les Américains en général.

Les Noirs créaient évidemment des remous, et Manon savait, de manière instinctive, que cela n'arrangeait pas les choses. Les émeutes des années précédentes semblaient s'être calmées, mais les grévistes causaient encore du souci à la plupart des planteurs. David lui avait parlé d'un ancien esclave, un certain Richard Gooseberry, de la paroisse de Saint-Charles, qui avait mené une grève revendiquant des salaires plus élevés.

« Ils demandent un dollar par jour, alors qu'on leur donne soixante-quinze *cents*, lui dit David un soir au dîner, mais aucun planteur ne voudra payer un tel prix.

— Qu'est-ce qui les fait penser qu'ils peuvent demander ça ? » Elle lui versa une tasse de café en y mettant deux morceaux de sucre comme d'habitude.

« C'est ce qu'on les paie dans le Kansas.

— Alors, laissez-les aller là-bas.

— Beaucoup d'entre eux y vont, mais j'aimerais plutôt aller en enfer que de céder à un tel chantage. Je laisserais la récolte pourrir en terre avant de les payer un dollar par jour. Ils revendiquent : un dollar par jour ou la guerre. Qu'ils se taisent ou qu'ils se battent ! »

Elle le contourna, alla se placer derrière sa chaise, et commença à lui masser le cou pour calmer la tension de ses épaules.

Mais la tension de la rébellion éclatait trop souvent dans les nuits de La Nouvelle-Orléans pour être apaisée si facilement. Les hommes avaient toujours porté des pistolets dans le Delta, mais dans les quelques années qui suivirent la guerre, une fois les fédéraux partis, Manon s'aperçut que la violence bouillonnait, et remontait à la surface.

Les duels étaient si fréquents qu'on n'en parlait presque plus dans le *Picayune*. Il semblait que nulle part ailleurs aux États-Unis on ne pouvait se faire tuer aussi facilement... Les *affaires d'honneur* avaient toujours fait partie intégrante de la routine du bayou. La nouvelle prospérité aidant, les privations disparaissant, les hommes développaient une passion sans pareille pour le duel...

Dix duels par jour à un endroit bien précis n'était pas considéré comme une chose inhabituelle ; chaque semaine semblait apporter de nouvelles querelles dans les salons des hôtels. La plupart des quarteronnes qui apportaient les nouvelles à Manon semblaient traiter le sujet comme s'il s'était agi de la pluie et du beau temps.

Mais Manon redoutait que David, étant un Américain au sang chaud, ne soit impliqué dans une quelconque dispute... Et comment en arrivait-on là ? Eh bien, Manon l'avait vu faire. Un jour, aux Trois Sœurs, un étranger avait dit qu'il préférait le café du Nord à celui que l'on faisait à La Nouvelle-Orléans : le lendemain il avait été transpercé par une épée. Un autre jour, un homme, assis près d'un maître d'armes, avait, par hasard, commandé le même plat que lui : le champion, pensant qu'on se moquait de lui, avait fait sortir l'homme et l'avait envoyé de vie à trépas.

Les hommes qui semblaient le mieux maîtriser le *codo duello* étaient les maîtres d'armes. Fanfarons arrogants, ils déambulaient tapageusement le long des rues d'un air assuré, attirant à eux les grimaces des enfants et le regard appuyé des femmes. On ne pouvait pas s'asseoir à la terrasse d'un café sans entendre parler de l'un d'entre eux : oui, on disait qu'untel en avait tué dix avant de se faire blesser ! Et celui-là ? On disait qu'il avait estropié la mauvaise personne et qu'il avait dû quitter la France précipitamment...

Manon connaissait plusieurs femmes, et pas uniquement des quarteronnes, qui trouvaient du charme aux maîtres d'armes. Certains maris étaient au courant mais n'osaient rien faire ouvertement... Qui aurait pu rivaliser avec un expert ? Les hommes évitaient de les rencontrer, et faisaient bien attention à ne pas les bousculer par accident ; une cour de jeunes garçons bien habillés les suivait où qu'ils aillent, essayant de copier leur style, répétant leurs histoires drôles.

Des petits dandys gâtés, pensait Manon quand elle les regardait passer, un air dégoûté au coin des lèvres. Comment pouvait-on mesurer l'importance d'un homme à son *colich marde*, l'épée préférée des Créoles ? Tous des prima donna et aussi dangereux que des serpents à sonnettes.

Peut-être était-ce lié aux rayons du soleil. Manon décida que c'était la chaleur tropicale, les nuits langoureuses qui les faisaient se battre en duel. Un soir elle demanda à David ce qui le pousserait à provoquer une personne en duel.

« Comment le saurais-je ? Toutes sortes de choses, mon minou, c'est une question qui reste sans réponse !

— Je veux dire, se risqua-t-elle à nouveau, te sentirais-tu obligé de défendre l'honneur du Sud ou de La Nouvelle-Orléans, demanderais-tu réparation si un homme me suivait des yeux dans la rue ? Qu'est-ce qui te pousserait à te battre, mon chéri ?

— Quelqu'un t'a insultée, Manon ? »

Elle sentait de l'irritation dans son ton. « Non, non, mon cher, le rassura-t-elle, mais je me demandais... et surtout je m'inquiète.

— Tu n'as pas à t'en faire, je suis très bon tireur.

— Mais beaucoup d'autres le sont également dans cette ville. Et même leurs femmes ne savent pas quelquefois ce qu'ils ont en tête ! Rien que la semaine dernière, Monique m'a dit qu'à une soirée, tu connais les Butler je crois, Mme Butler lui a raconté que deux gentlemen s'étaient querellés. C'était sans importance, elle l'avait à peine remarqué. Ils ont continué la soirée comme si de rien n'était. Le lendemain, Mme Butler a entendu dire qu'il y avait eu un duel et que l'un des deux était mort.

— Et alors ?

— Eh bien, je me demande si leurs femmes étaient au courant de leurs intentions.

— Qu'elles le sachent ou pas ne fait aucune différence. Il y a des règles, Manon, aux points d'honneur que les femmes ne peuvent pas comprendre.

— Monique m'a dit qu'il y a des livres qui traitent du code du duel ? Ils parlent de comment offenser ou être offensé, comment tuer et être tué ? »

Il haussa les épaules. « Je suppose qu'il doit y en avoir, mais je n'en ai jamais vu. . Un défi doit être fait dans les règles de l'art, un geste rapide, une gifle du gant... Un coup de poing serait très vulgaire et rabaisserait l'offenseur. Il ne peut y avoir de duel entre deux gens de classes sociales différentes. Non ma chère, je ne suis pas surpris d'apprendre qu'une hôtesse ne sache pas reconnaître les prémices d'un duel, encore moins une épouse !

— Et que se passe-t-il si l'offenseur se rétracte ? Accepterais-tu des excuses plutôt que de te battre ? »

Il pensa silencieusement pendant un bref instant. « Peut-être. . j'en doute, mais peut-être. En général, ce que les protagonistes veulent réellement importe peu, l'affaire suit son cours jusqu'à ce que l'un des deux obtienne réparation.

— Ce qui veut dire la mort. »

Il fit une petite grimace. « Pourquoi cet intérêt soudain, mon cœur ? »

Elle fit une jolie moue et haussa une épaule. « Mon intérêt pour votre bien-être n'est pas si récent, monsieur. Cela fait plus d'un an maintenant que ça me tracasse atrocement. »

Il la prit dans ses bras, amena sa tête contre sa poitrine. « Alors je suis l'homme le plus heureux de toute la Louisiane, même si je ne suis pas le meilleur tireur ! »

Elle sourit intérieurement en sentant les battements de son cœur. Tenait-il sa femme dans ses bras de cette façon ? Elle en doutait jusque dans les moindres replis de son âme.

Même si Manon ne souhaitait pas mettre David en face de ses responsabilités, elle fut très vite obligée de penser elle-même aux siennes. En dépit de ses herbes et de ses lavements, elle se trouva enceinte un jour de printemps, et son corps lui disait dans chaque pore de la peau, dans chaque muscle endolori, que ce bébé allait changer sa vie de manière incommensurable.

Elle avoua à Monique qu'elle était enceinte...

« Mais c'est vraiment merveilleux ! s'exclama son amie. Votre relation va forcément être durable désormais. Qu'en pense Monsieur ?

— Je ne le lui ai pas encore dit. »

Monique la regarda durement : « Tu n'es pas contente ? »

Le visage de Manon, malgré tous ses efforts pour ne rien montrer, se décomposa. « Il est encore trop tôt... Nous n'avons passé que trop peu de temps ensemble. »

Monique réfléchit un court instant. « Tu veux t'en débarrasser ?

— Je ne sais pas. Peut-être que je serai heureuse d'avoir un enfant plus tard. Lui aussi, peut-être, mais...

— J'en doute, ma chère. En tout cas, il ne reniera ni toi ni l'enfant ; je sais au moins ça de lui d'après ce que tu m'en as dit. Tu pourrais aller voir Marie LaVeau... »

Manon écarquilla les yeux. Elle connaissait évidemment la femme aux serpents, la reine vaudou de La Nouvelle-Orléans. Toute personne habitant la ville quelques mois ne pouvait manquer d'entendre parler de ses sorts, sortilèges et autres charmes. Tous les matins, on pouvait voir les Noirs astiquer leur perron avec du létanier, de la racine de palmier, censée annihiler la force de Mamaloi, la reine des mondes obscurs. Beaucoup de quarteronnes l'appelaient la femme-chef, car elles pensaient qu'elle possédait les plus puissants gris-gris... « Je croyais qu'elle était morte, murmura Manon.

— Non, cette femme a trop de pouvoir pour mourir. Elle doit avoir près de quatre-vingt-dix ans et elle continue à faire de la magie. Elle pourrait te soulager du fardeau que tu portes dans ton ventre, si tu es sûre que c'est ce qui te rendra heureuse. Ou bien... » Monique sourit alors d'une telle façon que Manon n'eut aucun mal à comprendre pourquoi son Monsieur l'avait choisie comme *placée*. « Ou bien elle pourrait jeter un sort afin que ton gentleman vous désire tous les deux, toi et l'enfant ! »

Le soir même, Manon prit un fiacre en direction de la ruelle tortueuse Saint Ann : c'était là qu'habitait Marie LaVeau, depuis plus de cinquante ans. Une bougie brûlait de chaque côté de l'étroite porte rouge. Une femme emmitouflée dans un châle quittait la maison. Manon s'arrêta, comme au confessionnal lorsqu'on restait en retrait pour ne pas s'immiscer dans la vie privée des gens... L'attelage de la femme était richement paré, et d'après ce que Manon devinait de sa robe, elle n'était pas dans le besoin. Pourtant une telle dame rendait visite à la reine vaudou en pleine nuit !

Manon frappa doucement à la porte et une voix grave lui dit d'entrer. Une grande Noire se trouvait dans le vestibule et Manon n'avait jamais vu de négresse aussi imposante...

« Madame LaVeau ? » demanda Manon avec prudence.

La Noire fit un geste de la main en direction d'une petite femme desséchée assise sur une chaise. Ses pieds effleuraient à peine le tapis oriental, et son visage ressemblait à une pomme fripée pourrissant au soleil. Ses yeux brillaient d'un éclat de sagesse, mais aussi d'autre chose.

« Madame LaVeau, dit péniblement Manon, j'espère que je ne vous dérange pas.

— Les gens ne viennent jamais me voir au bon moment, mon enfant, répliqua la vieille femme, ils viennent me consulter au pire moment, lorsqu'ils ont besoin d'un "réconfort". Vous ai-je déjà vue ?

— Non, madame, je ne suis jamais venue.

— Ça n'a aucune espèce d'importance... Je connais beaucoup de personnes qui n'ont jamais mis les pieds ici. Mais je n'ai jamais vu votre visage, je m'en serais souvenue. » Mme LaVeau tendit la main vers la Noire sans même la regarder. Une main pataude l'aida à se lever puis elle trottina jusqu'à Manon.

Celle-ci fut frappée de la souplesse de sa démarche une fois libérée de l'emprise du fauteuil ; sa voix paraissait également plus jeune. D'énormes anneaux d'or lui avaient étiré les oreilles presque jusqu'au menton ; elle portait un *tignon* aux couleurs éclatantes et entrelacé de rubans noirs. Mais son visage et ses yeux auraient pu appartenir à une vieille sorcière africaine, excepté sa peau qui était d'une couleur plutôt claire.

Tout à coup Manon se rendit compte qu'elle la fixait du regard. « Excusez-moi pour ce dérangement, madame, mais je suis venue à propos de...

— Je sais pourquoi vous êtes ici. »

Manon sursauta et rabattit son châle sur ses épaules comme si un courant d'air l'avait fait frissonner.

« Quand on est jeune il n'y a que deux raisons de venir me voir. L'amour, ou bien sa semence. Vous souhaitez l'un ou vous ne voulez pas de l'autre. » La vieille femme l'observa attentivement. « Ah ! Je vois que dans votre cas, c'est les deux qu'il vous faut. Vous désirez l'amour mais pas ses conséquences. » Elle s'esclaffa d'un rire aigu et pénétrant : une hilarité venue de la profondeur des temps. « Les doubles désirs coûtent cher. Mais vous pouvez certainement vous l'offrir, n'est-ce pas ? »

La négresse montra à Manon une chaise et Mme LaVeau s'assit en face d'elle.

« Depuis combien de temps vous a-t-il quittée ?

— Il n'est pas parti, rétorqua Manon avec indignation.

— Bon. Il y a donc une autre femme et vous craignez qu'il ne vous abandonne. »

Manon s'affaissa, répondit oui de la tête.

« Vous avez bien raison, mon enfant. Surtout avec ce "paquet" dans votre ventre. Combien de mois ?

— Un, peut-être deux.

— Pas plus ? » Marie LaVeau la fixa de ses yeux noirs.

« Non. » Manon tourna d'un air morose la tête de gauche à droite.

« Eh bien, au moins un de vos vœux sera exaucé. » Elle signifia à la négresse de lui apporter une serviette de cuir d'où elle sortit un petit sac d'herbes séchées. « Prenez ceci et faites-en une tisane ; quelle que soit son amertume, buvez-la entièrement. Tellement chaude qu'elle devra vous brûler le palais. Si vous n'avez pas de saignement d'ici une semaine revenez me voir. Mais vous saignerez. Alors soyez prête. »

Manon prit timidement le petit paquet des mains de la vieille femme, comme si un simple contact pouvait lui faire du mal. « C'est tout ? »

Marie LaVeau haussa les épaules d'un air sombre : « C'est très facile quand c'est récent. Vingt dollars, la bouche brûlée et votre ventre sera aussi propre que celui de la Vierge Marie. Quant à l'autre vœu, il me semble plus difficile à exaucer. »

Mais Manon ne pouvait supporter la proximité de cette femme une seconde de plus... Elle eut soudain une bouffée de honte, de peur, qui la fit se lever d'un coup, renversant presque la chaise. La négresse tenta de l'approcher, mais recula brusquement : « C'est tout ce que je prendrai, madame, balbutia-t-elle nerveusement. C'est tout pour le moment. Je reviendrai peut-être pour la suite...

— Vous n'avez aucune raison d'avoir peur, lui dit la vieille femme en souriant.

— Cela n'a pas d'importance, j'ai changé d'avis. » Elle tira de son sac vingt dollars et les fourra dans la main de la négresse, puis elle se précipita vers la porte. « Pardonnez-moi, madame, mille mercis de m'avoir reçue, mais je dois vous quitter... » Elle s'enfuit hors de la maison, appela son fiacre et ne pensa à ce qu'elle venait de faire qu'une fois arrivée au milieu d'Orleans Street.

Quelle imbécile, maugréa-t-elle. Désormais, si les herbes ne marchaient pas, elle ne pourrait jamais retourner là-bas ; si David ressentait du dégoût envers elle et son ventre gonflé, elle ne pourrait jamais le récupérer...

Elle regarda le sachet d'herbes que ses vingt dollars avaient acheté. Ça ressemblait à un tas de racines et de fougères séchées, rien de trop effrayant... Mais ça marcherait, elle en était certaine. Marie LaVeau n'avait pas pu gagner une telle réputation en vendant des mixtures inoffensives.

Inconsciemment, elle porta la main à son ventre : elle avait la vie en elle. Oui, elle grossirait et vomirait et elle aurait probablement des varices, ses chevilles enflées ressembleraient certainement à de gros crapauds tachetés ; elle serait laide et déformée, elle n'aurait vraisemblablement aucune inclination à l'amour et à ses jeux de séduction. Et peut-être finirait-elle même sans homme pour s'occuper de son enfant...

Mais elle ne pouvait pas faire ça. Elle referma le petit sac d'herbes et fit mine de le jeter par la fenêtre du fiacre. Mais elle se ravisa et le reposa sur ses genoux. Non, elle n'allait pas gaspiller vingt dollars. Elle n'en avait pas besoin pour l'instant, mais qui pouvait présager de l'avenir ? Peut-être quelqu'un aurait-il un jour besoin de la potion magique de Marie LaVeau ?

Manon replaça le petit paquet dans son sac à main, et se mit à son aise pour le reste du chemin. Elle aurait cet enfant, c'était décidé et elle gagnerait également l'amour de David. Et s'il fallait pour garder cet amour avoir recours à un charme vaudou, alors elle apprendrait à se passer de lui.

Manon attendit aussi longtemps que possible avant d'annoncer à David qu'elle était enceinte. Elle tirait gloire de sa poitrine mature, et remerciait les dieux de la préserver de trop fréquentes nausées matinales. Elle regardait ses joues se colorer de rose, ses cheveux devenir plus luisants. Elle portait un chemisier ample, avec un décolleté plongeant afin qu'il pose son regard sur ses seins plutôt que sur son ventre...

Mais un jour, alors que la nuit tombait, après une heure de caresses et de désir envoûtant, il mit soudain sa main sur son ventre et lui dit : « Tu devrais réduire ta consommation de beignets, ma chérie, tu commences à avoir le ventre aussi gonflé que celui de ma grand-mère ! »

Piquée au vif, elle se tourna sur le ventre et l'observa prudemment : « Tu me trouves grosse ? »

Il sourit gentiment puis la toucha à nouveau : « Bon sang, après tant d'années j'aurais dû avoir compris. Mais non, mon amour, tu es aussi élancée qu'une gazelle.

— Je ne suis pas grosse, dit-elle en se tournant dans ses bras. Et ce n'est pas un beignet qu'il y a dans mon ventre, monsieur. »

Il se raidit légèrement et se rapprocha d'elle pour mieux l'observer.

Elle sourit : « Oui, c'est ça, je vais avoir un enfant... ton enfant. »

Il eut un rictus de colère : « Doux Jésus, Manon, je croyais que tu savais comment éviter ce genre de problème ! »

Elle aurait voulu se noyer sous des larmes brûlantes de colère, mais elle resta impassible. « Je suppose qu'aucune méthode n'est infaillible. Ne crois pas que je le veuille plus que toi, David. J'ai vu une femme pour régler ce problème, mais elle m'a dit qu'il était trop tard. »

Il recula et croisa les bras, assis au bord du lit. Ils évitèrent de se regarder dans les yeux, et restèrent silencieux pendant plusieurs minutes.

« Je suppose que ça n'a pas vraiment d'importance. Peut-être était-ce inévitable, ce genre de choses arrive tout le temps. Je subviendrai bien évidemment à vos besoins... »

Elle étendit la main et la posa sur son torse nu. « Il y a des chances qu'il soit très beau, s'il a tes yeux et ton nez. » Elle lui toucha la joue du doigt.

Il prit le doigt entre ses mains et l'embrassa distraitement.

« Je présume que tu auras besoin d'une nourrice et d'une nounou noire aussi. C'est pour quand ?

— Probablement au prochain Mardi gras. Peut-être plus tôt. Mais en tout cas, pas avant qu'on soit en 1879.

— Et tu te sens bien ? »

Pour toute réponse, elle l'attira à lui et lui caressa le bas du dos ; leurs corps étaient si proches qu'une vague de désir le submergea à nouveau. Il glissa alors en elle sans autre forme de préliminaires, comme s'il voulait affirmer qu'il la possédait.

Cependant, Alex ne fut pas aussi calme lorsqu'il apprit la nouvelle. Elle le lui annonça quand il vint lui rendre visite. A ce moment-là, son ventre formait une bosse qu'elle ne pouvait plus cacher sous sa robe ample.

« C'est ce que je craignais, Manon, lui dit-il tristement. Viendras-tu enfin avec moi dans le bayou, où je pourrai correctement m'occuper de toi ? Tu seras bientôt seule avec cet enfant pendant que lui ira au bal des quarteronnes, à la recherche d'une remplaçante. Tu aurais dû te marier avec quelqu'un de ta race.

— Nom de Dieu ! Et de qui parles-tu ? D'un fermier mulâtre quelconque, avec un carré de radis dans les marais ? Je devrais élever une ribambelle de va-nu-pieds, des crève-la-faim pouilleux ? » Elle noua ses mains sur son ventre, d'un air de défi, tirant sur le tissu pour qu'il le moule. « Non, mon frère, merci bien, mais je ne veux pas de ma race. Je veux mieux que ça. J'aurai mieux que ça pour mon enfant. Tu verras bien, M. Booth fera le nécessaire pour nous deux ; c'est un homme solide, je n'ai pas besoin d'un mari qui joue à la maman et cet enfant aura le père dont il a besoin.

— Il t'a promis de s'occuper du bébé ?

— Oui. Il l'enverra à l'école ; probablement dans le Nord ou à Paris, ou bien...

— Tu veux le faire passer pour un Blanc ? »

Elle fronça les sourcils. « Oui, si je peux je le ferai. Et promets-moi que tu ne tenteras rien pour détruire ses chances.

— Mon Dieu ! bien sûr que non, pourquoi essaierais-je de détruire ses chances ? Mais elles seront bien minces si sa vie n'est qu'un mensonge !

— Ce n'est pas un mensonge ! Ailleurs, il pourra avoir tout ce qu'il veut, être ce qu'il aura choisi d'être, contrairement à nous deux.

— Manon, arrête de te faire du mal comme ça. »

Elle entra dans une rage folle, puis s'arrêta subitement, frappée de stupeur. « Mais... tu es jaloux, Alex. Jaloux parce que j'aime un homme. Jaloux parce que j'ai un homme et pas toi. » Elle se rapprocha de lui, ses mains encore sur son ventre. « C'est ça, n'est-ce pas ? Tu es jaloux car tu n'as pas un homme comme David ? »

Il la regarda froidement. « Ne sois pas ridicule. »

Elle écarquilla les yeux. « Si, tu es jaloux, murmura-t-elle. J'aurais dû m'en rendre compte avant. Tu n'as jamais désiré une femme, tu n'as jamais fréquenté les salons...

— Tu ne connais pas tous les endroits que je fréquente », répondit-il sèchement.

Elle secoua la tête. « C'est vrai, mais je sais ce que tu aimes et ce n'est certainement pas les femmes... J'aurais dû m'en douter », ajouta-t-elle pensivement.

Il fit une moue de dégoût. « Je savais que tu dirais ça un jour ou l'autre, Manon. Toi qui penses principalement à l'amour, tu n'as jamais pu comprendre qu'on trouve ses passions autre part.

— Et où est-ce que tu les trouves, Alex ? lui demanda-t-elle gentiment.

— Pas où tu crois ! Je les trouve dans la solitude, dans mon travail et dans les beautés de la nature.

— Il n'y a rien de honteux à cela, lui dit-elle pour le calmer. Nous avons tous besoin d'amour, d'une chose que l'on puisse aimer. Même si c'est bizarre, tu restes mon frère. Mais ne t'avise pas de dicter ma conduite en matière d'amour, surtout lorsque tu m'envies sur ce point-là.

— Manon, je ne t'envie pas David, pas plus que je ne suis jaloux de lui. Mais c'est ton bien-être qui m'importe, le tien et celui de ton enfant maintenant. Quand il te quittera, j'oublierai tes accusations et je m'occuperai de vous comme notre mère l'aurait désiré. Comme elle me l'a demandé alors que tu bavais encore sur les épaules de Betzy Red. » Il se leva, paraissant vieux et fatigué. « As-tu investi tout l'argent qu'il t'a donné ? »

Elle acquiesça de la tête, se sentant un peu honteuse. « De plus, j'ai en tête d'acheter un immeuble dans Chartres Street. C'est en face du marché et il devrait rapporter de bons loyers, si on s'en occupe correctement. »

Il se baissa et la prit doucement dans ses bras. « Tu as toujours eu plein d'idées en tête, Manon, même quand tu portais encore des couches. Tu n'as pas beaucoup changé. Je suppose que personne ne change vraiment. Tous mes vœux de bonheur... et Dieu sait que je le pense.

— Je te souhaite la même chose, répondit-elle d'une faible voix, mais, par-dessus tout, je te souhaite moins de solitude...

— Je ne me sens pas seul, Manon, je suis un solitaire. Il y a une grande différence entre les deux, chère, c'est ce que tu n'as jamais pu comprendre. Quand je choisis de ne pas être seul, j'ai... mes amis. » Il sourit à pleines dents, ce qui le fit paraître dix ans plus jeune et extrêmement polisson. « Tu serais étonnée de voir à quel point je suis demandé dans le bayou. Mais j'aurai toujours du temps de libre pour toi et ton enfant. Quoi qu'il ait ou n'ait pas, il aura toujours un oncle. »

Zoé naquit fin janvier comme Manon l'avait prédit. Mais ce qu'elle n'avait pas prévu, c'était que le bébé serait une jolie petite fille, au teint blanc crémeux des magnolias de printemps. Manon passait de longues heures à la bercer, admirant son visage parfait et ses petites mains douces et fripées. Elle lui chantait des berceuses en imaginant son avenir : ce serait une grande dame fortunée. Zoé avait les cheveux noirs de sa mère, les mêmes yeux, en revanche sa peau était plus claire et teintée de rose. Son menton ressemblait moins à celui de sa mère, mince avec des traits français un peu durs, qu'à celui de son père, plus arrondi, à l'américaine, ce qui lui donnait un visage ouvert.

Manon lui murmura des centaines de fois, au cours de sa première semaine de vie, qu'elle combinerait les deux existences de ses parents, mais qu'elle choisirait son propre destin.

Elle avait empêché David de venir lui rendre visite pendant les dernières semaines de sa grossesse afin qu'il ne voie pas son corps déformé, mais également pour aiguiser son appétit. Quand elle le reçut enfin chez elle, l'enfant dormait tranquillement dans les bras de sa nourrice. Les draps étaient à nouveau immaculés et parfumés, et Manon était à nouveau mince, droite et pleine d'ardeur. A moins de savoir où trouver des signes révélateurs, David n'aurait jamais deviné qu'un enfant était né.

Ce printemps laissait présager un des étés les plus chauds de la Louisiane et Zoé ne pouvait rester calme durant ces après-midi torrides si on ne la couvrait pas de serviettes fraîches. Le mois de juin s'écoula et l'on atteignit des chaleurs caniculaires. David venait désormais rarement en ville car il faisait bien plus frais dans le bayou ; l'exode des riches vers le bayou avait laissé La Nouvelle-Orléans vide, les magasins fermés et les ports désertés. Le *Picayune* parlait de cas de fièvre, comme d'habitude, mais c'était le plus souvent vers Lynch's Row, un quartier très populeux près du Canal irlandais, ou alors dans les auberges de marins le long du fleuve, ou encore dans ces marécages où les Allemands s'obstinaient à vouloir rendre la terre fertile.

Les maringouins, ces énormes moustiques virulents, ne dérangeaient pas autant Manon et ses amies créoles que les immigrants de La Nouvelle-Orléans. Elle était habituée aux fortes chaleurs ; elle buvait du vin plutôt que de l'eau, et accrochait de la gaze autour de son lit et aux fenêtres pour éviter les miasmes pestilentiels des marais qui permettaient à la fièvre de se loger dans les canaux pulmonaires.

David devait rencontrer son agent cette semaine-là, et passa donc deux soirées chez Manon, chose rarissime ; elle en profita pour tenir Zoé éveillée afin qu'il puisse la voir. Le deuxième jour, il joua avec la petite sans grand intérêt puis la rendit à Manon avec un soupir : « Je suis mort de fatigue, murmura-t-il, je crois que je vais prendre un cognac et aller au lit. »

Elle fut réveillée dans la nuit par une respiration forte et étrange près de son oreille. Elle alluma la lampe de chevet et vit que David était trempé à côté d'elle. Elle sauta hors du lit et courut examiner l'enfant. Mais Zoé dormait paisiblement. De retour au côté de David, elle le réveilla en lui appliquant des serviettes froides sur le front et lui dit tout bas qu'il devait avoir une petite fièvre. Quand il ouvrit les yeux, sa vision semblait troublée.

« J'ai atrocement mal à la tête », gémit-il. Bien que son corps fût rouge de fièvre, il avait le visage livide.

Elle abaissa le linge jusqu'à ses tempes et le caressa doucement : « Tu as mal autre part ? »

Il secoua la tête, puis un frisson violent le parcourut : il eut un rapide tremblement puis ferma les yeux de douleur.

Elle baissa les paupières et dit une courte prière à la Vierge Marie. Il avait la fièvre jaune, elle en était aussi sûre que si le médecin était venu le lui annoncer..

La nuit fut longue et Manon dormit très peu. Elle changeait les serviettes mouillées pour enrayer la fièvre et faisait des va-et-vient entre le lit et le berceau de Zoé. Jusqu'à présent l'enfant ne montrait aucun symptôme, mais elle savait qu'il suffisait de quelques heures pour que la fièvre jaune emporte quelqu'un, surtout les personnes âgées, les infirmes et les tout jeunes.

Quand le jour pointa dans la chambre, elle ferma les volets pour se protéger de la chaleur, puis descendit et rencontra la cuisinière dans la cuisine. Celle-ci fut surprise de voir sa maîtresse debout et habillée de si bonne heure, mais ne posa aucune question.

« Vous ne dérangerez pas Monsieur, lui dit simplement Manon, il ne se sent pas très bien et a besoin de se reposer. Préparez un plateau et je le lui porterai moi-même. Et n'ouvrez pas la porte. » Pour le moment, elle voulait que personne ne sache le péril qu'encourait David. Elle lui porta son petit déjeuner et vit qu'il dormait vaguement ; elle posa le plateau près de lui et changea une fois encore les serviettes sur son cou et sur sa tête pour y poser des linges plus frais. Puis elle ressortit.

Quand la nourrice arriva, Manon lui demanda de nourrir l'enfant pendant qu'elle écrivait en toute hâte une lettre. Il y avait peu de gens de couleur dans la rue à cette heure de la journée, mais elle trouva finalement un balayeur, à qui elle fourra quelques pièces dans la main pour qu'il transmette le message. Elle se rassit près de David mais il n'ouvrit pas les yeux. Il n'avait pas touché son plateau. Elle prit Zoé dans ses bras, l'habilla simplement et sortit à la recherche d'un fiacre. Elle savait qu'elle n'avait pas beaucoup de temps pour préserver la vie de l'enfant. Avec la fièvre jaune dans la maison, son père qui l'avait prise sur ses genoux et embrassée la veille, il était peut-être déjà trop tard.

Le couvent des ursulines semblait briller sous les rayons du soleil, une forteresse de pierres qui paraissait défier et refléter la lumière vacillante. Manon jeta un rapide coup d'œil à l'édifice : rien n'avait changé, tout était fidèle à ses souvenirs, du temps de son passage derrière ces murs.

Grâce à son mot, les nonnes l'attendaient. Elle fut amenée dans une petite alcôve où Emma la reçut. Cela faisait des années déjà qu'elle n'avait pas vu la vieille sœur et elle s'était presque attendue à apprendre la nouvelle de sa mort dans la pureté virginale de sa cellule. Mais non, la vieille femme l'attendait, les mains croisées, avec son éternelle guimpe blanche. Elle ne paraissait pas plus âgée que la dernière fois que Manon l'avait vue, le jour de son départ des ursulines à l'âge de quinze ans...

Manon tint Zoé dans un bras et se pencha pour embrasser la main qui se tendait vers elle

Les yeux noirs d'Emma étaient la seule touche foncée dans son visage entouré de blanc ; ses lèvres étaient presque invisibles sur sa vieille peau parcheminée. « Comment vas-tu, mon enfant ? » demanda-t-elle. Sa voix tremblait presque autant que sa main.

« Ça va, ma sœur, comme vous voyez. Et vous, comment allez-vous ? »

Emma sourit sereinement. « Selon la volonté de Dieu... Vous avez amené l'enfant. Montre-t-elle des signes de fièvre ? »

Manon ouvrit le châle pour montrer le visage de Zoé. « Elle n'a aucun symptôme pour l'instant. Mais j'ai peur que dans la maison... son père ayant déjà la fièvre... Si elle pouvait rester chez vous jusqu'à ce que son père guérisse, peut-être survivrait-elle.

— Les épidémies sont rarement entrées dans cette enceinte. Elle sera certainement plus en sécurité ici qu'à l'extérieur. Mais comme tu le sais, nous ne pouvons pas accueillir tous les enfants de La Nouvelle-Orléans. La mère supérieure va me demander pourquoi cet enfant est plus important qu'un autre.

— Il n'est pas plus important, mais simplement en danger, c'est tout, répondit Manon, elle est si petite !

— Comme beaucoup d'autres.

— Mais elle est tout ce qui me reste, dit Manon plaintivement. Emma, quand je suis arrivée ici je n'étais pas plus grande qu'elle aujourd'hui. J'aime à penser que vous m'aimiez, pas seulement parce que ma mère aimait la vôtre, pas uniquement parce que votre frère vous l'avait demandé, mais parce que je méritais d'être aimée. Vous m'avez sauvé la vie et je vous demande maintenant de sauver la vie de mon enfant. »

Emma mit les mains dans les larges manches de sa robe et ses tremblements cessèrent. « Nous sommes des parents proches, il est vrai, bien que le même sang ne coule pas dans nos veines. Mais pourquoi pas Alex ? Tu ne peux pas emmener le bébé ailleurs ?

— Alex est dans le delta et je dois rester ici pour m'occuper du père de l'enfant.

— Et s'il meurt ? » La simplicité cruelle de ces mots résonna dans l'arche de lumière de la chambre sombre.

« Il me restera au moins sa fille. Si je la perds elle aussi, alors je l'aurai vraiment perdu lui. La sauverez-vous de ce danger ?

— Ce n'est pas à moi d'en décider, mon enfant, répliqua gentiment Emma.

— Je sais que si vous le demandez de ma part à la mère supérieure, elle se laissera convaincre, j'en suis sûre. Lui parlerez-vous en ma faveur ? »

Emma tourna la tête vers la fenêtre et regarda dehors pendant un long moment. Manon réalisa que c'était peut-être la dernière fois qu'elle voyait cette femme qui l'avait accueillie ici, afin qu'elle ait un meilleur départ dans la vie que celui qu'elle aurait eu en restant dans le bayou et dans la case de l'oncle Simon. Mais maintenant, le temps des adieux arriverait vite pour Emma. Manon s'en rendait compte, comme la plupart des gens qui devaient la regarder dans les yeux. Emma se retourna et regarda Zoé. « Elle est encore plus blanche que toi, encore plus belle.

— Et je veux lui offrir une vie encore meilleure. »

Emma sourit malicieusement. « La tienne ne paraît pas si médiocre et ne semble pas en prendre le chemin.

— Alors ? Vous parlerez à la mère supérieure ? »

Emma soupira. « Je le ferai. Mais si elle n'accepte pas l'enfant, tu devras revenir la prendre immédiatement. Je ne peux pas être responsable de l'enfant sans sa bénédiction. » Elle toucha la joue de la petite fille. « En vérité, même avec son accord je ne peux pas en être responsable... Je tremble tellement que je ne pourrais même pas la tenir. Je ferai tout mon possible, mais on la mettra avec les autres enfants et tu devras avoir confiance...

— J'ai confiance. J'ai confiance en tout le monde ici. Je vous en prie, je n'ai pas d'autre endroit où aller.

— Bon, donne-la-moi. » Emma tendit les mains. Manon plaça la petite fille dans les bras de la vieille religieuse, en lui adressant son sourire éclatant pour cacher sa douleur.

La fièvre jaune ravagea rapidement La Nouvelle-Orléans et le nombre de morts grimpa en l'espace de vingt-quatre heures. En une seule nuit, on semblait avoir perdu tout contrôle dans la ville. Manon s'aspergeait d'eau de chaux et de soufre, deux vieux remèdes créoles pour garder la maladie à distance, mais elle n'avait que peu d'espoir d'y échapper. Elle restait au chevet de David et s'occupait toute seule de lui : les domestiques l'avaient désertée le deuxième jour, mais elle ne pouvait pas les en blâmer. Peut-être étaient-ils déjà morts, ou agonisants...

Elle sortait régulièrement de la maison pour se reposer, prendre l'air ou trouver de quoi garder ses forces, acheter des légumes ou un morceau de viande. Et chaque fois, elle était effrayée de tous les changements dont elle était témoin.

Des émanations de mort ou de pourriture semblaient venir de partout. Les égouts étaient bouchés par des détritus et des chiens et chats crevés, car les balayeurs avaient abandonné leur travail. Les carcasses gonflaient et se décomposaient, ce qui attirait les mouches et les moustiques. Elle avait entendu dire qu'une Créole, habitant à quelques rues de là, avait vu mourir neuf de ses dix pensionnaires en deux nuits ; une mulâtre avait perdu son mari, son frère, sa sœur et ses cinq enfants en quatre jours : elle errait dans les rues, telle une vieille folle brisée, demandant aux gens s'ils avaient vu sa famille...

Les cloches de la cathédrale sonnaient constamment et les canons du port tiraient régulièrement pour empêcher l'air insalubre de planer au-dessus de la ville. Des véhicules circulaient en charriant des corps empilés les uns sur les autres, même dans les plus petites ruelles, avec une régularité morbide. Les conducteurs hurlaient : « Cadavres ! Cadavres ! Sortez vos morts ! » On utilisait tout ce qui pouvait transporter des corps, même des charrettes à coton ou des brouettes. De sa fenêtre, Manon n'entendait jour et nuit que le bruit incessant des roues sur les pavés.

Les bedeaux étaient tellement débordés de travail qu'au lieu de tombes, on creusait des tranchées dans les marais afin de recouvrir les corps le plus vite possible. Des vandales dépouillaient les corps, mais personne ne prenait le temps ou n'avait l'énergie de les arrêter...

Quand les voisins apprirent que Manon gardait un malade chez elle, ils construisirent des murets de goudron et de paille aux coins de sa maison pour essayer de contenir la maladie. Des feux brûlaient nuit et jour dans l'espoir de purifier l'atmosphère et Manon était perpétuellement assaillie par le bruit et la fumée âcre qui envahissaient la maison.

Mais sa gêne n'avait rien de comparable à celle de David. Il gémissait, se plaignait d'horribles migraines qui duraient des heures. Sa peau toute boursouflée avait pris une teinte jaune, on aurait dit que son visage pouvait éclater sous la pression d'un instant à l'autre. Cet état se prolongea pendant environ une demi-journée. Puis sa peau se couvrit de taches ; il se tortillait en grognant de douleur, désormais incapable d'avoir la moindre pensée cohérente. Un délire s'ensuivit et il commença à vomir une substance noire ; elle ne pouvait plus le faire transpirer, en dépit de toutes les couvertures et du sel dont elle recouvrait son corps. De toutes parts, tel un chat qui marque son territoire, la chaleur menaçante l'encerclait. Elle le soignait désormais en chemise, ses cheveux relevés en chignon, sans s'occuper de son apparence, ou bien si de la transpiration qui ruisselait de son front émanaient de mauvaises odeurs.

Il n'y avait pas un souffle d'air. A chaque endroit, dans chaque interstice, la chaleur guettait. Il n'y avait plus un oiseau dans la ville, et l'on entendait un murmure constant dans les rues, comme si la canicule attendait quelque chose...

La mort, pensa Manon, la chaleur attend la mort. Et quand les deux se rencontraient, la destruction était inéluctable. Elle avait l'intuition que malgré la prescription des docteurs de garder les corps des malades au chaud, elle devait plutôt faire le contraire... Quand elle n'eut plus de glace et ne fut plus en mesure d'en trouver dans toute la ville, elle utilisa des serviettes qu'elle trempait dans de l'eau de rivière, dans des cruches enfouies au fond du jardin. L'eau restait fraîche pendant une demi-heure contre la peau de l'homme, puis elle devait à nouveau changer les linges.

Finalement, après trois jours au chevet du malade, elle crut discerner une légère amélioration. Il ne gémissait plus aussi fortement, sa peau n'était plus jaune et gonflée. Cette nuit-là, un peu avant l'aube, il ouvrit les yeux et prononça ses premières paroles cohérentes depuis plusieurs jours.

« Suis-je encore vivant ? » demanda-t-il d'une voix rauque.

Elle l'enlaça en lui tenant les mains. « Oui, mon amour, oui. Tu vas guérir. » Elle réussit à lui faire boire quelques gorgées d'eau fraîche et pleura presque de gratitude à le voir accomplir ce petit geste.

« Où suis-je ?

— Tu es en sécurité, ici, avec moi. »

Il sembla la voir pour la première fois. « Manon ? »

Elle eut un large sourire et serra plus fermement ses mains.

« Que fais-tu ici ? »

Son sourire s'estompa légèrement, mais elle savait qu'il faudrait des heures avant qu'il ne regagne entièrement sa lucidité.

« Je m'occupe de toi, mon chéri, ici, dans notre maison. »

Il ferma les yeux et détourna la tête.

Il est épuisé par ces quelques mots, pensa-t-elle inquiète. Elle se pencha pour sentir son pouls. Dieu, je vous en supplie, faites qu'il reste en vie à mes côtés.

Elle dut s'assoupir un moment sur la chaise car elle fut réveillée par des coups à la porte. Si c'est le médecin qui arrive maintenant, après deux jours d'attente, je le renvoie sans ménagement, pensa-t-elle. Elle se précipita pour faire cesser les coups avant qu'ils ne sortent David de sa torpeur.

Une femme, richement habillée et portant une cape de protection, se tenait sur le perron de Manon.

« Mademoiselle », dit-elle quand Manon ouvrit enfin la porte. Elle était accompagnée de deux hommes.

« Oui », répondit Manon légèrement énervée. Elle préférait évidemment qu'on l'appelle madame, selon son rang, et de plus, elle avait hâte de retourner près de David.

« Je crois que mon mari se trouve chez vous. Vous seriez aimable de nous conduire jusqu'à lui. »

Manon se figea, sa main toujours sur la poignée, bouche bée, frappée de stupeur. A cet instant, tout ce qui lui vint à l'esprit était qu'elle devait être affreuse à voir, tout comme la maison... Ce n'était vraiment pas le moment de faire la connaissance de la femme de David, ni pour cette dernière de voir son mari. Puis ces pensées folles cessèrent. Elle a toujours su pour moi, réalisa Manon en refermant la bouche. Mais elle ne peut certainement pas le reprendre maintenant.

Elle s'écarta et fit signe à tous les trois d'entrer.

« Voici l'associé de David, M. LaSalle, mademoiselle, et voici son frère aîné, Peter. Ils sont venus pour m'aider à le transporter.

— Il est trop mal en point pour voyager, affirma Manon.

— Nous en serons les seuls juges », répondit calmement la femme.

Désespérée, Manon les conduisit jusqu'à la chambre de David. Elle aurait voulu hurler et se battre pour les faire partir... ils n'avaient pas le droit d'être ici, elle en particulier, et puis David ne pourrait pas supporter le choc d'être déplacé. Mais, d'un autre côté, elle se résignait, ne pouvant les empêcher au moins de le voir. En le voyant, ils comprendraient certainement qu'il avait besoin de repos.

La femme passa devant Manon et se dirigea vers la chambre de David, leur chambre, sans même jeter un coup d'œil autour d'elle. Elle s'assit à la tête du lit et lui parla d'une voix douce. Il eut un battement des paupières, et vit enfin le visage de sa femme.

« David, prononça-t-elle distinctement, tu vas vivre. Je suis venue pour te ramener à la maison. »

Manon ne décela aucun émoi sur son visage lorsqu'il put voir sa femme ; aucune stupeur du fait qu'elle se trouvait dans la chambre que tous deux avaient partagée pendant trois ans.

Les deux hommes s'approchèrent du lit suivant les ordres de la femme et Manon trouva enfin la force et la hargne de s'interposer. « Vous ne pouvez pas l'emmener. Il n'est pas encore hors de danger, ne le voyez-vous pas ? Le choc le tuera. »

La femme regarda Manon avec compassion : « Mademoiselle, j'apprécie tout ce que vous avez fait pour lui. Vous lui avez probablement sauvé la vie. Si j'avais pu venir avant, je vous aurais épargné cet effort. Mais, bien entendu, c'est nous qui déciderons de son sort dorénavant. Vous n'avez plus à vous faire de souci.

— David ! l'appela-t-elle en se jetant au pied du lit. Tu ne peux pas partir ! »

Les deux hommes soulevèrent du lit David, qui gémit et ferma les yeux de douleur.

« Vous allez le tuer ! » hurla-t-elle en essayant de leur faire lâcher prise.

La femme attrapa Manon d'une main douce mais ferme, par-derrière. « Vous devez nous laisser faire, mademoiselle. Nous savons très bien ce qu'il lui faut. »

Avant qu'elle ait eu le temps de protester, David ouvrit les yeux et regarda sa femme. « Claire, dit-il faiblement, est-ce toi ?

— Oui, répondit-elle en écartant Manon comme un vulgaire bagage. Je suis venue pour toi, mon chéri. »

Il jeta un coup d'œil à Manon, puis ses yeux se tournèrent à nouveau vers sa femme : « Ramène-moi à la maison, murmura-t-il.

— Le plus vite possible », répondit-elle, et les deux hommes le soulevèrent comme s'il ne pesait pas plus qu'une plume. Ils l'enveloppèrent dans un drap, le même drap que Manon avait choisi pour leurs plaisirs amoureux, le drap qu'elle avait si péniblement frotté pour ôter les marques de son accouchement. Le drap soigneusement enroulé autour du corps de David, ils sortirent de la pièce et se dirigèrent vers la porte d'entrée. Manon entendit le fiacre résonner comme dans la brume d'un souvenir lointain ; un écho semblable à celui des roues qui parcouraient la ville depuis la maladie. Une nouvelle carriole s'éloignait d'elle, enfantant peut-être la mort... ou la vie. Elle emportait, à tout jamais, David au loin.

Manon pensa tout d'abord que ses jambes ne pourraient plus la porter. Que ses bras ne se balanceraient plus, que sa tête ne répondrait plus et que son corps s'arrêterait complètement de fonctionner. Elle ressentait son absence comme une souffrance physique, une douleur qui résonnait en elle comme si de lourdes cloches avaient sonné dans tout son corps. Puis elle sut que si elle ne se remuait pas, elle ne survivrait jamais.

Pendant trois jours entiers, elle nettoya la maison de fond en comble. Elle déplaça chaque meuble, balaya, lava et cira le parquet. Elle passa des linges mouillés sur tous les murs, délogea les araignées, la poussière et les moisissures. Tout doit être parfaitement propre, se répétait-elle fiévreusement, tout doit être neuf et immaculé, sans aucune trace de maladie, de désirs insatisfaits ou d'amour perdu... Elle empaqueta tous ses vêtements, en particulier ceux qu'elle avait préférés quand David était encore là, et les brûla dans le jardin. Puis elle balaya les cendres jusqu'à ce qu'il ne reste plus rien que le sol nu.

Cette semaine-là, elle découvrit qu'elle était de nouveau enceinte. Elle ne perdit pas de temps à en chercher les causes, ne gaspilla pas ses forces à se demander comment Dieu avait pu laisser faire une telle chose alors que la moitié de la ville était à l'agonie. Elle retrouva le sachet d'herbes de Marie LaVeau qu'elle avait mis de côté, et se força à ingurgiter le liquide amer qui lui brûla la gorge ; elle en ressentit même une certaine satisfaction. Quand elle saigna enfin, elle entassa du linge entre ses jambes et se tordit de douleur, seule, sur son lit, pressentant que le *vomito negro* viendrait certainement la prendre dans un tel état d'épuisement.

Mais elle survécut.

Quand vint le matin, elle se sentait aussi vide qu'une terre désertique, aussi pure que la Vierge Marie. Son ventre était plat, et la maladie avait disparu... Pas seulement de sa maison, mais aussi de toute la ville. Avec les premières fraîcheurs de l'automne, la fièvre jaune semblait avoir suivi le cours du fleuve jusqu'à la mer, laissant La Nouvelle-Orléans meurtrie, mais en voie de guérison. De la même manière le corps de Manon était épuisé, mais son esprit se calmait. Il était temps de récupérer Zoé.

Sur le chemin du couvent, elle pensa à ce qu'elle devrait faire de l'enfant. Elle allait louer un fiacre et partir rejoindre Alex sur l'île Jefferson. Cela lui ferait du bien de s'occuper à nouveau de lui, d'être assise en face de lui, le matin, en buvant une tasse de café. Elle le regarderait s'amuser avec Zoé pendant qu'elle s'affairerait près du fourneau pour préparer le repas du soir.

Quand elle s'arrêta enfin sous les murs du couvent des ursulines, elle admira la forteresse ; elle n'avait jamais remarqué à quel point elle était belle. Durant toutes les années passées dans cette enceinte, elle avait ressenti le couvent comme un endroit de recueillement, mais également une prison... Aujourd'hui pour la première fois, elle le voyait comme un refuge contre la douleur et les désillusions qu'apporte le monde extérieur. Emma lui avait raconté tout ce qu'elle savait à propos de sa mère et de son passé ; c'était en ce sens qu'elle avait aidé Manon à trouver sa propre voie. Il lui avait été plus facile de se définir par rapport à des personnages du passé. Elle souhaita vivement redevenir cette petite fille protégée par les nonnes et leur bonté, vivre dans un monde où les plus graves problèmes étaient ceux que posaient les livres, et où la principale activité était de plaire à Dieu.

Ses aspirations avaient radicalement changé depuis lors. Il lui semblait maintenant que sa vie l'attendait, que les chances d'avenir étaient enfin à sa portée, si elle savait ce qu'elle désirait vraiment... Elle avait déjoué la mort, avait subi un chagrin amoureux et cependant elle restait forte, prête à croquer la vie à pleines dents.

Elle s'assit sur le banc de marbre devant le couvent, subitement épuisée par ces perspectives d'avenir qui s'ouvraient à elle. Son cœur savait que David ne reviendrait pas. D'une manière ou d'une autre, elle devait se suffire à elle-même et affronter désormais la ville toute seule : elle était une *placée* rejetée, et devait avoir perdu toute valeur aux yeux de ceux qui l'avaient désirée deux ans plus tôt. Elle était propriétaire de la maison, bien sûr, mais elle aurait besoin d'argent pour l'entretenir, sans compter ses propres dépenses. Elle devait se mettre sérieusement à la tâche, plonger tête baissée dans le travail si elle voulait rester à La Nouvelle-Orléans, où elle avait de nouvelles cartes dans son jeu.

Mais quel choix avait-elle ? Aller vivre avec Alex et devenir vieille fille, gouvernante... parasite ? Lui fallait-il élever sa fille dans ces marais dont on l'avait sauvée quelques années auparavant ?

Elle se mit à pleurer silencieusement, se tenant les épaules et se balançant comme un petit enfant... Abandonner la lutte maintenant équivaudrait à supporter la pitié d'Alex pour le restant de ses jours. Céder à la facilité priverait Zoé de ses chances futures. Pourtant, comment pouvait-elle s'occuper d'un bébé et ressusciter le phénix des cendres qu'avait laissées David ? Elle devait faire courber la ville à ses pieds, elle prendrait des pensionnaires, au diable la pudibonderie d'Alex ! Elle devait investir, faire fructifier son argent et faire taire les rumeurs par son charme et sa beauté.

Et alors elle comprit qu'elle ne pourrait pas reprendre sa fille. Pas encore. Elle ne pouvait pas se réfugier dans le bayou — on ne consolait pas l'anéantissement d'un rêve par la perte de tout espoir. Sa vie était à La Nouvelle-Orléans.

Manon se leva et marcha distraitement jusque devant la grille du couvent. Elle aperçut son image dans le reflet de la vitrine d'une taverne, vit ses cheveux splendides dans la lumière miroitante. Un sanglot convulsa ses traits mais elle se calma vite. Zoé devrait rester chez les sœurs un peu plus longtemps... Peut-être un mois ou deux, le temps que Manon mette en place la nouvelle vie qu'elle avait choisie. Zoé sera protégée, elle aura tout l'amour dont elle aura besoin. Quand elle sera plus grande, elle remerciera sa mère d'avoir fait un tel sacrifice. D'avoir préparé un avenir brillant, où tout espoir sera permis, au lieu d'une vie faite de compromis...

Pendant un court instant, frappée d'un sentiment de culpabilité, Manon laissa couler quelques larmes. Elle regarda le couvent couronné de colombes qui décrivaient des cercles au-dessus des murs. Puis elle se couvrit le visage avec sa voilette, et s'éloigna des ursulines en direction du port.

Les années de 1880 à 1892 amenèrent pour le Delta une période de rutilante prospérité. Malgré une nouvelle crue dévastatrice du Mississippi en 1892, un déluge qui déclencha la construction de nombreuses écluses et levées supplémentaires, La Nouvelle-Orléans devint, en cette dernière décennie du XIXᵉ siècle, un scintillant mirage de richesses et d'élégance.

Avec l'Exposition du Coton de 1885, la Queen City affichait toute sa gloire. La ligne ferroviaire que venait d'acheter la Southern Pacific amenait de Californie des flots de touristes et de richesses flamboyantes, et des récoltes de canne exceptionnelles alimentaient sa croissance. La baignade mixte fut autorisée dans les clubs de jazz qui bordaient le lac Pontchartrain, où des dames, qui portaient des chapeaux de toile cirée et des costumes de bain bouffants à manches longues et cols cheminée, encourageaient leurs hommes qui misaient aux jeux, faisaient des régates à la rame et des courses à la nage. On tendait des arceaux de lumières électriques, telles des étoiles magiques, dans les rues les plus chic du Quarter, et tout le monde ne parlait plus que du dernier roman best-seller, Ben Hur, *sur la vie d'un esclave romain à l'époque de Jésus.*

Cependant, les bénéfices de la prospérité ne revenaient pas de manière équitable à ceux qui y avaient participé. En 1887, dix mille travailleurs des champs de cannes le long du Teche firent la grève pour obtenir des salaires plus élevés. La brigade du shérif et la milice de l'État furent mobilisées pour réprimer les émeutes : à Thibodaux, trente Noirs furent tués sur-le-champ, et de nombreux autres disparurent dans les marais. Durant les soixante-cinq années qui suivirent, il ne devait y avoir aucune augmentation des paies dans les champs de cannes.

Et en 1892, l'anniversaire de la naissance d'Abe Lincoln fut déclaré fête nationale.

Aux premières heures du crépuscule, un petit animal de la taille d'un chat domestique se réveilla, sortit de sa tanière et s'étira, fronçant son museau en pensant à son ventre qu'il allait bientôt remplir. Tel un chat, sa curiosité était inlassablement sollicitée, mais il avait peu hérité de la prudence naturelle de ces félins.

Son corps était couvert d'une épaisse fourrure marron foncé, presque noire dans l'ombre, parsemée de taches blanches et traversée de fines rayures claires. On ne voyait que lui, même dans le feuillage le plus dense du bayou ; il était incapable de s'y dissimuler et présentait une cible rapide à repérer pour les prédateurs. Cependant, même cette vulnérabilité ne l'intimidait pas.

Car c'était un sconse tacheté, doté d'une arme qui pouvait faire décamper des intrus même à dix mètres de distance, s'ils étaient assez fous pour ne pas le reconnaître.

La tanière souterraine de Stamp avait connu bien des occupants avant qu'il ne s'y installe. Un tatou, un petit renard gris, un lapin de marécage et même un rongeur de cannes en avaient été les locataires à un moment ou à un autre. Maintenant elle appartenait au sconse, et il ne la partageait avec personne.

Ses petits yeux foncés voyaient bien dans la pénombre, et encore mieux dans le noir, mais il avait trop faim pour attendre. Il fit une rapide toilette, bâilla, et s'assura du bon état de ses deux glandes de musc sous sa queue. Les deux étaient remplies de ce liquide jaune et visqueux qu'il faisait gicler lorsqu'il était menacé, et qu'il pouvait sans difficulté, en fait, projeter rapidement cinq ou six fois de suite. Il était habitué à viser et atteignait généralement son assaillant en pleine gueule, le plus fréquemment dans les yeux. Cela provoquait un aveuglement temporaire extrêmement douloureux. Il ratait rarement sa cible, et n'avait jamais eu besoin de renouveler son aspersion... Il était fin prêt pour sa chasse nocturne.

Il quitta sa tanière, avec une décontraction et une indifférence aux attaques éventuelles que peu d'animaux du bayou pouvaient se permettre. Sans regarder autour de lui, il se dirigea tranquillement jusqu'à l'eau pour boire. L'observant à couvert, un renard gris l'aperçut instantanément, tapi et tendu. C'était une jeune femelle qui avait quatre renardeaux cachés dans un terrier à environ deux kilomètres de là. Elle avait chassé pendant presque tout l'après-midi, ce qui ne lui était pas du tout coutumier, et elle était affamée, tandis que ses petits avaient encore besoin de nourriture. Elle n'avait réussi à attraper que deux petites souris, et ses besoins la poussaient à sortir en plein jour en dépit de toute prudence. Elle n'avait encore jamais chassé de sconse, mais elle restait instinctivement méfiante.

Pendant ce temps, le sconse trottait tranquillement de long en large sur la rive, en soulevant des petites bûches pour attraper des cafards, des larves blanches et des grillons aussi rapidement qu'il pouvait les croquer avec ses petites dents pointues. La renarde suivait la scène, restant à l'écart et sous le vent. La petite taille du sconse offrait apparemment une victoire facile. Lorsqu'il se baissa pour soulever une autre bûche, elle bondit brusquement sur lui.

Stamp ne fut pas surpris. Même s'il semblait ne rien remarquer, il avait en fait senti la renarde depuis le moment où elle était sortie de sa cachette. Il avait supposé qu'elle ne tenterait pas d'attaquer, mais se tenait tout de même sur ses gardes.

Tandis que la renarde avançait, il pivota d'un seul coup, frappa ses pattes contre le sol en signe d'avertissement, et se mit à grogner. La renarde s'arrêta une dizaine de mètres plus loin et l'observa attentivement. La plupart des créatures d'une taille inférieure ou égale à celle-ci couraient lorsqu'elle les poursuivait. Elle n'en avait jamais vu aucune s'arrêter et trépigner ainsi. Elle fit le tour du sconse prudemment, et se rapprocha peu à peu.

Le sconse recommença à taper le sol avec ses pattes et à grommeler, et lorsque la renarde fut tout près, il leva la queue, se tint sur ses pattes de devant tout en faisant face à son assaillante, et tira sa première salve juste par-dessus son museau. Le jet visqueux et puant atteignit la renarde en pleine gueule. Heureusement, seul un de ses yeux avait été touché.

Elle fut immédiatement envahie par une odeur écœurante, qui l'étouffait et l'empêchait de respirer. Elle eut des haut-le-cœur incontrôlables, ses deux yeux pleuraient, lui brûlaient, et elle fut aveuglée. Un œil la faisait si atrocement souffrir qu'elle hurla et se jeta à terre. Elle ne cessait de se tourner frénétiquement dans tous les sens, essayant d'enfoncer son museau dans le sable et le redressant aussitôt, mordant la boue humide pour tenter de se débarrasser de ce goût abject. Elle se frottait les yeux avec ses pattes, en gémissant, en hurlant et en se tordant de douleur.

A deux reprises, Stamp se remit à quatre pattes puis se releva à nouveau sur ses deux pattes de devant, en alerte, au cas où une seconde aspersion serait nécessaire. Il se détendit en voyant que la renarde n'essaierait plus d'attaquer. Tout en fronçant son museau à cause de cette odeur forte que même lui appréciait peu, il s'éloigna en trottant, regardant à peine la renarde qui souffrait.

Stamp traversa un bras étroit du bayou en sautant sur des petits galets, se dirigea vers davantage de rondins pourris et trouva un scorpion-martinet. Sans se soucier de son odeur acide et vinaigrée, il lui brisa la colonne vertébrale et l'avala rapidement, puis dévora deux grillons, une larve de scarabée et une douzaine de fourmis blanches. Dans un nid d'herbes sèches en forme de ballon, il flaira un rat des champs. Celui-ci poussa un cri aigu et perçant quand il vit les dents pointues et effilées foncer sur lui, et ce fut terminé. Stamp l'avala en un clin d'œil, grognant comme un petit cochon.

Il s'éloigna tranquillement vers la vaste prairie sombre, et il arriva à un endroit large et plat qu'il traversait rarement. Là, la terre était dure et cuite pendant les mois chauds, et pendant la saison humide elle ressemblait à une lourde masse de gadoue. Mais à cet endroit, au milieu du large sentier, un cadavre de belette était étendu, broyé et éparpillé comme le rictus de la mort.

Stamp se baissa légèrement, raidi par la prudence, et renifla l'air autour de la belette. La mort était survenue depuis un moment déjà. Il regarda autour de lui pour vérifier qu'il n'y avait pas d'ennemis, s'approcha avec précaution, et fit une première tentative en entamant la chair du postérieur de la belette. Car contrairement à de nombreuses créatures du bayou, le goût de la décomposition ne le repoussait pas.

Un peu plus tard, comme Stamp enfonçait son museau plus loin dans le ventre de la belette, il ne prit pas garde à un bruit éloigné qui se rapprochait de plus en plus. Lorsqu'il releva la tête, son museau était trop couvert de sang pour identifier clairement ce qui venait. Et sa vue était trop faible pour l'avertir que cette tache sombre, qui apparaissait rapidement dans la nuit et passait avec fracas sur le large chemin boueux, arrivait droit sur lui. Au dernier moment, il se retourna pour prendre sa position d'attaque, mais les sabots des chevaux l'assommèrent alors qu'il pivotait, et les roues de la carriole l'écrasèrent si complètement que le conducteur ne remarqua absolument pas la bosse sur la route.

Le printemps était son époque préférée, décida Manon en posant l'énorme chapeau fleuri sur son haut chignon frisé. L'étalage le plus ridicule de fleurs et de couleurs vives en soie et en mousseline, qui pouvait en automne largement dépasser les limites du bon goût, était parfaitement pardonné dans cette débauche de couleurs qu'était le printemps à La Nouvelle-Orléans.

Et elle savait que cette année de 1892 apporterait un printemps encore plus enivrant que les autres. On attendait des récoltes de coton exceptionnelles, encore plus abondantes que les deux années précédentes, qui avaient déjà battu tous les records. Le prix du sucre montait en flèche, et même les planteurs les plus parcimonieux installaient leur voie de chemin de fer privée entre les champs et le moulin, et faisaient rajouter des porches et des piliers à leur maison, comme s'ils avaient peur d'en manquer.

Elle se rapprocha du miroir et examina plus attentivement son visage afin d'y déceler la moindre imperfection naissante. Jusqu'à présent, à trente-deux ans, elle avait un visage presque aussi lisse que celui de Zoé. Ses cheveux noirs, avec la pointe en « V de la veuve » au milieu du front, encadraient ses traits fins et légèrement anguleux. Elle avait les yeux d'un bleu aussi clair et lumineux que ceux de Zoé, mais elle avait le nez plus long et étroit, plus délicat. Sa large poitrine était toujours ferme, son cou gracieux toujours aussi doux, quoiqu'un peu trop foncé à cause du soleil printanier. Elle plissa le front et vit la gravure familière se dessiner entre ses sourcils, sourit pour adoucir ses rides, puis s'éloigna du miroir... Enfin, presque aussi lisse en tout cas.

Avec les bonnes récoltes, la navigation en hausse, et le fleuve pratiquement dompté par ce nouveau système de levées, il lui semblait que le *Picayune* avait presque raison de proclamer l'« âge d'or » de la Queen City, même si cela ne pouvait que continuer à attirer, au-delà de tout bon sens, des nouveaux visiteurs vers une ville qui était déjà bourrée à craquer. Si les loges de l'opéra continuaient à se remplir, il leur faudrait bientôt gagner les billets de la saison à la loterie !

« On va encore être en retard ! » retentit la voix d'Alex de la porte d'entrée.

Elle retira ses bagues d'émeraude et de rubis, enfila ses gants en dentelle puis remit les bagues à ses doigts. Elle donna un dernier coup d'œil d'inspection au miroir, prit son ombrelle et descendit les escaliers en hâte. Alex attendait dans le vestibule, légèrement impatienté comme d'habitude. Le soleil de l'après-midi brillait d'un vif éclat à travers les fenêtres plombées de la porte, et elle regretta aussitôt de ne pas avoir mis une robe plus légère. Mais Zoé faisait toujours attention aux moindres détails de sa toilette, or sa mousseline avait une tache sur la jupe. Mieux valait avoir trop chaud qu'avoir à supporter le léger mépris de sa fille aux yeux de lynx !

« Arrête de m'enquiquiner, Alex ! dit Manon d'un ton ferme. Je peux quand même avoir un jour dans la semaine où je ne suis pas obligée d'être quelque part exactement à l'heure.

— Un jour ! grogna-t-il. Si tous les banquiers, les avocats et les hommes politiques de la ville t'entendaient, ça les ferait bien rire, Manon ! Tu n'es pas arrivée à l'heure à un rendez-vous avec aucun d'entre eux depuis...

— Je les dédommage bien pour le temps qu'ils me consacrent, dit-elle d'un air dégagé, puis elle le prit par le bras et ouvrit la porte. Et puis si je les perturbe à ce point, ils peuvent toujours m'envoyer faire mes affaires ailleurs.

— Oui, mais puisque tu vas lui annoncer une mauvaise nouvelle, dit-il un peu inquiet, au moins tu pourrais ne pas la faire attendre, elle. »

Il l'aida à monter dans la calèche qui attendait, en entassant avec précaution ses jupes volumineuses tout autour d'elle. Elle sourit toute seule en le voyant les replier avec tant d'habileté, puis prendre place dangereusement au bord de la banquette pour éviter de les froisser, presque comme s'ils avaient été mariés depuis des années. C'était un frère adorable, pensa-t-elle tendrement en inspectant ses épaules tombantes et son pantalon pour y repérer d'éventuels plis et peluches. Pour une fois, c'était lui le dandy. D'habitude, elle s'attendait presque à trouver des toiles d'araignée dans ses cheveux clairsemés.

« Alex, je ne sais pas pourquoi tu t'obstines à dire qu'elle va le prendre comme une mauvaise nouvelle. La plupart des jeunes filles jubileraient si elles étaient demandées par une des familles les plus en vogue dans le Delta.

— Tu sais très bien que je ne parle pas des fiançailles. Peut-être qu'elle s'en réjouira, et peut-être pas. Je ne sais pas. Toi non plus d'ailleurs. Et c'est ça que je voulais dire, Manon : tu connais à peine ta propre fille. Ça fait déjà un an qu'elle veut revenir à la maison, et toi tu ne veux pas. Tiens, j'ai parfois l'impression que tu n'as pas plus d'instinct maternel qu'un vulgaire chat de gouttière. Zoé a treize ans et elle est assez grande pour décider toute seule. Mais pour ce qu'elle a eu de famille avec toi, elle pourrait aussi bien être orpheline. C'était une chose quand Emma était toujours en vie, mais maintenant qu'elle n'est plus là, Zoé a besoin d'avoir une maison à elle. A treize ans elle est assez grande pour savoir si elle a eu une dose suffisante des classes du couvent et de la mère supérieure. Toi en tout cas, tu en avais déjà assez à son âge, si ma mémoire est bonne. Tu n'attendais qu'une seule chose, c'était de sortir.

— J'étais différente, et l'époque était différente. Zoé est une enfant bien plus équilibrée que ce que moi je voulais être, surtout à cet âge. » Elle adressa un petit sourire narquois à son frère. « Peut-être même à n'importe quel âge.

'— Loué soit Dieu ! s'écria Alex en levant les yeux au ciel.

— Et de plus, comme tu le sais, ça n'aurait aucun sens qu'elle revienne dès maintenant s'installer à la maison, je ne peux absolument pas passer mon temps à la chaperonner ; je vais devoir porter toute mon attention sur ce nouveau club, et il faut finir les plans du bâtiment au centre ville le plus tôt possible. Une fois que les fiançailles seront fixées elle pourra revenir à la maison, et alors je pourrai la célébrer comme il faut.

— Est-ce que Henry Avery sait que tu es sur le point d'ouvrir un des plus grands clubs de jazz sur le lac ? » Il regardait par la fenêtre et s'efforçait d'observer les rues qui défilaient pour éviter le regard pénétrant de sa sœur.

« Non, il ne le sait pas, répondit-elle fermement, et Zoé non plus. Je n'ai aucune raison d'impliquer ma fille ou son futur mari dans une décision d'affaires, qui est d'ailleurs un domaine strictement personnel ! Le lac Pontchartrain va devenir la plus grosse attraction que le Delta ait connue depuis que les bateaux à roues se sont arrêtés de naviguer, et j'ai bien l'intention d'en avoir ma portion, même si je dois subir les regards dédaigneux d'une douzaine d'hommes de la haute qui ne supportent pas de côtoyer les parvenus au ballet. Et à mon avis, ajouta-t-elle en caressant affectueusement le genou de son frère, tu devrais plutôt m'applaudir au lieu d'essayer de me culpabiliser parce que je prends soin de vous tous. Même tes poches ne sont pas trouées, grâce à mon manque d'instinct maternel. » Elle le fixa droit dans les yeux en serrant fort son genou. « Tu as dit une chose terrible, grand fou, et tu devrais t'excuser. » Elle usait de sa cajolerie préférée et l'observait pour voir s'il se laisserait fléchir.

Il sourit. « Bon, eh bien, je m'excuse, naturellement. » Il prit la main qui reposait sur son genou, l'embrassa légèrement et la posa de côté. « Mais je me réserve le droit de dire encore au moins trois choses terribles avant le déjeuner, à moins que je perde mon inspiration ! »

La carriole s'arrêta devant les ursulines, et Alex aida Manon à descendre, puis une fois encore il défroissa ses jupes et prit l'ombrelle à son bras. On les fit entrer, et ils attendirent dans le jardin que Zoé fasse son apparition.

« Ah ! s'exclama Manon lorsqu'elle vit sa fille petite et mince arriver dans la cour, elle embellit chaque semaine !

— Et elle te ressemble de plus en plus, dit Alex doucement en se redressant pour accueillir Zoé qui courait vers eux les bras ouverts.

— Si seulement tu avais vu son père..., murmura Manon. Ma chérie ! appela-t-elle en prenant chaleureusement Zoé dans ses bras. Tu as encore grandi de quinze centimètres cette semaine ! »

Zoé sourit à Alex par-dessus l'épaule de sa mère. « Elle dit ça chaque fois qu'elle vient me voir. Si je grandissais autant qu'elle le prétend, je pourrais escalader les murs comme un lézard ! Maman, ajouta-t-elle en s'écartant pour regarder le visage de Manon, ce chapeau est parfaitement mal choisi ! Je t'ai déjà dit que les fleurs rouges te pâlissent les joues.

— Mais elles sont vraiment pâles, ma Zoé ! rétorqua Manon pour la taquiner. Tu m'as manqué toute la semaine. »

Zoé embrassa Alex et lui murmura à l'oreille : « Elle ment d'une manière charmante, tu ne trouves pas, mon oncle ? A mon avis on ne va pas tarder à savoir à quel point je lui manque... » Elle s'écarta, balaya ses longs cheveux noirs de son cou et s'éventa. « D'ici juin il fera tellement chaud qu'on ne pourra plus s'embrasser du tout ! »

Zoé les prit chacun par un bras pour les conduire vers le jardin, et son rire enthousiaste les fit bientôt tous les deux se joindre à elle, tandis qu'elle leur racontait les études, les leçons et les tribulations de la semaine passée... « J'ai dit à sœur Agnès que la prochaine fois qu'elle voudrait parler de quantités inconnues, je préférerais débattre à propos du visage de Dieu que faire de l'algèbre !

— Si tu persistes, elles vont finir par te mettre à la porte, lui dit Alex. Ou pire... T'enfermer pendant quinze jours dans une cellule obscure, humide et froide avec une tunique de crin pour méditer sur tes excès. Ta mère a dû plier bagage vite fait bien fait pour ce genre d'hérésie.

— Ça ne me dérangerait pas, répondit-elle, avec un sourire pour le remercier d'avoir abordé le sujet. Maman, je crois vraiment qu'il est temps pour moi de rentrer à la maison avec toi. J'ai appris tout ce qu'on peut apprendre derrière ces murs, et je suis reconnaissante envers les sœurs, mais je veux profiter de ma jeunesse pour faire autre chose que disséquer des phrases et apprendre la grammaire française.

— C'est exactement ce que je pense, enchaîna Manon, et je suis contente que tu sois d'accord avec moi. » Elle se tourna vers Zoé et la prit dans ses bras avec ferveur. « Ma chérie, je t'apporte une nouvelle extraordinaire. Et toi, tu as une chance merveilleuse... Tu es fiancée ! » Elle adressa un sourire rayonnant à Zoé dont le visage tout entier s'écarquillait, et observa attentivement chaque changement dans son expression. « Je sais que c'est surprenant, je t'avoue que moi aussi j'ai été étonnée, car après tout tu es bien jeune pour envisager le mariage. Mais la famille Avery est l'une des meilleures du delta, et leurs propriétés rivalisent avec celles des plus vieilles familles, qui sont désormais la plupart dans un triste état, comme tu le sais. Les Avery sont sortis de la guerre avec la réputation d'une conduite extrêmement méritoire, contrairement à beaucoup de gens que je connais, et Henry Avery, héritier lui-même d'un beau morceau, a demandé ta main. »

Complètement abasourdie, Zoé regarda le visage de sa mère puis celui de son oncle. Elle plissa les yeux, puis les ouvrit à nouveau tout grands, incrédule. « Henry Avery ? Il veut m'épouser ?

— Lui-même ! dit Manon, qui dans sa joie faisait presque tournoyer sa fille.

— Pourquoi est-ce qu'il voudrait m'épouser ?

— Il sait que tu es une fille intelligente et pieuse, bien sûr, et...

— Maman, arrête-toi là, dit Zoé qui s'arracha de l'étreinte de Manon. Je ne comprends rien de ce que tu racontes. Oncle Alex, peux-tu me dire ce qui se trame derrière mon dos ? Tu es au courant ? » Elle vit le visage de sa mère devenir sévère et chercha le soutien du regard de son oncle.

Alex fit un sourire amer. « Tu veux dire que tu n'as pas vu l'annonce de ta mère dans le *Picayune* ? C'était si élégant !

— Maman... !

— Bien sûr que je suis au courant, Zoé, dit-il gentiment en essayant de l'apaiser. Et c'est vrai, la famille Avery est une très bonne famille. Et je suis certain qu'il y a plein de femmes ravissantes à La Nouvelle-Orléans qui seraient fières d'être...

— Mais on ne s'est même jamais rencontrés, si ?

— Pas officiellement, répondit Manon rapidement, mais il a vu ton daguerréotype — c'était une riche idée de le faire faire ! — et il est complètement mordu, chère. Il dit que tu es la fille la plus belle qu'il ait jamais vue.

— Il en a vu combien ? » demanda Zoé d'un ton maussade.

Manon se redressa de toute sa taille, prit une pose digne et toisa sa fille du regard. « Ma chère, je ne comprends pas du tout pourquoi tu rechignes. C'est une offre très honorable, un excellent parti, à mon avis. Tu es fiancée, pas enterrée ! Sa famille se réjouit, ta famille se réjouit, et si tu n'es pas satisfaite une fois que tu l'auras vu, je ne vais pas t'enchaîner à lui par les chevilles comme une esclave, rassure-toi. Mais réfléchis bien, ma fille. Tu n'apportes pas une plantation ni une fortune, et tu es peut-être jolie, mais il y en a plein qui sont tout aussi ravissantes... Très franchement je crois que c'est un coup de chance. Tu mèneras une vie merveilleuse avec un homme pareil. »

Zoé croisa ses mains derrière son dos d'un air résolu et s'éloigna d'eux, le dos droit et raide.

« Je ne te permets pas de partir comme ça, ma fille, la rappela Manon d'un ton neutre, je sais que les religieuses t'ont appris à obéir mieux que ça. »

Zoé se retourna, croisa les bras et fit face à sa mère de l'autre côté d'une allée qui baignait dans une lumière moirée. Son menton paraissait terriblement tendu. « Elles m'ont appris le respect, ça c'est sûr. Et le respect pour moi-même également. Dis-moi, mère, tu m'as vendue en échange de quoi ?

— Quoi ? Qu'est-ce que tu veux dire ?

— Ce que je veux dire ? Laquelle de tes propriétés vais-je apporter à Henry Avery, pour rendre ce marché si attrayant ? »

Manon regarda Alex avec de gros yeux et leva les mains au ciel. « Mon frère, pourrais-tu expliquer à cette enfant qu'il n'y a aucune honte à avoir une dot ? On ne pourrait d'ailleurs concevoir aucunes fiançailles sans dot ! » Elle posa les mains sur les hanches et se tourna vers Zoé avec un air de défi. « Tu légueras aux Avery un beau bâtiment commercial dans la Saint Charles Street et deux loyers dans la Bourbon Street, et si je pouvais donner plus je le ferais. Mais il faut que tu saches que les Avery considèrent ceci comme un mariage d'amour — ou en tout cas qui en a le potentiel —, tout comme moi. Et je ne souhaiterais jamais moins pour ma fille, moi.

— Pourquoi les Avery veulent-ils de moi pour leur fils si précieux ? Il pourrait certainement faire son choix parmi les belles de La Nouvelle-Orléans, s'il est aussi magnifique que tu le dis.

— Dis-lui la vérité, Manon, dit Alex doucement. Elle doit tout savoir. »

Zoé releva le menton d'un air entêté. « Et je saurai tout ! »

Manon s'assit sur un banc du jardin et disposa soigneusement ses jupes autour d'elle. « Henry Avery te veut pour femme, mon enfant. C'est tout ce que tu dois savoir. Tu arrives avec une belle dot, et de nos jours on ne peut pas cracher dessus. Ta mère leur a offert, en plus, d'oublier une dette qu'ils avaient sur des parcelles qu'ils ont dû hypothéquer il y a plusieurs années de ça, et ils sont en train de te construire un grand domaine sur l'île Jefferson, où tu vivras des jours heureux en tant que madame Avery. Ils veulent une fille douce et conciliante qui a été élevée dans la plus grande convenance, et ton charme a bien sûr pesé en faveur de cette union...

— Quel âge a-t-il ? coupa Zoé.

— Trente ans. Il n'est pas vieux du tout.

— Qu'est-ce qui cloche, alors, maman ? Je le saurai tôt ou tard, alors autant que tu me le dises tout de suite.

— Il n'a rien qui cloche de plus que toi », dit Manon calmement.

Zoé ouvrit de grands yeux. « Il est nègre ?

— Ne sois pas grotesque, ma fille. C'est un quarteron, presque aussi clair que toi. Son grand-père a eu son père avec une des plus belles esclaves de la plantation Avery, mais il a été élevé parmi les autres enfants Avery avec les mêmes avantages, et il ne fait pas moins

355

blanc que les autres quand on le voit comme ça. Mais surtout, il a la même quantité de terres et les mêmes droits sur tout héritage à venir que les autres... » Elle fit un sourire malicieux. « Et même plus, en fait, car c'est le chouchou de sa mère. »

Zoé sembla perplexe. « Mais je n'ai que treize ans.

— C'est pour ça que je lui ai dit qu'il devait y avoir de longues fiançailles. Peut-être deux ans. Pendant ce temps, tu pourras découvrir tout ce que tu veux savoir sur ton jeune homme...

— Pas vraiment jeune.

— A peine assez vieux, répondit Manon sèchement, pour te prendre en main, chère. Je ne pensais pas que j'avais la chance d'avoir une fille si butée. » Elle traversa l'allée et prit sa fille fermement par le bras. « Est-ce que j'ai droit à un sourire et un merci, maintenant, pour avoir organisé tout ce bonheur ? »

Zoé accepta son étreinte avec tiédeur et répliqua : « Je rentre à la maison avec toi, maman. »

Manon s'écarta et la regarda avec stupéfaction. « Pourquoi diable ? Tu marches tellement bien ici, ma fille, et tu sais très bien que je ne peux pas...

— Je rentre à la maison avec toi aujourd'hui, ou tu peux dire à Henry Avery qu'il n'y aura pas de fiançailles. »

Alex rit doucement tandis qu'il s'asseyait lentement sur le banc avec l'attitude d'un homme vieux et fatigué. « Échec et mat, ma sœur, et c'est bien joué en plus ! »

— Nom de Dieu ! Ne sois pas ridicule, Zoé ! s'écria Manon en regardant son frère d'un air menaçant, on n'est pas prêts pour ton arrivée. Peut-être dans quelques semaines, un mois, tu pourras venir et tu seras accueillie de bon cœur, mais pour l'instant j'ai tellement à faire que je ne peux absolument pas te chaperonner comme tu en as besoin.

— Dis à la mère supérieure que tu me retires d'ici, ou j'écris moi-même à M. Avery pour lui dire qu'à regret je refuse sa proposition de mariage. » Zoé sourit légèrement. « Une chose qu'elles m'ont apprise, maman, c'est la correspondance élégante et l'éloquence pour la parole écrite. Je suis sûre que Monsieur ne recevra jamais de refus aussi gracieux. »

Manon sonda sa fille du regard, puis elle soupira. « Tu es trop mûre pour lui, chère, dit-elle d'un ton résigné. Et trop mûre pour moi aussi. Va dire aux sœurs de préparer tes bagages, alors. » Tandis que Zoé disparaissait gracieusement, la tête haute, pour préparer son départ, Manon entendit Alex ricaner doucement derrière elle. Elle fit volte-face, prête à lui envoyer une réplique mordante, mais en voyant son visage elle ne put s'empêcher de sourire. Elle poussa un profond soupir et se laissa tomber à côté de lui sur le banc en pierre. « C'est une vraie petite femme, dit-elle.

— Effectivement, murmura Alex. Une femme du Sud, même. »

Manon fit un sourire désabusé. « Une femme du Sud... Je me demande vraiment ce que vous entendez par là, vous les hommes.

— Eh bien... » Il hésita. « Je ne sais pas si je peux l'expliquer. Un certain... charme. De la grâce. De la douceur, je suppose, mais sous la surface, une certaine férocité. Une forte volonté.

— Oui, certainement une forte volonté. Ce que tu appelles le charme de la *belle*, en réalité ce n'est pas du charme, bien sûr. C'est plutôt de l'instinct. On fait ça tout le temps, même quand on ne le veut pas, je pense.

— Vous faites quoi ?

— On fait du monde ce à quoi on veut qu'il ressemble. On fait d'un homme ce qu'on veut qu'il soit. Et tu sais comment on fait ? On le flatte, sans arrêt, pour les qualités qu'on voudrait qu'il ait. » Elle sourit. « C'est une sorte de férocité, c'est sûr. Une férocité du cœur. Mais tu dois jurer de ne jamais révéler le secret !

— Aucun homme ne me croirait si je lui disais ça, murmura-t-il en secouant la tête. Et personne ne voudrait savoir la vérité.

— C'est pour ça que ça marche à chaque coup », sourit-elle.

Et au bout d'un moment, ils riaient tous les deux ensemble, doucement, à voix basse pour ne pas troubler les religieuses dans leur paisible méditation.

Le premier matin où Zoé fut à la maison, Manon comprit qu'elle avait commis une erreur en ne la retirant pas des ursulines beaucoup plus tôt.

Manon était assise à sa table de toilette, tandis que la douce lumière matinale venait se poser sur ses flacons de parfums, de crèmes et d'huiles, sur ses rouges, ses fards et ses poudres. Elle était en train de s'appliquer une fine couche de poudre blanche sur le visage avec son grand pinceau en poils de chameau. Zoé entra d'une allure nonchalante, vêtue d'une des vieilles robes de chambre de Manon, les cheveux en cascade autour du visage et les yeux encore gonflés de sommeil.

A cet instant précis, Manon fut prise du même féroce désir de protection qu'elle avait ressenti il y a si longtemps, la première fois qu'elle avait tenu sa fille dans ses bras. Même dans son déshabillé, Zoé était un animal ravissant qui dégageait une vitalité langoureuse.

Elle s'assit sur le gros coussin aux pieds de sa mère et observa attentivement l'opération. Après la poudre, Manon enchaîna en faisant un trait délicat de crayon noir autour de ses deux yeux, remontant légèrement vers ses sourcils sombres, puis en se noircissant un grain de beauté près des lèvres. « Pourquoi tu fais ça ? demanda Zoé qui se pencha pour examiner de plus près le crayon à cils.

— Pour renforcer le noir sur le blanc de ma peau, répondit Manon qui se frotta les lèvres pour y étaler de la pommade brillante.

— Tu essaies de paraître plus blanche ? »

Manon regarda Zoé dans le reflet du miroir. « Bien sûr. Comme toutes les femmes à la mode.

— Même les femmes de couleur ?

— Ce sont surtout elles qui tiennent à paraître plus claires.

357

« — Pourquoi tu dis "elles" ? Pourquoi tu ne dis pas "nous" ? »

Légèrement exaspérée, Manon se tourna vers sa fille ; celle-ci appuyait son parfait menton dans sa main, ce qui tordait complètement la ligne de sa mâchoire. « Je ne dis pas "nous" parce que nous sommes tellement proches des Blanches que, bien sûr, on pourrait presque en être. Toi ma chérie, tu es encore plus proche que moi. Si tu avais le choix, tu pourrais aller dans n'importe quelle capitale d'Europe et te faire passer très facilement pour une Blanche. Il n'y a qu'ici, dans cette ville, qu'il faut se préoccuper de distinctions si absurdes. Mais le moins qu'on puisse faire, c'est les atténuer. » Elle prit son pinceau à poudre. « Les bonnes sœurs ne t'ont rien appris là-dessus ?... Non, bien sûr que non. Les règles de la séduction ne peuvent pas escalader les murs des ursulines. Malgré son grand cœur, Emma ne pouvait pas vraiment être un bon exemple de ce qu'une femme doit être.

— Elle était un exemple tout à fait correct, dit Zoé calmement, quand on n'a rien d'autre. »

Manon roula les yeux. « Ma foi ! Comme si tu étais une orpheline ! Penche-toi en avant, chère, et relève ton menton de ton poing, ça fait des rides et ça déforme les dents. »

Zoé se pencha en avant et fit une grimace lorsque sa mère lui poudra le visage et le cou avec de légers coups de pinceau. « Ça chatouille ! » dit-elle seulement. Puis Manon prit sa pince à épiler et commença à arracher les poils qui dépassaient des sourcils épais et hérissés de Zoé. Elle tressaillit et serra les dents. « Ça pique ! marmonna-t-elle.

— Si c'est la pire des souffrances que tu doives subir pour être belle, tu auras bien de la chance ! murmura Manon, absorbée par sa tâche. Tu sais, tu auras des yeux ravissants et des sourcils fins et arqués une fois qu'on aura retiré tous ces poils. Tu es trop vieille pour te promener avec les sourcils en broussaille comme un poney shetland.

— Aïe ! s'écria Zoé en faisant une grimace et en s'écartant. Tu as dû en enlever au moins six d'un coup !

— Tu ne vas pas me dire qu'aucune fille du couvent ne s'épilait les sourcils ? Personne ne t'a jamais montré comment on faisait ?

— On n'a pas besoin d'avoir des arcades parfaites pour apprendre les conjugaisons latines, répliqua Zoé qui recula en se frottant le sourcil avec la paume.

— Et on n'a pas vraiment besoin de conjugaisons latines pour vivre sa vie. Aucune vie que j'ai connue, en tout cas.

— Maman, demanda Zoé avec un brin de mélancolie, tu as connu combien d'hommes ? »

Manon éclata soudain de rire, d'une voix paillarde et retentissante. « Mais chère, quelle drôle de question pour une jeune fille qui sort du couvent ! Qu'est-ce que tu veux dire ?

— Je ne connais aucun homme du tout, dit Zoé, à part oncle Alex, mais ça ne compte pas vraiment.

— Non, c'est vrai. » Manon se retourna vers le miroir, se pinça les lèvres d'un air songeur et s'observa longuement. « J'ai connu pas mal d'hommes, ma fille, mais très peu dans le sens où tu l'entends. Et à vrai dire je n'ai eu personne depuis ton père. Personne dans mon cœur.

— J'aimerais connaître un homme avant de me marier », reprit Zoé calmement.

Manon ferma les yeux de douleur. Et voilà. Ce qu'elle redoutait le plus. Que sa fille soit emportée par les mêmes passions qui l'avaient emportée, elle, ainsi que sa mère et tant d'autres femmes... Mais aucune d'elles n'avait réussi à connaître le bonheur dans cette passion, d'après ce que Manon en savait. « Zoé, commença-t-elle doucement, tu es trop jeune pour parler comme ça. Tu ne sais pas ce que tu dis.

— Si, ma mère. Et je sais qu'il y a d'autres femmes, certaines encore plus jeunes que moi, qui pensent la même chose.

— Vous discutez de ça derrière les murs du couvent ?

— Les murs ne retiennent pas tout, dit Zoé en haussant les épaules. Emma m'a parlé de sa propre mère, et de la tienne, en tout cas ce qu'elle en savait. Elle m'a tout raconté sur oncle Simon et tante Cerise, et son frère Samuel et sa femme, Matilde...

— Qu'est-ce qu'elle t'a dit sur eux ?

— Elle m'a surtout parlé des femmes. Et de leurs passions...

— Et elle ne devait pas savoir grand-chose là-dessus !

— Elle connaissait plein de choses sur l'amour, rétorqua Zoé d'un air digne, et sur sa valeur. Alors je veux bien me marier en temps voulu, si c'est ce qu'il y a de mieux, mais j'aimerais connaître l'amour au moins une fois. »

Manon se leva brusquement et s'essuya les mains sur la serviette qui pendait à un crochet doré. « Zoé, je crois qu'il est temps que tu t'habilles et que tu te prépares pour le travail. Il faut qu'on passe dans beaucoup d'endroits aujourd'hui, et qu'on voie un tas de gens.

— Je viens avec toi ? » Les yeux de sa fille scintillaient de joie.

« Bien sûr. Comment pourrais-tu savoir à quel point le monde est dangereux si je ne te le montre pas ! Vite mon enfant, et couvre-toi les épaules, sinon avant midi tu seras aussi mouchetée qu'un chiot. »

Ce jour-là, et tous ceux qui suivirent, Zoé suivit partout Manon qui faisait le tour habituel des bureaux de ses banquiers et créditeurs, de ses avocats et du courtier pour ses récoltes. Et il semblait indispensable de s'arrêter presque chaque jour chez le chapelier, le couturier ou le cordonnier, car Manon ne lésinait pas sur ce qu'elle aimait appeler les « apparences ». Elle était d'ailleurs tout aussi inflexible sur le fait que sa fille devait avoir l'air d'une jeune femme convenable, et Zoé se rendit vite compte à quel point ce rôle pouvait être astreignant.

« Pas en rouge », dit Manon alors que Zoé portait une robe à son menton pour solliciter l'approbation de sa mère. « Jamais de rouge, même si le Christ en personne descendait de sa croix pour te dire que c'est sa couleur préférée. En rose pâle, si tu veux, ou même en gris avec quelques touches cerise au col et à l'ourlet, mais jamais de rouge... Oh! Zoé, repose ce jais, tu ne peux pas porter de noir tant que tu n'es pas en deuil! Elles ne t'ont rien appris aux ursulines? »

Manon regarda tendrement sa fille. Avec son regard ouvert et franc, elle ressemblait à un gâteau gonflé et encore tout chaud à la sortie du four, sur lequel on aurait pu laisser une empreinte de doigt au moindre toucher.

Zoé poussa un soupir lorsque la modiste déroula de grandes et soyeuses draperies gris colombe, et réagit à peine quand elle lui épingla au corsage un biais de dentelle rouge. « Maman, dit Zoé, il y a plein de filles de mon âge qui portent plus de rouge que ça. Il y en a même qui mettent des robes rouges pour aller au marché! Et du noir, aussi, avec une rangée de perles...

— Elles ne sont pas dans la même situation que toi, répliqua Manon joyeusement, et elles ont peut-être besoin de s'habiller en rouge pour attirer les regards. Pas toi, chère, je vois bien comment les hommes te regardent quand on marche sur les passerelles, si tu crois que je ne le remarque pas... toi tu n'as pas besoin de parader comme certaines filles. Tu aurais juste besoin d'adoucir un peu une certaine... » Elle s'interrompit et réfléchit un instant. « Ce n'est pas vraiment de la sévérité, ma fille, car tu n'as rien de grave, mais il y a sans doute une certaine... fermeté en toi, même pour ton âge. »

Aux paroles de sa mère Zoé prit un visage rayonnant.

Mais le regard maternel de Manon se transforma aussitôt en signal d'avertissement. « Ne te réjouis pas trop, Zoé, car de la fermeté à quatorze ans, c'est de la morosité à quarante. »

La première semaine que Zoé passa avec sa mère, elle rencontra une bonne vingtaine de politiciens et d'hommes puissants de la ville. A tous, sa mère tendait une main gracieuse et courtoise, adressait un sourire chaleureux, et tous répondaient en lui faisant la cour, comme s'ils désiraient bien plus qu'une simple audience.

Zoé regardait sa mère évoluer parmi les hommes, comme un navire fin et élégant au milieu d'un port houleux et encombré. Elle s'écartait et s'inclinait telle une suppliante, mais en définitive Manon semblait toujours parvenir à garder son cap au milieu de toutes ces petites embarcations, et n'avait jamais besoin de jeter l'ancre une seule fois pour remplir sa cale avec ce qu'elle convoitait.

Zoé se demandait souvent quelle sorte d'homme avait été son père, pour avoir réussi à capturer une telle femme ne serait-ce qu'un bref instant. Il avait dû avoir quelque chose qui faisait défaut aux autres, car Manon ne paraissait pas avoir plus d'égards envers un seul de ces hommes qu'envers sa garde-robe...

A certains moments, quand Zoé se laissait aller à ces pensées, elle ressentait de la peine pour ce qu'elle n'avait pas connu. Oncle Alex

360

lui était cher, mais quel effet cela faisait-il d'avoir les bras protecteurs, les conseils et les réprimandes d'un père ? Un père n'aurait certainement pas permis qu'elle passe une douzaine d'années derrière les murs d'un couvent. Les jeunes filles qui avaient un père devaient avoir une arme secrète contre n'importe quelle peur, pensait-elle, elles devaient renfermer un morceau de cœur masculin qui leur faisait une cuirasse de courage viril dès qu'il leur fallait être fortes.

Trois générations de femmes sans père, songea subitement Zoé, cela doit modifier les cœurs féminins d'une manière irréversible et inquiétante...

Le samedi qui suivit son arrivée, Manon annonça à Zoé qu'elle allait avoir un visiteur très particulier ; M. Henry Avery devait venir à la maison, pour voir sa fiancée. Manon brandit sa carte d'un geste majestueux. « Il demande à être reçu à deux heures précises, ma chérie, et il aimerait que tu lui accordes une audience privée pendant un petit moment de sa visite.

— Pourquoi est-ce qu'il ne m'a pas écrit directement ?

— Parce que ce n'est pas comme ça que ces choses se passent. Naturellement je serai présente pendant presque toute la durée de sa visite, mais je m'éclipserai fréquemment pour aller chercher du café et des friandises...

— Dolly ne fera pas le service ? » La cuisinière de Manon, Dolly, était l'unique responsable des deux kilos qui étaient venus s'ajouter à la silhouette élancée de Zoé en l'espace d'une semaine.

« Elle cuisinera, mais c'est moi qui servirai. C'est plus élégant, surtout quand les gens savent que tu as des domestiques et que si tu les sers, ce n'est pas parce que tu es obligée, mais délibérément, pour mieux les accueillir. Et comme ça, quand je serai dans la cuisine, tu pourras voir à quoi il ressemble. Bon, à mon avis c'est la soie bleu-vert qui ira le mieux, tu ne crois pas ? Elle te donne l'air si grand et si digne... »

Henry Avery arriva exactement à l'heure. Zoé le soupçonnait d'avoir fait attendre son fiacre au coin de la rue pour pouvoir frapper à leur porte sans une seconde d'avance ou de retard. Il était grand avec des épaules frêles ; il s'inclina profondément devant Manon lorsqu'elle le fit entrer, et prit place sur le siège qu'elle lui présenta. Zoé l'observait, bien cachée sur le palier de l'étage, comme sa mère le lui avait indiqué.

Zoé les écouta attentivement échanger les premières civilités. Manon menait la conversation, comme à son habitude, mais Monsieur n'était certainement pas novice pour ce genre de menus propos. Il gardait la voix posée, mais son timbre imposait une certaine attention. Zoé se surprit à se pencher légèrement en avant pour saisir ce qu'il disait, et elle vit que même Manon était plus attentive que d'habitude. Finalement elle entendit sa mère l'appeler d'une voix douce, et elle apparut dans le salon.

« Ma fille, Zoé, dit Manon fièrement à M. Avery. Vous devez certainement la reconnaître à partir de son portrait. » Et tandis qu'il se levait pour s'incliner, elle ajouta : « Zoé, je t'en prie, viens m'aider à accueillir M. Avery dans notre maison. »

Zoé s'avança et fit une révérence en lui tendant le bras pour le baisemain. Elle gardait la voix grave, sentant qu'il préférerait ça à un gloussement de petite fille. « Monsieur, dit-elle doucement, j'attendais votre visite avec impatience. »

Manon et M. Avery lui adressèrent simultanément un sourire radieux ; tous les deux la fixaient l'air enchanté, si bien que Zoé eut l'impression d'être canonisée par leur approbation. Brusquement elle prit conscience, avec effroi, de ses épaules trop petites, de ses mains trop larges, et elle aurait voulu que ses cheveux lui recouvrent entièrement la poitrine.

Ils continuèrent la conversation en parlant de choses et d'autres, de la saison d'opéra de La Nouvelle-Orléans, du prix du sucre, de l'afflux d'Haïtiens dans le French Quarter, du temps, et dès que Zoé le pouvait, elle hasardait une opinion. Et chaque fois qu'elle prenait la parole, sa mère et M. Avery s'interrompaient pour l'écouter, le regard étincelant.

Zoé n'avait aucun mal à suivre la conversation, et put examiner ce Henry Avery à loisir. Il avait de belles mains, qui lui plaisaient beaucoup. Elles étaient grandes et puissantes, et semblaient capables de tenir une paire de rênes ou le corps d'une femme avec une certaine habileté. Ce qu'elle ne pouvait pas supporter, c'étaient des mains telles qu'elle en avait vu chez certains des hommes à qui elles avaient rendu visite la semaine passée, qui avaient l'air de ne pouvoir rien porter de plus lourd qu'une liasse de billets ou un petit livre.

Ses cheveux étaient châtain clair, assez fins, et il avait le front vaste et dégagé comme si son cerveau avait pompé toute la vitalité qui se trouvait sur son cuir chevelu. Il avait les yeux froids, le torse élancé, et ses longues jambes se logeaient avec peine sous la table basse de sa mère.

Zoé pressentit tout à coup que cet homme était probablement capable d'un grand dévouement, et qu'il n'avait certainement jamais connu la souffrance ni la violence de toute sa vie.

« Je reviens dans une seconde, annonça Manon gaiement, avec une assiette pleine des péchés les plus alléchants de Dolly. »

Zoé tressaillit au manque de subtilité de sa mère, mais elle se détendit en voyant que Monsieur était encore plus mal à l'aise qu'elle-même. Dès qu'ils furent seuls, il lui demanda : « Est-ce que cette première semaine en famille vous a plu ? »

Elle lui adressa son sourire le plus chaleureux, en imitant délibérément le regard de sa mère. « Sans doute, monsieur, mais les bonnes sœurs sont aussi comme une famille, n'est-ce pas ? Je leur dois ma plus profonde gratitude.

— Vos paroles vous font honneur, dit-il d'un ton neutre. Tant de femmes trouvent le confinement des ursulines difficile à supporter au-delà d'un certain âge... Pas vous ? »

Elle hésita un instant. Quelque chose la poussa à garder une sincérité scrupuleuse avec cet homme, tant qu'il en était encore temps. Elle laissa échapper un léger sourire et répondit par un murmure. « A vrai dire, monsieur, bien peu de vie parvient à s'infiltrer par-dessus ou par-dessous ces grands murs. Et ces murs devenaient effectivement plus hauts et plus épais d'année en année. »

Il sourit, une fâcheuse disposition de sa bouche et de ses mâchoires qui lui faisait légèrement saillir les oreilles de chaque côté de la tête. « Je me félicite que vous puissiez me dire cela, dit-il en baissant le ton pour s'accorder à celui de la jeune fille. C'est de bon augure pour notre amitié. »

Elle baissa timidement la tête. « Et cependant on m'a dit que vous cherchiez une jeune femme pieuse et modeste. A l'attitude extrêmement réservée. Je ne suis peut-être pas le bon choix pour vous, monsieur, car en toute honnêteté, il y en avait beaucoup chez les sœurs qui étaient bien plus pieuses que moi. » Elle le regarda par-dessous ses cils, en se disant que si maintenant il prenait la fuite elle pourrait presque se sentir soulagée. Presque.

Mais à sa grande surprise, il ne fit que se pencher un peu plus près d'elle et susurrer : « Que ce soit notre premier secret en commun, alors, mademoiselle. Il est vrai que j'ai demandé une telle épouse. Mais il est faux que je considère forcément ces qualités comme les plus importantes. » Il lui fit un clin d'œil complice. « Je crois que, même si vous m'avouez un penchant pour le blasphème et un scepticisme de bon aloi, je vous respecterai néanmoins. » Lorsqu'elle répondit à son sourire il ajouta : « Et si vous admettiez que Notre Mère l'Église n'a pas suffi à vous procurer toute la passion dont votre âme a besoin, je ne pourrais qu'applaudir votre vitalité. Car c'est ce qui me séduit le plus chez vous, Zoé... Puis-je vous appeler Zoé, quand nous sommes en privé ? »

Elle acquiesça, subjuguée.

« Votre vitalité... c'est une force puissante chez une femme. Et si vous avez la moitié de la "joie de vivre" de votre mère, vous donnerez beaucoup de bonheur à l'homme qui aura la chance de vous gagner. »

Encore un peu émue, Zoé demanda : « Ma mère ? Vous la trouvez... pleine de vie ?

— Mais tout à fait.

— Et pourtant vous ne l'avez pas demandée en mariage, elle. »

M. Avery éclata alors de rire tout fort, sans se soucier d'être discret. « Je vois que vous avez tous les instincts féminins, même à un âge si tendre. Non, Zoé, je ne l'ai pas fait. » Il la regarda d'un air malicieux. « Vous auriez préféré ? »

Elle fut si troublée qu'elle se détourna légèrement, cherchant des yeux le plateau des pâtisseries pour occuper ses mains. Elle aurait voulu qu'il ne soit pas là, subitement. Comme si elle avait lu ses pensées à travers le mur, Manon fit irruption dans la pièce avec une nouvelle cafetière pleine. Elle se pencha au-dessus d'eux, scrutant tout d'abord le visage de l'homme, puis celui de sa fille.

« Zoé, Monsieur aimerait peut-être que tu lui joues quelque chose. Ce nouveau morceau que tu répétais hier ? Monsieur, Zoé a le toucher très délicat au piano, toutes les sœurs faisaient l'éloge de son habileté. Même si son répertoire n'est pas encore très étendu, elle semble avoir un don instinctif pour la musique. Zoé ? »

Manon fit un geste en direction du piano noir qui se tenait dans un coin de la salle à manger, plutôt comme ornement que comme instrument.

« Peut-être pour ma prochaine visite, dit M. Avery doucement. Je ne veux pas abuser de votre gentillesse. »

Zoé se leva si rapidement que Manon lui lança un regard furieux.

« Oh ! Vous n'êtes sûrement pas obligé de nous quitter si tôt, dit Manon à son invité, mais elle tendait déjà les mains pour lui attraper son manteau. Nous pourrions sortir ce vieux stéréoscope et regarder mes photos de Paris en France.

— Ce sera un plaisir de plus lors de notre prochaine rencontre », dit-il en enfilant son manteau et en se dirigeant vers la porte. Zoé le suivit avec empressement, les mains punaisées derrière le dos. Elle sentit la main de sa mère qui se posait sur son bras et qui l'attirait vers eux.

« Disons la semaine prochaine ? proposa Manon. A moins bien sûr que Zoé n'ait d'autres projets ? »

Ils se tournèrent tous les deux vers elle et attendirent. Zoé leva les yeux, croisa le regard de Monsieur et rougit. « Non, monsieur, je n'ai pas d'autres projets.

— Eh bien, c'est entendu alors, dit Manon avec un sourire gracieux. Et peut-être que la prochaine fois nous arriverons à persuader Zoé de vous faire une de ses succulentes tartes au citron, vous n'en trouverez pas de meilleures !

— Je m'en réjouis d'avance. » M. Avery fit une profonde révérence à toutes les deux et sortit.

Zoé poussa un soupir bruyant, et se rendit soudain compte qu'elle avait retenu sa respiration aussi longtemps que son ventre...

« Viens, mon enfant », lui dit Manon gentiment ; elle la conduisit dans la cuisine et la fit asseoir en face d'elle avec une tasse de camomille. Pendant un long moment, sa mère se contenta d'attendre en la regardant ; puis elle finit par demander : « Alors, comment l'as-tu trouvé, chère ?

— Il a l'air d'un brave homme, répondit Zoé avec circonspection. Grand, assez clair. Pas beaucoup d'épaules. Il me fait penser à Ichabod Crane.

— A qui ? » Manon n'était pas une grande liseuse. « Enfin, ça ne fait rien. Tu l'as trouvé intelligent ?

— Oui.

— Charmant ? Spirituel ?

— Sans doute. En fait, on n'a presque pas parlé...

— Oh ! Zoé, tu n'as quand même pas fait ta timide avec lui, si ? Je t'avais dit de préparer plusieurs sujets de conversation...

— Non, maman, je n'ai pas été timide. » Elle s'accorda un léger sourire. « Et lui non plus. »

Manon perçut aussitôt le sourire de sa fille et son visage s'épanouit. « Ah ! Ça c'est bien passé, alors. Et la semaine prochaine ça ira encore mieux, tu verras, ma chérie. L'année prochaine à la même époque, je suis persuadée que tu ne te demanderas plus si ta mère est une imbécile.

— J'en suis persuadée », dit Zoé tranquillement, en prenant une gorgée de tisane.

Manon observa Zoé attentivement durant tout ce premier mois, dans l'attente de signes de rébellion. M. Avery venait et repartait toujours aussi ponctuellement une fois par semaine, et tous les deux semblaient trouver agréables les moments qu'ils passaient ensemble.

Zoé ne confiait pas spontanément ses sentiments, mais Manon présumait qu'elle avait pris l'habitude de garder ses secrets au couvent, et elle ne la poussa pas à lui révéler son cœur.

Apparemment aucune rébellion ne se fomentait... Il était vrai que Zoé accaparait Alex pour de longues promenades et de grandes discussions chaque fois qu'il leur rendait visite, mais il devait l'encourager dans son destin ou l'aider à y voir le bon côté, car elle lui disait au revoir avec une pointe de sérénité qui l'alimentait toute la semaine jusqu'à son retour.

De son côté, une fois qu'il s'était fait à l'idée des fiançailles de Zoé, Alex se mit à apprécier Henry Avery. Les deux hommes entretenaient une certaine gentillesse entre eux — et la gentillesse était une qualité qui inquiétait légèrement Manon. Monsieur allait-il être le deuxième homme de la famille à avoir besoin d'aide pour régler ses problèmes fiscaux ? Elle espérait que non. En tout cas, cet homme paraissait équilibré, et Zoé n'avait pas l'air de remarquer ou de déplorer ses défauts.

Mais Manon ne relâcha pas sa vigilance. Et elle s'en félicita lorsque, cette année-là, le mois de mai devint si chaud et si humide.

Une nuit où la température était toujours aussi élevée même après minuit, Manon pénétra dans la chambre de Zoé pour lui proposer une citronnade fraîche. Depuis un moment, sa fille ne dormait pas bien avec cette chaleur et avait souvent besoin de faire une sieste pendant la journée. Même si la fièvre ne représentait désormais plus vraiment un danger, Manon n'avait jamais l'esprit tout à fait tranquille lorsque quelqu'un qu'elle aimait abordait les mois d'été dans une forme moins que vigoureuse.

Elle se glissa dans la pièce obscure et se dirigea vers la fenêtre pour savourer la brise. Les délicats rideaux de dentelle ondulaient en lui caressant doucement le visage, et elle sentait l'oranger dans la cour, déjà enveloppé d'un parfum capiteux.

Dans l'obscurité elle palpait machinalement la dentelle avec les doigts. Elle était ravissante et élégante, comme la plupart des meubles dont Zoé avait choisi de s'entourer. Cette jeune fille avait un goût très raffiné pour son âge. Elle paraissait sélectionner d'une manière infaillible ces couleurs, ces motifs et ces tissus qui dénotaient de la qualité, de la grâce, et un soupçon de luxe... Un tel goût lui serait fort utile en tant que maîtresse du domaine Avery, songea Manon, et elle se retourna pour voir si sa fille était endormie.

L'ombre qui régnait dans la chambre donnait l'impression que Zoé était complètement enfouie sous ses draps, ce qui était surprenant par une telle chaleur. Manon tâtonna dans le noir pour trouver la lampe et l'allumer, en la cachant de la main pour ne pas réveiller Zoé inutilement...

Le grand lit à baldaquin était vide. Le dessus-de-lit avait été soigneusement tiré jusqu'au menton du traversin, et laissé légèrement fripé comme pour suggérer la présence d'un corps en dessous, mais personne n'y dormait.

Manon s'empressa de sortir de la chambre avec la lampe et se dirigea vers les cabinets. Si Zoé n'avait pas voulu se servir de son pot de chambre, c'était qu'elle devait se sentir mal, sûrement. Il lui faudrait peut-être quelque chose de plus fort que de la citronnade après tout...

Mais la lampe de la porte du jardin pendait toujours à son crochet ; les cabinets étaient éteints et manifestement déserts. Manon se précipita alors à la cuisine, dans le salon, à l'étage, et finit par descendre dans la cave humide.

Pas de Zoé.

Manon alla s'asseoir un moment sur le bord de son lit et réfléchit de toutes ses forces. Où pouvait donc aller une jeune fille de quatorze ans à une heure pareille ? Elle avait peu d'amis et aucun amant, à part son fiancé. Et elle avait beau faire, elle ne pouvait imaginer Zoé aller se jeter dans les bras de Henry Avery.

Non, Zoé était allée quelque part, et sans doute pas pour la première fois. Manon devinait que, si la fenêtre de la chambre était ouverte, ce n'était pas uniquement pour laisser la brise entrer.

Elle retourna dans la chambre de Zoé en tenant toujours la lampe. Quelque part sur la coiffeuse, dans la commode, dans l'armoire, même à côté du lit, il devait bien y avoir un indice quant à sa destination... Elle fouilla rapidement mais minutieusement, avec l'instinct d'une mère qui n'est pas si éloignée des battements de cœur de sa fille. Après tout, à une certaine époque, se dit-elle rapidement, elle aussi elle avait envisagé de sortir en escaladant la même fenêtre et disparaître dans la nuit pour fuir ce raseur d'Alex... Mais où avait-elle voulu se rendre ?

Manon écarquilla les yeux lorsqu'elle se rendit compte qu'aucun indice ne serait aussi révélateur que ses propres souvenirs. Elle grimpa les escaliers à toute allure, s'attacha les cheveux, attrapa son châle et sortit de la maison.

Peu de calèches passaient dans sa petite rue à une heure si tardive, mais dès qu'on atteignait le French Quarter on n'avait aucun mal à en héler une, même après deux heures du matin. Elle cria sa destination au cocher puis s'enfonça sur son siège en réfléchissant. Et si Zoé n'était pas là-bas ? Et si elle y était vraiment, ce qui était pire ? Tandis qu'ils approchaient de Congo Square, elle entendait les tam-tams s'élever dans la nuit ; elle cria au cocher de la laisser descendre bien avant l'entrée du parc...

Un cercle de torches délimitait l'endroit, pour ne pas qu'un passant éventuel tombe par hasard sur le rite public le plus secret de La Nouvelle-Orléans. Secret, il l'était bien, car tous les habitants de la ville convenaient de ne pas en parler, sauf dans le creux de l'oreille. Et public, parce qu'il avait lieu tous les dimanches soir, au vu et au su de tous, et avec l'accord résigné des pères de la ville, quoi que les mères puissent dire.

Congo Square accueillait chaque semaine les danseurs noirs et leurs rituels vaudou. Bien avant la guerre entre les États, les esclaves se rassemblaient déjà là pour danser, en plein cœur de la ville, sur la North Rampart Street. Un énorme canon se tenait au centre de chacune des deux places de la ville, entouré de grands sycomores. Dans l'ancien temps on tirait un coup de canon à neuf heures pour prévenir les esclaves du couvre-feu ; avant la guerre, un esclave que l'on trouvait dans la rue après neuf heures était arrêté et fouetté, par précaution contre la rébellion.

Manon avait entendu les histoires qu'on racontait et elle avait déjà vu les danseurs plusieurs fois. Presque toutes les jeunes filles de la ville s'étaient à un moment ou à un autre faufilées jusqu'aux grilles blanches qui cernaient Congo Square, seules ou avec des amies, pour épier les danseurs noirs qui se pressaient dans le petit parc. Sous les yeux ébahis de quelques Blancs et des touristes, ils faisaient la calinda, la bamboula et leurs autres danses, surtout les plus contenues, en fait, avec peu de traces de vaudou. Autrefois ils auraient porté des pagnes rouges, des clochettes aux chevilles, des anneaux autour des genoux et toutes ces vieilles parures qu'ils tenaient de leurs maîtres.

Mais maintenant les danseurs portaient tous des tenues très recherchées avec de longues chemises bigarrées, et il n'y avait plus de couvre-feu pour mettre fin aux danses. Le tempo palpitant se poursuivait encore après minuit, et les tam-tams demeuraient les mêmes, à travers les années. Les tam-tams ne changeaient jamais.

Une chose encore... les danseurs se choisissaient une reine du moment qui avait toujours été, et qui serait toujours la femme la plus superbe, la plus arrogante, la plus extravagante qu'ils puissent trouver. Depuis la guerre, et même auparavant, elle ne devait jamais être une esclave : il fallait toujours qu'elle soit une femme de couleur libre qui n'ait à craindre ni le couvre-feu, ni les pires lois du Code noir.

Manon passa la grille, attirée par le rythme envoûtant des tam-tams. Laissant son châle pendre à la taille, elle arriva au bord de la foule et se mit à bousculer les gens pour pouvoir avancer, sans faire attention aux regards et aux grognements de plainte qui fusaient de chaque côté... il devait y en avoir plus de trois cents, se dit-elle.

Un vieil homme était assis à califourchon sur un tam-tam cylindrique, le dos voûté, la tête baissée, et ses deux mains battaient la mesure, de plus en plus vite. Un autre tenait une calebasse à deux cordes, et au bout du manche était grossièrement sculptée une figure d'homme ou de dieu, Manon n'arrivait pas à distinguer... mais cela lui parut soudain obscène. Et la musique était brutale, cacophonique et discordante.

« Danse calinda ! criaient les chanteurs. Badoum ! Badoum ! »

Manon balaya d'un geste les cheveux de son front ; elle était en sueur par cette nuit humide, avec ces dizaines de corps tout autour d'elle, tellement entassés qu'elle pouvait à peine respirer. Elle essaya de parcourir des yeux le cercle des spectateurs, mais toutes les épaules étaient trop serrées. Elle s'avança un peu plus, jusqu'à ce qu'elle ait une meilleure vue et que les danseurs évoluent juste sous ses yeux.

Toute une tribu d'hommes et de femmes s'agitaient au milieu de la foule, pieds et jambes nus ; les femmes avaient retroussé leurs jupes en les épinglant sur le dessus des hanches. Et les hommes, dont la couleur de peau allait du noir foncé au jaune clair, dansaient, criaient et hurlaient au rythme des tam-tams, bondissaient en l'air ou se mettaient à genoux devant les femmes dans une parodie de l'amour. Les femmes, elles, se déhanchaient et se trémoussaient, en ondulant comme des serpents, mais jamais leurs pieds ne bougeaient du sol. Il y avait également quelques femmes blanches parmi elles, mais la plupart des danseurs étaient de différents types de gens de couleur, certains aussi noirs que la nuit africaine. De nombreux spectateurs secouaient des calebasses remplies de gravillon, jouaient de longs sifflets ou de violons construits avec des boîtes à cigares. Quelques veinards soufflaient dans de vieux cornets et trombones déglingués. Sur les côtés dansaient des enfants en imitant leurs aînés, et des marchands criaient pour vendre du gâteau de riz, de la bière et des pralines. D'autres proposaient des amulettes porte-bonheur et des mauvais gris-gris, et tout cela recouvert par le tempo primitif des tam-tams.

Une splendide mulâtresse se tenait debout sur une caisse au milieu des danseurs ; elle se balançait en mesure, les yeux fermés, la tête rejetée derrière les épaules comme si elle avait eu le cou brisé. Elle hurlait dans le rythme, ponctuant le chant de gémissements et de cris bizarres. Elle avait un *tignon* rouge vif, et quand elle tournait il brillait encore plus à la lumière des dizaines de feux qui brûlaient tout autour de la piste. Les anneaux d'or qui pendaient à ses oreilles touchaient presque ses épaules, et pour tout vêtement elle avait une chemise faite de dizaines de mouchoirs rouges. Sa poitrine était nue et étincelait de gouttes de sueur. Autour de ses épaules s'enroulait un long serpent noir : elle lui prenait la tête et la caressait contre sa joue à la cadence de la chanson.

> *Danse calinda, badoum, badoum!*
> *Danse calinda, badoum, badoum!*

Manon se déplaçait le long du cercle d'un endroit à un autre, quand soudain elle se pétrifia sur place.

Zoé était là, dans le cercle des danseurs, ondulant sur la musique, les yeux fermés.

La danse montait désormais en crescendo et quelques-uns des hommes vinrent s'agenouiller devant la femme qui était sur l'autel. Elle tendit le bras derrière elle et attrapa une bouteille de *tafia*, un rhum de sucre très fort. Elle en versa dans sa bouche, s'en remplit les joues et le recracha au visage de chacun des hommes à tour de rôle, tandis que la foule hurlait de joie et d'excitation.

Manon avait déjà vu faire ça auparavant, et elle savait que les hommes à genoux croyaient que c'était un moyen de se débarrasser d'un sort qu'une femme leur avait jeté. Ils se tenaient le visage dans les mains et se contorsionnaient en gémissant, de douleur ou d'extase, ça elle n'aurait pu le dire. Pendant ce temps, elle commença à donner des coups de coude pour se frayer un chemin en direction de Zoé.

Avant qu'elle puisse atteindre sa fille, un Noir se rapprocha de Zoé en dansant et resta devant elle à se tordre et à gesticuler en silence. Elle ouvrit les yeux, l'aperçut et faillit chanceler sous la puissance de son regard. Il saisit la main de Zoé et l'attira dans le cercle des danseurs. Manon se démena alors pour parvenir jusqu'à elle, mais elle fut retenue par la foule qui se ruait pour voir la jeune Blanche se joindre au mouvement lascif des corps.

Zoé lâcha la main de l'homme mais le suivit tout autour du cercle en imitant ses mouvements. Il avait un corps sombre, brillant et musclé, mais il paraissait étrange, même en pleine nuit. Zoé dansait derrière lui en faisant balancer son corps élancé et osciller sa tête d'un côté à l'autre ; sa bouche était entrouverte sous une concentration intense, sa jupe légère virevoltait autour de ses jambes et de ses pieds nus. Elle paraissait encore plus claire que les

369

quelques Blancs qui étaient là, remarqua Manon, et certainement plus belle. Et plus fragile...

Manon arriva enfin au bord du cercle et était sur le point d'agripper Zoé par l'épaule pour la saisir dans ses bras, quand soudain sa fille se rapprocha du danseur noir, lui attrapa la main et le tira vers elle, ses hanches tout près des siennes... puis elle le repoussa. La clameur de la foule s'éleva en un cri déchaîné en voyant la jeune fille, et gémit d'une seule voix lorsque l'homme se retourna pour danser directement devant Zoé en lui frôlant le ventre. Zoé dansait désormais sur place, les yeux fermés et la tête immobile, seuls ses seins et ses hanches se trémoussaient ensemble tandis que ses bras blancs et minces se tendaient pour garder l'équilibre. A l'expression de sa bouche et de son visage on aurait dit qu'elle était en proie à la souffrance...

Manon recula dans la foule pour que Zoé ne l'aperçoive pas. Maintenant elle savait ce qu'il lui restait à faire. Les bras d'une mère ne réussiraient jamais à tenir Zoé à l'écart de Congo Square, ni même peut-être à l'arracher à un tel homme... A quatorze ans il était presque trop tard pour la sauver.

Comme une poussée de fièvre, Manon se rappela soudain les quelques fois où elle avait effectué les danses et senti la chaleur des corps l'entourer, et certainement personne n'aurait pu la retenir, ces nuits-là, si elle avait voulu disparaître dans l'obscurité avec l'un d'eux. Seule la vision qu'elle avait de son propre avenir l'avait empêchée de franchir le pas.

L'avenir de Zoé était fixé, se rassura Manon en resserrant les mâchoires, qu'elle en soit consciente ou non. Il faudrait qu'elle s'y tienne, car La Nouvelle-Orléans avait des centaines de tentations alléchantes, même si on lui interdisait de se rendre à Congo Square...

Il y eut une pause dans la musique, le danseur noir saisit le bras de Zoé mais elle s'écarta, comme soudain réveillée d'un rêve grisant ; furieuse elle retira brusquement sa main de la sienne. Manon s'enfonça encore plus loin dans la foule. Elle les observait toujours, et elle aperçut Zoé se détourner de l'homme, se frayer un chemin au milieu des épaules, parvenir à la lisière de la cohue et se faufiler rapidement vers la grille. Puis sa fille leva la main et appela un fiacre qui passait, d'une manière aussi experte que si elle avait déjà fait ça des centaines de fois dans sa vie. Tandis que Zoé grimpait dans sa calèche, Manon en stoppa une autre et ce fut de justesse qu'elle arriva à la maison avant sa fille.

Dans le silence de sa chambre à coucher, Manon entendit Zoé escalader doucement sa fenêtre ouverte, trahie seulement par un craquement du vieux rebord. Elle resta assise sur son lit presque toute la nuit, en contemplant la lune évoluer derrière les nuages sombres au-dessus de la ville. Et quand le désespoir fut au plus fort, elle alluma une unique chandelle et s'observa dans le miroir. Les Blanches disaient que la beauté des quarteronnes ne durait pas. Elle-même en connaissait beaucoup qui avaient été ravissantes, et qui comme elle s'étaient attiré l'amour d'un Monsieur. Mais ensuite les cheveux noirs devenaient tout crépus et prenaient des teintes brunes et rousses... avec des bandes grises. Les yeux auparavant si brillants se ternissaient, et les iris se couvraient de taches jaunes. Les lèvres devenaient plus minces, sèches et crevassées. Et même si Monsieur se montrait toujours aussi généreux, ses visites étaient de moins en moins fréquentes. Il ne restait plus pour la nuit.

Elle s'humidifia les lèvres avec de l'eau de rose ; elle attrapa une fleur au chevet de son lit, écrasa les pétales rouges et les frotta sur ses lèvres. Elles étaient toujours charnues et séduisantes, et le resteraient sans doute quelques années encore, puis son pouvoir sur les hommes, sur sa fille et sur sa vie déclinerait lentement, comme la mer se retire. Il n'y avait pas une minute à perdre.

Quand l'aube pointa, elle savait ce qu'elle devait faire.

Il était tout à fait inhabituel qu'une mère laisse sa fille à la maison avec son fiancé. Manon en était consciente, même lorsqu'elle en suggéra la possibilité à Zoé. Mais elle avait aussi l'intuition que Zoé se réjouirait de pouvoir recevoir M. Avery comme elle le souhaitait, maîtresse de ses propres affaires, au moins pour un après-midi.

« Il n'y a pas moyen de faire autrement, lui dit Manon en feignant une folle anxiété. Il faut que je m'occupe de ce compte aujourd'hui, et il est trop tard pour envoyer un message à M. Avery et lui demander de reporter sa visite. Tu vas être obligée de te débrouiller toute seule, chère, et je sais que tu t'en sortiras très bien. Mais pour l'amour de Dieu, ne lui dis surtout pas que je ne suis pas là !

— Où est-ce que tu es censée être, alors ! » demanda Zoé nonchalamment. Depuis la veille elle paraissait calme et distante, comme si son cœur avait pris une décision, à défaut de sa tête.

« Dis-lui que je suis indisposée. Il ne demandera pas de détails. Fais-lui croire que je suis dans la pièce à côté, même si je ne veux pas quitter mon lit.

— Et s'il veut t'adresser ses politesses ?

— Il ne le fera pas, je te dis. Il est trop courtois pour ça.

— C'est vrai », répondit Zoé doucement.

Manon la regarda en fronçant les yeux, mais n'ajouta rien.

La petite maison de Saint Ann Street avait peu changé aux yeux de Manon même si elle ne l'avait pas vue depuis quinze ans. En fait, curieusement, elle ne semblait pas avoir vieilli d'un jour. Habituellement elle aurait pu s'attendre à voir de la moisissure autour des fenêtres et de la porte, la chaux sur les murs légèrement jaunie, un affaissement général de la charpente, signes du vieillissement naturel de tout bâtiment. Mais le temps ne semblait pas avoir touché la maison de Marie LaVeau.

Elle tira sur le cordon de la porte et une cloche retentit quelque part à l'intérieur. Un pas sourd et traînant s'approcha et la porte s'ouvrit subitement, découvrant à l'intérieur une fraîcheur ombragée.

Manon fut aussitôt prise de panique, car elle ne savait pas du tout à quoi s'attendre. Marie LaVeau était morte, ça elle le savait. Toute la ville savait qu'elle reposait au cimetière Saint-Louis et que sa fille, Marie, avait repris le travail là où la grande prêtresse l'avait laissé. Mais la rumeur courait également que Marie, la fille, était bien plus puissante que Marie, la mère. De plus, les Noirs de La Nouvelle-Orléans, qui connaissaient la grande vaudou mieux que personne, étaient persuadés que Marie Deux était plus encline à faire le mal...

Quand la porte s'ouvrit, Manon recula légèrement, plus du tout certaine qu'elle avait bien fait de venir. Une grande femme mince la fixait, une femme dont les yeux semblaient pénétrer jusqu'aux secrets les plus profonds de Manon sans aucun effort. Elle portait un *tignon* de soie rouge et jaune, et elle était pleine d'arrogance. Manon devina immédiatement qu'il s'agissait de Marie LaVeau Deux. Et curieusement elle ne fut pas le moins du monde étonnée que ce soit Marie en personne qui lui ait ouvert la porte.

« Entrez, chère, lui dit la femme avec une voix grave et autoritaire. Je sais pourquoi vous venez. »

Manon sentit une bouffée de chaleur lui remonter à la gorge et déborder jusque dans ses yeux. A grand-peine elle réprima un sanglot de soulagement.

Marie montra une chaise à Manon dans une pièce faiblement éclairée, pas vraiment un salon, plutôt une sorte d'antichambre pour les simples visiteurs. « Les secrets qui me parviennent n'ont rien de vraiment mystérieux, commença Marie. Beaucoup pensent que j'ai une seconde vue. C'est peut-être vrai. Mais je n'ai pas besoin de seconde vue pour connaître ta souffrance et ses causes. La rumeur m'est toujours très utile. »

Manon prit place sur sa chaise et se maintint avec les mains. « Vous avez entendu parler de... des danses de ma fille ? »

— Bien sûr, je n'ai pas tardé à le savoir, je suis même au courant de ses fiançailles. Je me suis déjà renseignée sur Monsieur Henry. »

Elle hocha la tête en signe de confirmation. Autrefois les esclaves avaient toujours eu un mode de communication secret, inconnu de leurs maîtres et impossible à intercepter. Dans le monde des esclaves, les Blancs n'avaient aucun secret, et rien n'avait changé depuis la fin de l'esclavage. Désormais les serviteurs se confiaient les mêmes secrets avec encore plus de liberté et de facilité. Et Manon réalisa que Marie LaVeau pourrait sans doute, si elle en avait besoin, en savoir bien plus sur Henry Avery que sa propre mère.

« Comment puis-je vous aider, madame ? demanda Marie tranquillement.

— Ma fille doit épouser Monsieur », dit Manon qui retrouva soudain son calme ; il y avait quelque chose dans la voix de cette femme qui balaya toutes ses hésitations. « Elle est fiancée. C'est un homme très bien qui vient d'une bonne famille, et elle sera heureuse...

— Vous en êtes certaine ?

— Je ferai en sorte d'en être certaine, répliqua Manon. Je la connais bien, elle est déjà heureuse quand elle est avec lui, je crois, et elle a beau être jeune, elle a un cœur âgé...

— Elle n'a pas fait preuve d'un cœur si âgé que ça, aux danses, d'après ce qu'on m'a dit », fit Marie doucement.

Manon se redressa avec orgueil. « Essayez-vous d'insinuer que ma fille n'est pas digne de Monsieur ? »

Marie réfléchit un instant en tirant légèrement sur sa lèvre inférieure. « Elle a un certain feu. C'est peut-être lui qui n'est pas digne d'elle.

— C'était une petite rébellion de jeunesse. Je connais ma fille. Elle est ce que les bonnes sœurs ont fait d'elle. Avec le temps elle se rendra à l'évidence, mais en attendant, j'ai l'intention de lui éviter une tragédie absurde.

— Vous pensez qu'elle pourrait prendre un amant pas convenable ? »

Manon éclata d'un rire de dérision. « Certainement pas ! Tout ce que je crains, c'est qu'elle donne l'apparence de la débauche et qu'elle ruine toutes ses chances.

— Vous souhaitez donc mon aide pour lui donner une apparence de piété et de bonheur avec son fiancé. C'est ce que vous voulez ? »

Manon acquiesça. « Seulement jusqu'à ce qu'elle redevienne elle-même, ce qui ne saurait tarder, j'en suis convaincue. Elle est juste un peu agitée en ce moment, vous pouvez sûrement vous rappeler cette période, madame ? Moi-même j'ai dansé à Congo Square un soir, mais je n'étais pas fiancée à un Avery à l'époque. Je ne peux pas lui laisser passer cette occasion. Si elle s'en rendait compte elle nous remercierait, j'en suis sûre.

— Si je comprends bien, vous voulez juste que je la tienne à l'écart de Congo Square ? »

Manon réfléchit un instant. « Non. Non, je pense que ce n'est pas suffisant. Je voudrais que vous fassiez que le mariage ait lieu comme prévu. »

Marie LaVeau se détourna légèrement en faisant une grimace. « C'est bien plus difficile, chère, bien plus difficile que de retenir le cœur d'une jeune fille de ces folles nuits. Car bien entendu les gris-gris doivent également engager Monsieur en même temps que votre fille.

— Alors faites-le, dit Manon fermement. Engagez-les tous les deux.

— Vous êtes venue voir ma mère une fois, c'est vrai ? Mais vous n'avez pas accepté ses pouvoirs...

— J'ai accepté le principe de ses pouvoirs », répondit Manon, sidérée que Marie se souvienne de cette unique nuit de panique. Elle-même se rappelait à peine avoir avalé le sachet d'herbes et vidé son ventre, tant cela lui semblait loin. Un vague rêve grisâtre... « Mais en fin de compte je n'ai pas pu trouver le courage de prendre sa potion.

— Et cet enfant est le résultat de ce manque de courage de cette nuit-là ?

— Oui, mais tout de même..., sourit Manon, je n'ai jamais regretté de ne pas avoir été capable de la tuer.

— C'est très bien, acquiesça Marie doucement, que d'une certaine manière l'enfant doive ainsi son âme à maman. Cela va nous faciliter la tâche, je pense. »

Manon ne comprit pas qui elle entendait par « maman », mais elle n'hésita pas. « Alors vous allez le faire ? Vous allez faire que le mariage se produise ? »

Marie haussa les épaules. « Si c'est ce que vous souhaitez. »

Elle se leva et fit signe à Manon de la suivre. Elles quittèrent l'antichambre et passèrent dans la pièce du fond, équipée de tous les ornements rituels de la prêtresse vaudou. Marie prépara un petit autel en y étendant une nappe de lin immaculée, puis elle y posa un portrait de saint Joseph. Devant, elle plaça un bol rempli à ras bord de sable blanc. Elle prit deux bouts de papier, y inscrivit les noms de Zoé d'Irlandais et M. Henry Avery et les enfouit dans le sable ; puis elle enfonça dans le sable deux épaisses bougies bleues qui devaient brûler pendant des heures. Elle alla chercher deux petites poupées dans un placard et les installa devant Manon.

« Elle a les cheveux noirs ?

— Plus noirs que la nuit, répondit Manon.

— C'est bien ce qu'on m'a dit, reprit Marie en prenant une touffe de cheveux noirs et en l'épinglant sur la tête de la poupée féminine. Et lui... ?

— Bruns, je pense. Châtains. Il n'en a plus beaucoup sur le dessus. »

Marie sourit, prit seulement trois cheveux châtains et les étendit délicatement sur la tête de la poupée masculine. Puis elle attacha leurs deux mains minuscules avec un ruban de satin blanc et les posa sur l'autel, devant le bol qui contenait les noms et les bougies.

Ensuite elle apporta un plat rempli de sel et une bouteille de whisky. « Vous devez allumer les bougies, dit-elle à Manon en lui tendant un cierge qui brûlait.

— Est-ce qu'elle saura quelque chose de ma visite ? demanda Manon, soudain hésitante.

— Peut-être. En temps voulu. Mais si elle l'apprend, ça ne la gênera pas beaucoup. C'est toujours comme ça avec le bonheur une fois qu'il est arrivé, non ? »

Manon alluma les deux bougies bleues.

« Maintenant vous devez vous agenouiller à côté de moi », dit Marie. Elles se mirent à genoux devant l'autel, le plat de sel posé par terre entre elles, le whisky à côté.

« Saint Joseph, priez pour nous ! » s'exclama Marie tout à coup, si fort que le canari près de la fenêtre poussa un petit cri d'alarme.

Manon chancela, mais elle essaya de ne pas bouger.

« Saint Michel, priez pour nous ! » s'exclama Marie à nouveau. *Dani ! Dani ! Blanc Dani !* Elle eut un tremblement et ferma les yeux ; elle respirait par souffles saccadés, comme si elle avait été en couches. « Saint Pierre, aidez-nous ! *Liba ! Liba ! L'a commandé !* »

A l'invocation par la prêtresse à un dieu païen, Manon fit un mouvement nerveux. Subitement le visage d'Emma en train de lui apprendre le catéchisme lui apparut à l'esprit, et elle poussa un petit gémissement.

Marie la regarda en fronçant les sourcils. « Vous n'allez pas encore changer d'avis, si ? Vous regrettez ? Ne recommencez pas à insulter les dieux, chère.

— Non, non, dit Manon d'une voix haletante, presque prise de douleur. Continuez, continuez, je ne regrette rien.

— Jusqu'à la mort ? lui demanda Marie. Jusqu'à la mort ? Dites-le !

— Jusqu'à la mort, murmura Manon.

— Plus fort !

— Jusqu'à la mort ! »

Toujours à genoux, Marie déboucha la bouteille de whisky et la lui passa. « Buvez. Buvez jusqu'à ce que votre serment vous brûle la gorge. »

Manon prit une grande gorgée d'alcool, et la douleur aiguë lui fit monter les larmes aux yeux.

Marie la tira pour la faire se lever, et la poussa vers l'autel. Elle versa une poignée de sel dans le poing de Manon et lui referma ses doigts tremblants. « Maintenant jetez-le dans la flamme du cierge », murmura-t-elle.

Manon ouvrit lentement ses doigts et laissa s'écouler, tel du sable, le sel au-dessus du feu.

« Bien, soupira Marie. C'est bien. »

Elle quitta la pièce et revint aussitôt en apportant deux soucoupes. Chacune contenait la moitié d'un serpent noir qui avait été cuit puis coupé en deux, et réparti entre les deux assiettes. Elle prit un morceau de serpent et le porta aux lèvres de Manon. « Mangez. »

Manon s'écarta, avec un haut-le-cœur qu'elle ne put réprimer.

« Vous devez le manger, sinon le sort ne sera pas accompli.

— Je ne peux pas », dit Manon d'une voix faible. Et elle détourna la tête.

Marie lui lança un regard foudroyant. « Vous pensiez peut-être que la magie se faisait si facilement, espèce d'idiote ? Vous pensiez qu'il suffirait de donner de l'or pour un tel service ? Mangez ça, je vous dis, ou le malheur vous poursuivra, vous et votre enfant, jusqu'à la fin de vos jours ! »

Manon ouvrit les lèvres, ferma les yeux, et parvint à avaler le morceau de serpent cuit avec des hoquets répétés.

Marie l'observait et mangea calmement presque tous les morceaux de l'autre soucoupe.

Elle quitta une nouvelle fois la pièce et revint avec un nouveau bol, et cette fois-ci Manon crut qu'elle allait s'évanouir. Le bol contenait à ras bord une substance blanche qui ressemblait à un tas d'asticots, parsemée d'herbes vertes.

' « Oh ! Sainte Marie, dit Manon dans un souffle, je ne pourrai pas... »

Marie sourit d'un air de dégoût. « C'est des macaroni, espèce de dinde, avec un peu de persil. Tout ce que vous avez à faire c'est de les porter au vieux chêne de Congo Square, ce soir à minuit, et les poser entre les racines qui s'étendent en direction de l'endroit où ont lieu les danses. Comme ça vous aurez donné quelque chose aux dieux en échange de la perte de votre fille. »

Manon prit le bol, baissant la tête, toute honteuse.

Marie se remit à lui crier dessus. « Des regrets ! Vous avez toujours des regrets, madame ! Je ne crois pas que vous ayez assez de cran pour ce genre de choses ! »

Manon secoua la tête lentement. « Si. Je n'ai pas de regrets. C'est fait ?

— C'est fait. Elle épousera Monsieur avant la fin de l'année. »

Manon releva la tête, interdite. « Mais elle est encore si jeune ! Elle aura à peine quinze ans à la fin de l'année. Moi, je lui avais dit, à lui, au moins deux ans de fiançailles...

— Le sort ne tiendra pas aussi longtemps. Elle se mariera avant la fin de l'année ou elle ne se mariera jamais. »

Manon serra le bol contre son ventre et ferma les yeux. « Très bien, elle se mariera. »

Lorsqu'elle retourna à la maison, elle trouva Zoé dans sa petite chambre en train d'écrire de son écriture si parfaite et si soignée, sur son secrétaire. D'un air dégagé Zoé rangea la feuille dans le tiroir quand sa mère s'approcha.

« Alors, ça s'est bien passé avec Monsieur ? » demanda Manon également d'un air dégagé. Elle retira son chapeau, lissa ses cheveux et essuya l'humidité de son front. Une légère nausée persistait, mais elle décida de ne pas y faire attention.

« Il n'est pas venu », dit Zoé calmement.

Manon se laissa tomber sur l'édredon en plumes de sa fille. « Il n'est pas venu ? Mais pourquoi ? Il...

— Il a fait porter un message un peu avant, juste après ton départ, en fait, pour nous prier de l'excuser. Il a sans doute été coincé par une affaire quelconque. Il a demandé de revenir la semaine prochaine à la même heure. » Elle fit un sourire coquin et attrapa sur son bureau une boîte joliment décorée. « Il a envoyé ces bonbons, comme consolation. Ils sont délicieux, maman, essaie ceux à la noisette. S'il annule encore la semaine prochaine avec le même dédommagement, je ne serai pas trop déçue ! »

Manon sentit ses dents grincer dans son effort pour essayer de dissimuler sa colère. « Cette remarque est méchante, et stupide, en plus. Si mon fiancé me faisait faux bond, j'essaierais de me demander ce que j'ai fait pour mériter une telle indifférence. Ta dernière rencontre avec lui s'était si mal passée ?

— Pas du tout, dit Zoé en haussant les épaules et en fouillant dans la boîte de confiseries. On s'entend plutôt bien, je trouve, mais il avait autre chose à faire. Il n'y a pas de quoi s'inquiéter, maman. Il fait trop chaud pour te mettre en rage à propos de...

— Il faut bien qu'une de nous deux s'inquiète, mon chou, et si tu refuses de voir le danger, il faut bien que ce soit moi, je présume. » Elle saisit la boîte de bonbons des mains de Zoé et referma solidement le couvercle. « Tu dis que ta dernière rencontre s'est bien passée ? Pas assez pour le faire s'empresser, à mon avis ! Pas assez pour qu'il te supplie de lui accorder un rendez-vous plus tôt que dans une semaine ! Ça ne te frappe pas plus que ça, toi, que dès le début de sa cour il fasse une progression si tiède ? »

Zoé fronça les sourcils et s'affala d'un air maussade sur son lit. « Mais, maman, qu'est-ce que ça peut faire ? Il est tiède pour tout, d'après ce que je peux en juger. Cet homme n'est pas pris par la passion, alors je ne considère pas ça comme un reproche pour moi. »

Manon jaugea sa fille d'un regard neuf et méticuleux. Elle avait une certaine froideur qu'elle ne lui avait jamais vue auparavant, une assurance qui pouvait tromper sur son âge. Manon réalisa avec un pincement au cœur que cette suffisance effrontée pourrait soit la protéger à jamais de toute souffrance, soit lui en causer tellement qu'elle regretterait d'avoir eu un cœur.

« Bon. Alors il viendra la semaine prochaine. J'espère que tu le recevras bien, Zoé. »

Zoé fit un léger sourire. « J'étais juste en train de lui écrire, pour lui dire que j'allais compter les jours. »

Manon attendit une semaine avant d'envoyer sa propre lettre à M. Avery. Ce fut environ le temps qu'il lui fallut pour décider précisément comment une telle note devait être formulée. Elle se pencha sur sa feuille, le front plissé, mordant sa plume dans l'effort de concentration. Un certain tact s'imposait. Sans dire que Zoé devait se marier pour une raison précise, il fallait lui faire savoir, d'une manière ou d'une autre, qu'elle désirait se marier — malgré le fait qu'elle pouvait ne pas l'admettre si on le lui demandait.

Manon se tordait les lèvres nerveusement... En fait, sa fille refuserait même probablement d'envisager une telle perspective.

Mais la missive fut finalement écrite et envoyée ; Manon trouvait d'ailleurs qu'une des phrases, particulièrement, pourrait faire accélérer Henry Avery sans aucune hésitation. « Je trouve ma fille bien plus mûre que ce que j'en avais d'abord pensé, avait soigneusement écrit Manon, et sa nature passionnée ne devrait pas rester sevrée. »

Après tout, se dit Manon fermement, ce n'était même pas vraiment faux. Zoé était en effet bien plus mûre qu'elle ne le paraissait, et elle avait aussi une nature passionnée. On pouvait s'en rendre compte rien qu'en la voyant danser...

Manon eut un immense soulagement quand elle reçut la prompte réponse de Monsieur. Il serait chez elles dans cinq jours, écrivait-il, et il ferait alors une demande officielle à Zoé en lui suggérant une date de mariage durant l'hiver, juste après la récolte de cannes.

Ce soir-là, après le dîner, Manon proposa à Zoé un verre de muscat qu'elles prendraient dans le salon de musique.

Zoé leva les sourcils. « Du vin ? Tu ne m'avais jamais autorisée à boire de l'alcool avant, maman. C'est en quel honneur ?

— C'est en l'honneur de la chance énorme que tu as, répondit Manon avec désinvolture. D'avoir un homme si bien comme fiancé, de préparer une vie commune si magnifique...

— Mais ce n'est pas nouveau, dit Zoé qui prit son verre des mains de sa mère et se dirigea la première vers le canapé du salon de musique. Tu veux dire que tu es simplement soulagée que j'aie accepté ses visites ? C'est un homme assez bien, oui, je suppose, je n'ai aucune raison de l'offenser. Je dois dire que je n'ai encore absolument pas décidé si j'allais accepter sa demande en mariage, mais comme tu dis, j'ai tout le temps de me décider. » Elle s'assit sur la méridienne, s'appuya contre le dossier et croisa les jambes bien haut, telle une femme entretenue. Son verre de muscat à moitié vide balançait plutôt dangereusement dans sa main.

Manon réprima son agacement. Sa fille lui parut soudain à deux doigts d'être odieuse. Elle promenait autour d'elle les yeux lucides et suffisants de la jeunesse, et on avait l'impression que jamais elle ne voudrait ni ne pourrait mettre en doute son propre jugement. Elle était très forte, et son pouvoir résidait dans son amour-propre infaillible. Un amour-propre qui d'ailleurs n'avait encore jamais été confronté à la réalité.

« De temps en temps il m'ennuie, disait Zoé tranquillement. Et ça m'inquiète un peu, parce que si je le trouve ennuyeux maintenant, il est possible qu'après quelques années de mariage je le trouve carrément mortel. Tu ne crois pas que c'est important, maman, qu'un·

mari ait l'air intéressant, au moins au début ? Je n'arrive pas à m'imaginer de quoi on pourrait parler au bout d'un moment...

— Probablement que tu ne lui parleras presque pas, dit Manon, en tout cas plus après quelques années. C'est pareil pour pratiquement toutes les femmes, tu sais. Vous parlerez de vos enfants, bien entendu, et des voisins. Peut-être de ses affaires, si tu as de la chance. Mais les hommes et les femmes ne se marient pas pour faire la causette, Zoé, ils se marient pour des tas d'autres raisons.

— Ce n'est pas très romantique, tout ça, dit Zoé en prenant une petite gorgée de son vin.

— On ne se marie pas pour être romantique, répliqua aussitôt Manon. On se marie pour avoir des enfants, des terres, des maisons, des amis, et pour avoir quelqu'un à son côté quand on devient malade, vieux ou laid.

— C'est une sorte d'investissement alors, d'après toi. On se passe de quelque chose qu'on désire maintenant, avec la conviction que plus tard on le désirera encore et qu'on ne pourra plus l'avoir à moins d'économiser avant. »

Manon plissa le front et lui fit des gros yeux. « Ce n'est pas très séduisant d'être cynique comme ça quand on est si jeune. Et puis, c'est vrai, le mariage est comme de l'argent à la banque, d'accord, mais est-ce que c'est si mauvais ?

— Non, si c'est d'avoir de l'argent à la banque qui te rend heureuse..., dit Zoé qui pencha son verre à ses lèvres pour le terminer. Mais peut-être que je penserai différemment dans un an ou deux, qui sait.

— En fait tu n'as aucune raison d'attendre si longtemps. Tu es tout à fait mûre pour te marier dès maintenant, à mon avis. » Manon regarda au loin pour feindre un air distrait.

Zoé se redressa et posa son verre sur le guéridon à côté d'elle. « Qu'est-ce que tu dis, maman ?

— Monsieur Henry préfère ne pas attendre. Il voudrait fixer tout de suite une date pour le mariage. Il propose à la fin de l'année, après la récolte de cannes.

— Mais on avait dit que j'aurais tout le temps pour réfléchir !

— Tu l'as eu.

— Ça fait seulement deux mois que je suis sortie des ursulines !

— Et tu auras encore six mois avant le mariage. De toute façon, il faudra au moins ça pour faire les arrangements et finir la construction de ta nouvelle maison. Tu verras que le temps passera très vite, il y a tellement de choses à faire... On ira au domaine Avery dans quelques semaines pour que tu puisses voir les plans de la maison et le terrain... »

Zoé se leva et se mit à faire les cent pas. « Je ne veux pas me marier ! »

Manon se crispa. Elle bondit pour empêcher sa fille de marcher de long en large. « Bien sûr que tu le veux, petite idiote ! Ce n'est peut-être pas le moment idéal, mais c'est le parti idéal... Il faut parfois faire des compromis pour obtenir ce qu'on veut !

— Mais je sais que je ne veux pas de lui !

— Tu lui as fait comprendre tout le contraire en acceptant ses attentions. Écoute-moi, Zoé, arrête de marcher comme ça...

— Si tu me forces, je m'enfuirai ! »

Manon donna une petite tape à sa fille, tira sur ses bras raidis et la secoua légèrement. « Où ça ? Où est-ce que tu vas t'enfuir ? Sur Congo Square à minuit ? »

Zoé en eut le souffle coupé ; elle essaya de s'écarter, mais Manon la tira encore plus près dans ses bras. Elle serra le corps de sa fille qui résistait, et sentit contre son propre ventre le moindre de ses tremblements. « Arrête maintenant, dit-elle d'une voix basse et profonde. Tu crois que je ne sais pas ce que tu ressens ? Tu crois que je ne comprends pas ? Je comprends très bien, chère, et c'est pour ça que tu dois faire ce que je dis. Tu vas gâcher ta vie à jamais si tu n'acceptes pas cet homme, et rapidement. Tu es peut-être ravissante, d'accord, mais tu n'as pas grand-chose à apporter dans un contrat de mariage. Et tu en auras encore moins si tu ruines ta réputation. C'est le meilleur parti que je puisse te trouver, et je n'en chercherai pas d'autre, je te préviens. Si tu n'épouses pas M. Avery avant la fin de l'année, il faudra que tu ailles te chercher de l'aide ailleurs. Je ne vais pas céder la moitié de ce que j'ai obtenu en douze ans de labeur, pour que tu détournes ton joli petit minois et que tu nous humilies toutes les deux. Tu vas gâcher non seulement tes chances, mais aussi les miennes, Zoé ! Il est bon, gentil, et il prendra bien soin de toi...

— Mais je ne l'aime pas ! » gémit sa fille pleine d'angoisse.

Manon l'enlaça encore plus et serra sa joue contre celle de Zoé en retenant ses larmes. « L'amour est une illusion, chère, et ça ne dure pas. C'est un rêve, comme la jeunesse, comme le désir. On ne peut pas vivre rien que pour ça. On ne peut pas prendre une décision si importante en fonction de ça.

— Tu as dit que tu voulais que je fasse un mariage d'amour, sanglota Zoé, tu as dit ça l'autre jour dans le jardin du couvent. Tu as dit que tu ne souhaiterais rien de moins pour ta fille !

— Et ça viendra sûrement, avec le temps. Tu finiras par l'aimer bien plus que ce que tu peux t'imaginer maintenant... Zoé, arrête et regarde-moi ! »

Zoé contracta son visage, arrêta de pleurer et s'éloigna de sa mère, en fixant toujours le mouvement de ses lèvres.

« Tu es en train d'apprendre, dit Manon doucement, ce que toutes les femmes apprennent tôt ou tard. L'amour ne dure jamais dans un mariage. Si tu te maries pour ça, il ne te restera rien. Ce qui te restera, c'est le respect, l'affection et la responsabilité l'un pour l'autre. Et ça, Monsieur te le donnera. Si tu as de la chance il te donnera aussi de l'amour, au moins un certain temps. Et ça, mon enfant chérie, c'est ce que tu peux espérer de mieux, ce que chacune d'entre nous peut espérer de mieux. »

Zoé recommença à pleurer, silencieusement.

« Sois raisonnable, chère. Abandonne tes rêves dès maintenant, sinon ils vont s'agripper à ton cœur toute ta vie, et tu te sentiras toujours seule, même quand tu auras toutes les bonnes raisons d'être satisfaite. Dis-moi que tu épouseras Monsieur comme il le désire

— Maman, toi tu as eu de l'amour, se lamenta Zoé. Pourquoi tu me le refuses ? Pourquoi tu veux que je me fixe pour avoir seulement de la satisfaction ? » Elle prononça le dernier mot comme si elle l'avait craché.

Manon eut un petit rire. « Oui, j'ai eu de l'amour. Et je n'ai jamais été aussi près de me trancher la gorge que quand il m'a quittée. Et je savais qu'il me quitterait un jour. Je voudrais t'épargner cette souffrance, ma fille. Tu n'as pas besoin de connaître ça.

— Mais alors je ne connaîtrai jamais la joie non plus !

— De la joie, tu en auras plein dans ta vie, Zoé, et ce que tu ne connais pas ne te manquera pas. »

A ces mots Zoé se jeta dans les bras de sa mère, et toutes les deux se mirent à pleurer doucement. Quand Manon en eut la force, elle sécha ses propres larmes et celles de sa fille, et lui dit : « Bon, il faut que tu calmes tes esprits, et que tu dises à Monsieur que tu l'épouseras à la fin de l'année conformément à ses souhaits. Tu le feras ? »

Zoé se libéra de l'étreinte, alla à la fenêtre et écarta les rideaux de dentelle. Elle demeura immobile un long moment à regarder en bas dans la rue, et à contempler les lumières scintillantes de la ville. Lorsqu'elle se tourna à nouveau vers sa mère, son visage était presque serein. « Oui, maman, je le ferai. Mais je ne sais pas si je pourrai abandonner l'idéal que j'ai de l'amour. » Elle porta son poing dans sa bouche. « Ça fait tellement mal !

— Oui, chère, dit Manon tout doucement, ça fait encore plus mal que la mort ou même la vieillesse, je crois. Mais tu peux le supporter. On doit toutes le supporter, au bout du compte. »

Zoé se retourna vers la fenêtre. « Est-ce que la nuit est toujours aussi belle quand on ne croit plus à l'amour ?

— Non, reconnut Manon, mais le jour est plus beau. Alors on apprend à dormir la nuit et à vivre sa vie le jour. »

Quand Zoé finit par aller au lit, trop épuisée pour pouvoir encore parler ou pleurer, Manon resta assise près de la fenêtre, plongée dans ses souvenirs. Et comme s'il l'avait une fois encore attendue dans la pièce d'à côté, l'image de David Booth lui revint avec une force poignante. Je l'ai aimé sincèrement, pensa Manon, ça, je ne pourrai jamais le nier. Je n'avais jamais ressenti une chose pareille auparavant, et je ne le ressentirai sans doute jamais plus. Même ce soir je revois sa taille imposante, la largeur de son dos et la puissance de son corps, je sens à nouveau la même joie...

Et pourtant il m'a quittée. Subitement et sans dire un mot, il est parti et il a emporté mon cœur avec lui...

Manon savait qu'il n'avait pas repris d'autre *placée*, elle en aurait entendu parler. Il ne l'avait jamais plus recontactée, et cependant elle avait l'impression qu'il l'aimait encore, qu'il devait au moins encore la désirer, puisqu'il n'avait choisi personne pour la remplacer.

Elle se souvenait qu'elle l'avait aimé dès le début, bien avant que lui ne commence à l'aimer. L'amour qu'elle avait suffisait presque, elle n'avait pas besoin d'une réciprocité des sentiments, tant qu'il était avec elle et qu'il en avait envie. Il était si fort... Aussi fort que le désespoir qu'elle avait ressenti à son départ...

Nous, les maîtresses, nous sommes les choses curieuses, les ratées, se dit-elle. Des démodées, des blessées qui ne guérissent pas aussi vite que les autres. Personne ne nous dit combien de temps on peut souffrir et se lamenter, mais on est toujours au-delà des limites d'un cœur normal.

Il y avait eu une période, et le souvenir était encore très distinct dans son esprit, où non seulement elle avait voulu mourir, mais elle avait voulu mourir devant chez lui, verser son sang sur la poussière qu'il foulerait, sur ses chaussures, même, pour qu'il voie à quel point sa vie avait peu de prix quand il n'en faisait pas partie. Elle se moquait de sa dignité, de son avenir, ou même de son enfant. Même maintenant, elle ne savait pas ce qui l'avait empêchée de se détruire dans la détresse. Tout ce qu'elle savait, c'était qu'un jour elle avait été capable de sortir de son lit et de faire une chose. Le lendemain, elle avait réussi à en faire deux. Le troisième jour, elle fut en mesure de faire en sorte que les autres ne puissent plus lire le désespoir sur son visage. Et elle finit par pouvoir regarder le soleil se lever et se coucher sans que l'envie de mourir la prenne au moins deux fois par jour. Et par se rendre compte qu'elle était tombée amoureuse pour différentes raisons : David n'était que l'une d'entre elles.

Elle aurait mieux fait de demander à Marie LaVeau, lors de sa première visite, un sort qui aurait fait durer son amour, plutôt qu'une potion pour se débarrasser d'un bébé qui allait être Zoé, réalisa-t-elle. Peut-être qu'alors il serait toujours là...

Et c'était désormais Zoé qui se débattait avec l'amour, ou le manque d'amour, comme elle-même autrefois. A-t-elle accepté le mariage à cause du vaudou ou parce que mes paroles l'ont convaincue ? se demanda Manon.

De toute façon, son destin est scellé. Comme le mien. Peut-être que toutes les femmes en arrivent là un jour ou l'autre, mais n'en parlent jamais aux autres, encore moins à leurs filles. C'est la main qui tient le poêlon qui connaît le mieux le prix du lard... Je suis la seule à pouvoir lui dire ça. Je suis la seule qu'elle croira...

Chacune de nous vit la mort de ce rêve — ou ne survit pas du tout — mais on le fait toute seule, sans aucun soutien mutuel. Et quand on émerge de l'autre côté de ces flammes, on ne peut plus jamais aimer exactement de la même manière. On plaint secrètement les femmes qui aiment encore, tout en enviant leurs illusions brèves et passionnées...

Une légère brume se forma dehors devant la fenêtre, et se transforma vite en une pluie crépitante. Comme toujours les passerelles furent inondées en un rien de temps, et la rue devint trempée, bruyante et irisée sous l'éclat des calèches qui passaient.

Abandonner le rêve de l'amour était un peu comme une noyade, se dit alors Manon... une sensation tellement paisible, une fois qu'on avait cessé de lutter...

La seule autre fois où Manon entendit Zoé contester sa décision fut lorsqu'elle discuta avec son oncle Alex. Dès qu'il revint leur rendre visite, elle l'emmena à l'écart pour un de leurs habituels tête-à-tête confidentiels et interminables, une coutume que Manon avait toujours respectée. D'habitude elle se fiait à la sagesse des conseils qu'Alex lui donnait, notamment sur la façon de bien s'entendre avec une maman grincheuse. Mais en dehors de ces quelques conseils, Zoé et lui semblaient surtout s'entretenir à propos des livres qu'ils avaient lus, des articles du *Picayune* sur la politique nationale, ou sur le problème des races — un sujet que Manon était ravie de leur laisser.

Mais cette fois-ci Alex et Zoé s'installèrent dans le salon, la tête penchée l'un vers l'autre pour une conversation à voix basse, et Manon pressentit qu'il y avait là un enjeu important. Elle alla se tenir discrètement derrière la porte ouverte et écouta la voix de sa fille qui augmentait et diminuait avec l'émotion.

« Je ne veux pas me marier, murmurait-elle. Mais on dirait que tout ça a déjà été décidé, que je le veuille ou non.

— Tu ne veux pas te marier du tout, ou tu ne veux pas épouser M. Avery ? » demanda Alex doucement, accordant sa voix à celle de la jeune fille.

Il avait toujours été affectueux avec Zoé, pensa Manon irritée, et c'était cette gentillesse qui l'avait conduite à cette triste situation. Elle refusait de voir sa responsabilité, et espérait toujours qu'on la sauve de quelque horreur innommable — l'horreur d'un mariage décent et d'un homme très bien comme compagnon de vie ! Suis-je la seule qui lui demandera de se conduire enfin comme une adulte ?

« Je ne sais pas, gémit-elle. J'aimerais me marier un jour, je suppose, mais pas maintenant. Il y a tant de choses dont je voudrais d'abord faire l'expérience...

— C'est naturel, dit Alex, tu es restée longtemps aux ursulines... Mais bien sûr les jeunes femmes ne sont généralement pas aussi fougueuses que toi. La plupart du temps elles aspirent exactement à ce que toi tu refuses : un mari, un grand domaine, la perspective d'un avenir garanti. »

C'est bien, pensa Manon, au moins il ne me contredit pas à ce sujet.

« Maman dit que, si je n'accepte pas tout de suite, je le perdrai pour toujours. » Zoé prit sa serviette et s'en tamponna les yeux. « Je ne sais pas quoi faire, mon oncle ! »

Il tendit le bras et lui tapota maladroitement l'épaule. « Je suis sûr que toutes les jeunes femmes sont un peu désemparées quand il faut prendre une décision pareille ; mais il y a une question qu'il faudrait que tu te poses, Zoé. Si tu ne te maries pas, qu'est-ce que tu vas faire à la place ? »

Elle leva sur lui des yeux ébahis.

« Tu vas faire un métier quelconque ? Faire de la couture, peut-être, ou apprendre à lire à des petits enfants ? Cuire des bonnes pâtisseries pour les riches et aller leur livrer dans un charmant panier enrubanné ? » Il parlait toujours d'une voix douce, mais ses paroles allaient à l'encontre de cette gentillesse... « Tu n'es pas obligée d'épouser Monsieur, bien sûr, tu peux très bien te trouver un autre parti si celui-ci ne te convient pas. Mais ce que tu feras de toi pendant les années qui viendront, penses-tu que ça te valorisera pour une meilleure occasion ? »

— Je pourrais aller à l'étranger, dit-elle d'une voix faible. Faire des études de musique, peut-être, ou d'art.

— Est-ce que ta mère t'a fait ce genre de proposition ? »

Zoé baissa la tête. « Elle dit que, si je n'accepte pas Monsieur, elle ne m'aidera pas pour arranger une autre union.

— Ah ! Eh bien, ça fait tout tomber à l'eau, non ? dit Alex d'un air songeur. Je ne peux pas m'interposer entre ta mère et toi. Même si je te proposais une assistance financière, tout ce que j'ai est mélangé avec les comptes de ta mère. D'ailleurs je ne suis pas sûr du tout que ce serait la chose à faire. C'est regrettable, ma petite. Ce n'est pas juste, d'après mon point de vue, mais ainsi est la vie... Les femmes — même les rares jeunes femmes qui sont aussi douces que toi — les femmes ne peuvent pas toujours suivre le chemin qu'elles voudraient choisir. Et qui le peut ? » Il soupira et raidit les épaules d'une manière un peu gauche. « Mon conseil serait d'accepter M. Avery... Si tu penses qu'avec le temps tu pourrais t'attacher à lui, je souhaite que ce moment vienne le plus tôt possible ; comme ça tu pourrais saisir ce que tu as, au lieu de fouiner à droite et à gauche pour trouver quelque chose qui ne sera peut-être jamais aussi bien. »

Zoé suffoqua légèrement. Elle prit les mains de son oncle d'un air implorant. « Je ne pensais pas que tu me donnerais un conseil pareil. Tu me dis de me marier et de me résigner ? Toi qui as toujours suivi tes passions là où elles te menaient... ? »

Il secoua doucement la tête. « Ne parlons pas de passion. Tu m'as posé une question, Zoé, et je t'ai donné mon opinion. Ce n'est rien de plus, bien entendu, et ça ne compte sûrement pas autant que les impulsions de ton propre cœur. Mais moi, à ta place, j'écouterais ta maman. J'ai appris qu'elle avait souvent raison, ajouta-t-il avec amertume, même quand j'étais furieusement en désaccord avec elle. » Il lui donna une petite tape sur la main. « En général elle savait ce qu'elle faisait. Et je suppose que c'est le cas en ce moment. »

Zoé se releva et se tint stoïquement devant Alex. « Très bien. Au moins je sais qui est de quel côté dans cette maison. » Elle rejeta ses cheveux en arrière et s'essuya les yeux avec rudesse. « Merci pour ton conseil, mon oncle. » Elle avait une voix pointue, légèrement crispée. « Je ne t'embêterai plus avec mes pleurnicheries. » Elle le laissa seul à la table du salon et monta dans sa chambre d'un pas déterminé.

Manon entendit Alex pousser un profond soupir et se lever de sa chaise. Elle alla vers lui pour le remercier, mais il la repoussa doucement et se retourna vers la fenêtre pour regarder dehors. « Je savais ce que tu voulais que je lui dise, murmura-t-il, et je l'ai dit. Je prie seulement le ciel qu'on n'ait pas à regretter de l'avoir poussée comme ça.

— Elle traversera forcément une période de mécontentement, dit Manon fermement, comme tout le monde, non ? Mais plus tard, quand elle repensera à maintenant, elle te saura gré de tes paroles. Je suppose qu'elles étaient sincères, ajouta-t-elle en l'interrogeant du regard. Tu ne lui as jamais donné de conseil simplement parce que tu pensais que j'avais besoin de renfort.

— En gros j'étais sincère, dit Alex d'une mine triste. Mais je me sentais quand même obligé de dire ça... »

Manon lui lança un regard sévère. Soudain, une image du visage de Marie LaVeau lui traversa l'esprit, mais elle la chassa et se concentra sur les paroles de son frère.

« Je regrette de ne pas pouvoir envisager d'autres choix pour elle, poursuivit Alex. N'est-ce pas atroce qu'une jeune fille ravissante d'à peine quinze ans ait si peu de possibilités ?

— Si elle était blanche... », dit Manon d'une voix grave et vibrante de passion, en le rejoignant à la fenêtre. Puis elle redressa les épaules. « Mais elle ne l'est pas. Il faut donc qu'elle se serve de sa tête au moins autant que de son cœur. » Le sourire qu'elle adressa à Alex avait quelque chose de dur... « Elle ne peut pas s'offrir n'importe quel luxe.

— Dis-moi, ma sœur, est-ce que tu t'es aussi colletée avec les mêmes choix à faire ?

— Tu sais très bien que oui. Mais j'en avais bien moins à proposer sur le marché officiel. Pratiquement pas de dot, peu de respectabilité, et quarteronne à la place d'octavonne... qu'est-ce que tu en dis ? Juste une minuscule goutte de sang noir, et c'est ça qui fait toute la différence...

— Et alors tu es devenue une *placée*.

— Oui, répondit-elle d'une voix mielleuse, mais pour Zoé, pas question. »

La récolte de cannes fut généreuse cette année-là, car les pluies ne commencèrent pas à tomber avant que tout soit rentré. Après des mois de préparatifs arriva enfin le matin où Manon put compter en heures, et non plus en jours, l'instant où sa fille allait devenir Mme Henry Avery.

Le mariage devait être grandiose ; il aurait lieu dans le parc, et des calèches de quatre comtés voisins étaient attendues pour venir encombrer la longue allée en boucle qui conduisait à la plantation Avery. Et la touche finale de l'union des deux familles — qui faisait jubiler Manon bien plus que de nombreux détails matrimoniaux chers et sophistiqués — c'était qu'Élice Avery, la petite sœur du marié, s'était spontanément proposée pour se tenir au côté de Zoé en tant que demoiselle d'honneur. Manon s'était empressée d'aller annoncer la nouvelle à Zoé, certaine que cela la ferait rougir de joie et de fierté au moins autant qu'elle.

Mais Zoé s'était contentée de réagir avec son calme habituel et sa pose gracieuse, attitude qu'elle avait soigneusement cultivée depuis qu'elle avait accepté la date de mariage de Monsieur.

« Mais, ma chérie, avait protesté Manon, on ne pouvait pas rêver de meilleur présage pour le commencement de votre vie commune. Tu aurais pu avoir je ne sais combien d'amies qui se seraient proposées, mais aucune n'aurait apporté le même message qu'Élice Avery, rien qu'en tenant ta traîne quand tu t'agenouilles devant le prêtre.

— Et quel est ce message, ma mère ?

— Eh bien, que tu fais désormais partie de la famille, bien entendu, une Avery dans l'esprit aussi bien que dans les faits. » Manon lui avait fait un sourire charmeur. « Elle n'était pas obligée de te faire une offre pareille, tu sais. Et tu aurais pu te retrouver devant l'autel toute seule face au monde entier.

— Qu'est-ce que tu crois ? Je vais effectivement me retrouver toute seule, avait répliqué Zoé calmement, même si toute la famille Avery vient à côté de moi. Après tout, c'est moi qui vais prêter serment. »

Manon l'avait serrée dans ses bras. « Tu as raison, bien sûr », avait dit sa mère qui ne voulait pas continuer une conversation contrariante dès le départ. Zoé était si difficile à cerner ces temps-ci ! « Bon, il faudrait décider quelle dentelle tu veux pour ta voilette, avait-elle repris précipitamment, tu sais qu'il faut qu'on dise au chapelier si tu préfères la bruxelles ou la française... »

Zoé se trouvait désormais dans l'antichambre derrière le salon, et sa robe de mariée couleur ivoire retombait en plis gracieux sur ses escarpins de satin. Ses cheveux sombres et brillants étaient relevés dans un filet de dentelle, ce qui avait pour effet de la rendre bien plus âgée et plus sophistiquée qu'elle ne l'était. De même, la partie haute de son voile qui reposait sur sa tête ajoutait plusieurs centimètres à son corps mince...

Manon vint voir sa fille, profondément consciente du fait que c'était la dernière fois qu'elle était encore vraiment sa fille. Elle tenait dans les mains le bouquet si parfumé de fleurs d'oranger pour Zoé. « L'ivoire était le choix idéal, ma fille, dit-elle tendrement. Ça te donne l'air aussi pâle que ces fleurs. Tu es une apparition divine, ma Zoé. » Elle tendit le bouquet à sa fille et la prit dans ses bras, en faisant bien attention de ne pas froisser la dentelle du corsage qui étoffait si délicatement sa silhouette.

Zoé l'embrassa avec un tendre sourire.

« Dis-moi, dit brusquement Manon sur un ton insistant. Dis-moi que tu es heureuse, Zoé. Je ne supporterais pas que tu sois malheureuse. Dis-moi que tu ne regrettes rien. »

Par-dessus l'épaule de sa fille, elle voyait les invités se regrouper, tandis que le pianiste et la harpiste entamaient le morceau qu'ils avaient choisi pour le début de la cérémonie. Elle vit arriver Mme Avery, tout sourire, qui venait embrasser sa future belle-fille et lui adresser ses vœux de bonheur. Dans quelques instants la vie de Zoé allait être déterminée, son destin à jamais scellé.

« Je ne regrette rien, dit Zoé d'une voix neutre. Qu'y a-t-il à regretter ?

— Alors si je pleure, ce sera de bonheur », déclara Manon en la serrant une dernière fois dans ses bras avant de se retourner pour faire face à Mme Avery. « La priorité d'une mère ! » Elle s'écarta de la petite foule d'épaules qui venaient entraîner Zoé dans leur sillage, et la cérémonie commença lorsque Henry Avery alla rejoindre sa place à côté du prêtre au bout du salon. Manon alla s'asseoir sur sa chaise au premier rang et prit la main d'Alex qui l'attendait sur la chaise d'à côté.

« Elle est absolument splendide, lui susurra-t-elle joyeusement, tout en saluant de la tête les gens qu'elle reconnaissait et qui remplissaient peu à peu la salle.

— Elle est heureuse ? » demanda Alex calmement.

Manon fronça les sourcils et lui donna une tape sur la main comme si elle avait tenu un éventail replié. « Bien sûr qu'elle est heureuse, fou-fou, quelle question ridicule ! »

La musique atteignit un paroxysme dans l'attente des déclarations, et le cortège nuptial commença à s'acheminer lentement dans le salon.

Quand Manon vit Zoé arriver au seuil et baisser timidement la tête, tandis qu'elle se dirigeait vers le prêtre au milieu de la foule souriante, elle ne put empêcher ses yeux de déborder et elle les essuya délicatement, rayonnant à travers ses larmes.

Les paroles du prêtre glissèrent sur Manon comme le bas murmure d'une brise fraîche qui remonte de la rivière ; elle était incapable de fixer son attention sur les phrases latines, et les mots français qu'il ne semait que de temps en temps dans son sermon résonnaient dans son esprit comme une cloche lointaine et étouffée. Au lieu d'écouter elle pensait à la chance formidable qu'elle avait, et à la situation encore plus merveilleuse de Zoé, que toutes les deux avaient élevée bien au-dessus des espérances que pouvaient avoir des femmes de leur caste. Elle se rappela très distinctement ce que son amie Monique lui avait dit, le soir où elle avait rendu sa première visite à Marie LaVeau, afin de débarrasser son ventre de ce qui allait devenir la fille qui se tenait désormais devant le prêtre...

« Je n'ai jamais été enfant, avait dit Monique. Peu d'entre nous pouvaient se payer le luxe de la jeunesse. Ma mère m'a parlé de l'amour et de la passion quand je n'avais que huit ans. Et depuis j'ai été élevée pour devenir ce que je suis. La maîtresse de mon Monsieur. Je suis née pour ça et c'est ce que je suis devenue. »

Mais Zoé était née, élevée et destinée à bien mieux. Et c'était aujourd'hui que culminaient tous les espoirs que Manon avait nourris dans son cœur pendant quatorze années. Tandis que sa fille s'écartait désormais du prêtre, enfin déclarée Mme Henry Avery, Manon ferma les yeux et murmura une prière à la Vierge Marie pour assurer sa sérénité.

Manon ne parvenait toujours pas à approcher Zoé encore longtemps après la cérémonie, et elle n'essaya d'ailleurs pas vraiment d'arracher la jeune mariée à l'étreinte protectrice de son mari. Tant de visages souriants et prospères qu'elle n'avait jamais vus tentaient de faire la connaissance de sa fille, qu'elle était presque contrainte de rester à l'écart et de contempler la procession d'amis qui s'attroupaient dans un flot de dentelles, de satins et de brocarts somptueux. Elle nota avec satisfaction que Zoé s'inclinait exactement à la bonne hauteur et pendant la durée parfaite, avec un rythme inné de calme et de dignité.

Alex se tenait à son côté, souriant, et saluait les gens qu'on lui présentait. Manon l'entendit parler plusieurs fois de son travail quand on lui posait la question, mais heureusement il ne s'embarqua pas dans ses discours à n'en plus finir à propos de la réserve d'oiseaux et de la production de sel. Et quand elle vérifia qu'il était capable de s'occuper d'une assiette de hors-d'œuvre et d'une conversation en même temps, elle se faufila vers Zoé et lui murmura : « Ma chérie, je n'ai jamais été aussi fière de toi qu'aujourd'hui. La cérémonie était parfaite, tu ne trouves pas ? »

Elle hocha rapidement la tête, toujours accrochée au bras de Monsieur. « Et tu te rends compte, maman, répondit-elle à voix basse, Henry dit qu'on va pouvoir aller voir notre nouvelle maison dès demain. Les fenêtres ont été posées, les portes sont sur leurs gonds, on aura sans doute disposé les meubles d'ici une semaine. »

Une voix les interrompit dans le dos de Manon. « Je serais ravi de faire la connaissance de la mère de la mariée, si c'est possible, disait un homme à M. Avery, une telle beauté doit bien venir d'une chair réelle... » Il s'inclinait devant Zoé, mais regardait la mère.

Manon se retourna pour accepter les politesses d'un grand homme qui lui baisa la main d'un geste adroit. « Monsieur, sourit-elle.

— Puis-je vous présenter M. Nickolas Fletcher, dit Henry Avery. Mme Manon d'Irlandais... »

Manon remarqua le rajout du terme « Madame » devant son nom. Elle insistait généralement beaucoup sur ce point dans ses négociations d'affaires. Henry savait la vérité, bien sûr, mais il était trop bien élevé pour y avoir jamais fait allusion, même lors de leurs discussions en privé sur la dot de Zoé. Peut-être que maintenant, enfin, le sujet ne reviendrait plus jamais...

« Quel nom lyrique, dit M. Fletcher d'une voix douceureuse, qui va si bien à une femme d'une grâce si subtile. »

Ses paroles étaient parfaites, pensa Manon rapidement, mais son sourire était bien moins que parfait... Quelque chose qui cherchait à l'évaluer... Comme si l'homme l'avait soupçonnée de ne pas être ce qu'elle paraissait. Volontairement elle augmenta l'éclat de son regard et lui fit un sourire chaleureux, conformément à ce qu'il devait attendre. « Fletcher, murmura-t-elle. Est-ce un nom connu ?

— Cela va bientôt être un nom avec lequel il faudra compter, dit Henry, tout en souriant à Zoé qui s'était éloignée pour parler avec deux jeunes femmes. J'espère bien voir le nom de Nick Fletcher sur pas mal de bulletins de vote dans pas longtemps.

— Ou sur pas mal de mandats d'arrêt, plaisanta Fletcher.

— Vous êtes dans la politique alors, monsieur ? demanda Manon.

— On parle de moi dans la politique, répliqua aussitôt l'homme. Mais je ne suis pas encore dedans, en tout cas pas jusqu'au cou ! Et si je n'arrive pas à faire adopter mon point de vue aux requins de la région, alors les patrons de La Nouvelle-Orléans devront se passer de moi pendant un bon moment. Je suis le nouveau venu dans la rue, et vous savez que les passerelles de La Nouvelle-Orléans sont parfois une vraie cohue, difficile à traverser... Mais je me comporte mieux quand je suis en mouvement, madame, me ferez-vous l'honneur ? »

Il lui tendit le bras juste au moment où Manon se rendit compte que l'orchestre entamait la première valse de la soirée. « Mais non ! dit-elle en secouant la tête. La première danse appartient aux jeunes mariés ! » Elle aperçut alors Henry qui emmenait Zoé pour leur premier tour sur la piste de danse.

Les invités ne tardèrent pas à former un cercle tout autour de la salle de bal, en s'exclamant et en applaudissant doucement lorsque la mariée releva sa traîne par-dessus son bras délicat et s'engagea dans le premier temps de la valse. Où avait-elle appris à danser avec une telle grâce ? s'émerveilla Manon dans un coin de son esprit. Zoé gardait la tête haute, s'abandonnait aux bras de son mari et virevoltait sur le plancher comme si elle avait déjà valsé avec lui des dizaines de fois.

« Il me semble que c'est la tradition, dit une voix à l'oreille de Manon, que la mère de la mariée et celle du marié rejoignent le jeune couple. Ça porte bonheur. »

Manon se retourna, découvrit Nick Fletcher et sourit. « La tradition ? Quelle tradition, je vous prie ? Cela me semble tout à fait barbare, deux mères qui se mettent à danser devant une telle compagnie... »

Il fronça les sourcils un instant, puis écarquilla les yeux d'admiration. « Vous avez raison, bien sûr, madame. Trop barbare pour l'avouer... Mais on pourrait peut-être changer la tradition ? Vous pourriez danser avec moi et partager la valse de votre fille ?

— Et sa belle-mère ?

— Elle se trouvera bien un partenaire », sourit-il.

Elle lui prit le bras et se laissa conduire sur la piste de danse, adressant un sourire en coin pour répondre au regard étonné de Zoé. A son grand soulagement, elle vit Mme Avery saisir immédiatement la situation, empoigner son mari par le bras et rejoindre les couples de danseurs avant même qu'ils aient fait deux tours.

« Est-ce qu'on vous a déjà dit, lui susurra Nick Fletcher à l'oreille au second tour, que vous étiez un adversaire redoutable, Manon d'Irlandais ?

— Personne n'a eu besoin de me le dire, monsieur », répondit-elle à voix basse, en le serrant encore plus fort à l'épaule. Il tournoyait de plus en plus vite, comme un cheval qui réagit à l'éperon. « Je le sais depuis ma naissance, en vérité. »

A l'endroit du bayou où les bois de tupelos et de cyprès étaient les plus denses, une aigrette blanche et sa compagne avaient construit un nid. Normalement, ces bois étaient si peuplés que les places disponibles pour les nids étaient rares. Les aigrettes ordinaires, ainsi que les aigrettes blanches et les aigrettes bleues, se disputaient donc avidement les places dans les broussailles. Mais cette saison-là, ces deux compagnons avaient pu construire leur nid sans trop de rivalité.

C'était un soir de printemps. La compagne de Cuk était en train de couver ses œufs ; Cuk tournait au-dessus d'elle, ses larges ailes blanches déployées, et freina avant de se poser sur le rebord du nid. Comme il l'avait craint, l'oiseau-serpent se tenait toujours là, trop près du nid qui se balançait sur une branche de cyprès recourbée. Il poussa un cri pour tenter de défier l'intrus, mais celui-ci ne bougea pas d'un pouce. Cela faisait maintenant trois jours qu'il les observait.

La compagne de Cuk se leva nerveusement et redisposa ses œufs avec son long bec, en caquetant pour que son compagnon la rassure. Mais il n'avait aucun moyen de la tranquilliser. S'il ne parvenait pas à chasser l'anhinga en prenant des positions d'attaque menaçantes ou en poussant des cris rauques en signe de protestation, Cuk était coincé. L'autre oiseau était plus grand et son corps était plus adapté aux combats. Cuk lissa ses longues plumes d'aigrette anxieusement, sans quitter l'oiseau-serpent des yeux.

Après un moment, sa compagne se leva et étendit son long bec, étirant son cou pour être plus à l'aise. Elle avait besoin de se nourrir vite : cela faisait déjà plusieurs heures qu'elle couvait. Elle regarda l'anhinga droit dans les yeux, jeta un coup d'œil à Cuk, puis elle déploya ses ailes et s'envola au-dessus du marécage, en direction des eaux profondes où la pêche était plus facile.

Cuk restait indécis. L'oiseau-serpent s'approcha alors encore plus, sautant une fois pour se retrouver à une aile de distance du nid. Il pointa sa gueule étroite en direction de Cuk, et bondit à nouveau pour se rapprocher. Puis il mit la patte sur le rebord même du nid. Tandis que Cuk le regardait, ne pouvant rien faire sauf pousser des cris rauques et angoissés, l'anhinga parvint à l'intérieur du nid et prit un œuf dans son bec. Cuk battit des ailes, ouvrit son bec avec un air menaçant, et produisit des sons gutturaux et discordants pour effrayer l'intrus. Mais l'oiseau-serpent se contenta de jeter l'œuf par-dessus le nid et de le laisser tomber dans l'eau. Un par un, il s'empara des six œufs jusqu'à ce qu'ils aient tous disparu dans le bayou.

Cuk s'envola vers un tupelo proche en battant nerveusement des ailes. Il observait l'anhinga, dont la compagne venait d'arriver. Ils s'accouplèrent rapidement ; elle se balança ensuite sur le rebord du nid, son long cou étiré au-dessus de l'eau. Puis elle s'installa dans le nid des aigrettes et replia fermement ses ailes autour d'elle, tandis que le mâle s'envolait pour aller se nourrir.

La compagne de Cuk revint et fit le tour du marécage alors que le soleil déclinait dans le ciel printanier. Lorsqu'elle aperçut la femelle anhinga dans son nid, elle poussa un cri perçant, alla se poser sur un arbre voisin et appela Cuk en signe de détresse. Il vola alors vers l'endroit où elle était perchée et, ensemble, ils restèrent sur l'arbre à piétiner, à se lisser les plumes nerveusement et à observer sans cesse leur nid.

Lorsque le crépuscule approcha, la femelle anhinga s'envola du nid... Cuk et sa compagne y volèrent immédiatement. Ils se mirent alors à défaire le nid tous les deux, enlevant les brins et les brindilles par groupes de trois ou quatre, et s'envolant hâtivement pour les poser sur un endroit sec de la rive. Lorsque le nid fut presque entièrement défait, la compagne de Cuk commença à transporter les brindilles sur un autre cyprès qu'elle avait choisi, tressant quelques-uns des plus grands rameaux dans la fourche d'un arbre. Il faisait presque nuit maintenant et il était trop tard pour construire le nid. Ils recommenceraient à l'aurore.

Cuk la retrouva tandis que le dernier rayon de lumière quittait le ciel au-dessus du marécage ; il se posa près d'elle à l'endroit où ils avaient commencé leur construction. Il lissa ses plumes une fois dè plus, en guettant avec précaution l'arrivée d'ennemis. Mais il n'y en avait aucun. Il finit par s'endormir en se balançant sur le bout de ses pattes, comme s'il était prêt à s'envoler.

Le lac Pontchartrain, situé juste au nord de la ville, fut dès 1898 le berceau, puis La Mecque de l'esprit de débauche exubérante de La Nouvelle-Orléans. Des clubs de jazz poussaient tout au long de la rive sud de cette immense étendue d'eau, tels des champignons après la pluie, tandis que les clubs balnéaires et les dancings attiraient habitants et voyageurs tous les soirs de la semaine.

C'était une arène résolument plus chic que celle qu'offrait Storyville, ou Tango Belt, ou Basin Street — connue sous des dizaines de noms différents — le quartier chaud de La Nouvelle-Orléans, la plus grande concentration de lanternes rouges de l'Amérique. Légalisés par Sidney Story, le maire de La Nouvelle-Orléans — d'où le nom de « Storyville » —, les bordels de Basin Street devinrent finalement officiels. Des centaines de touristes venaient reluquer, s'ébahir et s'indigner à Basin Street, rue centrale d'un grand rectangle commercial, créée et maintenue légalement et qui, comme le promettaient les bonimenteurs, possédait absolument tout.

Ça allait du palais de l'érotisme avec des miroirs aux plafonds et des fresques aux murs de trois mètres de large, où l'on payait cinquante dollars la nuit, jusqu'à la fille de joie qui traînait dans les rues avec un tapis roulé sur son épaule, et qui prenait vingt-cinq *cents*. Plus de deux mille femmes exerçaient le métier à Storyville, et plusieurs milliers d'autres servaient à boire et à manger, jouaient du jazz et percevaient les recettes.

En effet, certains des citoyens les plus respectables de la Queen City faisaient leur fortune avec les bénéfices de Storyville, et quand ils voulaient en dépenser une partie ils n'allaient pas dans Basin Street, mais au lac Pontchartrain...

Les tables bondées du club renommé de Manon d'Irlandais en bordure du lac, le Palace irlandais, devaient toujours être réservées longtemps à l'avance. Comme beaucoup d'autres clubs, le Palace proposait des pique-niques au bord du lac, des bals, des concours, des soirées en petit comité et des divertissements privés si on y mettait le prix... Mais le Palace irlandais avait surtout la réputation d'avoir les meilleurs musiciens de jazz de la ville. Tous les dimanches le wagon particulier de Manon d'Irlandais, la « Marie fumeuse », allait du French Quarter jusqu'au lac sur sa ligne de chemin de fer privée, transportant en grande pompe les passagers au Palace. Un des wagons était toujours rempli de musiciens, un pot-pourri vivant de blues, jazz et dixieland ; juste derrière le second wagon logeait le *haut monde* de la Queen City, les riches patrons qui voyageaient dans un confort luxueux.

Manon empruntait souvent sa propre voie ferrée, histoire de choyer ses clients, mais elle y fit son dernier voyage le soir où elle entra dans une dispute polie avec un homme de Chicago qui soutenait que le mot « jazz » avait été inventé dans sa ville.

« Mais non, cher, lui avait-elle dit avec fermeté, on le dit en français, non ? Le *jazz hot*. Ça vient de *jaser*, bavarder, jacasser comme des pigeons, si vous voulez. Ce n'est pas "djadz" mais "jaze"... Vous, à Chicago, vous le prononcez mal, c'est tout. » Elle lui adressa un sourire aimable pour ne pas le contrarier.

« D'accord, sacré nom ! Si tu le dis, ma p'tite ! » s'exclama l'homme en faisant claquer sa grosse main sur la cuisse de Manon.

Elle ne parvint pas à se débarrasser de ce compagnon pour tout le reste du trajet jusqu'au lac, et elle se jura qu'elle ne prendrait plus jamais la « Marie fumeuse » uniquement pour s'assurer que ses tables se rempliraient.

Mais la plupart du temps elle restait sur place, car le Palace irlandais attirait plus de clients en une semaine que d'autres clubs en un mois à la belle saison. Manon était assise à sa table, une des plus grandes du club, qui surplombait une grande partie du rez-de-chaussée et d'où l'on apercevait également le pavillon de danse au bord du lac. Là elle recevait ses invités et, comme le disait Nick Fletcher, « traitait ses affaires ».

Un soir que Nick était assis à côté d'elle, une place qu'il occupait plusieurs soirs par semaine, Manon reçut en même temps le gouverneur de la Louisiane, le maire de La Nouvelle-Orléans et le chef de la police du French Quarter. Chacun eut droit à son sourire le plus engageant, une vue plongeante sur son profond décolleté, ainsi qu'une série de remontrances sur ce qui n'allait pas dans la manière dont étaient gouvernés l'État, la ville, et ces quelques rues dans le Quarter où elle avait des propriétés.

« Voyons, Ben, vous savez très bien qu'il y a plus de bandits sur la liste de votre personnel que dans la rue! dit-elle au chef de la police. On peut commettre un meurtre juste sous leur nez, eux ils font semblant de ne rien voir. Ils ne lèvent la main que si leur camp est en danger. » Elle plissa le front avec coquetterie. « J'aimerais qu'on ferme ces magasins de recel et ces hôtels à six sous qui pullulent dans Saint Philip Street, que les gentlemen respectables puissent au moins emprunter les passerelles sans tomber dans une embuscade.

— Et pour qu'ils puissent venir tranquillement manger dans votre café et dormir dans votre hôtel », sourit le chef.

Elle élargit son sourire. « Exactement, cher, vous m'avez très bien comprise. Vous m'avez toujours bien comprise. Bon, que dois-je faire pour aider ce miracle à se produire ? »

Nick ricana doucement. « Faites attention, Ben. Elle paiera votre prix, mais elle tirera profit de chaque picayune qu'elle vous donne. Elle fait toujours ça.

— Ce ne sera pas la première fois que j'aurai traité une affaire avec Madame Manon, répliqua Ben d'une voix mielleuse. Le Palace n'est pas si loin de Basin Street !

— Oh ! Plus loin que la lune, rétorqua immédiatement Manon. Je peux vous faire confiance alors, cher, pour évacuer ce sale tas de truands ? J'en ai assez d'entendre mes clients se plaindre qu'on leur a fait les poches avant qu'ils aient eu le temps de trouver refuge dans mon établissement. »

Un des grooms de Manon s'approcha de la table, se pencha légèrement et lui fit signe de venir. « Nick, dit-elle avec un sourire charmeur, peut-être que Ben et toi vous pourriez discuter des détails de cet arrangement, je dois aller accueillir un de nos invités... » Elle s'éloigna gracieusement et laissa Nick négocier le prix avec le chef de la police, chose pour laquelle il était bien plus doué qu'elle.

Manon voulait toujours parvenir à ses fins, mais cela lui laissait toujours un goût amer dans la bouche d'être obligée de marchander pour un prix. Elle préférait garder la douce illusion que ces gentlemen lui rendaient service parce qu'ils approuvaient ses projets et qu'ils voulaient lui faire plaisir...

Le groom fit approcher un autre homme élégant, devant lequel elle s'inclina en tendant la main. « Monsieur, dit-elle gaiement, votre visite me comble d'honneur et de joie ! »

John McGovern se pencha et lui embrassa la main. Manon l'observait attentivement. C'était le patron de loterie le plus puissant de l'État, et elle avait grand besoin de son soutien... La Loterie louisianaise offrait des dons aux hôpitaux de charité, aux asiles, aux fonds de recherche sur la fièvre jaune, à l'Opéra français — toutes les causes nobles qui pouvaient empêcher les réformateurs de tenter de les faire disparaître et quelques-unes un peu moins nobles. Appelée la « Pieuvre dorée » par ses détracteurs, la Loterie louisianaise était une des plus riches de la nation, et La Nouvelle-Orléans vivait dans la fièvre de la loterie. Des petits tirages avaient lieu chaque jour, des grands deux fois par mois, et des tirages exceptionnels deux fois par an. Les clients de Manon en parlaient, en rêvaient, achetaient leurs billets d'après leurs rêves ou allaient voir des prêtresses vaudou pour les interpréter. Ils allaient à la messe pour faire bénir leurs bulletins, et beaucoup se vantaient de ne pas avoir manqué d'acheter leur billet quotidien depuis des années.

Manon savait que la charte de vingt-cinq ans qui régissait la loterie nationale arrivait à son terme, et que si elle voulait réussir à récolter sa part des donations, elle devait être rapide. John McGovern était l'homme idéal pour trouver un moyen approprié.

« Eh bien, je suis profondément indigné, madame, lui dit McGovern d'une voix doucereuse, d'avoir dû attendre si longtemps avant de rencontrer la Grande Dame de la Queen City. Votre réputation ne vous avantage pas. »

Elle lui fit signe de s'asseoir à côté d'elle à sa table, et remarqua entre-temps avec satisfaction que Nick était en train d'embobiner le chef avec effusion et qu'il l'entraînait vers le bar pour lui offrir quelques verres sur le compte de la maison. Manifestement ils venaient de conclure leur petite affaire à son avantage à elle... « Et quelle est donc cette réputation, monsieur ? Avec toutes mes responsabilités professionnelles, je n'ai même pas le temps de sortir autant que je voudrais, j'ai bien peur de devenir un véritable fantôme pour mes amis !

— La réputation de votre beauté », répondit l'homme, et une dent en or d'un côté de sa bouche étincela dans l'obscurité.

Manon lui retourna son sourire, se pencha légèrement en avant et fit signe à son maître d'hôtel d'apporter du champagne frappé. « Vous avez l'œil pour la beauté, monsieur ? C'est merveilleux ! J'espérais vivement que vous étiez un homme qui apprécie ce genre de chose... Et si effectivement vous appréciez la subtile grâce de la féminité dans son épanouissement le plus fragile, alors peut-être que vous et moi — ainsi que certains de mes amis particuliers — nous pourrions réellement rendre La Nouvelle-Orléans aussi célèbre pour sa beauté qu'elle le mérite. »

Dans l'heure qui suivit Manon parla, fit du charme, argumenta et cajola, jusqu'à ce qu'elle obtienne de John McGovern la promesse qu'elle récupérerait une bonne part du gâteau des donations de la loterie sur son assiette à elle, afin de construire une des premières écoles d'infirmières publiques de la ville. En échange, la fille aînée de John McGovern, qui devait se marier trois mois plus tard, ferait une noce en grande pompe au Palace irlandais et recevrait les vœux de Manon.

« Et comme ça, expliqua Manon d'un air fatigué à Nick lorsqu'ils fermèrent le club ce soir-là, chaque main lave l'autre... Je me demande si à Des Moines ils font leurs affaires comme on les fait à La Nouvelle-Orléans ? »

Il la prit dans ses bras. « Ça m'étonnerait que même les autres gens de La Nouvelle-Orléans fassent des affaires comme nous ! »

Elle l'embrassa fougueusement. Aucune paire de lèvres n'était aussi douée que celle de Nick, pensait-elle. Cela n'avait pas changé, même après deux ans de baisers assidus. Deux ans depuis leur première danse... Deux ans d'un amour enivrant qui l'avait menée dans son lit, puis dans ses intrigues, et l'avait finalement conduite à s'associer avec lui dans une liaison aussi lucrative que passionnée. Ensemble ils avaient manœuvré pour devenir un des couples les plus puissants de la Queen City — et tout ça sans la bénédiction de l'Église...

Oh ! Il y avait eu des moments durant ces deux années où elle aurait voulu se marier. Et des moments où lui aussi l'aurait voulu. Mais ils n'avaient jamais semblé le souhaiter en même temps... Ils continuaient donc à se tourner autour comme deux serpents qui se font la cour, à entrecroiser et enchevêtrer leurs corps, leurs cœurs et leurs vies, mais pas forcément leurs destins. C'était peut-être, pensait parfois Manon, cette séparation qui alimentait leur passion... Aucun des deux ne pouvait savoir ce que l'autre allait faire à un moment donné. Et du coup aucun des deux ne pouvait supporter d'être éloigné de l'autre pendant trop longtemps...

Ils fermèrent les portes, les verrouillèrent, éteignirent les lumières et s'enlacèrent tout en montant les escaliers qui menaient à leur appartement. Manon avait insisté pour qu'ils gardent deux chambres séparées au-dessus du Palace, mais c'était plutôt de la place gaspillée... Nick dormait presque toujours dans son lit à elle, sauf quand éclatait une de leurs foudroyantes disputes. Et en général, même dans ce cas-là, il ouvrait subitement la porte de la chambre de Manon et venait se faufiler sous les couvertures avant la fin de la nuit, soit pour démonter ses arguments point par point, soit pour la calmer de ses caresses.

Tandis qu'ils ruminaient toutes les victoires et les défaites de la journée, elle l'observa marcher à grands pas dans la chambre en retirant son smoking. Le corps de cet homme l'intriguait presque autant que son esprit : il avait d'amples gestes vifs et rapides, il était gracieux comme un maître d'escrime et parfois aussi tranchant qu'un poignard.

« Je crois que le maire est finalement dans notre poche... Sacré nom, je n'ai jamais vu autant de corruption dans un seul endroit, dit-il en éclatant de rire. A La Nouvelle-Orléans, les hommes politiques honnêtes se font aussi rares que des cheveux sur une coquille d'œuf !

— Ça a toujours été comme ça, répondit joyeusement Manon. Je me souviens, on m'avait raconté cette histoire de King John Slidell qui avait soutenu les démocrates jusque dans le marécage de Plaquemine : il avait rassemblé une troupe d'électeurs, il les avait embarqués sur un vapeur, il s'était arrêté dans toutes les paroisses le long de la rivière et il les faisait voter chaque fois. C'était courant que ces gars-là votent cinq ou six fois dans la journée, sans que personne ne sourcille. Maintenant ce n'est guère différent, ça coûte seulement plus cher. »

Nick s'arrêta et médita un instant. « Je crois que j'avais déjà entendu cette histoire. C'était il y a à peu près cinquante ans, non ? Tu as juste changé la date, ma chérie... »

Elle lui balança un oreiller de soie. « J'ai seulement dit qu'on me l'avait racontée, grand fou ! » cria-t-elle. Jusqu'à présent elle n'avait pas révélé tous ses secrets à Nick Fletcher... Il ne savait pas qu'elle avait environ la quarantaine, il ne se rendait pas compte que le grain de beauté qu'elle avait près de la bouche était artificiel, ni qu'elle se rinçait les cheveux avec du café pour masquer çà et là des mèches grisonnantes. Avec un peu de chance, il ne le saurait jamais...

Nick s'assit tout nu sur le lit et la tira vers lui ; il fit glisser ses mains sur ses cuisses, en la regardant avec un grand sourire. « Tu as une peau de vierge, murmura-t-il, même si tu as un cœur de pute !

— Oh ! s'exclama-t-elle en riant et en le repoussant sur les draps de soie. Quel petit fripon tu fais ce soir ! Tu peux aller dormir dans le hall, monsieur, et ne t'imagine pas que tu pourras revenir en rampant pour te faire pardonner, non plus... »

Il la fit basculer sur lui, la prit fermement par les deux joues, et commença les mouvements qu'elle aimait le plus... « Ne me forcez pas à mendier ce dont j'ai besoin, madame, gémit-il d'une voix grave et profonde. Vous pourriez peut-être me laisser... » Et avec ses pieds il agrippa ceux de Manon pour lui écarter lentement les jambes... Il la serrait de toutes ses forces, son bassin contre le sien et ses lèvres à deux centimètres de sa bouche à elle. « ... Me laisser simplement entrer en vous un moment, juste un tout petit peu. » Ses yeux étaient à demi fermés mais brillaient de désir. « Vous savez que je ne peux pas m'en passer, grogna-t-il en se frottant contre elle, il faut que vous m'accordiez ça.

— Tu as vu comment le chef de la police me regardait ce soir, cher ? murmura-t-elle. Tu crois qu'il s'imaginait être avec moi comme toi en ce moment ?

— A mon avis, répondit Nick à voix basse, il donnerait ses couilles pour être en dessous de toi comme moi en ce moment, et son âme pour être... » et là adroitement il se glissa en elle... « à l'intérieur !

— Et tu crois, gémit-elle en remuant sur lui pour le sentir s'enfoncer de plus en plus profondément, qu'il aurait donné combien pour jouir en moi ? »

Nick parlait désormais d'une voix rauque et haletante. « Doux Jésus ! Femme, il donnerait sa vie pour jouir en toi... » Elle resserra son étreinte et il poussa un gémissement... « Comme n'importe quel homme de la ville.

— Seulement dans la ville ? » susurra-t-elle en geignant. Ils bougeaient de plus en plus vite ; il couvrait son cou et son visage de baisers, en commençant comme d'habitude par ses yeux, les ailes du nez, le long de ses joues, et finissait par effleurer d'une manière taquine ses lèvres avec sa langue. « Dans tout l'État, souffla-t-il.

— C'est un petit État », murmura-t-elle.

Il lui recouvrit alors entièrement la bouche de ses lèvres, en faisant tournoyer sa langue autour de la sienne et en lui écartant les fesses avec ses mains pour pouvoir s'enfoncer encore plus loin... Lorsque leurs dents crissaient les unes contre les autres, il reculait volontairement puis repositionnait ses lèvres afin de lui enclore la bouche, de lui toucher les dents et de lui enlacer la langue pour l'embrasser le plus complètement possible. Leurs mouvements devinrent vite si puissants que leurs bouches se détachèrent ; il s'écarta, enfouit sa bouche dans le creux de son cou et grogna : « Le monde, le monde alors...

— Oui..., gémit-elle en cambrant le dos tandis qu'il lui embrassait les seins.

— Donnez-moi tout alors, madame, murmura-t-il, je sais que vous allez tout me donner. Donnez-moi cette douceur que vous me réservez... »

Il la fit rouler pour se retrouver au-dessus, mais toujours en elle, et se souleva pour avoir la poitrine au-dessus de sa bouche et les mains sur ses épaules, donnant des coups violents et profonds, à la cadence rapide qu'elle réclamait. Elle attrapa ses jambes et les écarta par les genoux, puis se souleva pour mieux se donner, criant son plaisir. Bien après, au milieu de ses spasmes à elle, il s'abandonna enfin à son paroxysme et se déversa en poussant des râles. Encore longtemps après leurs membres se parlaient par de petits frissons délicieux, des contractions et des tremblements. Et comme toujours après avoir fait l'amour, Manon sentait une joie pétiller en elle et la faire rire doucement, tandis qu'il la faisait rouler dans ses bras, restant en elle le plus longtemps possible, caressant ses cheveux, chuchotant de doux compliments et son désir déclinant.

Et plus tard dans la nuit, quand elle s'enroula autour de lui en se collant à son dos comme une cuiller contre une autre cuiller, elle se rendit compte à quel point cet homme était différent de ceux qu'elle avait connus. Tellement différent d'Alex, par exemple.

Alex approchait la cinquantaine maintenant, et semblait toujours se satisfaire de vivre sa vie parmi les volatiles du marécage. Il resterait toujours un naïf de premier ordre, soupira-t-elle, et sa plus grande contribution au monde serait probablement d'avoir baptisé quelques oiseaux obscurs... C'était sa seule ambition. Pourtant il se montrait inlassablement gentil avec tout le monde, particulièrement avec Zoé. Dans un monde si difficile où la décence ne courait pas les rues, dans une ville qui fourmillait d'esprits brutaux et avares, Alex gardait un caractère doux et une générosité remarquable. S'il n'avait pas réussi à trouver en lui ce côté impitoyable qui faisait tout le succès de Nick, il avait dû découvrir autre chose, se disait-elle. Il y avait longtemps qu'elle s'était promis de ne lui poser aucune question sur sa vie privée. Et il souhaitait manifestement ne rien savoir sur celle de Manon non plus. Et il avait l'air heureux comme ça. Mais, pensa-t-elle en serrant Nick qui s'était endormi, il ne connaîtrait jamais la passion et la satisfaction qu'elle avait. Et pour ça elle le plaignait

Manon ne voyait son frère que lorsqu'elle faisait le voyage pour Jefferson Island sur le Bayou Teche, car il ne venait presque plus à La Nouvelle-Orléans.

« Il n'y a rien là-bas qui me soit indispensable, se plaisait-il à dire, rien qui soit vraiment indispensable à personne, si les gens partaient de la ville assez longtemps pour s'en rendre compte. »

Manon s'était tellement moquée de lui quand il disait ça que maintenant elle n'y faisait même plus attention. Mais Zoé l'écoutait et semblait prendre à cœur les paroles d'Alex. Et effectivement, comme son oncle, elle n'était pas venue à La Nouvelle-Orléans plus de deux fois depuis son mariage. Et Manon, si elle voulait voir toute la famille qu'elle avait au monde, devait donc faire le long et suffocant trajet en bateau : remonter le Mississippi, emprunter la rivière Atchafalaya et enfin redescendre le long du bayou pour arriver, semblait-il, à l'extrême limite du monde civilisé.

Cette région du bas Delta lui semblait un tel salmigondis, un mélange de petites maisons acadiennes, de vastes plantations achetées par des investisseurs yankees, à côté de Grandes Maisons qui appartenaient à de vieilles familles créoles respectables...

Beaucoup des plus beaux domaines étaient restés vides et laissés à l'abandon, n'ayant jamais été restaurés depuis les ravages de la guerre entre les États. Certains étaient déserts et s'acheminaient doucement vers le sol détrempé et leur propre destin... un balcon arraché, un volet qui pendait négligemment dans la brise étouffante, la peinture qui pelait comme de la peau sèche... Les maisons étaient généralement drapées et enguirlandées de glycine pourpre, de lierre jauni et d'une profusion de vigne verte enchevêtrée comme les cheveux d'une sorcière. Certains des plus vieux endroits étaient de véritables jungles où le soleil s'infiltrait à peine, où les abeilles bourdonnaient autour des fleurs assoupies et des corniches pourries. Au-dessus de tout ça, planait le voile humide et sombre du déclin et de l'oubli.

Le Delta semblait ne pas avoir la puissante vitalité de La Nouvelle-Orléans, et cela ennuyait Manon, non seulement de faire ce voyage, mais de sentir le poids oppressant de tout ce passé qui l'entourait.

Or Zoé avait donné naissance à son premier enfant. Un fils, pour perpétuer le nom des Avery. A dix-huit ans elle était la maîtresse d'un vaste et magnifique domaine, et en lisant ses lettres pleines de milliers de détails sur la vie qu'ils y menaient, Manon s'émerveillait secrètement du calme équilibre de sa fille.

Malgré les cris de désespoir que sa fille avait poussés, ce mariage était bien son destin, se disait souvent Manon. Quelle que fût la manière dont cela s'était produit, c'était une bonne chose : son bonheur aujourd'hui le prouvait.

La péniche qu'empruntaient passagers et marchandises pour descendre le Teche n'était pas un moyen de transport très luxueux, mais son allure lente permettait au moins à Manon de jouir d'une vue parfaite sur la partie du Delta qu'elle traversait. Elle remarqua surtout les rangées imposantes de chênes verts qui bordaient le Teche et qui, sur une longueur de plusieurs kilomètres, constituaient une véritable haie d'honneur ; les branches formaient une arche élevée au-dessus de la tête des voyageurs, les feuilles se mêlaient aux feuilles et ne laissaient transpercer que de minces et poussiéreux rayons de soleil suspendus au-dessus de l'eau. Certains chênes ressemblaient à des géants aux contorsions fantastiques ; ils faisaient plus de dix mètres de circonférence, d'un bois qui paraissait inviolé. D'énormes racines bulbeuses soulevaient littéralement du sol des clôtures en fer, et les branches venaient griffer des volets. De la mousse pendait de ces branches gigantesques, tombait de plusieurs mètres et traînait sur les berges. Sur les rives du bayou s'entassaient les palmiers nains et les joncs, et tout contre eux, des tapis de jacinthes flottaient tranquillement vers le Golfe.

Le capitaine lui expliqua que ces fleurs qu'elle admirait tant provoqueraient un jour la mort de la rivière...

« C'est pas des plantes naturelles, m'dame, lui dit-il. Y-z-ont ramené ça du Japon, vous savez, et y-z-en distribuaient gratuit à la foire au Coton y a dix ans. Eh ben toutes les femmes cajuns en ont planté su'l'pas d'leur porte et ça s'est mis à pousser et à s'propager comme d'la mauvaise herbe ! Maintenant on peut plus les tuer, ni au feu ni à l'essence, et ça étouffe la vie dans l'eau. Moi j'vous l'dis, m'dame, un jour plus aucun bateau pourra passer à cause d'ces foutues fleurs. »

Ils passèrent devant « Les Ombres sur le Teche », un manoir majestueux désormais dans un piteux état, tournant le dos au bayou. Elle aperçut les immenses colonnes dénudées, qui se découpaient sur le ciel le long de la corniche de style antique et du grand toit pointu avec ses trois lucarnes. Mais la ville de La Nouvelle-Orléans avait empiété sur le domaine des « Ombres », les quartiers d'esclaves avaient disparu, et la maison elle-même commençait à se flétrir et s'affaisser au milieu des grandes herbes ondoyantes.

C'était le Teche qui la rendait solitaire, décida Manon, ou au moins sa splendeur passée. Partout où elle regardait, elle avait l'impression de percevoir dans le reflet de la lumière une sensation de vie, d'abandon dans des endroits pourtant destinés à résonner du bruit de nombreux pas.

Puis elle arriva à ShadyOaks, le domaine que Henry Avery avait fait construire pour sa fille. Avec sa maison spacieuse et ses terres étendues, la propriété avait un air de vie et de remue-ménage qui faisait disparaître la lassitude de Manon sitôt qu'elle posait le pied sur le grand quai de débarquement. Elle aurait aimé venir plus souvent mais le voyage de La Nouvelle-Orléans était si long... Et elle se disait qu'après tout Zoé pouvait faire le trajet en sens inverse aussi facilement — voire plus facilement qu'elle !

Comme d'habitude Henry l'attendait avec une demi-douzaine de serviteurs pour porter ses valises et les boîtes de cadeaux qu'elle avait apportés pour Zoé et son nourrisson. Il l'embrassa avec enthousiasme sur les deux joues et s'exclama : « Manon, vous n'avez pas l'air d'avoir vieilli, pas assez en tout cas pour être grand-mère !

— Mais je ne suis pas vieille, répliqua Manon avec un sourire ironique, et je vous prie de ne pas prononcer ce mot affreux en ma présence ! Zoé va bien ? »

Il l'aida à monter dans la carriole et ils remontèrent allégrement l'allée circulaire principale. « En pleine forme physique et morale. Elle vous attend dans la nursery ; elle n'en sort jamais plus d'une heure d'affilée, alors que nous avons la meilleure nourrice du Delta ! »

Manon posa une main sur la sienne et examina rapidement son visage. « Et vous, Henry ? Vous êtes heureux avec votre épouse et votre fils ? »

Il sourit. « J'ai fait la meilleure affaire de ma vie, madame, le jour où j'ai accepté votre pot-de-vin !

— Pot-de-vin ? J'espère que vous ne dites jamais ça devant Zoé ! commença-t-elle à bafouiller. C'était une union en bonne et due forme, avec une dot coquette, et vous avez eu de la chance, monsieur, de trouver une telle... »

Il éclata alors de rire en l'aidant à descendre de la carriole ; elle s'apaisa, se retourna et aperçut sa fille qui venait vers elle les bras grands ouverts. Derrière elle se tenait une grande mulâtresse qui portait un bébé emmailloté.

« Ma Zoé ! s'écria Manon, en la tenant dans les bras et en l'embrassant. Tu es encore plus ravissante que le jour de ton mariage. La maternité a l'air de bien t'aller ! »

Zoé s'écarta en riant et poussa doucement Manon vers la nourrice. « La dernière fois que tu m'as vue, j'étais malade comme un chien et je me montrais à peine, alors c'est normal que je me sois améliorée ! Viens voir ton nouveau petit-fils.

— A condition que tu ne me traites pas de grand-mère ! » dit Manon en prenant le nourrisson dans ses bras et en soulevant la moustiquaire de son visage.

L'enfant se réveilla et ouvrit les yeux avec le regard franc et confiant des tout jeunes — ou des très vieux. Manon resta bouche bée devant la beauté et la sérénité de son expression. Elle se rappela subitement la première fois qu'elle avait tenu Zoé dans ses bras, et elle sentit quelque chose se dissoudre dans son cœur, quelque chose qu'elle avait décidé de garder emmuré. Quels qu'aient été les doutes ou la culpabilité qu'elle avait pu nourrir à l'égard des décisions ou des hésitations concernant Zoé, tout ça la quitta pour toujours... Cet enfant était la preuve, pensa-t-elle émerveillée, que la fin justifiait effectivement les moyens.

Ses yeux étaient remplis de larmes de joie lorsqu'elle les releva sur Zoé et Henry qui se tenaient à côté d'elle. « C'est la perfection même... Comment l'avez-vous appelé ?

— Alexandre Adam, dit Henry fièrement.

— Oh, murmura Manon, il va être si content...

— Il l'est déjà, rectifia Zoé.

— Alex a vu cet enfant avant sa propre grand-mère ? »

Zoé ricana gentiment. « Maman, tu n'as pas changé d'un brin ! Tu crois toujours que le temps s'arrête si tu ne l'utilises pas. Il est passé assez souvent ces derniers mois, et il arrive ce soir à l'heure du dîner. Maintenant monte avec moi, dit-elle en passant son bras sous celui de Manon, que je te montre quelques-uns de nos moindres triomphes. »

Tout en montant l'élégante spirale de l'escalier en bois de cyprès, elle regarda en bas et vit qu'Henry avait déjà quitté le vestibule, appelé le domestique pour qu'on fasse avancer son cheval, et qu'il se dirigeait vers le contremaître qui l'attendait dans la véranda. Pendant ce temps, Zoé montait gracieusement les marches et chuchotait des instructions à la nourrice en lui remettant le bébé dans les bras.

Manon sourit de voir sa fille et son mari si bien accordés l'un à l'autre. Ils s'emboîtaient comme un engrenage parfaitement huilé, chaque partenaire jouant un rôle précis afin que l'ensemble du travail soit accompli avec un minimum d'énergie. Elle prit le bras de sa fille et elles entrèrent dans la nursery : là, Manon applaudit de joie à la vue des chevaux fantastiques verts et dorés qui caracolaient et paradaient tout autour des murs.

« Cet enfant va devenir un centaure, si tu ne fais pas attention, riait-elle, ou un cowboy texan. Tu les as faits toi-même, Zoé ?

— Oui, j'ai découvert que j'aimais bien bricoler avec des pots de peinture juste pour m'amuser. Ça va bien sûr me fendre le cœur quand il grandira, qu'il s'en lassera et qu'il peindra par-dessus des joueurs de football ou des automobiles... »

La chambre paraissait à la fois masculine et enfantine, avec ces lourds rideaux vert foncé pour protéger de la lumière et de la chaleur, mais un baldaquin vert pâle, léger et aérien, au-dessus du berceau.

« Le vert était un excellent choix, dit Manon, en inspectant les moindres détails et en les approuvant. Que ce soit une fille ou un garçon, tu ne risquais rien... »

Zoé borda le bébé dans son berceau, et les deux femmes restèrent au-dessus de lui à le regarder tâtonner avec son pouce le long de sa joue jusqu'à ce qu'il trouve sa bouche toute plissée. « Tu étais exactement comme ça, murmura Manon.

— Vraiment ? demanda Zoé enchantée. Je croyais qu'il était le portrait de son père...

— Absolument pas. C'est ta réplique exacte ! »

Zoé regarda fixement Manon un instant, comme si elle avait voulu ajouter quelque chose, mais elle laissa le silence s'installer à la place. Finalement elles quittèrent la chambre sur la pointe des pieds ; en passant sur le palier, Manon jeta un coup d'œil dans la chambre à côté de celle du bébé, et aperçut la robe de chambre de Zoé posée sur le lit à colonnes.

« Est-ce que le bébé te réveille souvent ? demanda Manon.

— Non, il dort déjà toute la nuit. »

Manon s'arrêta subitement devant la porte. « Mais tu dors dans cette chambre ! »

Zoé évita son regard. « Oui, répondit-elle brusquement, ça fait déjà un moment, en fait. Je trouve qu'on s'entend mieux, Henry et moi, si on a chacun notre intimité. On dort mieux, en tout cas. »

Manon posa la main sur le bras de Zoé et l'arrêta au moment où elle allait descendre les escaliers. « Un petit moment, chère, dit-elle calmement, vous n'êtes mariés que depuis quelques années, et vous faites déjà chambre à part ? Est-ce que Henry est d'accord ?

— Il s'y est fait... »

Manon hésita. L'attitude de Zoé ne semblait pas encourager au conseil... « Je connais beaucoup de couples qui font de tels arrangements, commença-t-elle en bredouillant. Mais en général ils sont mariés depuis des décennies, Zoé. Je n'aime pas savoir que vous commencez cette... *division*... si tôt dans votre vie conjugale.

— N'en fais pas toute une histoire, maman, ce n'est pas si important.

— Dormir avec l'homme qu'on aime n'est pas si important ? Ma foi, tu es un peu trop moderne pour moi, chère !

— Je dis que dormir avec son mari n'est pas si important..., répliqua Zoé patiemment. Bon, peut-on convenir que ce sujet ne nécessite pas le veto maternel ? » Elle prit Manon par le bras, l'emmena résolument dans les escaliers, et changea de sujet en la questionnant à propos du Palace irlandais et de ses derniers succès auprès du *beau monde* de La Nouvelle-Orléans.

Ce soir-là, Zoé, Alex et Manon étaient assis sur le balcon du premier étage et regardaient les martinets pourpres attraper les moustiques dans la pénombre.

« Alex, tu seras ravi d'apprendre, commença Manon d'une voix endormie, au-dessus de son verre de vin, que certains de nos nouveaux investissements font parler d'eux jusqu'à Baton Rouge. Même le gouverneur est intrigué par mon dernier projet.

— Tu n'as jamais eu aucun problème pour attirer l'attention, ma sœur, dit Alex gentiment, et ça ne m'étonne pas que le gouverneur en personne relève la tête et prenne garde... Dans quoi as-tu donc mis notre argent ?

— Ne me dis pas que tu l'as convaincu de te construire une nouvelle école, maman, la taquina Zoé. Bientôt il va falloir aller chercher des jeunes filles jusqu'au Texas pour remplir les bancs !

— Non, non, ce n'est pas une œuvre de charité, c'est une vraie poule aux œufs d'or. Je crois que cette idée va nous rapporter plus que toutes nos autres propriétés réunies. Nous allons louer certaines parcelles que nous avons le long de l'Atchafalaya à des compagnies pétrolières, et s'ils trouvent du pétrole, ils devront débourser une somme rondelette pour pouvoir l'extraire. On n'a même pas besoin de leur vendre le terrain, ils ne veulent pas être propriétaires. Comme ça on peut laisser les métayers et garder un bénéfice de la culture des champs... Et même s'ils ne trouvent pas de pétrole, ils paieront un bon paquet rien que pour forer ! » Elle reposa son verre et tapa dans ses mains de jubilation. « A mon avis, c'est un investissement d'avenir, et le gouverneur est d'accord avec moi. Il pense déjà s'associer à nous avec une parcelle qu'il a juste au-dessus des nôtres. Nick dit que s'ils trouvent du pétrole il faudra que dans le futur on achète encore plus de terres le long du bayou. Car le pétrole est sans doute l'avenir de cet État.

— Je me disais bien que Nick Fletcher avait fourré son nez là-dedans », dit Alex sèchement.

Manon le rembarra d'un léger mouvement avec son verre vide. « Tu cracherais sur une idée de Nick même si elle arrivait plaquée or avec un cachet certifié du Vatican. Tu es simplement vexé parce qu'il a la bosse des affaires, alors que toi tu ne pourrais pas faire la différence entre un banquier qui t'aiderait et un escroc qui te dévaliserait. Mon frère, je m'occupe de nos investissements pratiquement depuis que j'ai quitté les ursulines, et Nick y fourre son nez depuis plusieurs années. Il n'a pas encore commis une seule erreur, et les miennes ont été rares...

— Ce n'est peut-être pas l'argent, mais la politique qu'oncle Alex désapprouve, dit Zoé tranquillement.

— La politique ! Qu'est-ce que l'argent a à voir avec la politique ? »
A ces mots, Alex et Zoé éclatèrent de rire en même temps.

Manon sourit amèrement. « Bon, je reconnais que l'argent et la politique s'installent parfois dans le même nid...

— Dans cet État, reprit Alex, ils souillent le même nid ! Écoute-moi, Manon, je n'ai quasiment rien dit quand tu as placé l'argent de notre mère dans...

— Ce n'était pas l'argent de notre mère. Ce n'est plus l'argent de notre mère depuis presque quarante ans.

— Soit. Je n'ai rien dit quand tu as acheté un club de jazz à Pontchartrain, alors que je savais que ça allait impliquer des personnages plutôt louches. Je n'ai rien dit quand tu as acheté ces hôtels pleins de cafards sur Basin Street et que tu te faisais de l'argent sur le dos des ivrognes et des maquereaux.

— Alex... ! » commença Manon, mais il leva la main pour la faire taire.

« Je sais, je sais, tu as tout nettoyé, soi-disant, et relevé le niveau général du Quarter. Mais c'est vrai que c'était, dirons-nous, des manières encore acceptables de faire fructifier nos investissements. Et maintenant tu veux faire venir ces sangsues de compagnies pétrolières sur l'Atchafalaya et les installer confortablement sur nos terres ! Tu ne comprends pas à quel point notre region est fragile, Manon ? Le système de la récolte à tout prix est déjà suffisamment nuisible au bayou comme ça, les métayers laissent derrière eux des champs en friche et des berges qui se désagrègent dans tout le Delta : ils utilisent la terre labourable et s'en vont. Maintenant ce sont les compagnies pétrolières qui vont venir et violer ce qui reste de la Louisiane.

— Oh ! Seigneur Jésus Marie, dit Manon impatientée, c'est bon pour une vieille fille, de confondre un baiser sur la joue avec un viol... Tu es furieux parce que je ne suis pas mariée à Nick et que je ne le serai jamais. Tu n'aimes pas Nick, tu ne l'as jamais aimé, et ça m'est parfaitement égal. D'ailleurs j'ai déjà signé le bail de location avec la Standard Oil, et une chose que j'ai apprise, en politique comme en affaires, c'est qu'il ne fallait jamais revenir sur une décision... De plus, crois-tu être le seul à t'intéresser à l'avenir de cet État ? Moi j'investis pour son futur, d'un côté comme de l'autre. On a plus de dix mille dollars d'actions à la Southern Pacific, et au cas où tu aurais manqué les grands titres de l'actualité, Alex chéri, ça fait un moment que cette compagnie a achevé la liaison ferroviaire entre La Nouvelle-Orléans et la Californie. Si ça ce n'est pas l'avenir, je ne sais pas ce qu'il te faut... »

Alex poussa un soupir et prit une longue gorgée de vin. « Je n'ai jamais pu discuter avec toi, Manon. Je ne sais pourquoi je m'obstine...

— C'est vrai, dit-elle d'un air résolu, ça ne mène à rien et ça ne fait que te mettre en colère. Bon, raconte-moi, cher, comment marchent tes oiseaux et tes mines de sel ?

— Oncle Alex lui-même est en train de devenir célèbre, ma mère », dit Zoé affectueusement.

Elle avait écouté attentivement Alex et sa mère se chamailler, et Manon n'arrivait pas à deviner, d'après son expression, lequel des deux elle soutenait — ou aimait — le plus. Le sourire doux et dégagé de Zoé l'agaçait presque. « Vraiment, Alex ? Est-ce qu'après toutes tes inventions tu as inventé un nouvel oiseau ?

405

— Il a fondé une réserve, dit Zoé en adressant un sourire de fierté a son oncle. La première dans le pays, et probablement dans le monde entier... Pour les aigrettes. Lui et Ned McIlhenny, sur des terres que la mère de Henry leur a données, pour que les aigrettes puissent se nicher et se reproduire en toute sécurité. Ils en ont déjà dix couples... Ça peut suffire pour sauver l'espèce sur tout le territoire...

— Je ne me suis jamais rendu compte qu'elle était en péril, dit Manon abasourdie.

— Chaque fois que tu vois une dame porter un chapeau décoré avec des plumes, maman, il y a de fortes chances pour que ce soit les plumes de crête de la grande aigrette. C'est la plus grande des quatre espèces qu'on peut trouver dans le pays, et malheureusement la préférée des chapeliers. » Zoé plissa le front et secoua la tête. « Un animal entier assassiné pour flatter la vanité d'une femme. Mais... » et là son visage s'illumina, « au printemps, six couples sont revenus à la colonie, alors on a bon espoir pour leur survie.

— On ? Est-ce que tu es impliquée dans les... expériences d'Alex, ma chère ?

— Je l'ai aidé pour sa correspondance, maman, répondit Zoé. Il reçoit des lettres de scientifiques du monde entier qui veulent venir étudier les aigrettes à leur état naturel.

— Elle a été une aide précieuse, dit Alex en lui souriant tendrement. Et si mes études sur les oiseaux sont enfin en mesure d'intéresser un éditeur, ce sera grâce à elle.

— Quelques lettres..., rougit Zoé.

— Le tracé de tes dessins est excellent, chère, insista Alex. Aussi fin et gracieux que les oiseaux eux-mêmes. Si un jour on est publiés, ce sera pour tes dessins, à mon avis.

— Enfin, en tout cas, maman, reprit Zoé, oncle Alex va recevoir des scientifiques célèbres de tous les pays qui vont venir à Avery Island pour voir ses aigrettes. Alors quand il parle de l'avenir de la Louisiane, on ferait bien de faire attention.

— Tu crois réellement ! dit Manon en fronçant les sourcils, un peu confuse, que l'avenir de l'État est dans ses oiseaux ?

— Et tous les autres animaux sauvages, dit Alex d'un ton ferme. Il y a un proverbe cajun qui dit : "Observe les oiseaux, ce sont eux qui savent le mieux ce que le Bon Dieu apporte avec le vent." Je crois que c'est vrai. »

Manon secoua la tête. « Je doute fortement que je puisse convaincre le gouverneur de s'associer à l'ornithologie. Pour lui le meilleur espoir de la Louisiane, c'est le tourisme. Ça et les ressources souterraines. Ce qu'il voudrait, c'est voir toutes les plantations restaurées et tous les bayous bordés de raffineries.

— C'est un des problèmes du Sud, dit Alex d'un air songeur. On brade tout, même notre passé. On le brade comme une vieille coquette qui vend aux enchères ses robes de soirée.

— Si tu construisais à Avery Island un faux manoir d'avant guerre, plantais des camélias et faisais venir tous les samedis après-midi des jeunes filles avec des jupes à crinoline pour servir le thé glacé à la menthe, je suppose que le gouverneur commencerait à s'intéresser à ta petite oasis de nature.

— Heureusement, reprit Alex, son aide ne nous est pas indispensable. En tout cas pas pour le moment.

— Et peut-être que quand tu auras besoin de lui, notre contrat pétrolier lui aura rapporté tellement d'argent, dit Manon joyeusement, qu'il sera ravi de t'envoyer un chèque pour le bien-être de tes oiseaux !

— Peut-être... », répondit Alex en se servant un autre verre de vin.

Et tandis que le silence s'installait entre eux, Manon regarda fixement Zoé pour essayer de deviner ce que renfermait son cœur. Mais son visage, comme d'habitude, était opaque...

Henry arriva alors sur la galerie, les observa assis dans la pénombre et leur demanda : « Ça y est ? Vous avez réglé tous les problèmes de la terre ? »

Zoé leva les yeux et lui sourit. « Juste pour ce petit coin...

— Eh bien, ça fait déjà une journée fructueuse. » Il tira un fauteuil à bascule en osier et s'y laissa tomber pesamment ; la fatigue se lisait sur les traits de son visage. « Manon, est-ce qu'elle vous a dit que nous avions notre propre voie ferrée maintenant ?

— Je n'ai pas encore eu le temps de faire tes louanges, mon chou, ricana Zoé. Les problèmes de la terre viennent juste de se terminer.

— On s'est acheté un vieil engin à vapeur à petit écartement de rails, exclusivement pour la plantation. Zoé adore faire le tour de la propriété avec, pour surveiller les champs.

— Oui, il paraît que c'est la dernière mode ! dit Manon en riant. Quelques planteurs de sucre que Nick connaît en ont installé aussi. Ils disent que c'est excellent pour entretenir les relations sociales... et pour les promenades de leurs filles avec leur cavalier, pas trop loin du regard de maman, mais assez loin pour qu'il puisse lui voler un baiser ou deux !

— J'espère que c'est plus utile que ça, répliqua Henry sèchement. J'ai bien l'intention de le rentabiliser en temps gagné et en ampoules aux pieds évitées... On donne soixante-cinq *cents* par jour pour du bon travail maintenant, et si le Congrès ferme le robinet pour les tarifs du sucre, on sera dans le pétrin l'hiver prochain ! »

Henry avait l'art de parler sur un ton rustre, remarqua Manon, quand il était sur sa galerie à lui, loin de La Nouvelle-Orléans. Il ne se serait jamais exprimé de cette façon dans son salon à elle.

« Soixante-cinq *cents* par jour, c'est déjà une faveur, dit Manon. Vous vous imaginez si les Noirs avaient un dollar de l'heure, comme ils le réclament ? D'ailleurs même leur héros, Booker T. Washington, leur a conseillé de renoncer à l'égalité des droits et de se concentrer d'abord sur l'amélioration de leur éducation. Les lois John Crow ont été approuvées par les plus grands tribunaux du pays, et certaines écoles qu'ils montent pour les gens de couleur sont tout aussi bonnes que celles des enfants blancs. Ils peuvent s'estimer heureux, et d'ailleurs la plupart le sont... Ils sont franchement mieux lotis qu'autrefois, et c'est ça le progrès. » Sainte Mère, pensa-t-elle avec un peu de mépris pour elle-même, ce que je raconte doit sembler aussi rustre et primitif que lui... « Enfin, dit-elle en se donnant une ferme tape sur les cuisses, ils ont perdu le droit de vote, de toute façon. Il y en avait certainement au Congrès qui savaient ce qu'ils faisaient en votant pour le retrait de ce droit. La période de la Reconstruction est passée, grâce à Dieu, et ça m'étonnerait qu'on tolère à nouveau ce genre d'intrusion. »

A sa grande surprise, Henry jeta la tête en arrière, les yeux fermés, et laissa échapper un éclat de rire bruyant. Et même grossier, trouva-t-elle...

« Manon, dit-il finalement, cela m'étonne qu'une femme qui soit si intelligente en affaires puisse se leurrer avec de tels arguments. »

Ah ! Voilà qui ressemblait enfin au vieil Henry, se dit rapidement Manon avec un sentiment de satisfaction.

« Si le Congrès poursuit une politique aussi désastreuse, d'une part en retirant ses aides financières à la fabrication du sucre, d'autre part en sabotant les efforts qu'on fait pour rendre nos ouvriers heureux, il y a tout lieu de croire que dans cinq ans, il ne restera pas un seul hectare de cannes dans cet État. Personne ne peut faire de bénéfice sur une récolte, qui ne peut être compétitive qu'avec de la main-d'œuvre bon marché, si justement on ne peut pas trouver cette main-d'œuvre.

— Partout où je regarde, je ne vois que des visages de Noirs, dit Manon en simulant l'indignation. On peut sûrement trouver de la main-d'œuvre bon marché à profusion. » Mais intimement, bien sûr, elle se félicitait de la véhémence de Henry. Pardieu, elle n'en avait pas vu souvent chez lui. En vérité elle commençait déjà à s'ennuyer ; on était loin des combats verbaux auxquels Nick et elle prenaient tant de plaisir, et elle se demandait ce qu'ils pouvaient bien trouver à se dire dans ce trou perdu...

« Oui, et la plupart ont les mains vides, continua Henry. On ne peut pas les payer pour qu'ils veuillent travailler, et on ne peut pas se permettre de les perdre. Et maintenant qu'ils ont perdu le droit de vote, ils ne peuvent même plus contrôler leur propre destinée. Vous pouvez me croire, Manon, ces visages noirs — et ces mains vides — seront les crampons qui empêcheront le bateau de l'État de prendre de la vitesse... Tôt ou tard on va finir par pourrir de l'intérieur.

— Pas tant qu'on pourra continuer à faire des guerres pour que le sucre cubain ne tombe pas aux mains des Espagnols, dit Manon. Qui êtes-vous allés harceler à Washington, pauvres planteurs, pour qu'on vous obéisse ? Commodore Dewey a pris les Philippines avec quasiment aucune perte...

— Pour que le sucre cubain continue de se déverser dans le pays exactement comme avant ! finit Henry à sa place. Et comme si ça ne suffisait pas, on vient juste d'annexer Hawaii, encore un pays où ils peuvent cultiver le sucre plus vite et moins cher que nous. Je crois que vous devriez vous en tenir à la politique de la Louisiane, ma mère, les subtilités du commerce international semblent vous échapper. » Tout agité il se tourna vers Alex. « Vous êtes extrêmement calme ce soir, mon oncle. Est-ce que le commerce du sel décline avec celui du sucre, ces temps-ci ? »

Alex secoua la tête d'un air endormi. « On vient de découvrir un nouveau gisement, probablement le plus gros de l'État, peut-être de tout le pays... Aussi longtemps que les gens continueront à manger, je suppose qu'ils auront toujours besoin de sel.

— C'est ce que j'ai toujours dit pour le sucre..., grommela Henry. Bon, mes vieux os sont trop fatigués pour y changer quoi que ce soit, ce soir. » Il se leva et s'inclina devant Manon. « Ma mère, c'est toujours un grand plaisir. » Il se tourna vers Zoé. « Tu montes bientôt, mon chou ?

— Dans un petit moment. »

Il s'inclina légèrement devant Alex et sa femme et prit congé.

Alex poussa un énorme bâillement. « Henry a l'air plus inquiet que jamais. Le sucre est vraiment en situation critique dans cet État ? »

Zoé haussa les épaules. « C'est le travail de Henry de se faire du souci, et il fait ça très bien. Si le sucre baisse, alors on plantera autre chose, je suppose.

— Oui, mais ce n'est pas si facile, chère, commença Manon. Si Henry dit vrai, il aura besoin de...

— Ne me dis pas ce dont Henry a besoin, maman, dit Zoé calmement. Je crois que je peux le deviner toute seule. »

Alex observa les deux femmes tour à tour. « Bon, il est temps que je prenne congé moi aussi, je pense, dit-il en se levant et en reposant son verre. Vous devez sûrement avoir des secrets à vous raconter toutes les deux, et il n'est pas nécessaire qu'une oreille masculine les entende. »

Zoé ne broncha pas.

« Est-ce que tu vas rester toute la semaine ? demanda Manon tandis que son frère quittait la galerie.

— Oh oui, ma sœur, répondit-il par-dessus son épaule. Il faudra au moins ça pour finir le travail que Zoé et moi avons à faire... Je vous souhaite une bonne nuit.

— Il est tellement content, reprit Manon à voix basse, pour le nom que vous avez choisi pour le bébé. Je l'ai tout de suite vu sur son visage quand il m'a dit...

— Je sais qu'il est content.

— C'est un garçon splendide. Mais j'ai toujours été persuadée que Henry et toi vous feriez de très beaux enfants. »

Zoé leva sur sa mère un regard plein de curiosité. « Vraiment ? » Elle détourna les yeux et fixa la grande pelouse sombre qui disparaissait dans l'obscurité du bayou. « On en aura sûrement beaucoup d'autres.

— En faisant chambre à part ? »

Zoé haussa les épaules. « On en aura autant que Dieu m'en accorde. Comme ça je serai sûre que mes inévitables erreurs se répartiront sur autant d'âmes que possible. » Elle regarda sa mère. « Et aucune d'elles ne souffrira démesurément.

— Zoé, dit Manon doucement, est-ce que tu es heureuse, alors ? » Elle aspira un grand coup. « J'espère tellement que tu es heureuse... »

Zoé sourit gentiment. « Je sais que tu l'espères, maman. Je l'ai toujours su. » Elle réfléchit un bref instant. « Je suppose que je suis plutôt heureuse. Aucune femme n'épouse l'homme qu'elle croit épouser, n'est-ce pas ? Et aucune ne fait le mariage qu'elle s'était imaginé. Mais on ne se dispute pas avec les anges... On apprend à accepter les différences, pas seulement entre l'un et l'autre, mais aussi entre ce qu'on souhaitait et ce qu'on finit par obtenir. On apprend même, j'espère, à apprécier ces différences. Avec le temps... » Elle se leva. « Et à voir que ce sont ces différences qui font notre force...

— Ma chérie, bredouilla Manon, j'ai l'impression que tu as grandi de dix ans en l'espace de quelques années. »

Zoé sourit. « Est-ce que j'avais le choix ? Dors bien, mère, et demain je t'emmènerai faire un tour en train. »

Zoé laissa Manon toute seule sur le porche et disparut dans la pénombre de la maison. Manon demeura assise à écouter les bruits du bayou qui lui parvenaient de l'autre côté de la pelouse, les bruits de la nuit et des créatures sauvages que jusqu'alors les voix avaient recouverts.

Un besoin incontrôlable l'envahit soudain, et sans même savoir pourquoi, elle baissa la tête et se mit à pleurer doucement.

En 1898, la législature de la Louisiane imita celle de la plupart des autres États du Sud en retirant le droit de vote à sa population nègre. Deux ans plus tard, G.H. White, un sénateur noir du Congrès de la Caroline du Nord, présenta un projet de loi qui visait à faire du lynchage un crime fédéral. Ce fut une défaite rapide et écrasante.

La panique de Wall Street de 1901 se répercuta jusque dans le delta : elle laissa de nombreux planteurs sur la paille, et d'immenses domaines furent morcelés en parcelles de métayage afin de payer les impôts. Standard Oil fora le premier puits à Jennings, et des compagnies du Nord s'empressèrent de suivre l'exemple, remplissant les poches des politiciens locaux pour obtenir l'exclusivité des ressources minérales·

et pétrolières dans la plus grande partie des bayous. Mais très peu de ces capitaux aboutirent dans l'économie du delta, et pour beaucoup les temps étaient difficiles...

La découverte que la fièvre jaune était due aux moustiques refit de La Nouvelle-Orléans une destination attractive pour les voyageurs, et des hordes d'immigrés furent envoyés dans les marais pour dépouiller l'Atchafalaya de ses précieuses forêts de cyprès.

En 1912, la récolte de sucre atteignait à peine le dixième de sa valeur commerciale d'avant guerre, et les hommes les plus entreprenants du delta cherchèrent de nouveaux moyens de mettre à profit le dense marécage de la Louisiane.

Mais le marécage changeait aussi rapidement que les hommes qui cherchaient à l'exploiter... Même le Mississippi se modifia ces années-là. Toujours aussi lent et silencieux, presque paresseux dans sa puissance tranquille, le fleuve commença à dévier, et à modeler la terre d'une nouvelle manière. Déversant dans le Delta soixante tonnes d'eau à la seconde, le fleuve était certes contenu par des digues de plus en plus nombreuses, mais sûrement pas dompté... Sur ces terres si détrempées que leurs ancêtres craignaient d'y passer avec les plus légères des carrioles, les hommes élevaient désormais des immeubles et des ponts. Le Mississippi, pendant ce temps, se creusait une seconde embouchure au nord, dans la rivière de l'Atchafalaya.

Jusqu'à la guerre civile, l'Atchafalaya était coupée à son extrémité nord par un barrage permanent, un train de flottage de trente kilomètres de long qui empêchait les eaux du Mississippi de se répandre dans tout le Delta. En 1855, on dégagea le barrage pour relier l'Atchafalaya au fleuve et la rendre navigable aux canonnières. Le chenal commença aussitôt à s'élargir et à se creuser, et en 1910 cette toute jeune rivière drainait vigoureusement un cinquième des flots du Mississippi.

Rien n'indiquait que 1915 allait être une année excellente. Manon le savait, ainsi que la plupart de ses amis, et les conditions qui régnaient à La Nouvelle-Orléans ne faisaient que confirmer leur conviction. Comme si cela ne suffisait pas que le pays se dirige une nouvelle fois vers la guerre, et cette fois contre un adversaire qui pouvait entièrement bloquer le Mississippi avec des sous-marins... Le torpillage du *Lusitania* avait fait comprendre à la Queen City que l'Allemagne ferait tout pour étouffer le commerce britannique, même s'il fallait pour cela faire le blocus du Golfe entier.

Le prix du coton avait baissé, celui du sucre s'était effondré, et la clientèle des clubs de jazz et des restaurants au bord du lac Pontchartrain se trouva réduite à une maigre poignée de touristes à la mine sombre, qui limitaient leurs consommations et rognaient sur les pourboires.

De nombreuses sociétés du Nord inondèrent la ville d'offres d'achat ou de location pour l'exploitation minérale et pétrolière, mais presque tout l'argent restait au Nord et les portefeuilles locaux demeuraient vides. Manon connaissait plusieurs planteurs qui avaient été emportés dans la chute vertigineuse des prix du sucre, et qui cherchaient désespérément à vendre ou à louer la moindre parcelle de terrain aux compagnies pétrolières ; mais peu possédaient ce qui les intéressait : des terres marécageuses le long de l'Atchafalaya ou des bayous intérieurs. Standard Oil fit construire une raffinerie à Baton Rouge, la première de l'État, mais cela n'influa guère sur l'économie de la Queen City et du Delta...

Les esprits étaient plutôt échauffés cet été-là et, lorsque les mois les plus étouffants s'installèrent sur la ville comme un sirop en ébullition, des hommes se firent régulièrement arrêter pour des affronts imaginaires. Manon en cette saison trouvait la ville insoutenable. Les mois d'été n'avaient plus rien d'agréable, car la puanteur et l'humidité de la rivière et du Quarter s'infiltraient partout, même au dernier étage de sa grande maison, habituellement fraîche, sur Canal Street.

« Autrefois, se plaignait-elle à Nick, quand il y avait la moindre brise dans le Quarter, j'étais sûre d'en avoir un petit souffle, jour et nuit. Maintenant ils construisent si haut et si serré que même une bourrasque effleure à peine mes priscillas ! Je serais assez tentée d'aller rendre visite à Zoé et aux enfants une quinzaine de jours, jusqu'à ce que ça se rafraîchisse. Les routes sont praticables, au moins. Et heureusement que la Cadillac a un démarreur électrique... C'est vraiment le mois d'août le pire que j'aie connu... » Dans un mouvement d'humeur elle jeta son oreiller sur le tapis, et elle se roula sur le ventre d'un air boudeur. Ils étaient au lit, nus ; il n'était que deux heures de l'après-midi.

« Pourquoi tu n'y vas pas, alors ? » dit-il en attrapant la bouteille d'eau de Cologne qu'il gardait toujours dans de la glace sur la table de chevet. Il en imbiba un mouchoir et le lui étendit en travers de la nuque.

« Tu viendras avec moi ? » Elle se retourna et se souleva en s'appuyant sur un coude, arquant les seins et cambrant la taille. Elle remarquait avec satisfaction que même la cinquantaine passée, son propre corps semblait toujours vouloir garder une ligne séduisante... Elle lui fit un sourire prometteur.

Il gémit et se laissa tomber sur le dos. « Oh ! femme, il fait trop chaud... Si tu avais un minimum de décence, tu ne torturerais pas un homme au point qu'il risque une attaque...

— Ça fait des années que j'accepte la frivolité d'être avec un

412

homme plus jeune que moi, uniquement pour avoir quelqu'un qui puisse suivre mon rythme maintenant que je suis au meilleur de ma forme... Ne me dis pas que j'ai perdu mon temps, cher ! » Elle saisit le mouchoir de sa nuque et en caressa doucement le torse et l'aine de l'homme.

Nick émit un son à mi-chemin entre le grognement et le grondement pour annoncer son désir, bascula sur elle et la recouvrit de son corps en lui agrippant fermement les fesses. « Ça fait combien de temps que vous faites ça, madame ? demanda-t-il en faisant glisser sa bouche sur son cou perlé de sueur.

— Assez..., murmura-t-elle, en le soulevant et l'introduisant prestement en elle... pour arriver à mes fins... »

Plus tard ils étaient allongés sur le lit et parlaient nonchalamment dans la lumière qui déclinait, ce qu'ils faisaient souvent quand ils en avaient la possibilité. Manon lui demanda une nouvelle fois s'il voulait l'accompagner à ShadyOaks, juste histoire de quitter la ville.

« Pas particulièrement, répondit-il avec indolence. Je m'étonne même que tu tiennes à y aller, c'est un sacré long trajet avec cette chaleur...

— Je ne vois pas assez les enfants, dit-elle en s'énervant. J'ai six petits-enfants, et ils grandissent tellement vite que je ne les reconnais même plus quand je les revois.

— Chaque fois que tu reviens, il y a quelque chose qui te tracasse. Ta fille, en général...

— Oui, soupira-t-elle, c'est vrai. Je n'ai jamais réussi à la comprendre. Elle n'a l'air ni heureuse ni malheureuse...

— Elle est satisfaite, bâilla-t-il. Pourquoi tu ne peux pas laisser ça comme ça ?

— Parce qu'on dirait qu'il n'y a rien qui l'excite beaucoup en ce moment... Elle est satisfaite, mais c'est tout. Elle n'a aucune passion dans la vie. »

Il ricana d'un air ironique. « C'est toi qui as toute la passion de la famille, ma belle ! C'est toi qui as pompé tout le cocktail jusqu'au fond du verre ! Le vieil Alex et Zoé n'avaient aucune chance d'en tirer une seule goutte... Mais ils ont l'air plutôt contents. Tu es la seule à vouloir les changer... Pourquoi tu ne peux pas tout simplement les laisser comme ils sont ?

— Parce que je les aime, dit-elle en se soulevant sur un coude et en le regardant. J'aime mon frère et il me brise le cœur. J'aime ma fille, et elle aussi elle me brise le cœur. Et je ne peux approcher aucun des deux, j'ai l'impression qu'ils me tiennent à distance...

— A mon avis tu leur fais peur », dit-il calmement.

Elle se figea, un peu abasourdie par la vérité qu'elle devinait dans ces paroles.

« Qu'est-ce que tu veux dire ?

— Les gens passionnés sont toujours un peu effrayants, chérie, dit-il d'un ton posé. Ils exigent toujours une réaction. Et ils font se demander aux autres si leur vie est vraiment aussi satisfaisante qu'ils le pensent... Ça te fout à plat quelquefois.

— Est-ce que je te fous à plat ? demanda-t-elle.

— Oh ! Que oui ! dit-il pour la taquiner en la prenant dans ses bras. Je suis déjà à moitié mort !

— Pourtant je n'ai pas l'impression d'épuiser Zoé, poursuivit-elle sans faire attention à ses plaisanteries. J'ai plutôt l'impression de l'ennuyer. Qu'elle me trouve aussi fade et stupide qu'un vulgaire bidet, et qu'elle aimerait autant que je réduise la fréquence de mes visites à tous les six mois...

— Et pourquoi tu ne le fais pas ?

— Mais parce que je l'aime ! geignit-elle en s'affalant sur les coussins humides.

— Mais est-ce qu'elle t'aime, elle ? demanda-t-il gentiment.

— Bien sûr qu'elle m'aime ! rétorqua-t-elle. J'ai toujours été une bonne mère, je n'ai jamais rien fait pour qu'elle ne m'aime pas, et je n'ai jamais voulu que son bien... »

Il resta silencieux un moment. « Enfin, je suppose que tu es la seule à pouvoir en juger.

— C'est juste que nos vies sont tellement différentes maintenant, continua-t-elle en étendant les jambes pour lui chatouiller les pieds avec ses orteils. Je devrais faire plus d'efforts. Ce n'est pas en débarquant chez quelqu'un tous les trente-six du mois qu'on peut espérer s'y sentir en famille... Je devrais leur rendre visite plus souvent, les enfants grandissent tellement vite...

— Bonne idée. Attends qu'ils soient tous suffisamment vieux pour avoir une conversation à peu près correcte, et je ferai la navette pour t'y conduire autant de fois que ça te chante.

— Maintenant, je ne t'emmènerais pas avec moi même si tu me suppliais, lui dit-elle en se roulant sur lui. Vas-y, supplie-moi. »

Et c'est ce qu'il fit.

Mais malgré toutes ses taquineries, Nick refusa finalement de l'accompagner à ShadyOaks cette fois-ci. Trop d'affaires à régler, soutenait-il, trop d'adversaires à combattre, surtout si elle voulait fuir toutes ses responsabilités pour aller vadrouiller...

Mais Manon connaissait la vérité. En fait Nick ne se sentait jamais vraiment à l'aise avec Zoé et Henry. Même s'ils avaient fini par l'accepter au fil des ans, et accepter qu'il fasse partie de la vie de Manon aussi irrévocablement qu'eux, ils le tenaient toujours à distance avec cette gracieuse froideur du Sud qui donnait l'impression d'être rejeté et séquestré en même temps.

Nick était yankee, il était plus jeune que Manon et il était protestant. Ils avaient peut-être réussi à fermer les yeux sur ces tares, mais le fait qu'il ne l'ait pas épousée durant toutes ces années leur semblait encore aussi odieux qu'un furoncle au milieu du visage.

Manon fit donc toute seule le voyage pour aller à ShadyOaks, pour voir sa fille, Henry et ses six petits-enfants. Alex avait dix-sept ans maintenant, Henry Junior en avait quinze, Samuel treize, Simon onze, Alice neuf et Celly aurait juste six ans ce mois-ci. Manon se demandait secrètement comment Zoé pouvait encore tenir debout, et surtout garder le rythme qu'elle tenait déjà depuis tant d'années...

Mais il y avait beaucoup de choses qu'elle ne saurait jamais sur sa fille, se disait-elle, tandis qu'elle était assise sur la galerie de ShadyOaks à observer les ouvriers dans les champs lointains. Et beaucoup de choses qu'elle ne désirait pas savoir, même si elle en avait la possibilité.

Elle s'abrita les yeux de la main et scruta les champs. Henry avait arraché la canne à sucre et l'avait remplacée par une nouvelle culture, un piment très fort qu'il vendait à McIlhenny pour sa nouvelle usine. Les jeunes plants poussaient en serre jusqu'en avril, puis on les repiquait dans les champs qui étaient désormais couverts de piments rouge vif. On les récoltait, on les broyait, on les salait puis on les laissait vieillir ; enfin on en faisait une purée qui, ajoutée à des épices et du vinaigre, donnait une sauce piquante que McIlhenny appelait du « tabasco ».

Henry disait en plaisantant qu'avec le sel et les piments que McIlhenny achetait à bas prix, il pourrait inonder la terre de sauce pour moins cher que le prix d'un bifteck...

Le message arriva par téléphone cet après-midi-là, alors que Manon somnolait sur la galerie. Elle n'avait même pas entendu la sonnerie de cette machine dans un recoin éloigné de la maison, mais quand Zoé arriva et resta dans l'embrasure de la porte, elle comprit immédiatement que l'appel avait apporté une mauvaise nouvelle.

« C'est Nick, dit Zoé.

— Nick ? dit Manon en se levant affolée. Pourquoi est-ce qu'il appelle... ?

— Non, ce n'est pas Nick qui appelle, maman, dit Zoé en la prenant par le bras. C'est au sujet de Nick... Il y a eu un... un accident. »

Manon se pétrifia et porta sa main à la gorge. « Quel genre d'accident ?

— Sois forte, mère. On l'a descendu..., dit Zoé en baissant la tête. Je suis désolée. » Elle essaya d'enlacer Manon.

Manon se retourna et se rua dans la maison. « Qu'est-ce que tu veux dire, descendu ? Quel genre d'accident ? Où est le téléphone ?

— Maman, dit Zoé en lui empoignant les bras pour la faire tenir tranquille, je suis désolée... S'il te plaît, écoute-moi. Il a été descendu. Ton avocat vient d'appeler.

— M. Apton ? Mais au nom de Dieu, pourquoi...

— Maman, il est mort. »

Manon poussa un cri, les yeux écarquillés et la bouche ouverte d'horreur. Elle s'affaissa contre le mur de la maison en s'agrippant à la porte.

Zoé la prit et la serra dans ses bras, en lui répétant à l'oreille : « Maman, je suis tellement navrée... Il s'est battu en duel, et il a été

415

descendu. Il est mort sur le coup, d'après ton avocat, il y a seulement quelques heures... Je suis désolée, maman !

— Un duel ! Oh ! non, non..., gémit Manon en s'affalant sur le fauteuil, la tête enfouie dans les mains. Alors ce n'était pas un accident du tout ! Qui l'a descendu ? Pourquoi est-ce qu'il a fait une telle folie ? Pourquoi tu dis que c'était un accident, ce n'est pas un accident, c'est un meurtre ! Il a toujours évité ça, on ne l'a jamais provoqué, il s'est toujours débrouillé pour régler ses affaires sans en arriver à une bêtise pareille... Je le savais, je lui avais dit de faire attention ! »

Zoé eut l'air paniqué. « Tu veux dire qu'il s'était déjà battu en duel ? Tu n'en as jamais parlé...

— Non, non ! dit Manon. Je lui avais dit que les hommes étaient déments ! Je lui avais dit de ne pas porter de revolver ! » Elle s'interrompit, hébétée. « Non, pas Nick. Ce n'était pas Nick, on n'en a jamais parlé. C'était David. C'est ton père que j'avais prévenu... et maintenant c'est Nick qu'il aurait fallu prévenir ! »

Zoé sombra dans le fauteuil à côté de sa mère. « Tu ne m'avais jamais dit ça, maman. » Elle se tut un instant. « C'est peut-être la première fois que tu fais allusion à mon père depuis des années... » Elle se ressaisit rapidement. « Mais tu dis que Nick ne s'était jamais battu en duel ? Il a dû être provoqué sur-le-champ... Et même si tu l'avais prévenu, il aurait fait ce qu'il avait à faire, tu le sais. Ton avertissement ou ton absence d'avertissement n'avait rien à voir avec sa mort... Tu sais très bien qu'on a beau les avertir ou essayer de les aider, les hommes font toujours ce qu'ils veulent... »

Manon retira brusquement les mains de devant son visage, grimaçant de douleur. « On ne peut jamais savoir pourquoi les gens font ce qu'ils font ! On ne sait rien de ce qui les pousse... mon Dieu, il ne peut pas être mort... Je l'aurais su ! Je l'aurais senti ! »

Zoé lui prit une main. « Monsieur a dit qu'il était mort très rapidement, maman, qu'il n'a même pas repris conscience. Même si tu avais été là, tu n'aurais rien pu faire. Il y avait un chirurgien sur place, c'était le seul qui pouvait faire quelque chose. Il a essayé de le sauver, mais c'était sans espoir... Nick n'a pas souffert, au moins. »

Manon commença à pleurer, plus doucement désormais. « Il n'a pas souffert... C'est bien. Disparu en coup de vent, sans qu'on puisse le retenir... C'est tout lui. Ça m'étonnerait qu'il ait souffert un seul jour de sa vie.

— Eh bien, dit Zoé tranquillement, quelle chance il a eue... »

Manon hocha la tête, sans vraiment l'écouter. Elle se leva et se mit à marcher de long en large d'un air absorbé. « Il faut que je rentre tout de suite, mon Dieu, je n'aurais jamais dû venir... Je lui avais demandé de m'accompagner mais il ne pouvait pas se libérer, il me disait... J'aurais quand même dû rester avec lui. Il est mort tout seul ! Douce Marie, il est mort avant moi... je n'aurais jamais imaginé que ça se passerait comme ça. Et maintenant il va y avoir tellement de choses à faire. Depuis un bon moment c'est Nick qui s'occupait du club et de toutes ces choses pour moi, et je ne sais pas... »

Zoé se leva et la prit dans ses bras. « Est-ce que tu veux que je vienne avec toi ? »

Manon la regarda avec étonnement. « Non, répondit-elle lentement. C'est gentil, mais ce n'est pas la peine. » Elle s'écarta et recommença à marcher. « Dis au revoir aux enfants et à Henry et dis-leur que grand-mère a des affaires à régler. Dis-leur que je reviendrai bientôt, qu'un ami très cher est... » Elle porta son poing à la bouche et le mordit, retenant sa respiration dans un sanglot. « Oh ! il m'était si cher ! » Elle ferma les yeux. « Je l'aimais. Je l'aimais sincèrement Il m'a donné tant de plaisir... »

Zoé détourna le regard, embarrassée. « Je le leur dirai, dit-elle en conduisant sa mère dans la maison. Si tu es sûre que tu ne veux pas que je vienne avec toi. »

Manon se tourna vers elle, légèrement agacée. « Et si je disais oui, qu'est-ce que tu ferais, hein ? Tu laisserais la maison et les enfants et Henry ? J'ai du mal à croire que...

— Bien sûr que je le ferais, ma mère ! dit Zoé d'un ton résolu. Si tu le désires, je pars avec toi à la minute. »

Le visage de Manon se radoucit, et elle prit le menton de Zoé dans ses mains. « Merci, chère. Je suis persuadée que tu le ferais. » Elle se retourna et monta les escaliers à toute vitesse. « Fais avancer ma voiture, lança-t-elle sans la regarder, et dis-leur de vérifier l'essence et l'huile. Je ne veux pas m'arrêter avant d'arriver à La Nouvelle-Orléans. »

Zoé regarda sa mère faire ses bagages à la hâte ; elle observa la courbe de ses épaules se redresser et se raidir comme si elle partait en guerre. Ah ! Mère, pensa-t-elle rapidement, tu vas peut-être enfin connaître le chagrin et la solitude, sans doute pour la première fois de ta vie, et ça me fait de la peine de savoir ce qui t'attend dans les années à venir... Seras-tu encore longtemps capable de soumettre le destin à ton gré ?

Mais Zoé remarqua alors quelque chose d'encore plus frappant dans la silhouette de sa mère, une chose à laquelle elle n'avait plus fait attention depuis des éternités... La douceur et la maturité exceptionnelles de Manon, ses bras et ses hanches si rebondis, la fierté de ses seins... elle contempla les courbes et les creux d'un corps qui était fait pour le plaisir charnel et qui l'avait amplement savouré. Et à cet instant, elle envia sa mère plus que jamais elle ne l'avait fait de toute sa vie.

417

Au fur et à mesure que Manon se rapprochait du Mississippi, le ciel au sud était de plus en plus bas. Elle accéléra l'allure de la Cadillac, tout en gardant un œil anxieux sur les nuages. Un orage sur ces routes poussiéreuses à l'ouest du fleuve ferait de La Nouvelle-Orléans un mirage inaccessible d'ici la tombée de la nuit...

Mais c'était surtout à Nick qu'elle pensait tandis qu'elle tournait brusquement le volant dans un sens puis dans l'autre, pour éviter les ornières des chariots et les trous boueux. Car elle s'était subitement rappelé que les trous dans les routes, en Louisiane, contenaient chaque fois au moins plusieurs centimètres de boue, surtout à proximité des rivières... Comme si l'eau était si omniprésente dans le paysage qu'elle devait surgir à la surface à la moindre occasion, par la plus petite échancrure dans le sol, comme le sang dans le corps.

Nick. Une partie d'elle-même maudissait Dieu de ne pas l'avoir laissée être là pour sa mort... Mais l'autre partie Le remerciait, pour ne pas avoir à se rappeler jusqu'à la fin de ses jours quelle expression il avait eue à son dernier instant... Elle pleurait en conduisant, laissant ses larmes s'écouler, se sécher puis s'écouler à nouveau, aussi monotones que la route. Il l'avait aimée, elle en était certaine. En tout cas autant qu'un homme comme Nick puisse aimer... Il l'avait aimée avec rage, avec passion et avec juste assez d'esprit pour savoir la tenir à distance et ne pas se faire engloutir par elle.

Et elle, elle l'avait aimé... Avec tout l'amour qui lui restait, après que David l'avait abandonnée en laissant son cœur aride, comme une mare lentement desséchée par le soleil. Nick l'avait fait aimer à nouveau, oui, mais ne lui avait pas rendu sa confiance. Plus jamais elle ne pourrait faire confiance à quelqu'un, et plus jamais elle n'essaierait... D'ailleurs il n'était pas indispensable d'avoir confiance pour aimer. Elle en avait eu la preuve. Et de toute façon, comment aurait-on pu faire confiance à un homme comme Nick — et pourquoi ? Il était si différent et si extravagant... c'étaient les choses qui l'avaient séduite, qui en même temps l'avaient mise sur ses gardes.

Mais il allait lui manquer chaque jour de sa vie, ça elle en était certaine.. Et cette douloureuse solitude, qui devant elle s'étendait comme le paysage d'une terre immense, sèche et vide, la faisait tant pleurer qu'elle parvenait à peine à contrôler sa voiture.

Et le vent ne faisait rien pour l'aider, finit-elle par remarquer une fois qu'elle se fut calmée, et que ses pleurs se furent réduits à quelques hoquets saccadés. La brise constante qui montait de la rivière s'était transformée en mouvements puissants de rafales intermittentes qui secouaient la Cadillac d'un côté à l'autre de la route. Au-dessus, les nuages défilaient aussi vite que l'automobile, sombres et menaçants, vers le sud et l'ouest.

Et au moment où Manon traversa le pont qui reliait Donaldson à la paroisse d'Ascension, la panique que lui causait cette tempête grossissante relégua dans un coin de sa tête son chagrin, qu'elle pourrait à loisir ruminer plus tard. A Sainte Rose, dans les environs de La Nouvelle-Orléans, elle dut finalement s'arrêter à une station-service au bord de la route et se précipiter à l'intérieur et s'y abriter. Elle avait trop peur de conduire la Cadillac sous les chênes verts que le vent faisait craquer, alors elle s'était garée directement sur le bord de l'autoroute, et s'était mise à courir en retenant sa jupe et son chapeau contre ces bourrasques furieuses qui arrachaient tout sur leur passage.

« Qu'est-ce que vous faites là toute seule ! lui cria un homme, qui faillit la faire trébucher en la tirant brusquement à l'intérieur et en claquant la porte derrière elle. Sacré nom, ma bonne dame, vous voyez donc pas qu'une tempête se prépare ?

— Elle ne se préparait pas quand je suis partie, dit-elle en haletant et en essayant de se redresser. Ça va être sérieux ?

— Il paraît que c'est une grosse, dit-il en retournant vers le comptoir. Sa femme et lui étaient en train d'empiler des boîtes de conserve et des cartons de marchandises sur les rayons les plus bas. « Elle vient du Golfe, ils ont dit, et elle a déjà rasé Myrtle Grove sur son chemin.

— Il ne faut pas grand-chose pour raser Myrtle Grove, rétorqua-t-elle, en s'apercevant que son corsage était déchiré à deux endroits.

— Peut-être, mais ils disent qu'elle prend de la force au fur et à mesure qu'elle vient vers le nord. Vous avez de la famille à La Nouvelle-Orléans ?

— Oui, dit-elle sans prendre la peine de leur expliquer. Et il faut que j'y sois ce soir. »

La femme se tourna vers elle l'air affolé. C'était une petite femme cajun aux cheveux sombres et aux manières timides. « Mais, madame, c'est vraiment dangereux... Vous devez rester abritée ici. Peut-être dans l'église, vous serez en sécurité. Venez avec nous, c'est sur un terrain élevé...

— Non, il faut que je continue ma route, dit Manon d'un ton déterminé. Maintenant je suis arrivée assez près pour y parvenir.

— Mais, madame... », commença l'homme.

Sans prendre la peine d'écouter ses protestations, Manon rouvrit la porte et se mit à courir en direction de la Cadillac ; le vent hurlait désormais autour de son visage et lui rabattait les cheveux dans les yeux. Une branche était tombée sur le capot de la voiture et elle dut se démener de longs moments, tandis que son manteau de voyage s'emmêlait autour de ses genoux. L'homme arriva en courant de la station, pour l'aider à retirer la branche de l'automobile ; puis il ouvrit la porte d'un coup sec et la poussa à l'intérieur.

« Que Dieu vous garde ! » lui cria-t-il à travers la vitre, et elle l'entendit à peine avec le bruit du vent. Elle ramena à grand-peine la Cadillac sur la route et la dirigea vers la rivière, poussant le véhicule avec toute la force de sa volonté. Plus près de la ville, lorsqu'elle passa sur un tournant de l'autoroute qui longeait le Mississippi, elle vit que l'eau était haute, grise, et qu'elle battait les rives... Elle ressentit alors son premier frisson de peur lui remonter dans le cou et les joues. C'était un orage terrible, peut-être même un ouragan, rien d'autre n'aurait pu atteindre la rivière et la faire grossir en si peu de temps... S'il venait du Golfe et qu'il remontait la rivière, il frapperait La Nouvelle-Orléans avec la violence d'un coup de poing... Elle poussa la Cadillac à fond, serrant les dents aussi fermement qu'elle empoignait le volant, et à cet instant précis les nuages s'ouvrirent pour déverser un second fleuve : la pluie se mit à tomber en de puissantes cascades, et c'était à peine si Manon pouvait encore voir la route.

Elle arriva enfin dans la ville, où des branches jonchaient la chaussée, des détritus et des papiers s'envolaient en de gigantesques spirales tout autour d'elle, des gens avançaient péniblement en se penchant contre le vent et en agrippant leurs vêtements, et la pluie fouettait et tourbillonnait comme des rideaux qui s'envolent. Le ciel strié d'éclairs ressemblait à une toile d'araignée, et les nuages étaient vert foncé. Manon atteignit enfin sa maison et se précipita à la porte, terrorisée et furieuse contre la tempête.

Une fois à l'intérieur, elle eut l'impression que même ses murs étaient un abri trop maigre... Les parois de la maison tremblaient sous le vent, et Lucy, sa bonne, arriva en courant de l'autre bout de la maison en hurlant comme une folle : « Madame ! Madame ! C'est un ouragan ! Nous sommes abandonnées de Dieu !

— Mais non, nous ne sommes pas abandonnées de Dieu, Lucy ! Arrête-moi ce chahut ! lui cria Manon. Va chercher toutes les bougies que tu peux trouver, dépêche-toi, et remplis tous les récipients d'eau. Moi je vais chercher les couvertures !

— Oh ! oh !... » hurlait Lucy, qui fila dans la cuisine, les mains collées aux oreilles pour ne pas entendre le hurlement du vent dehors...

Manon monta à l'étage en toute hâte, attrapa toutes les couvertures qu'elle trouva dans les chambres d'amis, et quand elle arriva dans sa chambre à elle, elle s'arrêta tout net au milieu de la pièce et se figea à la vue de son lit... La robe de chambre de Nick était étendue en travers du fauteuil, comme s'il l'avait retirée de ses épaules quelques instants plus tôt. Elle se jeta sur le lit, cédant à une crise de larmes qui aurait rivalisé avec la tempête... Mais elle rassembla tout son courage, arracha avec colère les couvertures du lit, les roula en boule contre sa poitrine et quitta la chambre à toute allure sans même se retourner.

Quelques instants plus tard, elle entraînait Lucy dans la petite cave de la maison, du côté le plus éloigné de la rivière. Elle avait fait son possible pour apaiser la femme, et elles étaient toutes les deux blotties l'une contre l'autre, écoutant l'ouragan dévaster la maison, la rue, tout le Quarter au-dessus d'elles. Elles entendaient des craquements, des bris de verre, et le bruit sourd d'objets lourds qui s'effondraient par terre ; chaque fois Lucy sursautait avec un cri strident, comme si Dieu en personne l'avait pincée.

Mais Manon restait clouée, immobile comme de la pierre, à fixer l'obscurité de la cave et à écouter le vent. Nick, pensa-t-elle, si tu étais là, tu me tiendrais dans tes bras et tu me réconforterais... A la place, c'est moi qui dois être la force et le réconfort pour quelqu'un d'autre... C'est probablement comme ça que va se dérouler ma vie maintenant.

Le vent avait tourné plusieurs fois ; elles le sentaient en entendant au-dessus de leur tête les murs ployer d'un côté puis de l'autre, la mélopée plaintive de cette apocalypse, comme la lamentation désespérée de milliers de chats affamés... Des briques dégringolaient sur le toit, et tout autour d'elles des objets se soulevaient littéralement vers le plafond sous l'effet de la pression. Tout à coup un craquement terrible fit vibrer toute la maison et le soubassement, et Lucy poussa un hurlement hystérique en s'agrippant à Manon.

« C'est la galerie, dit Manon. Ensuite ce sera le toit... »

Dans la tourmente, des arbres déracinés heurtaient violemment les murs, et Manon les comptait au fur et à mesure qu'ils tombaient, attendant le moment où ils cesseraient de tomber et où elle pourrait s'arrêter... De l'eau s'infiltrait dans la cave à deux encoignures, formant des mares aux endroits les moins élevés du sol, mais elle montait à peine et laissait les deux femmes seulement humides et sales.

En l'espace de quelques heures le vent se déchaîna ; le martèlement de la pluie et les explosions électriques finirent par étouffer tous les autres bruits. L'eau s'était mise à goutter, puis à ruisseler de toutes parts ; et la température diminua tellement que les couvertures que Manon avait rassemblées paraissaient aussi efficaces contre le froid que des draps de mousseline. Les bougies sifflaient dans l'humidité ; les tentacules du vent s'insinuaient jusque sous la terre et faisaient vaciller la flamme avec frénésie.

Finalement les longues bourrasques commencèrent, lentement, à s'apaiser. Manon força Lucy à se lever. « Il faut qu'on sorte d'ici si on le peut, dit-elle fermement. En espérant que rien ne soit tombé sur la trappe et nous ait enfermées... Il faut aller sur un terrain plus élevé, au cas où la digue se rompe et inonde entièrement la ville... »

Lucy se mit sur pied à grand-peine, et elles appuyèrent de toute leur force leurs épaules contre la porte, pour l'ouvrir sur le spectacle de la dévastation... Elles avaient l'impression que la moitié de la maison s'était écroulée sur leur tête, mais heureusement peu de choses avaient atterri directement sur l'ouverture qui les mènerait à l'air libre. Elles émergèrent dans l'aube grisâtre... La pluie s'écoulait dans la maison à travers des dizaines de trous dans le toit ; un mur s'était partiellement écroulé, et un autre dans le vestibule penchait curieusement, comme s'il avait reçu le coup de pied d'un géant.

Manon se fraya un chemin parmi les débris et le verre cassé, et atteignit la rue, sans faire attention aux gémissements de Lucy derrière son dos. Canal Street était toujours reconnaissable, mais de nombreuses maisons étaient inclinées et privées de toit. Pas une fenêtre n'était intacte, d'après ce qu'elle pouvait voir, pas une porte encore sur ses gonds, pas une galerie épargnée. La rue était immergée dans au moins cinquante centimètres d'eau, et tout était couvert d'une boue épaisse et huileuse.

Un grand serpent noir descendit la rue en se tortillant ; Manon recula brusquement pour se plaquer contre ce qui restait de sa porte d'entrée. Des cadavres de poissons, de chats, de chiens et d'oiseaux s'entassaient misérablement au pied des murs qui tenaient encore debout.

Manon aperçut un homme errer dans Canal Street, apparemment le seul survivant avec elle-même dans tout le pâté de maisons... Il marchait d'un air abattu et éberlué, comme s'il avait entrevu le visage de Dieu et qu'il ne voulait plus vivre.

« Avez-vous vu ma femme ? demandait-il d'un ton plaintif. Mme Franklin ? » Il poursuivit son chemin sans regarder Manon. « Elle devait être avec mes deux fils, certainement. Avez-vous vu ma femme ? »

Manon retourna à l'intérieur, fit un signe de croix, puis recommença à pleurer pour la première fois depuis qu'elle était arrivée chez elle...

L'ouragan qui frappa La Nouvelle-Orléans en ce mois de septembre fut le pire qui ait jamais grondé sur le Delta. La ville resta privée d'électricité pendant plus de trois jours ; eau et nourriture étaient quasiment introuvables. Certaines parties du Quarter étaient noyées sous près de trois mètres d'eau. Manon découvrit qu'elle avait eu de la chance par rapport à beaucoup de ses voisins. Plus bas dans la rue, une femme avait été noyée dans sa cave avec ses trois enfants : un mur de soutènement avait cédé et ils avaient été engloutis en quelques secondes. Cinq cents personnes dormaient dans le bâtiment fédéral ; des milliers d'autres trouvèrent refuge dans des églises, des banques et toutes les constructions bien ancrées... Seules quelques centaines de maisons du Quarter avaient leur toit intact.

Quand Manon et ses voisins commencèrent à s'aventurer dehors et à découvrir l'étendue des dégâts, ils se rendirent compte que la plupart des cimetières avaient été inondés, que les tombes s'étaient ouvertes et les cercueils dispersés. Dans le port, les remorqueurs avaient coulé, et les bateaux s'étaient écrasés contre le quai ou les uns contre les autres.

Manon rassembla tous ses objets précieux dans un endroit de la maison qui était toujours abrité par le toit, puis elle se mit en route pour la morgue où avait été déposé le corps de Nick. Elle décida que les réparations et la reconstruction pouvaient attendre qu'elle ait vu Nick et qu'elle se soit occupée de son repos éternel...

La morgue était un bâtiment plutôt bas, entouré de grands immeubles, et avait été relativement épargnée par la tempête. Le directeur la reçut courtoisement, mais ses mains fiévreuses trahissaient son agitation.

422

« Madame, commença-t-il aussitôt, vous comprendrez, j'espère, que dans cette situation critique nous avons dû faire vite... Monsieur a été porté en terre le matin de la tempête.

— Vous l'avez déjà enterré ?

— Malheureusement nous n'avions pas le choix. Car naturellement, nous ne sommes pas équipés pour la protection des défunts, et nous ne pouvions pas garantir...

— Où est-il enterré ? » Elle sentit sa colère et son désespoir grandir aussi brusquement qu'au moment où elle avait appris sa mort... « Il n'a même pas eu d'obsèques décentes ? Pas de fleurs ?

— Bien entendu, c'est maintenant que la plupart des familles préféreront régler les derniers détails des funérailles, et je serais heureux de pouvoir vous aider à organiser une cérémonie correcte, madame, une fois que les réparations et la restauration du cimetière seront achevées. » Il lui toucha le bras pour lui manifester sa compassion. « Les morts ne s'offenseront pas si auparavant nous devons nous occuper des vivants, madame. Eux, au moins, reposent en paix... »

Elle retira froidement son épaule. « Où l'avez-vous enterré ?

— A Saint-Louis numéro deux.

— Il y a une marque ? »

Il secoua tristement la tête. « Nous n'avions pas le temps... Mais si Madame désire choisir une statue ou peut-être un beau caveau, je serais ravi de vous montrer une large sélection... »

Mais Manon avait déjà franchi la porte.

Saint-Louis un, deux et trois, comme la plupart des cimetières de La Nouvelle-Orléans, étaient de grands champs de pierres, de mausolées et de statues en marbre. Les « Villes des Morts », les appelait-on, et les touristes venaient s'ébahir devant ces coutumes qui décrétaient que les morts devaient loger à la surface et non sous terre, pour des raisons d'humidité, et qu'ils devaient être honorés avec autant, voire plus de grandeur que celle dans laquelle ils vivaient.

Comme les maisons créoles, les tombes étaient construites en brique, puis recouvertes de stuc et blanchies à la chaux, pourvues de galeries en fer, et parfois d'étroites passerelles. Beaucoup étaient entourées d'une grille en fer forgé, et à l'intérieur se trouvaient des chaises et des bancs de jardin pour que les morts puissent « recevoir » des invités les jours saints. Il y régnait une sérénité dénuée de toute froideur, et même un certain humour, et de l'hospitalité. Les allées étaient bordées d'une foule de statues en plâtre et en marbre : sur des bas-reliefs, des saules pleureurs côtoyaient des veuves, ainsi que des anges et des séraphins, des soldats et des sphinx, des moutons conduits par leur berger, et même un énorme bateau à vapeur qui voguait sur la terre...

Lorsque Manon s'avança avec précaution au milieu des pierres tombales penchées ou renversées, des branches arrachées et des débris de la tempête, elle ne ressentit rien de cette paix qu'elle savourait habituellement quand elle visitait Saint-Louis. Elle se dirigea tout de suite vers le bout de cette étendue de tombes, devinant que Nick avait dû être enterré dans la partie récente du cimetière.

Un gardien noir poussait péniblement une brouette, ramassant les branches et les débris de l'ouragan qui étaient tombés sur les tombes. Avec la mine lasse d'un homme qui n'allait jamais venir à bout de sa tâche, il se baissait et se relevait, balayait et empilait, et ne leva les yeux que la deuxième fois que Manon l'interpella.

« Mais non, m'dame, répondit-il, j'peux pas dire où qu'il est au juste. Mais z'êtes juste au bon endroit où y faut chercher. »

Elle déambula le long des rangées en examinant toutes les tombes récentes ; elle se disait que si au moins elle arrivait à se représenter son visage la dernière fois qu'elle l'avait vu, si elle se concentrait suffisamment pour le faire apparaître, son cœur la conduirait là où il reposait... Finalement elle monta sur une petite butte et s'immobilisa devant une tombe récemment recouverte, et qui semblait lui attirer l'œil. Elle se baissa pour lire l'étiquette en métal qui était attachée à un piquet en bois planté dans la terre. « Nickolas Fletcher, 20 septembre 1915. »

Elle se laissa tomber à genoux devant la tombe, sans se soucier du sol humide qui mouillait sa jupe. Elle se signa, ferma les yeux et joignit les mains. Mais aucune prière ne lui traversa l'esprit.

Elle rouvrit les yeux et fixa le monticule de terre. Là-dessous se trouvait un homme qu'elle aimait... Un corps qu'elle avait serré, caressé et embrassé des nuits durant ; une peau qui avait parfois été si proche de la sienne qu'il aurait été impossible de dire où l'un finissait et où l'autre commençait. Dans cette terre sombre et humide il était désormais étendu, seul, sans aucun souvenir de sa vie, de ce qui l'avait rendu heureux ou furieux... sans aucun souvenir d'elle. Plus jamais elle ne tiendrait ses mains.

A cet instant, elle aurait cédé dix ans de sa propre vie, pour sentir rien qu'une fois la bouche de cet homme se coller à la sienne...

De sa main elle lissa doucement la terre, pour arrondir la butte sous sa paume. La terre humide de Saint-Louis semblait être un frais velours au toucher ; docilement elle roulait en épousant le contour de ses doigts. Elle se rappela la manière dont les poils soyeux sur les jambes de Nick se couchaient ou se redressaient, selon le sens dans lequel elle les caressait, comme la fourrure d'un chat... il avait les poils aussi vivants que la peau. Tu es là, Nick ? Elle voulait qu'il l'entende, d'une manière ou d'une autre... Tu sens encore quand je te touche ?

Elle releva la tête et aperçut les toits de La Nouvelle-Orléans qui s'étendaient au loin, au-delà de Saint-Louis, ces toits encore intacts. Les vivants recommençaient à vivre. Les résidants de Saint-Louis étaient indifférents à la tempête, eux... Elle ne pouvait pas se plaindre. Et elle ne pouvait plus pleurer pour Nick, non plus. Peut-être n'allait-elle plus jamais pleurer...

Elle se baissa et saisit une poignée de terre de la tombe. Elle serra les mains pour y laisser une empreinte, comme une rangée de côtes sous une chair vivante. Elle plongea soigneusement la motte de terre dans sa poche, lissant une dernière fois la surface avec ses doigts. Puis elle regagna la butte et se dirigea vers la ville de La Nouvelle-Orléans.

Sur son chemin, elle passa devant une tombe où était inscrit « LaVeau ». Probablement Marie Deux... A première vue elle semblait identique à celle de ses voisins, mais Manon se baissa et aperçut que le béton était recouvert de dizaines de croix rouges tracées à la brique. Ils y croyaient donc encore, comprit Manon. Ils venaient faire une croix et prier, pour que Marie ou sa fille les entende... Dans un coin, une soucoupe remplie de piécettes était intacte. L'argent des suppliants, personne n'oserait le voler à la reine vaudou... Personne sauf la mort.

Quand elle fut au sommet de la colline, elle s'arrêta pour repérer la tombe de Nick et la mémoriser. Une tombe avec un grand ange majestueux serait du meilleur effet à cet endroit, et on la verrait de très loin... Demain elle s'en occuperait.

La Nouvelle-Orléans avait perdu beaucoup de son pouvoir de fascination aux yeux de Manon. Elle avait beau faire, elle ne parvenait pas à rassembler son énergie pour reprendre les rênes là où Nick les avait laissées. Des hommes politiques l'appelaient pour lui adresser des invitations et des hommages, mais elle s'excusait poliment. Deux premières à l'opéra eurent lieu sans qu'elle y assiste dans sa loge habituelle, et le *Picayune* se demanda noir sur blanc quand Mme d'Irlandais se déciderait à quitter le deuil et ferait à nouveau l'honneur de son sourire à la Queen City.

Quand Manon se rendit compte que ses administrateurs de biens avaient laissé trois baux non renouvelés sur ses propriétés, elle comprit que sa négligence allait lui coûter bien plus que sa réputation de *grande dame* de la saison d'automne de La Nouvelle-Orléans. Aux innombrables bals de charité qui avaient été organisés immédiatement après l'ouragan, pour collecter de l'argent et commencer la reconstruction, elle avait brillé par son absence. Elle savait que d'autres se précipiteraient pour remplir ce vide, et qu'au bout de quelques saisons, son nom serait totalement inconnu aux nouveaux arrivants de la ville. Elle savait très bien à quel point La Nouvelle-Orléans pouvait être infidèle...

Malgré ça elle ne pouvait pas se résoudre à y prêter attention. Elle ne hantait pas non plus Saint-Louis et la nouvelle tombe de Nick... Elle passait des heures et des heures à éplucher ses registres et ses papiers, à mettre de l'ordre dans ses biens jusqu'à ce qu'elle sache ce qu'elle possédait au dollar près. Puis elle demanda à ses avocats de vendre tous les biens qui nécessitaient une gestion méticuleuse, afin d'augmenter son capital. Le Palace irlandais fut le premier sur la liste. Ayant subi de nombreux dégâts lors de l'ouragan, il ne valait pas autant qu'il aurait rapporté six mois auparavant..., mais après les charges et les impôts, elle en tira tout de même huit cent mille dollars. Ensuite elle vendit deux hôtels et trois restaurants, qui lui en rapportèrent quatre cent mille supplémentaires. Tous les terrains non construits, elle les rangea dans son portefeuille pour ne pas y toucher. Et elle convertit systématiquement toutes ses actions en bons du Trésor, qu'elle déposa en réserve dans son coffre à la banque, après les avoir chacun étiquetés avec les différents noms de ses petits-enfants.

Puis elle s'assit à son bureau et écrivit une lettre à Alex en lui détaillant tout ce qu'elle avait fait, et lui envoya un chèque pour la moitié des biens liquidés. « Je te conseille d'investir dans des placements à long terme, écrivit-elle d'une manière énigmatique, mais bien sûr tu désireras peut-être avoir des conseils financiers avant de te décider. Je ne m'occuperai plus de nos biens à partir du Premier de l'An, mon cher frère. Il n'y a plus grand-chose qui réclame beaucoup d'attention, de toute façon, et j'aimerais me libérer de cette responsabilité. J'espère que tu conviens que j'ai mérité ma retraite. »

Manon mena ensuite une enquête discrète le long du Bayou Teche, jusqu'à ce qu'elle trouve ce qu'elle cherchait. « Les Chênes sur le Teche » : un vieux manoir de plantation en état de délabrement avancé, situé sur une quinzaine d'hectares en amont de la rivière, à moins de deux heures de voiture de ShadyOaks. Elle l'acheta pour une bouchée de pain, engagea le meilleur entrepreneur de la région et commença à restaurer le domaine pour lui rendre sa splendeur d'origine. Après mûre réflexion elle rebaptisa la plantation « Bagatelle », et elle fit paraître une annonce dans la *Gazette* de La Nouvelle-Ibéria, afin d'étouffer les curiosités sans doute enragées à propos de ses intentions : « Bagatelle, anciennement connu sous le nom des "Chênes sur le Teche", va être restauré dans le souci d'honorer son passé. Marchands et artisans sont priés de s'adresser à M. Boone, Boone et Compagnie, Appleton, et à Fisher, architectes à La Nouvelle-Ibéria. »

Manon avait envisagé d'attendre que le manoir soit terminé avant de quitter Canal Street, mais son avocat lui transmit l'offre fabuleuse d'un homme qui arrivait de Géorgie, et elle accepta son chèque dans une tornade de soudaine détermination. Elle ne souhaitait pas rester une semaine de plus dans cette ville. Elle ne voulait pas passer un samedi soir de plus à flâner dans Bourbon Street, à écouter la musique s'échapper par des dizaines de portes de bastringues, sans Nick à ses côtés. Même la musique la noyait désormais dans une brume de mélancolie. Et Manon résolut de ne plus avoir le moindre soupçon de mélancolie, si elle pouvait y faire quelque chose.

Elle alla donc s'installer dans le manoir, mais pendant tout le trajet depuis le Mississippi, elle ne cessa de regarder derrière son dos... Elle avait la vague impression d'être hantée. De ne pas pouvoir se défaire de ses fantômes. Et ce n'était pas seulement le fantôme de Nick qu'elle transportait, mais le fantôme du Sud, qu'elle semblait avoir perdu pendant qu'elle n'y faisait pas attention.

Les longs après-midi moites et les soirées à La Nouvelle-Orléans qu'elle avait connus n'étaient désormais plus les mêmes. Les chalutiers qui descendaient le canal au coucher du soleil, le léger accent des femmes qui clapotait comme l'eau dans les criques des basses terres, le foisonnement au parfum âcre des glycines et des gardénias, tout cela s'était modifié d'une manière imperceptible et ne correspondait plus au souvenir qu'elle en avait. Maintenant des remorqueurs sillonnaient les eaux du port, des fumées d'essence remplissaient l'air, sans compter l'étranglement de la circulation dans le Quarter, l'arrivée de tellement de Yankees que l'on n'entendait même plus le vieux patois au marché... Il était temps pour elle de partir, tant que ses souvenirs étaient encore indemnes.

Tout ce qu'elle voyait à La Nouvelle-Orléans diffusait à ses yeux le sentiment obsédant d'une perte, d'une âme qui s'éteint. Même la grille en fer forgé si délicatement ciselée de sa maison la troublait. Des araignées avaient tissé leurs fines toiles entre les arabesques depuis tant de générations d'insectes, qu'elles étaient désormais incrustées et impossibles à enlever. A certains endroits, le fer, faute d'entretien, avait rouillé et tombait en poudre quand elle l'effleurait. Pour elle, La Nouvelle-Orléans n'avait plus son odeur de fruit mûr, mais celle de pourriture...

Et cette année-là, même Mardi gras ne lui avait pas réchauffé le cœur autant que les années précédentes. L'Équipage mystique de Comus, les fanfares qui jouaient leur musique primitive en claironnant dans les rues, les torches qui flambaient, les foules qui déferlaient dans les rues, rien de tout cela ne la livra à cette joie insouciante qu'elle avait connue... Perchés sur leurs chars en papier mâché, des hommes et des femmes déguisés avec des costumes resplendissants jetaient des colliers en perles de verre ou de bois que les gens essayaient d'attraper... Puis quand Mardi gras retomba dans le calme et l'oubli, dans l'air humide et froid, Manon ne put s'empêcher de voir ces rues tortueuses enlaidies par les déchets et le verre brisé.

Il n'y avait qu'un seul moyen de se retrouver, c'était de réinventer ses souvenirs, se disait-elle. Car elle ne savait plus qui elle était, ni à qui elle appartenait...

Mais la première nuit qu'elle passa en bordure du bayou, elle eut l'impression d'entendre des appels, dans le murmure du vent dans

427

les chênes. Et de percevoir quelque chose dans cette nuit parfumée au jasmin. Elle regarda par la fenêtre et aperçut les feux follets danser au-dessus de l'eau et bondir d'un arbre à l'autre — ce méthane provenant de la matière décomposée du marécage, qui s'enflammait spontanément et formait ces toiles d'araignée extraordinaires. Et subitement elle se sentit chez elle, alors que dans ces pièces ses pas n'avaient encore jamais résonné, ni ceux de sa famille ; cette plantation, même en plein tumulte de la restauration, semblait plus faire partie de son passé que la maison de Canal Street qui l'avait logée une décennie entière. Cette nuit-là, elle dormit d'un sommeil profond et paisible, sans faire ses habituels cauchemars de tombes, de toiles d'araignée et de pertes.

Quand la lumière matinale s'infiltra par les fenêtres de la galerie, une lumière pareille à aucune autre, qui baignait le vieux parquet en cyprès de sa chambre d'une pâle lueur rose, elle se leva toute revigorée. Avec le sentiment d'être elle-même à nouveau tout entière.

Zoé devait venir cet après-midi-là pour découvrir Bagatelle et aider Manon à ranger toutes ses affaires ; elle devait arriver en camion juste avant midi. Elle avait témoigné assez peu de curiosité à propos de cette maison, quand Manon lui avait annoncé qu'elle l'avait achetée. A la place, elle l'avait interrogée sur ce qu'elle comptait faire « plantée là, au fin fond du Teche », et sur ses relations à La Nouvelle-Ibéria. Quand Manon avait avoué qu'elle n'avait fait la connaissance que de quelques voisins, Zoé avait eu soudain l'air étonné.

« A mon avis ça va faire un sacré changement, maman, passer de l'excitation du Quarter aux rythmes lents de notre petit bout de Delta. Ça n'aurait pas été plus sage de prendre provisoirement un endroit plus petit et de voir si tu te plaisais ici, avant de te plonger dans le plus grand projet de restauration du bayou ?

— Certainement plus sage, avait répondu Manon, mais je n'ai pas envie d'être sage ces temps-ci. Il était grand-temps que je quitte La Nouvelle-Orléans, pas de doute. Et une fois que je prends une décision, je n'aime pas perdre une minute.

— Mais qu'est-ce que tu vas faire dans ce désert ? Tu ne crois pas que la solitude va te ronger de l'intérieur ? Je ne peux pas faire deux heures de voiture aller et retour trois fois par semaine...

— Je ne te demande rien, chère. Je change complètement ma vie, mais je n'exige pas que le reste de ma famille fasse la même chose... Même si ça me fait bien sûr très plaisir de te voir plus souvent avec Henry et les enfants. Je n'ai qu'une seule fille, après tout, et autant que je sache... » Et là elle s'approcha lascivement de Zoé, aussi ouvertement que si elle avait été son soupirant... « Tu n'as qu'une seule mère.

— Enfin, dit Zoé en haussant les épaules, il y a une chose dont je suis sûre. Tu fais ce que tu as décidé. Comme tu l'as toujours fait...

— Et comme je le ferai toujours, admit brusquement Manon. Bon, dis-moi ce qu'on raconte dans ce trou perdu à propos de Mme d'Irlan dais et de sa Bagatelle. »

Zoé fit un sourire ironique. « C'est pour ça que tu es venue alors ? Pour continuer à faire jaser à tout prix !

— Absolument. J'ai disparu de la circulation pour choquer les gens de La Nouvelle-Orléans et parce que j'avais besoin d'un nouveau pâturage. Alors, qu'est-ce qu'on dit ?

— Que tu n'as aucun respect pour le passé. »

Manon jeta la tête en arrière et éclata d'un rire bruyant, pour la première fois depuis la mort de Nick. « C'est vrai ! Et pour l'avenir non plus ! Mais le présent et moi on s'entend à merveille, ma fille, et je compte bien prouver aux gens que le Sud n'est pas obligé de traîner son passé aux chevilles comme les chaînes d'un esclave... »

Zoé leva sèchement la main pour interrompre le discours de sa mère. « Allons défaire tes bagages, maman, avant que tu n'entreprennes la transformation du Delta. » Et elle se tourna subitement vers la servante que Manon avait engagée et commença à lui donner des ordres d'une voix grave et harmonieuse.

Bagatelle alimenta bientôt les conversations bien au-delà du Delta... Le réseau des relations de Manon était vaste et enchevêtré et bien qu'elle se fût retirée du devant de la scène de la Queen City, elle était toujours capable de convaincre des visiteurs de descendre le Teche sur son invitation. Elle n'avait pas achevé plus de deux chambres d'amis que déjà le maire de La Nouvelle-Orléans acceptait son invitation pour une soirée privée. Et, au fur et à mesure que le domaine s'agrandit, elle parvint à attirer le président de la Standard Oil, le juge suprême de Baton Rouge et le directeur du corps d'ingénierie des levées de tout le Delta, ainsi que leur entourage, pour visiter son coin protégé de bayou.

Manon fit *in absentia* l'objet d'autant de presse dans le *Picayune* que lorsqu'elle était la vedette mondaine de La Nouvelle-Orléans. C'était désormais la haute société qui venait de plus en plus la voir. ne serait-ce que pour satisfaire sa curiosité au sujet de la rénovation de Bagatelle et de ses invités de marque.

Zoé et Henry venaient rarement aux fêtes de Manon, alors qu'elle leur envoyait une invitation à chacun. Les tâches de la plantation, les soins aux enfants, un serviteur malade ou d'autres responsabilités retenaient habituellement sa fille de l'autre côté du bayou

Une fois, Zoé envoya ses regrets pour une soirée particulièrement prestigieuse, et Manon descendit elle-même à ShadyOaks dans sa Packard pour défier sa fille une fois pour toutes. Elles prirent place toutes les deux sur la galerie, et Manon attendit qu'on lui apporte un whisky glacé avant de commencer. « Bon, Zoé, j'en ai assez de tes excuses. Si tu refuses de te déplacer pour faire la connaissance du gouverneur de cet État, je suppose que je vais devoir bientôt inviter le président des États-Unis à souper... Peut-être que lui il arrivera à te faire quitter ton petit train-train monotone ?

— Mais maman, ma vie n'est absolument pas monotone, dit-elle en riant doucement. Je n'ai vraiment pas le temps de m'ennuyer !

— D'accord, mais est-ce que tu as le temps de t'amuser ? Qu'est-ce que tu fais, ma fille, pour te divertir ? Est-ce qu'Henry et toi vous vous tuez au travail ? Ça vous arrive d'accepter une invitation ? Et ça vous arrive d'en lancer ?

— Bien sûr maman, répondit-elle d'une voix mielleuse. Tiens, pas plus tard que le mois dernier, nous avons donné un grand dîner pour nos amis proches...

— Et je n'étais pas invitée ? s'exclama Manon sidérée. Après toutes les soirées auxquelles je t'ai invitée !

— Maman, il n'y avait personne que tu connaissais... C'était juste une petite réunion entre voisins. » Elle s'interrompit et examina Manon un instant, comme si elle se demandait si elle devait poursuivre.. « Tu sais, tu ne connais pas tout de notre vie, après tout. » Elle détourna les yeux et son regard alla se perdre dans les champs de piments. « Nous avons nos plaisirs à nous, Henry et moi. Tu n'as aucun souci à te faire. »

Manon s'avança sur son siège et prit les mains de sa fille dans les siennes. « Mais si, je me fais du souci, chère. Je m'en suis toujours fait... Je veux que tu sois heureuse.

— Je le suis, sourit Zoé. Mais pas exactement de la manière dont tu le souhaiterais... Ou pour les mêmes raisons.

— Est-ce que tu t'entends bien avec Henry ? »

Elle hésita. « Oui, bien sûr. Il essaie de me rendre heureuse. Et moi j'essaie de... d'avoir l'air heureuse. Nous sommes, comment dire... des partenaires. »

Manon inspira un grand coup. « Est-ce que tu as fini par l'aimer, alors ? Comme tu le désirais pour pouvoir être heureuse ?

— Non. » Zoé parlait d'une voix calme et déterminée. « Jamais. Contrairement à ce que tu m'avais promis. Mais j'ai trouvé le bonheur, cependant. »

Manon ne s'était jamais sentie aussi proche de sa fille qu'en cet instant de confidences sincères ; de leur vie elles n'avaient jamais eu de véritable intimité... « Et comment ? demanda-t-elle. Comment as-tu trouvé le bonheur sans l'amour ? »

Zoé secoua lentement la tête. « Pourquoi poses-tu une question si évidente ? Qu'est-ce que tu veux que je te réponde ? » Elle retira les mains de celles de sa mère, mais ses yeux ne quittaient pas le visage de Manon. « J'ai trouvé l'amour... Simplement ce n'est pas avec mon mari que je l'ai trouvé. »

Manon se renfonça brusquement dans son fauteuil. Puis involontairement, sa bouche se releva en un sourire ironique. « C'est vrai. J'aurais dû le deviner... Tu es ma fille, après tout. » Elle jeta un coup d'œil au-delà de Zoé pour vérifier qu'elles étaient bien seules. « Et où l'as-tu trouvé, alors ? »

Zoé crispa la bouche et ses yeux se voilèrent à nouveau, ce filtre opaque avec lequel elle avait protégé sa vie privée de toute intrusion, depuis qu'elle s'était considérée assez grande pour se séparer de sa mère en pensée comme en action... « Je ne dirai aucun nom, maman, même pas sur mon lit de mort ! Je me contenterai de dire que je me suis tranquillement arrangée durant toutes ces années pour trouver mon bonheur... Et que j'ai obtenu un arrangement indélébile, et tout à fait discret. Et qui ne compromet en rien ma position en tant que maîtresse de ShadyOaks.

— Et il te rend heureuse ? demanda Manon époustouflée.

— Il me procure ce semblant de joie que j'espérais un jour connaître... »

On entendit un bruit de pas derrière Zoé, et Henry apparut sur la galerie pour les rejoindre, tendant les mains en direction de Manon pour la saluer. Il l'embrassa rapidement sur les deux joues. « Ravi de vous voir, ma mère, est-ce que Zoé vous a montré la nouvelle pouliche ? Elle a de bonnes jambes robustes, cet étalon noir réussit son coup chaque fois ! » Il se tourna vers Zoé et ajouta : « Mon ange, la nouvelle fille dans les cases des ouvriers, elle a une espèce de fièvre, ils disent, ils voudraient que tu descendes jeter un coup d'œil. Elle a déjà trois boutons sous le genou, et si c'est une contagion, à mon avis il faudrait l'isoler rapidement, avant qu'elle la refile à tous les enfants des champs. »

Zoé se leva calmement en prenant son verre. « Ce n'est pas la fièvre, je suis déjà allée la voir hier, chéri. C'est des piqûres de puces, à cause de la crasse. Je peux lui faire envoyer autant de savon que je veux, elle ne se lave pas... » Puis elle lança par-dessus l'épaule : « Maman, je serai de retour dans une heure ; tu devrais monter voir Celly, elle a un nouveau livre d'images à te montrer. Je reviens tout de suite... » Et elle sortit avec Henry, en discutant déjà avec lui de tel et tel problèmes qui devaient être réglés avant le souper.

Ils étaient assez adorables à voir, se dit Manon légèrement attendrie. Ils partageaient une sorte de camaraderie, qui était, à sa manière, un lien aussi puissant que l'amour... Ensemble ils créaient leur propre harmonie, comme la beauté d'un meuble bien fait, ou d'un couteau qui s'adapte parfaitement à la main du cuisinier. La beauté d'un objet qui convient exactement à sa fonction, sans essayer d'en faire plus. Ni moins.

Elle voyait là une relation qu'elle-même n'avait jamais connue avec aucun homme. C'était un mariage aussi durable que la terre et les arbres, sans doute, aussi fidèle et régulier que la saison des pluies. Mais enviait-elle sa fille ? se demanda Manon en les voyant tous les deux disparaître, épaule contre épaule... on aurait dit deux chevaux harnachés au même attelage — même si l'un des deux faisait deux têtes et une largeur de plus que l'autre. Non, reconnut-elle d'une manière un peu sarcastique, elle n'enviait pas Zoé.

Je n'échangerais pas ma vie, réalisa Manon, je ne troquerais pas mes passions, même pour une montagne de champs de tabasco. Elle monta alors les escaliers tout en appelant la plus jeune de ses petites-filles : « Celly ! Celly, où es-tu ? Où es-tu, chère ? Viens me montrer ton nouveau livre d'images, car grand-mère va bientôt devoir repartir ! »

Toutefois, Zoé et Henry acceptèrent finalement une des invitations de Manon, et à sa grande surprise, même Alex les accompagna. C'était la nuit du Nouvel An, et le réveillon qu'organisait Manon devait être la fête la plus éclatante et la plus somptueuse que Bagatelle ait jamais connue depuis sa renaissance. La plupart des planteurs des deux paroisses environnantes allaient venir, ainsi que le gouverneur, un sénateur, et Sophie Tucker, qui était de passage dans la ville pour chanter à l'Opéra français.

Quand Zoé et Henry arrivèrent bras dessus, bras dessous, et qu'Alex monta les marches derrière eux, Manon se précipita pour embrasser sa fille, submergée de joie et de fierté à la vue d'une telle beauté. Zoé portait une longue robe pailletée d'argent, qui faisait ressortir ses cheveux magnifiques, et son mince cou blanc s'échappait d'un décolleté qui était aussi osé qu'élégant. Et même Henry et Alex, dans leur queue-de-pie noire, ne lui avaient jamais paru aussi dignes et imposants. Manon les prit par le bras et les présenta à ses invités les plus importants ; et avec une mine rayonnante elle regarda Zoé entretenir la conversation aussi gracieusement et aisément que si elle avait débuté au château de Versailles et non à l'école dominicale des ursulines.

Manon les laissa alors en liberté et se mit à papillonner d'un invité à l'autre, ne s'interrompant que pour contempler une nouvelle fois Zoé, tandis que l'orchestre entamait au moins sa quatrième valse

Tout occupée qu'elle était avec la femme du gouverneur Ritchie, elle remarqua tout de même que Zoé avait dansé avec Henry ainsi qu'avec Alex. Sa fille évoluait gracieusement sur la piste, ce qui lui rappela l'aisance avec laquelle elle l'avait vue valser le jour de son mariage, comme si elle avait connu les pas depuis sa naissance.. Elle dansait désormais avec M. Lonigan, un riche planteur de la paroisse voisine, en faisant tout pour qu'il paraisse aussi bon danseur qu'elle ; ce qui, pensait Manon, était à la fois le signe d'une grande habileté, et une attention charmante de la part d'une femme.

Lorsque la musique diminua et que la valse suivante démarra, le partenaire de Manon la quitta avec une légère révérence, ce qui lui laissa le loisir d'observer sa fille en toute tranquillité. Zoé dansait de nouveau avec M. Lonigan, un homme élégant qui était veuf depuis des années. Il faudra que je trouve un moment dans la soirée, pensa négligemment Manon, pour le présenter à Mme Tucker : elle connaît peut-être quelqu'un dans son entourage qui lui conviendrait..

Soudain elle s'immobilisa, les lèvres au bord de sa coupe de champagne et les sourcils froncés, pour regarder sa fille plus attentivement. Zoé et Monsieur avaient manifestement déjà dansé ensemble souvent, et ce n'était pas seulement l'habileté de sa fille qui laissait croire une telle harmonie...

Zoé se laissait enlacer et s'appuyait contre le corps de l'homme avec un plaisir évident, et elle posait les bras sur ses épaules d'une manière qui ne suggérait pas seulement le confort mais aussi... une certaine intimité. Manon s'alarma alors en voyant le sourire de Zoé, l'intensité avec laquelle elle fixait Monsieur dans les yeux, et à cet instant précis elle le vit lui retourner son regard avec une telle tendresse que son estomac se noua d'une peur subite.

C'était donc ça, l'amant de Zoé. Cela lui parut soudain aussi visible que les bulles de champagne qui pétillaient dans son verre. La façon dont ils se tenaient, l'aisance avec laquelle ils dansaient dans cette tendre étreinte, la souplesse de leurs membres, la douceur de leurs yeux qui ne regardaient rien d'autre autour d'eux, c'était si flagrant que Manon s'imagina que toute l'assistance devait le voir aussi clairement qu'elle... Elle se représentait sa fille en train de faire l'amour avec cet homme, elle savait exactement comment il bougeait et comment il la tenait, de la même manière qu'en ce moment sans doute, et elle ferma les yeux, brusquement prise de dégoût. Mais elle les rouvrit aussitôt, et dans la panique tenta de repérer Henry et Alex. Si Henry voyait sa femme maintenant, ce secret tournerait au scandale public, car un tel regard n'avait certainement pu échapper à personne...

A son grand soulagement, elle aperçut Henry en pleine conversation avec plusieurs hommes du côté du bar, et lorsque la musique déclina, Manon se précipita sur Zoé pour l'entraîner hors de la piste. « Monsieur, permettez-moi de vous voler ma fille, je vous promets de vous la rendre dans très peu de temps. Chère, il y a quelqu'un qui meurt d'envie de te rencontrer, et si je ne t'y emmène pas tout de suite, je vais me faire fouetter... » Avant même que Zoé ait le temps de réagir, Manon l'avait fait sortir de la salle, monter les escaliers et entrer dans la bibliothèque.

« Au nom du ciel, maman, Dieu en personne doit se cacher ici ! Qu'est-ce que c'est que tout ce mystère..., murmurait Zoé tandis que Manon la poussait à l'intérieur et fermait les portes derrière elle.

— Il n'y a pas de mystère, dit Manon d'un ton ferme, il n'y en a plus, en tout cas. Avec une ou deux danses de plus, ça n'aurait plus été un mystère pour personne... Zoé, dit-elle en s'enfonçant dans un fauteuil rembourré près de la fenêtre, je me demande bien à quoi tu penses... Et à quoi il pense, lui ? »

Zoé se tenait bien droite devant la porte, comme prête à s'enfuir, le menton haut et défiant. « Alors, c'est ça. C'était encore un prétexte... De quoi parles-tu, mère ?

— Je parle de M. Lonigan, bien sûr, répondit-elle furieuse. Comment pouvez-vous oser vous afficher en pleine lumière, tous les deux ? On voit tout de suite que c'est ton amant, et depuis pas mal de temps, vu la manière dont vous dansez ensemble ! Et si ça ne te dérange pas de te donner en spectacle comme ça, tu pourrais au moins penser à Henry...

« — Ne me dis plus jamais que je devrais penser à Henry ! » s'écria Zoé dans un hurlement étranglé.

Manon ne bougea pas et observa sa fille avec précaution. C'était la première fois qu'elle voyait Zoé ne plus réussir à se maîtriser, et elle en était à la fois stupéfaite et consternée. « Alors nous ne parlerons pas du tout de Henry, dit-elle calmement. Mais, Zoé, pense au moins à ta position. Pense à la mienne, si tu ne veux pas penser à la tienne. Dans ma propre maison, sous le nez de mes invités ! Si Henry savait ça il... » Elle secoua la tête et se détourna d'un air écœuré. « Zoé, tu m'as dit que tu étais discrète... mais si déjà tu danses avec lui comme ça dans la salle de bal de ta mère, je frémis en pensant à tout ce que tu as dû révéler sans t'en rendre compte ! Il est temps de mettre un terme à cette liaison, tu dois le lui dire tout de suite. Ou plutôt non, il vaut mieux que tu ne lui adresses plus la parole de toute la soirée, chère. Pas un mot, pas un regard, ou sinon je dirai à Alex d'aller provoquer cet homme et de le faire partir. Et dès demain il faudra que tu lui envoies une lettre pour lui annoncer que tout est fini entre vous. Il y a trop de choses en jeu, et tu finiras par te faire prendre, c'est d'ailleurs étonnant que Henry ne t'ait pas déjà attrapée... »

A sa grande surprise, Zoé commença à rire doucement, un rire amer, sans aucune gaieté. « Le dire à Alex ? Maman, Alex est au courant depuis le début ! C'est même grâce à Alex que nous sommes ensemble ! Ce cher oncle Alex m'a servi d'alibi de nombreuses fois, quand je n'étais pas là où j'aurais dû être. »

Manon resta bouche bée. « Mon frère l'a su depuis le début ? Il... il approuve cette liaison et il ne m'en a rien dit ?

— Alex m'aime, ma mère. Il veut que je sois heureuse. Et il comprend la passion. Dieu est témoin, il a lui aussi été tourmenté par la passion toute sa vie, discrètement, à sa façon à lui. » Elle se détourna. « Il connaît le désespoir que peut causer une telle solitude. Il comprend, lui. D'une manière que tu ne pourras jamais comprendre.

— Bien sûr que je comprends la passion, s'écria Manon révoltée. J'ai suivi mes passions toute ma vie...

— Oui, ça je sais, dit Zoé avec un sourire triste. Je descends d'une longue lignée de femmes qui ont connu la passion. Une longue lignée de femmes fortes de caractère, qui ont toutes suivi leur passion — mais on peut dire qu'on forme un clan plutôt hétéroclite !

— De quoi tu parles ? coupa Manon.

— Tu aurais dû écouter Emma plus attentivement, maman. Tu en aurais appris bien plus que les conjugaisons latines, si tu avais daigné t'intéresser aux choses du passé. Emma m'a raconté tout ce qu'elle savait à propos de sa mère et de la tienne, et parmi des femmes comme ça, je crois qu'il n'y a rien d'étonnant à ce que j'aie un M. Lonigan dans ma vie. Oliva Doucet, celle qui était presque une mère pour ta mère à toi, elle était passionnée par le bayou, et elle

434

l'avait placé au-dessus de son mari, d'après Emma, et même au-dessus de ses enfants quelquefois. La passion d'Emma était pour Dieu, qu'elle a choisi par-dessus tout le reste. La passion de ta mère, c'était la famille ; et ta passion à toi, ma mère, c'était pour la passion elle-même, je suppose. La passion pour la passion, et peu importait qui ou quoi devait être sacrifié dans cette quête. » Elle rit de nouveau, mais cette fois sur un ton mélancolique. « On a toutes eu des passions différentes, mais aucune d'entre nous n'a réussi à se libérer de leur emprise. Alors je trouve que je m'en tire honnêtement, Dieu est témoin... Mais où est l'amour, dans toute cette passion, je me le demande parfois ? C'est ce que je me suis demandé quand tu m'as laissée aux ursulines toutes ces années, et quand... » Elle hésita, et tourna le dos à sa mère. « Enfin, c'est ce que je me suis demandé plein de fois, disons. » Elle s'appuya contre la porte d'un air triste. « Tu croyais que je n'avais aucune passion dans la tête », ajouta Zoé tranquillement. Elle sourit. « Je savais que parfois ça te faisait de la peine. Que tu avais pitié de ma petite vie morose et ennuyeuse, de mon petit cœur stoïque et aride. Mais pas assez pour me laisser aimer là où j'en avais envie. » Elle se tourna, la main sur la poignée de la porte.

« Tu reconnais donc que c'est ton amant ?

— Je n'ai jamais dit ça. D'ailleurs tes insinuations m'ont retiré toute envie de m'amuser. Alors ce n'est pas la peine de demander à Monsieur de s'en aller, maman, c'est moi qui vais partir à sa place. Et je ne quitterai pas mon amant, qui que ce soit. Tu n'as absolument pas le droit de me demander ça. »

A cet instant, Manon remarqua pour la première fois que Zoé avait commencé à vieillir dans les dernières années. Elle avait dans sa chevelure noire des mèches argentées, qui étaient assorties à sa robe. « Je n'ai pas le droit ? Et tes enfants, alors ? Est-ce que tu romprais pour eux ?

— Qu'est-ce que tu veux dire ?

— Je veux dire que, si Henry découvre la vérité, ils sauront eux aussi, et ça les détruira. Et peut-être qu'il demanderait le divorce, Zoé, c'est arrivé pour moins que ça... Pense à tes fils. Pense à Celly !

— Que je pense à ma fille ? sourit Zoé. C'est un conseil particulièrement intéressant, maman, venant de toi. Ne t'inquiète pas, dit-elle alors qu'elle franchissait la porte, je n'ai pas oublié mes responsabilités. S'il n'y avait pas eu les enfants, ça ferait déjà dix ans que je serais partie habiter avec mon amoureux. » Et elle disparut.

Manon croisa ses mains en les serrant de toutes ses forces, et elle rejeta la tête en arrière, pour étouffer un hurlement de désespoir. Et de rage. Elle réalisait à quel point elle était en colère contre Zoé, profondément irritée par ce qu'elle faisait, ce qu'elle disait, et par son entêtement à ne pas voir le danger qui la menaçait. Et qu'est-ce que c'était que tout ce baratin à propos d'Emma et de sa mère et de passion et de sacrifice — qu'est-ce que ça avait à voir avec l'attitude égoïste de Zoé, qui refusait de laisser tomber ce qui un jour allait faire écrouler sa maison sur sa jolie petite tête !

Manon se leva et se mit à faire les cent pas dans la pièce, en agitant nerveusement son éventail. Et Alex ! Alex les avait présentés l'un à l'autre, avait été aux petits soins pour eux, et il avait aidé Zoé à vivre dans ce mensonge... Oh ! Mais cela convenait parfaitement, pensa-t-elle ironiquement, puisqu'il était lui-même si doué pour le camouflage ! Ah ! Qu'est-ce qu'il prendrait quand elle arriverait à le coincer tout seul ! Comment pouvait-il encourager un adultère si monstrueux !

Toute haletante, Manon se précipita devant le miroir et arrangea sa toilette d'une main rapide et experte. Ce n'était pas le moment de prendre une résolution ; pour l'instant elle avait des invités à servir, une fête à rendre inoubliable, et des alliés à séduire. Elle fit le vide dans son esprit, puis descendit les escaliers et s'engagea dans la salle de bal en souriant et en saluant, sans rien ressentir de ce désespoir qu'elle avait casé dans un coin de sa tête et qui attendrait jusqu'à demain. Pour l'heure, elle vit que Zoé était partie, entraînant Henry et Alex avec elle.

J'espère qu'elle a simulé un malaise, se dit rapidement Manon, cela nous éviterait au moins à toutes les deux d'avoir à fournir des explications... Elle balaya la salle du regard et aperçut M. Lonigan dans un cercle d'amis ; elle passa devant lui sans daigner le regarder.

Manon attendit une semaine avant de retourner voir Zoé, mais l'hiatus n'avait en rien aidé à rendre sa fille plus accommodante. Zoé refusait catégoriquement de parler de Monsieur et interdisait à Manon d'y faire allusion. Et en fait, quand on la poussait à bout, elle prétendait qu'après tout c'était sa mère qui avait dû se faire des idées.

« Maman, tu as dû laisser le champagne te monter à la tête, riait doucement sa fille. Monsieur et moi sommes de vieux amis, c'est vrai, mais je ne crois pas que nous ayons dansé d'une manière différente de tous les autres couples qui étaient là.

— Zoé, je t'ai vue, murmura Manon interloquée.

— Comme des centaines de gens. Et personne ne s'est senti obligé d'y faire attention, mère, et je te suggère de montrer la même courtoisie.

— Zoé, tu dois le quitter !

— C'est ce que je ferai. Un de ces jours. Bon, tu m'as dit que tu avais eu des problèmes de dos, récemment, qu'est-ce que le docteur en a dit ? » Et elle s'entêtait à changer de sujet chaque fois que Manon tentait d'y revenir. Lassée et perplexe, Manon décida finalement de ne plus en parler. En tout cas pour le moment.

En avril 1917, l'Amérique fut tirée de son doux rêve de pays tranquille, et fut catapultée dans les tranchées internationales. La « der des der » commença dans les États avec une bouffée de fièvre patriotique, mais sans opinion précise quant au rôle que les États-Unis devraient avoir dans le conflit. Un an et demi après l'intervention américaine dans la guerre, tout était terminé, et ce fut le seul pays à se sortir renforcé de cette épreuve.

Dans le Delta, les premiers sous-marins allemands furent repérés au large d'Avery Island à la fin de l'année, mais déjà la rumeur que le Mexique — poussé par l'Allemagne — allait envahir les États-Unis, s'était propagée tout le long de la côte du Golfe, bien avant que les pêcheurs n'aperçoivent les premiers submersibles.

Des champs entiers furent consacrés à la culture du coton et du blé pour alimenter la machine de guerre, et le prix du sucre monta en flèche. Le 5 juin, de sept heures du matin à sept heures du soir, tous les Américains mâles qui avaient entre vingt et un et trente ans furent obligés de s'inscrire sur les listes du contingent. Mais c'était largement superflu dans le Sud, où des milliers d'hommes s'empressaient de se porter volontaires pour aller combattre les Boches.

Deux des petits-fils de Manon furent envoyés en France, et dans leurs lettres à Zoé ils se vantaient d'être la coqueluche des petites Françaises avec leur accent créole. Un soir à dîner, Manon eut une vive querelle avec Simon, le plus jeune des garçons ; le problème était de savoir s'il devait rejoindre la marine le plus tôt possible, avant la fin de la guerre, en dépit du fait que le pays ne demandait à sa famille que ses deux frères.

« Ces Boches ne vont pas tenir plus d'un mois en France, maugréait le jeune homme. Maintenant ils mangent leurs propres mules, c'est ce que disent Alex et H. J., pour avoir encore un peu de force. Ils ne traverseront jamais la Marne, et je n'arriverai jamais à temps pour voir de l'action.

— Sainte Mère, pardonnez son aveuglement à cet enfant, dit Manon en le fixant d'un air féroce. Parler comme ça alors que ta pauvre mère a déjà deux enfants en danger ! » Elle regarda Zoé et baissa la voix quand elle remarqua que sa fille était occupée à faire manger Celly, et qu'elle n'avait pas entendu la protestation de son plus jeune fils. « Ils servent aussi, ceux qui restent ici et qui attendent, je te rappelle, lui murmura Manon avec ferveur. Tu pourrais penser à ça la prochaine fois que ton père te demandera de l'aider pour certains travaux.

— C'est des travaux de nègres ! grogna Simon.

— Jeune homme, lui dit Henry tranquillement, si jamais j'entends de nouveau ce mot, rien qu'une fois, je te ferai regretter de l'avoir prononcé, je te le promets. Ce sont des gens de couleur compris ?

De couleur, peut-être, mais ce sont des êtres humains. Et ceux qui les traitent de nègres, sur ce ton, se montrent bien inférieurs à ceux qu'ils essaient d'insulter. Tu as compris ?

— Oui, répondit Simon qui hocha la tête d'un air penaud.

— Tâche de t'en souvenir. C'est la dernière fois que je te le dis. » Manon vit Zoé relever la tête, et elle fit les gros yeux à son petit-fils. Simon chuchota : « Mais pourquoi moi je dois aller surveiller les fermiers défricher le marais, alors que mes deux frères sont en train de nettoyer les forêts françaises de ces sales Boches !

— C'est peut-être difficile à croire, reprit Henry, mais ton travail va nourrir bien plus de monde que celui de tes frères. Pense à ça, Simon, au lieu de rêver à la gloire. La guerre n'a rien de glorieux.

— Ouvre les yeux, murmura Zoé. Ton père a raison. Le Sud a eu suffisamment de rêves de gloire qui n'ont jamais porté leurs fruits. Et c'est probablement ce que tes frères sont en train de découvrir, à l'heure où l'on parle. »

Comme la plupart du temps, Simon resta muet sous le regard de sa mère. Celle-ci se retourna vers Alice et Celly. « Dites à votre frère que c'est ici qu'on a besoin de lui, et pas à l'autre bout du monde dans un trou dont on n'arrive même pas à prononcer le nom, et encore moins à le trouver sur la carte », dit-elle d'un air taquin.

Les deux filles s'écrièrent en chœur : « Oui, Simon, reste ici avec nous ! »

Mais, en dépit de ces bonnes paroles et des vœux qu'ils faisaient, une lettre arriva finalement en octobre pour annoncer que la famille ne serait plus jamais la même. Alex était tombé à Saint-Michel, en Lorraine. L'aîné de Zoé avait été enterré dans un champ quelque part dans les environs de Verdun, et son frère, Henry Junior, reviendrait donc tout seul à la maison.

Un mois plus tard la guerre était finie, et toutes les femmes du Delta versèrent des larmes de gratitude et de soulagement.

Zoé n'endura qu'un bref accès de violent chagrin pour la perte d'Alex, puis elle ne pleura plus. Quand la lettre arriva, elle sanglota pendant deux jours, en s'accrochant à Henry, aux enfants, et même à Manon. Puis elle passa une journée entière à ranger la chambre de son fils, à empaqueter ses habits pour les donner aux pauvres, et à placer des photographies de lui un peu partout dans la maison. Le quatrième jour elle resta assise sans dire un mot, et c'était fini. « On dirait un rêve, lui confia-t-elle un jour, pas comme s'il était mort, mais comme s'il était parti. Pas d'obsèques, pas de corps, il a simplement quitté la maison. D'une certaine manière c'est plus facile, je suppose »

Manon resta avec elle cette semaine-là, et observa Henry et Zoé se consoler mutuellement. Et à cet instant elle les envia presque, car même à son âge elle avait encore peu conscience de la mort.

La principale consolation et le grand plaisir de Manon étaient en effet de s'occuper du plus jeune membre de la maisonnée, la petite

Celly. Elle avait l'impression de déceler quelque chose d'elle-même dans cette petite fille vive et joyeuse, d'entendre un peu de son propre rire dans le gloussement malicieux de l'enfant. Souvent quand elle marchait en bordure des champs de piments, en essayant de comprendre le pourquoi de la guerre, de la perte et de la mort, Celly la rattrapait furtivement, glissait sa petite main dans celle de Manon, puis la pressait et la tirait pour l'emmener voir tel nouveau nid ou telle fleur en train d'éclore. Alors le visage de Manon s'adoucissait, son dos se redressait et elle sentait toute sa force revenir.

Le début des années vingt apporta des changements dramatiques dans le Delta, comme d'ailleurs dans l'ensemble du pays. Le café Maxwell remplaça la forte mixture créole sur de nombreuses tables, Frigidaire rendit obsolètes les anciennes glacières, et des femmes qui n'avaient jamais lu un journal de leur vie avaient désormais le droit de vote. Le bayou avait beau être une région particulièrement isolée, même là les jupes commençaient à remonter sous le genou, et quelques femmes portaient déjà les cheveux courts.

En 1919, la loi Volstead rendit l'alcool illégal, et en l'espace de quelques années seulement, les bootleggers, ces trafiquants et contrebandiers d'alcool, s'installèrent impunément dans le bayou pour y établir des avant-postes et des entrepôts secrets au bord du moindre cours d'eau

Les gens du bayou accueillirent la prohibition comme une insulte personnelle. Ils distillaient depuis des années leur propre vin d'oranger, qui était au moins aussi fort que du whisky, et le vendaient aux étrangers qui voyageaient dans le Delta. Désormais les habitants de La Nouvelle-Orléans devaient aller de plus en plus loin pour s'en procurer, car la liqueur des villages cajuns les plus reculés pouvait faire un parfait martini, ou même un excellent champagne lorsqu'on le rendait mousseux. Quand un agent du gouvernement traversait une paroisse, les quelques téléphones sonnaient le signal, et des gamins faisaient le tour des maisons pour porter le message, afin que toutes les réserves soient cachées dans des grands sacs et immergées au fond de la rivière. Mais ces voitures venant du nord se firent de plus en plus rares.

La Dépression suivit de près le Dix-Huitième Amendement, et les faillites devinrent dans le Delta une chose aussi courante qu'autrefois le whisky.

Cependant la Dépression ne fit qu'effleurer Manon, quant à Alex, elle lui passa au-dessus de la tête sans même qu'il s'en rende compte.

Leurs investissements, qui étaient de solides garanties gouvernementales, continuaient à leur procurer un revenu, et dans le Delta ils n'avaient pas besoin de grand-chose pour vivre à l'aise. Le prix des récoltes chuta, puis fluctua, mais Henry et Zoé réussirent tout de même à rester solvables, alors que certains de leurs voisins devaient se défaire de leurs domestiques, vendre leurs voitures superflues, leurs réserves ainsi que des terres. De nombreuses plantations se morcelaient et diminuaient progressivement, mais la vie dans le Delta continuait à suivre cette allure nonchalante que Manon avait fini par affectionner.

La réserve d'oiseaux d'Alex était peu à peu devenue une véritable Mecque touristique qui attirait des voyageurs, des scientifiques, des artistes et des naturalistes du monde entier. Cet asile d'Avery Island, qu'il avait développé avec M'sieur Ned McIlhenny, abritait désormais plus de cinq mille oiseaux. Mais malheureusement, la « cité des Oiseaux » n'avait pas seulement été découverte par les hérons et les aigrettes...

Les bootleggers trouvaient dans ces rives plates, ces grandes étendues de broussailles, la couverture des cyprès, et les nombreuses criques reliées à la mer, un camouflage idéal pour leurs opérations de contrebande en provenance de Cuba. La nuit, des hommes armés entraient et sortaient de la réserve d'Alex à bord de petites embarcations, malgré tous les écriteaux et les barrières qu'il avait installés pour les décourager. Et lorsqu'il découvrit des nids détruits, et des oisillons abandonnés à cause d'une intrusion humaine, il résolut finalement de dormir sous une tente sur la plage pour coincer les pirates. Encore en pleine forme et vigoureux pour son âge, Alex était décidé à protéger sa réserve.

Henry Junior et Samuel, les deux aînés de Zoé, prêtaient souvent main-forte au vieil homme pour dissuader les bateaux d'accoster du côté de l'île où les oiseaux nichaient. Quand Manon exprima son inquiétude à la pensée que ses deux petits-fils allaient se frotter aux contrebandiers, Zoé lui demanda si elle avait trouvé une meilleure idée.

« Alex n'a qu'à passer quelques nuits tout seul à la belle étoile, il verra vite que c'est de la folie de placer la vie de quelques oiseaux au-dessus de la sienne ; il a presque soixante-dix ans ! rétorqua Manon. Ou alors qu'il engage des gangsters pour combattre les gangsters ! Mais ce n'est quand même pas raisonnable d'exposer les garçons à un danger pareil. Et si les autres sont armés, hein ?

— Mais ils sont armés, répondit Zoé. Alex et les garçons aussi. »

Manon resta ébahie et agrippa le bras de Zoé. « Comment peux-tu laisser faire une chose pareille ! »

Zoé posa une main sur celle de sa mère. « Les garçons sont grands maintenant, maman, tu n'as pas remarqué ? C'est à eux de décider tout seuls ce qu'ils ont envie de défendre. J'en ai parlé à Henry, et il dit que s'ils veulent accompagner leur grand-oncle, il ne veut pas les dissuader d'une telle loyauté... Il n'y en a déjà pas beaucoup dans ce monde, comme il dit. Un vieil homme qui se tient sur une plage et qui leur lance des jurons pour les éloigner de ses oiseaux, ça les fait rigoler. Mais si trois hommes ensemble se tiennent là, ils auront tendance à aller accoster ailleurs... Dans quelque temps — très bientôt j'espère — ils trouveront un port plus hospitalier pour continuer leur affaire.

— Mais ils pourraient être blessés ! »

Zoé acquiesça. « C'est une des choses les plus difficiles que j'ai apprises en étant une mère. Si je désire qu'ils soient indépendants, je dois les laisser faire leurs choix, même s'ils se trompent. » Elle lança un regard sévère à Manon. « C'est quelque chose que tu n'as jamais appris, ma mère. Mais... » Elle prit une voix douce et regarda au loin... « Les temps étaient différents, je suppose.

— Et tu étais une fille, coupa Manon. Maudit Congrès et ses sénateurs chochottes ! Ils font un criminel d'un homme qui aime le vin, et ils nous envoient des gangsters dans le bayou ! »

Les pluies de printemps tombèrent cette année-là avec une violence inhabituelle, et même les eaux stagnantes furent submergées par le trop-plein du Mississippi. Zoé apercevait de plus en plus de serpents qui rôdaient autour de la maison, et la rangée de camélias que Manon préférait, à une centaine de mètres du bord de la rivière, pourrissait sous trente centimètres d'eau.

Le fleuve avait toujours eu son propre cycle naturel. Il avait généralement une crue au printemps, et une seconde au début de l'été, chargée des pluies printanières et de la fonte des neiges des régions du Nord ; puis il se renfonçait dans son lit à la fin de l'été, jusqu'à l'année suivante. Mais jamais, aussi loin que Manon s'en souvienne, et même qu'Alex s'en souvienne, le fleuve n'avait été aussi haut.

Henry faisait partie de l'association de planteurs qui essayait de contenir la rivière dans les limites de ses berges. Au fur et à mesure que les fermiers s'étaient installés le long des bayous, ils avaient construit des digues et des levées pour tenter de maîtriser les eaux. Chaque planteur essayait de faire une levée plus solide que ses voisins, mais ils finirent par se lasser de cette compétition et par s'organiser. Ainsi on ne se battait plus contre son voisin, mais contre les fermiers qui étaient de l'autre côté de la rivière. Comme au poker, un camp relançait la mise et l'autre annonçait son jeu. Les enjeux étaient élevés, car si la levée d'une des rives cédait, la pression qui pesait de l'autre côté diminuait aussitôt. Parfois des hommes allaient saboter une levée en face, ou en aval de leurs propres champs, pour protéger leur récolte.

Mais depuis déjà de nombreuses années, le fleuve était resté docile. Les levées étaient devenues de hautes murailles de terre. En 1926, le chef de l'ingénierie inspecta le système d'endiguement et assura qu'il constituait une protection adéquate contre tout risque d'inondation.

Le printemps 1927 vit des pluies diluviennes s'abattre tout le long de la vallée du Mississippi. Les forêts de cyprès, qui auraient normalement pu ralentir et épancher le trop-plein, avaient toutes été rasées et défrichées pour en faire des champs de culture. Quand des pluies se déversèrent, sans aucune résistance, dans les rivières puis dans le Mississippi, le fleuve atteignit son plus haut niveau depuis près de deux cents ans. D'après les habitants de l'Ohio, qui étaient pris de panique, le fleuve était si congestionné que l'Ohio ne pouvait plus s'y jeter et qu'il remontait son courant.

Manon alla à ShadyOaks en avril, pour rendre visite à ses petits enfants avant son voyage à La Nouvelle-Orléans qu'elle effectuait tous les deux mois. Zoé et Henry surveillaient le niveau de l'eau avec anxiété, et ce soir-là au dîner, Henry déclara : « A mon avis, vous n'allez pas pouvoir traverser l'Atchafalaya avant un bon moment, ma mère. Ils disent qu'une faille peut se produire d'un moment à l'autre, mais ils ne savent pas où.

— J'ai lu que la levée de l'Atchafalaya était une des plus solides, dit Manon.

— Je me moque de ce qu'ils disent, répliqua Zoé, il n'y a pas assez de boue sur la terre pour contenir ce fleuve s'il a décidé d'éclater. Maman, tu dois rester ici avec nous, au moins jusqu'à ce qu'on soit hors de danger.

— Si la situation est aussi critique que vous le dites, je devrais retourner à Bagatelle immédiatement ! dit Manon. Il faut que je sois dans ma maison...

— Nous sommes sur un terrain plus élevé, dit Henry. Je crois que, si ça se produit, même un mètre peut faire la différence. Et d'ailleurs c'est mieux si on reste tous ensemble en cas de danger.

— J'aurai besoin de ton aide, maman », dit Zoé en tournant les yeux en direction de Celly.

Après le dîner ils partirent tous se promener du côté où le bayou venait clapoter jusqu'au bord des champs. Par endroits, l'eau s'écoulait dans les sillons, comme si Dieu lui-même avait décidé de leur prêter main-forte pour l'irrigation. On sentait cependant une certaine tension dans les cases des ouvriers, et aucun chant ne s'éleva des feux ce soir-là. Des groupes étaient rassemblés ici et là ; ils regardaient les Blancs passer puis détournaient la tête. Quand un des travailleurs noirs vint voir Henry, tenant son chapeau dans les mains, Zoé resta au côté de son mari pour écouter sa réponse.

« Non, John, je n'ai toujours pas de nouvelles. Ils disent que ça va tenir, mais moi je me préparerais au pire. Est-ce que tu as rassemblé des affaires pour Jane et pour ton garçon, au cas où vous devriez partir le plus vite possible ?

— Oui, m'sieur », acquiesça John. Il fit un geste pour montrer les autres cases. « On a fait des paquets d'vivres et d'couvertures. Thomas y dit qu'l'aut'côté est plus sûr.

— J'en doute fort, dit Henry, car les deux rives sont inondées exac-

442

tement de la même manière. Mais naturellement vous êtes libres d'aller là où il vous semble bon. A votre place je n'irais pas au nord vers Ibéria, par contre. Ils ont retiré les enfants des écoles et ils les font travailler sur les levées, tellement ils s'inquiètent.

– Les gamins blancs ?

– Oui, absolument. Comment est-ce que Thomas espère traverser le Teche ?

— Y dit qu'le pont d'Ibéria tient bon. »

A ces mots Henry fit la moue. « Ça m'ennuie beaucoup de savoir que vous allez tenter cette traversée. Plus aucun train ne passe sur ce pont, et depuis déjà un bon moment, de peur qu'il cède.

— Oui, m'sieur, dit John en s'éloignant. J'lui dirai. »

L'homme les quitta et s'empressa de rejoindre les ouvriers, qui se dispersèrent en direction des cases pour transmettre les nouvelles. Henry et les autres se remirent en route vers la maison.

Au moment où ils arrivaient sur la galerie, ils entendirent un cri et se retournèrent pour regarder en direction des champs. Un véritable mur d'eau boueuse de deux mètres de haut déboulait de la rivière dans un grondement de tonnerre ; il descendait le Teche et s'étendait sur les deux rives en balayant tout sur son passage. Ils se précipitèrent à l'intérieur de la maison et montèrent à toute vitesse jusqu'au dernier étage, d'où ils observèrent le flot submerger les alentours de la maison en poussant des troncs d'arbres, des buissons, des poutres et des débris ; et en quelques secondes ShadyOaks se retrouva au milieu d'un lac d'eau brune et bouillonnante.

« La levée a dû sauter à Ibéria ! » cria Henry qui les poussait désormais vers les escaliers de service.

Ils parvinrent au petit bateau à moteur que Henry avait préparé, où étaient déjà entassés des vivres qu'ils avaient enveloppés dans des couvertures et des draps. Et même pendant qu'ils embarquaient dans le bateau, tandis que Simon pagayait pour le stabiliser, l'eau montait de plus en plus.

Zoé avait une mine sinistre ; Manon tenait Alice et Celly près d'elle, installées à l'arrière du bateau où elles ne gêneraient pas les manœuvres de Henry. Simon était assis au milieu, à côté de son père, et à leurs pieds se trouvaient les caisses de boîtes de conserve et de bouteilles d'eau, des serviettes et des couvertures, la trousse à pharmacie de Zoé, et tout ce qu'ils avaient réussi à rassembler à la hâte.

Celly poussa un cri et montra du doigt quelque chose qui descendait le Teche et qui était coincé au milieu d'un amas de cyprès déracinés. C'était un morceau du toit du petit garage de Manon, où elle rangeait sa Packard. Elle l'avait repeint en bleu clair à peine un an plus tôt, et c'était un des abris les plus reconnaissables du bayou ; sa couleur brillait désormais clairement sur les flots tumultueux.

Le garage était construit à l'endroit le plus élevé de Bagatelle... « Doux Jésus ! s'exclama Manon, le souffle coupé, toute la maison a dû être emportée !

443

— Peut-être pas entièrement, rectifia Henry, mais à mon avis vous feriez mieux de vous attendre à des dégâts plutôt deprimants. » Il fit un geste en direction de la galerie de ShadyOaks. L'eau atteignait déjà plus de trois mètres de haut et les vagues commençaient à lécher voracement le premier étage. Les colonnes du porche, elles, penchaient dangereusement.

Zoé se mit à sangloter en silence, en serrant sa fille contre elle.

« Ce n'est qu'une maison, lui dit Manon pour essayer de la consoler. On la reconstruira, c'est tout, encore plus grande et plus belle qu'avant. »

Zoé secoua la tête. « Je me fiche complètement de la maison, maman. Mais c'est ma famille ! »

Manon blêmit. Elle n'avait même pas pensé à ça. Quelque part plus au sud, là où probablement l'eau se dirigeait, Alex et ses deux petits-fils, H. J. et Samuel, attendaient sur Avery Island avec juste une petite barque et quelques vivres...

Henry manœuvra le petit bateau, qui contenait peut-être les dernières choses qu'ils verraient de leur univers, s'éloigna de cet immense lac qu'était devenu ShadyOaks et mis le cap vers le sud, en direction du Golfe. Souvent il devait couper le moteur et se mettre à ramer, tandis que Simon tenait le gouvernail, car la navigation était rendue très périlleuse par les débris qui les assaillaient.

« Plus on se rapprochera de la mer, dit-il, et moins l'eau sera profonde, j'imagine. Elle aura une plus grande superficie pour se répandre, et le terrain y est plus plat.

— Si le terrain est plus plat, comment on va faire pour trouver de la terre ferme ? demanda Manon.

— Tu veux peut-être essayer de ramer à contre-courant ? On a déjà discuté de tout ça, dit Zoé. Henry sait parfaitement ce qu'il fait, maman. Laisse-le diriger le bateau. »

Manon se rassit au fond du bateau et essaya de se mettre à l'aise, en les enveloppant toutes les trois fermement avec une couverture. L'embarcation tanguait d'avant en arrière en traversant des remous et des tourbillons, et parfois même de façon très violente. Ils étaient constamment menacés par les buissons qui flottaient ou les souches d'arbres qui dépassaient de l'eau, déracinées et bloquant le passage, mais ils arrivaient tout de même à maintenir une progression régulière dans la direction du courant.

Le flot fut très rapide au début, à tel point qu'il était presque impossible de maîtriser le bateau, mais après plusieurs heures de navigation dans la même direction, il commença à se ralentir. On ne voyait quasiment pas de bâtiments, seulement les toits de manoirs qui avaient dû être très élevés, et les cimes des plus hauts arbres. Sur chaque toit et sur le moindre bosquet, des gens s'entassaient pour tenter de s'accrocher à la vie, et leur faisaient de grands signaux à l'aide de drapeaux faits de chemises ou de couvertures. De temps en temps ils apercevaient au loin un autre bateau, et ils entendaient parfois les beuglements du bétail ou les hennissements stridents des chevaux qui passaient à la nage en cherchant la terre ferme. Une fois, une vache arriva droit sur eux en nageant gauchement et en meuglant pitoyablement, comme si elle espérait qu'ils fassent quelque chose pour la sauver. Henry et Simon durent la repousser à coups de pagaie, car elle aurait sûrement essayé de grimper dans le bateau... Alice se mit à pleurer en voyant la vache s'éloigner, à bout de forces et l'air désespéré, en direction d'un tas de branches qui flottaient dans le courant. Ce fut la seule fois où Manon vit un des enfants de Zoé succomber aux larmes.

Le soleil déclinait de plus en plus dans le ciel, mais le crépuscule ne connaissait pas son clair-obscur habituel, puisqu'il n'y avait ni arbres ni maisons pour projeter des ombres. Comment Henry pouvait se débrouiller pour naviguer, ou même pour repérer le sud, c'était un véritable mystère pour Manon ; mais elle n'osait pas lui poser de questions. De plus elle n'aurait pu faire aucune suggestion, et préférait donc se taire. Elle observait son large dos tirer et pousser sur la perche, ou s'en servir comme pagaie quand le niveau de l'eau était trop haut pour permettre aux trois mètres de la perche de toucher le fond ; et tant bien que mal il se frayait un chemin sur les eaux.

Finalement ils aperçurent au loin une butte de terre élevée, et Henry commença à ramer pour s'y diriger. Tandis qu'ils s'en approchaient, ils virent que beaucoup de gens étaient entassés sur le dôme, qui scintillait à la lumière de l'eau.

« C'est le dôme de sel ! dit Henry émerveillé. Dieu Tout-Puissant, comment n'y ai-je pas pensé ! C'était évident qu'Avery Island serait un des points les plus élevés, avec cette vieille colline de sel artificielle. La seule montagne de tout le Delta. »

Les cyprès qui entouraient le dôme de sel étaient pratiquement les plus hauts du voisinage, et leurs cimes émergeaient à la surface de l'eau. Des bateaux de toutes sortes — des barques, des chalutiers, des bateaux à moteur, des canots et des pirogues — se bousculaient et se tamponnaient pour pouvoir accoster, et d'autres encore arrivaient par l'est et le nord. Des gens braillaient dans tous les sens pour raconter leur aventure, et demander des nouvelles de parents ou d'amis.

Henry accosta près d'un bosquet d'arbres et de buissons à l'arrière du dôme, puis Zoé et Manon aidèrent les enfants à descendre et déplièrent leurs paquets de couvertures pour les faire sécher.

Henry parlait d'amarrer le bateau à la cime d'un arbre, s'ils ne trouvaient pas bientôt un terrain où ils puissent être vraiment en sécurité. « Ça m'étonnerait que les eaux continuent à monter, dit-il d'un air las, mais on n'est sûrs de rien. Si c'était juste une faille dans la digue de l'Atchafalaya et que celle du Mississippi cède également, on est perdus. Mais il faut espérer que ça n'empire pas. »

Manon, à cet instant, fut frappée par la force et le calme avec lesquels il donnait des instructions à Simon pour organiser leurs mai-gres provisions, la manière dont il rassurait les filles et Zoé, tout en observant l'horizon et en évaluant le temps qu'il restait avant la tombée de la nuit. Manon se soumettait à ses ordres sans bron-cher, comme les enfants, bien contente qu'il ait l'air d'avoir un plan. Les arbres étaient maintenant envahis par les oiseaux, et bien d'autres arrivaient à tire-d'aile pour venir y trouver un abri. A cause de l'eau, les hommes et les oiseaux étaient obligés de se côtoyer, nids et bateaux devaient partager le même petit refuge.

Manon était tellement soulagée de sentir la terre ferme sous ses pieds qu'elle laissa la fatigue la submerger en même temps que l'obs-curité. Et à la nuit noire, les enfants étaient sur le point de s'endor-mir, allongés sur les balluchons. Henry partit pour une autre section de l'île, où les rescapés avaient allumé un feu et s'échangeaient des nouvelles de l'inondation. Zoé restait assise en silence, le capuchon de sa pèlerine sur la tête, les yeux cachés.

Manon se leva et étira péniblement les genoux ; l'humidité la fai-sait désormais de plus en plus souffrir aux articulations. Ce soir-là elle avait l'impression d'avoir une décennie de plus que ses soixante-sept ans. D'avoir presque l'âge d'Alex, alors que son frère, lui, n'avait pas l'air de ralentir le rythme de ses expéditions.

Alex... Était-il sain et sauf ? Les garçons et lui étaient-ils en route pour aller se réfugier à ShadyOaks quand les flots avaient déboulé ? Ou alors étaient-ils allés à Jefferson Island, où la terre basse offrait peu d'abri ?

Elle s'approcha de Zoé et se rassit, en émettant un faible gémis-sement lorsque ses genoux durent reprendre leur position pliée. Zoé la regarda tranquillement de sous sa capuche, les yeux calmes et impénétrables.

Elle a toujours été plus vieille que son âge, pensa Manon. Et plus raisonnable. Même en ce moment, elle prend ce qui arrive et se lève pour l'accueillir. « Henry a dit que le bateau, là-bas, dit Manon en faisant un geste du menton, a fait tout le chemin depuis Donald-sonville. Tu imagines tout ce qu'ils ont dû voir !

— Oui, j'ai entendu, dit Zoé doucement. Je suppose qu'il va reve-nir avec des histoires de réfugiés qui viennent de tous les coins du Delta.

— Il a été drôlement fort de nous emmener jusqu'ici sains et saufs, dit Manon. Je ne l'aurais jamais cru capable d'un tel courage. » Elle regarda les enfants qui dormaient. « Il nous a sauvé la vie. »

Zoé ne répondit rien.

« Mais je suppose que son exploit t'étonne à peine, continua Manon. Tu l'as déjà vu accomplir des miracles dans des situations diffici-les, je parie...

— Oui, ce n'est pas la première fois qu'il me sauve. »

Manon sourit, intriguée. « Vraiment ? Il doit y avoir plein d'his-toires que tu ne m'as jamais racontées, alors.

— Oh, dit Zoé avec un sourire mélancolique, tu les connais très bien, maman. Un couple ne peut pas durer aussi longtemps que le nôtre, si les deux époux ne se tirent pas mutuellement du pétrin à plusieurs reprises, je suis sûre. Voyons, c'est même toi qui nous as montré l'exemple, en faisant appel à lui pour me sauver de moi-même, tu te rappelles ? » Elle détourna les yeux et fixa l'eau sombre. « Il y a tellement longtemps, dit-elle d'une voix faible. Je n'arrive même plus à me souvenir de la jeune fille que j'étais à l'époque... »

Manon sentit une peur diffuse lui nouer l'estomac. « Je me souviens très bien de cette jeune fille, dit-elle. Par la Sainte Vierge, tu avais réellement besoin d'être sauvée, chère. Dieu sait ce que tu serais devenue si Henry ne t'avait pas entraînée dans une situation honorable. Tu étais en train de devenir une...

— Une femme ? » Zoé la transperça du regard.

« Une catin », dit Manon à voix basse.

Il y eut un long silence, puis Zoé commença à rire doucement « J'en doute fort, ma mère. Mais on ne le saura jamais. Toi et ta magie, vous vous êtes immédiatement chargées des choix que j'aurais pu faire. » Elle détourna la tête. « Maman et la prêtresse vaudou... »

La peur dans l'estomac de Manon se répandit aussitôt en une sueur froide de panique. « Je ne vois pas de quoi tu veux parler. » Elle étira les jambes avec une grimace de douleur, prête à se lever.

« Mais si, répliqua Zoé calmement. Tu n'es pas encore sénile, et ça m'étonnerait que tu aies réussi à oublier une épreuve pareille. Je suis certaine que c'était très difficile de faire une telle démarche. » Elle secoua lentement la tête, avec un air de léger mépris. « Marie LaVeau... Les grands moyens. Mais au moins tu as pris une décision, tu as fait un choix. Contrairement à Henry et moi. »

Manon se rassit. Enfin... enfin, après toutes ces années, elle pouvait avouer ses fautes et peut-être trouver un peu de chaleur et d'indulgence auprès de sa fille avant de mourir. Et peut-être pas. Mais au moins elles pourraient en parler. Elle se tourna vers sa fille d'un air résolu. « Bon, tu es au courant, alors. J'aurais dû m'en douter, je suppose. Pourquoi est-ce que tu n'as rien dit plus tôt ? »

Zoé sourit. « C'est tout toi, ça, maman. Toujours creuser la faille. En cas de doute, essayer une contre-offensive.

— Ça fait combien de temps que tu le sais ?

— Depuis juste avant le mariage. Dolly est venue me voir et m'a raconté tout ce qu'elle avait appris par ouï-dire. Tu te souviens de la vieille Dolly ? Elle a toujours été une brave femme. Plus sincère avec moi qu'avec toi, d'ailleurs. Elle m'a dit qu'elle ne voulait pas me savoir ensorcelée pour quelque chose que je n'avais pas décidé moi-même, c'est comme ça qu'elle l'a formulé. Et que si je savais que tu m'avais jeté un sort, rien qu'en le sachant je pouvais le rompre, si j'en avais le courage.

— Alors pourquoi tu ne l'as pas annulé, une fois que tu l'as su ? »

Zoé haussa les épaules. « C'était trop tard. Et j'espérais que tu aurais raison, que j'apprendrais à l'aimer.

— C'est ce que tu as fait, dit Manon d'un ton ferme. Seulement tu ne sais pas ce que c'est que l'amour. »

Zoé éclata d'un rire amer. « Ça n'aurait rien d'étonnant, puisque je n'ai jamais eu l'occasion d'en faire l'expérience moi-même. » Elle se tourna, et son visage sembla s'embraser sous son capuchon. « Mère, tu m'as fait un tort terrible, et de plus d'une façon. Tellement que c'est difficile à oublier. Ça fait des années que j'essaie de te pardonner, et j'y ai presque réussi par moments. Mais il y a une injustice que je ne pourrai jamais admettre, c'est que tu m'aies appris à craindre l'amour et à m'en méfier, sans jamais me laisser la chance d'en découvrir la douceur.

— Tu semblais l'avoir très bien découverte, dit Manon tranquillement. C'est ce que tu m'as dit, en tout cas.

— Oui, c'est vrai. Mais pendant tout ce temps, je n'ai jamais pu vraiment faire confiance à l'amour. Je n'ai jamais pu m'y abandonner totalement. Je l'ai toujours tenu à une certaine distance parce que tu m'as dit une fois que l'amour faisait mal, que c'était une illusion, que je devais apprendre à dormir la nuit et vivre ma vie le jour, tu te souviens ? » Elle secoua la tête tristement. « L'amour n'était pas une chose sur laquelle on pouvait construire une vie, et je m'en suis toujours tenue à ça. Je suis restée dans l'ombre, et à la bordure de ma propre vie. Tu connaissais — mais tu ne m'as jamais laissée découvrir — les bons côtés de l'amour. Tu avais peur de ta passion, et de la mienne. Tu m'as appris à me méfier de ma propre nature, à la combattre jusqu'à ce que j'arrive à la faire hiberner. Alors je me suis résignée.

— Tu t'es résignée à quoi, Zoé ? demanda Manon, le cœur déchiré par le remords.

— Je me suis résignée au simple bien-être, comme tu le souhaitais.

— Dieu du ciel, Zoé ! s'écria Manon, dans ce cas tu as obtenu bien plus que la plupart des femmes ! Qu'est-ce que la passion m'a apporté, à moi ? L'abandon, c'est tout ! La solitude et le désespoir les pires que j'aie jamais connus.

— Je ne crois pas que tu puisses parler de solitude, reprit Zoé lentement, tant que tu n'as pas vécu avec un homme pendant plus de trente ans, mis au monde six enfants, enterré un fils et peut-être perdu deux autres..., tout ça sans une once de passion. Sans la douce tendresse et l'amour qui jaillissent de la passion. En espérant sans cesse — en brûlant de ressentir un jour plus que de la simple satisfaction.

— Mais, Zoé, tu l'aimes, pourtant ! Tu dois l'aimer ?

— Ah bon, je dois ? Comment je pourrais le savoir ? Peut-être que je l'aime déjà autant que je le peux... J'étais faite pour l'amour, autrefois, je le sais. J'étais faite pour la passion. Emma disait qu'on était toutes faites pour ça, et même toi tu le savais. C'est toi-même qui l'as dit. Mais je n'ai jamais eu la possibilité d'y goûter. Alors je n'ai jamais pu me donner complètement à l'amour, ou même au bien-être. » Elle sourit tristement. « Avant, j'avais un don pour la musique, aussi, c'est ce que tu disais. Mais ça non plus, je n'ai jamais pu y goûter. » Elle leva les mains et les examina dans la lueur naissante de la lune. Une lune blafarde, qui ne cessait de se montrer et de se cacher. « Ce n'est pas mon sang de couleur qui m'a retenue, maman, mais c'est tout mon héritage. Cette peur que ma mère a tout fait pour m'inculquer. Qui sait ce que ces mains auraient pu faire, si on leur avait donné une chance ? Et qui sait... ce que ce cœur aurait pu ressentir. » Elle se leva brusquement, et fourra ses mains à nouveau sous sa pèlerine. « Bon enfin... Je devrais essayer d'aller retrouver Henry. Tu peux surveiller les enfants ? J'aimerais bien savoir combien de voisins ont réussi à parvenir jusqu'ici sains et saufs. »

Elle commençait à s'éloigner, mais Manon la retint en agrippant sa pèlerine. « Zoé, pourquoi as-tu décidé de me dire tout ça, ce soir ? Pourquoi, après tant d'années ?

— Parce que..., répondit Zoé gentiment, on se fait tous trop vieux pour continuer à garder nos secrets. Peut-être que demain, au lever du jour, j'aurai perdu d'autres fils. Peut-être que quand l'eau redescendra j'irai me recueillir sur la tombe de mon amant. Et si c'est le cas, j'aurai besoin que tu sois à mes côtés, maman. Nous les femmes, on a besoin de se soutenir mutuellement, quoi qu'il advienne, c'est également Emma qui m'a appris ça. Alors il faudra que je te pardonne suffisamment pour que tu puisses m'aider à supporter mes pertes. »

Effarée, Manon observa Zoé qui s'éloignait dans l'obscurité ; puis elle regarda les enfants qui dormaient. Elle aurait voulu disparaître immédiatement, et ne plus jamais voir sa fille, ses petits-enfants ni leur père... jamais personne. Ah ! Mon Dieu ! s'exclama-t-elle intérieurement, quelle imbécile j'ai été ! Je n'ai été qu'une mère possessive et tyrannique, qui se mêlait de tout et manœuvrait tout le monde ! Avec mon amour envahissant j'ai fait du tort à ma fille, à mon gendre et à toute ma famille. Enfin, avec ce que moi j'appelle de l'amour... J'ai essayé de vivre leur vie à leur place, et je leur ai volé ce qu'un cœur a de plus précieux : le droit d'aimer, à ses risques et périls... Manon pleurait désormais à chaudes larmes, se cachant les yeux et la bouche dans les mains pour ne pas que les enfants l'entendent. Elle se balançait et sanglotait en étouffant ses gémissements sous sa cape ; et à cet instant elle se détestait si violemment que même ses os lui brûlaient de honte.

Zoé était plus vieille et plus sage que son âge ? Rien d'étonnant, puisqu'on ne l'avait jamais laissée être une enfant et faire les erreurs de la jeunesse. C'est moi qui lui ai demandé d'être plus vieille et plus raisonnable, quasiment dès sa naissance. Je l'ai abandonnée exactement comme on m'avait abandonnée, puis je lui ai refusé l'amour qui seul aurait pu la guérir. Je savais qu'elle avait une nature passionnée, et je l'ai réprimée. Je lui ai appris à se méfier de l'amour, comme moi je m'en méfiais. J'ai connu la tendresse et la douceur de l'amour avec David et avec Nick, mais tout ce que je lui disais, c'était à quel point cela pouvait aussi faire souffrir Je n'ai pas arrêté de lui demander si elle était heureuse, mais je n'ai jamais voulu entendre la réponse... la véritable réponse.

Et j'ai laissé entrer le mal dans mon cœur quand je suis allée consulter Marie LaVeau. Oh, ce n'était pas la magie vaudou qui était mal, mais c'était mon désir de faire les choix à la place de Zoé. Et c'était vain. Comme tout ce qui tente de contrecarrer la nature...

Toutes les choses pour lesquelles on se bat, tout ce qu'on attrape ou qu'on construit, tout est si rapidement emporté par le temps, par la solitude... et finalement par un fleuve en furie, songea-t-elle, un immense fleuve boueux plein d'espoirs déracinés et de rêves noyés.

Les deux choses que je désirais être dans la vie — une amoureuse et une mère —, je les ai ratées toutes les deux. Je les ai avortées. Et si l'inondation m'avait emportée, qui donc serait venu prier sur ma tombe... Pas mon frère, je ne lui ai pas montré beaucoup de compréhension ni d'affection toutes ces années. Pas un amant. Je n'en ai jamais laissé aucun s'approcher assez près, et maintenant, à plus de soixante-cinq ans, je reste toute seule. Et certainement pas ma fille.

Manon pleura jusqu'à ce que sa tête s'écroule d'épuisement. Zoé avait raison, pensa-t-elle finalement, au moins dans une chose qu'elle a dite : ce sont nos différences, et pas nos similitudes, qui font notre force. J'ai tout fait pour essayer de la modeler à mon image, pour faire d'elle ce que je pensais qu'elle devait être, et pourtant c'est dans ce qu'elle a de différent qu'elle est la plus forte. Alex et moi on ne se ressemble pas, mais c'est justement ça qui nous rend invincibles tous les deux. Dans un couple ou dans une famille, ce sont peut-être nos oppositions, et non pas notre unité, qui nous fortifient. Et moi j'ai refoulé ce principe presque toute ma vie...

Puis à un moment elle se coucha dans le noir, se pelotonna tout contre Alice et sombra dans un sommeil de plomb, la respiration saccadée par des demi-sanglots, comme un petit enfant.

Les oiseaux sentirent l'aube arriver bien avant les rescapés hagards. Dès que les premières lueurs effleurèrent l'île, leur agitation et leurs piaillements réveillèrent même ceux qui étaient exténués ; dans tous les campements les gens commencèrent alors à remuer, fouillant dans leurs paquets et leurs balluchons pour trouver de quoi se réconforter.

Quand Manon ouvrit les yeux, elle aperçut Simon debout qui faisait une pile de bois, que manifestement il était allé chercher, pour faire un feu. Il lui fit signe de ne pas faire de bruit, en montrant d'un geste de la tête son père et sa mère qui dormaient l'un contre l'autre, tous les deux blottis sous la même pèlerine. Alice dormait également. Celly commença à s'étirer, puis elle s'assit en se frottant les yeux. « Bonjour, grand-mère », appela-t-elle tout doucement. Manon lui fit signe d'approcher, et elles marchèrent toutes les deux jusqu'au bord de l'eau. Et là, tandis qu'elles se baissaient pour se laver le visage, Manon fut subitement submergée par les souvenirs de son chagrin de la veille.

Elle refoula un sanglot au fond de la gorge, tentant de se concentrer sur Celly qui lui racontait ses rêves, et sur cet endroit si étrange. Peut-être..., pensa Manon dans un souffle d'espoir, peut-être qu'il n'est pas trop tard pour changer... Comme disent les vieux Créoles, la chienne ne mord jamais son chiot jusqu'à l'os. Peut-être avec la génération suivante. Avec cette enfant-là, tout au moins.

Soudain Celly poussa un cri et pointa un doigt en direction de l'eau. Et dans la barque qui venait vers eux, quelqu'un lui répondit par un autre cri. Manon tenta de scruter dans la brume, qui montait des eaux brunes avec les premiers rayons de soleil, et elle aperçut deux jeunes hommes qui se tenaient à l'avant d'une barque, un qui ramait et l'autre qui brandissait la pagaie. Derrière eux se leva un vieil homme, en s'appuyant sur l'épaule d'un des jeunes pour soutenir ses jambes, agitant la main pour les saluer.

Les cheveux blancs d'Alex furent ce qu'elle reconnut en premier ; puis elle vit Henry Junior et Samuel qui se tenaient devant lui dans l'embarcation. Elle leur répondit en braillant et en agitant les deux bras, tandis qu'à côté d'elle Celly sautait et criait de joie.

Manon sentit une main se poser sur son épaule ; derrière elle se tenait Zoé, à côté de Henry. « Dieu merci ! » s'exclama Zoé qui se mit à appeler et à faire des grands gestes vers le bateau qui se rapprochait. « Oh ! Mère, ils sont vivants ! »

Manon se tourna et enfouit son visage dans le cou de sa fille, en la serrant contre elle. Ses yeux se remplirent de larmes quand elle sentit Zoé la prendre dans ses bras, frémissante de tendresse et d'espoir. Par-dessus son épaule, Manon contemplait les hérons qui se bousculaient, en poussant leurs cris rauques au-dessus de l'eau, et en essayant de se percher sur les cyprès à demi immergés et envahis par les oiseaux ; elle se rendit compte que, ce jour-là, il y aurait peu d'endroits sur terre où le lever du soleil serait aussi accueillant et chaleureux.

Épilogue

Bayou est une œuvre de fiction, naturellement : c'est pourquoi la précision historique a parfois dû être faussée pour des contraintes de thème ou d'intrigue. Les experts en histoire du Delta remarqueront peut-être de légères modifications dans les dates et les lieux, les héros et héroïnes ; néanmoins, la majeure partie de ce roman est aussi authentique que ce que l'harmonie d'une fiction pouvait permettre. Moi qui suis une amoureuse assidue de la région du Delta, j'espère qu'on me pardonnera certaines libertés que j'ai prises au regard de la stricte chronologie.

Les Créoles ont un proverbe qui dit : « Au royaume des aveugles, les borgnes sont rois. » Telle une borgne j'ai observé le Delta de près, par le petit bout de la lorgnette ; mais ce dont la région a le plus besoin aujourd'hui, c'est de prendre du recul pour avoir une vision plus claire de son avenir, comme le font Simon et Alex, et même Zoé, sans doute. Tout comme le Delta est une métaphore de tout le Mississippi, ce fleuve est à son tour un microcosme de la nation entière.

Si on perd cela, le plus vaste écosystème de marais sauvages que nous ayons, nous ressentirons sa mort dans chaque État, de l'Atlantique au Pacifique, pour des siècles à venir.

Pour ne citer qu'un seul exemple d'espèces animales menacées d'extinction depuis la Seconde Guerre mondiale, le pélican brun en est un symbole ironique, puisque c'est l'emblème de l'État de Louisiane. En 1931, le Delta comptait encore plus de 85 000 de ces oiseaux spectaculaires de deux mètres d'envergure. En 1961, la population avait chuté à moins de deux cents couples. Empoisonné par les insecticides qui se déversent dans les rivières et s'imprègnent dans la chair des poissons, le pélican brun n'avait plus été repéré depuis 1963, jusqu'à ce qu'une réserve de reproduction soit installée au fin fond de la baie de Barataria, avec des oiseaux importés de Floride.

Comme exemple de la destruction de la végétation par la pollution, il faut mentionner la mousse espagnole, qui autrefois festonnait tous les chênes verts du Delta — si abondante que les cajuns firent du rembourrage de matelas et de meubles une industrie rapportant deux millions de dollars par an — et qui, à l'heure actuelle, ne se trouve presque plus. La mousse est une plante non parasite qui se nourrit de l'air, dont les longs écheveaux gris sont un autre symbole du Sud le plus méridional. Très sensible aux produits chimiques, elle a d'abord peu à peu disparu des rives du Mississippi, qui sont bordées d'usines pétrochimiques. De nos jours, elle se fait rare même le long des bayous les plus reculés.

La disparition de l'habitat de certaines espèces a un effet non moins destructeur que l'empoisonnement de ce qui reste. Dans le passé, la mer et le fleuve se sont livré une bataille très serrée d'attaques et de parades ; mais sur la durée, c'est le Mississippi qui en est sorti vainqueur, en résistant au grignotage continuel de la mer pour construire le pays de la Louisiane, lentement, avec la patience d'une horloge géologique.

Mais de nos jours, le Mississippi n'est plus capable de bâtir le sol aussi rapidement que la mer le ronge, car le limon est canalisé entre les levées pour protéger les orangeraies et les raffineries de pétrole. La Louisiane a le taux le plus élevé de perte de terrain de tous les États-Unis — cent kilomètres carrés par an — et le rythme s'accélère.

La Louisiane recueille plus de déchets chimiques que n'importe quel autre État. Les habitants de La Nouvelle-Orléans et des villes avoisinantes boivent de l'eau qui coule devant plus d'une soixantaine de raffineries et d'usines chimiques, dont la plupart enterrent leurs déchets sur des terres ou des lagunes que leur ont vendues des familles qui ne pouvaient plus garder ces grandes superficies et les impôts dont ils avaient la charge. De nombreux fermiers ont échangé leur avenir incertain contre les sommes régulières que leur versent des compagnies, telle que l'usine Louisiana Hooker, à quarante kilomètres en amont de La Nouvelle-Orléans.

Cette ville est devenue une des capitales nationales du cancer. En dépit des milliers d'épiceries et de distributeurs automatiques qui distribuent de l'eau minérale, le Delta détient le record des États-Unis pour son taux de cancers de la vessie, de l'estomac et de l'intestin.

Et pourtant, des progrès constants sont accomplis par des personnes — de plus en plus nombreuses — qui souhaitent avoir un regard lucide, pour le bien du Delta. Comme aux quatre coins du pays, on trouve de ces gens qui tentent de revenir sur les ravages du passé. Je nourris l'espoir qu'en ayant attiré l'attention sur ce passé et sur son héritage unique, j'ai pu faire grossir les rangs de ceux qui essaient de le préserver... et d'assurer l'avenir de la Louisiane.

Car le Delta et son fleuve sont inextricablement liés, de même que notre survie à tous est liée à tel ou tel cours d'eau. La Queen City et le Père des Eaux sont restés fidèles l'un envers l'autre depuis que le destin les a mariés. La ville est restée sa reine dans les années grasses comme dans les années maigres : tantôt grande dame dans des palais somptueux, tantôt compagne épuisée qui mangeait des haricots rouges et du riz. C'est avec le Mississippi que le Delta vivra jusqu'au bout — aussi longtemps qu'on le lui permettra dans ce royaume d'aveugles.

L'histoire du bayou est loin d'être achevée.

Remerciements

Je remercie particulièrement le personnel de la Stanford Graduate Library, celui de la Bibliothèque publique de La Nouvelle-Orléans, celui de l'Université d'État de Louisiane ainsi que celui de la Bibliothèque louisianaise à Lafayette. Merci également aux bibliothécaires de La Nouvelle-Ibéria et de Houma. J'ai été très sensible à l'aide que m'ont apportée le Centre des sciences et de la nature de La Nouvelle-Orléans, le musée d'Histoire naturelle de Lafayette et la compagnie McIlhenny d'Avery Island. Mon immense gratitude à tous les merveilleux écrivains du Sud qui m'ont précédée et inspirée : George W. Cable, Grace King, Ada Jack Carver, Lyle Saxon, Harnett T. Kane, Lafcadio Hearn, Hodding Carter, E.P. O'Donnel, Gwen Bristow, Roark Bradford, Robert Tallant, J. Hamilton Basso, Kate Chopin et Shirley Grau. Merci à l'Université de Louisiane du Sud-Ouest, pour son inestimable collection acadienne. J'aimerais tout spécialement remercier Tina Pilione, des Éditions Bluebird à Eunice en Louisiane, qui a accueilli l'auteur et sa mère pour une soirée de musique et danses cajuns authentiques. Tu avais raison, Tina, ce pas de deux n'était pas si compliqué, après tout. Merci également aux hôtes charmants qui ont prodigué l'accueil et l'hospitalité du Sud à cette usurpatrice yankee, et répondu chaleureusement à ses coups de fil importuns, quand en retournant à ses notes elle découvrait qu'il lui manquait encore quelque chose.

A ma famille et à mon entourage, avec toute mon affection ; à Judith, Chris et Sandy qui ont relu les brouillons ; à Roz Targ, le meilleur des amis et des agents, pour dix ans d'amitié et de collaboration ; et à Ann LaFarge, une éditrice pleine de jugeote et d'intuition avec un cœur d'écrivain, auprès de qui j'ai trouvé refuge à plus d'un titre.

Un grand merci du fond du cœur à ma mère, Pat Jekel, à qui ce livre est dédié, qui m'a accompagnée du début à la fin, et même dans la tourmente de l'ouragan Hugo quand le programme était trop serré pour pouvoir retarder.

Et enfin à mon mari, Bill. *Vraiment, je t'aime toujours.*

Cet ouvrage composé par Charente photogravure
a été achevé d'imprimer en février 1993
sur presse CAMERON
dans les ateliers de la S.E.P.C.
à Saint-Amand-Montrond (Cher)
pour le compte de France Loisirs
123, bd de Grenelle, Paris

Dépôt légal : février 1993.
N° d'édition : 22160. — N° d'impression : 506.

Imprimé en France